As SETE
IRMÃS

O Arqueiro

GERALDO JORDÃO PEREIRA (1938-2008) começou sua carreira aos 17 anos, quando foi trabalhar com seu pai, o célebre editor José Olympio, publicando obras marcantes como *O menino do dedo verde*, de Maurice Druon, e *Minha vida*, de Charles Chaplin.

Em 1976, fundou a Editora Salamandra com o propósito de formar uma nova geração de leitores e acabou criando um dos catálogos infantis mais premiados do Brasil. Em 1992, fugindo de sua linha editorial, lançou *Muitas vidas, muitos mestres*, de Brian Weiss, livro que deu origem à Editora Sextante.

Fã de histórias de suspense, Geraldo descobriu *O Código Da Vinci* antes mesmo de ele ser lançado nos Estados Unidos. A aposta em ficção, que não era o foco da Sextante, foi certeira: o título se transformou em um dos maiores fenômenos editoriais de todos os tempos.

Mas não foi só aos livros que se dedicou. Com seu desejo de ajudar o próximo, Geraldo desenvolveu diversos projetos sociais que se tornaram sua grande paixão.

Com a missão de publicar histórias empolgantes, tornar os livros cada vez mais acessíveis e despertar o amor pela leitura, a Editora Arqueiro é uma homenagem a esta figura extraordinária, capaz de enxergar mais além, mirar nas coisas verdadeiramente importantes e não perder o idealismo e a esperança diante dos desafios e contratempos da vida.

LUCINDA RILEY

As SETE IRMÃS

As Sete Irmãs | Livro 1
A História de Maia

Título original: *The Seven Sisters*

Copyright © 2014 por Lucinda Riley
Copyright da tradução © 2016 por Editora Arqueiro Ltda.

Todos os direitos reservados. Nenhuma parte deste livro pode ser utilizada ou reproduzida sob quaisquer meios existentes sem autorização por escrito dos editores.

tradução: Viviane Diniz

preparo de originais: Lucas Bandeira

revisão: André Marinho e Suelen Lopes

diagramação: Abreu's System

capa: Alan Dingman

adaptação de capa: Raul Fernandes

imagens de capa: Getty Images; mulher: Asia Images/
esfera armilar: nicoolay

impressão e acabamento: Lis Gráfica e Editora Ltda.

CIP-BRASIL. CATALOGAÇÃO NA PUBLICAÇÃO
SINDICATO NACIONAL DOS EDITORES DE LIVROS, RJ

R43L Riley, Lucinda
   As sete irmãs: a história de Maia/ Lucinda Riley; tradução de
  Viviane Diniz. São Paulo: Arqueiro, 2016.
   480 p.; 16 x 23 cm. (As sete irmãs; 1)

   Tradução de: The Seven Sisters
   Continua com: A irmã da tempestade: a história de Ally
   ISBN 978-85-8041-591-9

   1. Ficção irlandesa. I. Diniz, Viviane. II. Título. III. Série.

16-34386   CDD: 828.99153
              CDU: 821.111(41)-3

Todos os direitos reservados, no Brasil, por
Editora Arqueiro Ltda.
Rua Artur de Azevedo, 1.767 – Conj. 177 – Pinheiros
05404-014 – São Paulo – SP
Tel.: (11) 2894-4987
E-mail: atendimento@editoraarqueiro.com.br
www.editoraarqueiro.com.br

Para minha filha,
Isabella Rose.

"*Todos estamos deitados na sarjeta, só que alguns estão olhando para as estrelas.*"

Oscar Wilde

Personagens

ATLANTIS

Pa Salt – *pai adotivo das irmãs (falecido)*

Marina (Ma) – *tutora das irmãs*

Claudia – *governanta de Atlantis*

Georg Hoffman – *advogado de Pa Salt*

Christian – *capitão da lancha da família*

AS IRMÃS D'APLIÈSE

Maia

Ally (Alcíone)

Estrela (Astérope)

Ceci (Celeno)

Tiggy (Taígeta)

Electra

Mérope (não encontrada)

A série As Sete Irmãs é livremente baseada na mitologia das Sete Irmãs das Plêiades, a conhecida constelação próxima ao famoso cinturão de Órion. Dos maias aos gregos e aos aborígines, há relatos sobre a constelação das Sete Irmãs em inscrições e em verso. Marinheiros as usaram como referência para se orientar por milhares de anos, e até mesmo a marca japonesa de carro Subaru recebeu esse nome em homenagem às *seis* irmãs…

Muitos dos nomes na série são anagramas dos personagens que povoam as lendas, e várias alegorias são mencionadas ao longo da história, mas não é preciso saber nada disso para ler os livros. No entanto, se você estiver interessado em ler mais sobre "Pa Salt", Maia e suas irmãs, então visite meu site: www.lucindariley.com, em que as diversas lendas e histórias são reveladas.

Maia

Junho de 2007
Quarto crescente
13; 16; 21

1

Sempre vou lembrar exatamente onde me encontrava e o que estava fazendo quando recebi a notícia de que meu pai havia morrido.

Estava sentada no lindo jardim da casa da minha velha amiga de escola em Londres, com um exemplar de *A odisseia de Penélope* aberto no colo, mas sem nenhuma página lida, aproveitando o sol de junho enquanto Jenny buscava seu filho pequeno no quarto.

Eu estava tranquila e feliz por ter tido a bela ideia de sair de casa um pouco. Observava o florescer da clematite. O sol, tal qual um parteiro, a encorajava a dar à luz uma profusão de cores. Foi quando meu celular tocou. Olhei para a tela e vi que era Marina.

– Oi, Ma, como você está? – falei, esperando que ela conseguisse notar o calor em minha voz.

– Maia, eu…

Marina fez uma pausa e, naquele instante, percebi que havia algo terrivelmente errado.

– O que houve?

– Maia, não existe uma maneira fácil de dizer isto. Seu pai teve um ataque cardíaco aqui em casa, ontem à tarde, e hoje cedo ele… faleceu.

Fiquei em silêncio, enquanto um milhão de pensamentos diferentes e ridículos passavam pela minha mente. O primeiro era o de que Marina, por alguma razão desconhecida, tivesse resolvido fazer uma piada de mau gosto.

– Você é a primeira das irmãs para quem estou contando, Maia, já que é a mais velha. Queria saber se você quer contar para suas irmãs ou prefere que eu faça isso.

– Eu…

Eu ainda não conseguia fazer nada coerente sair dos meus lábios, agora que começava a me dar conta de que Marina, minha querida Marina, o mais próximo de uma mãe que eu conhecera, nunca me falaria algo assim *se não fosse verdade*. Então tinha que ser verdade. E, naquele momento, meu mundo inteiro virou de cabeça para baixo.

– Maia, por favor, me diga que você está bem. Esta é a pior ligação que já tive que fazer, mas que opção eu tinha? Só Deus sabe como as outras garotas vão reagir.

Foi então que ouvi o sofrimento na voz *dela* e percebi que Marina precisava me contar aquilo não apenas por mim, mas também para dividir aquela tristeza. Então passei à minha zona de conforto usual, que era tranquilizar os outros.

– É claro que conto para minhas irmãs se você preferir, Ma, embora não tenha certeza de onde todas estão. Ally não está longe de casa, treinando para uma regata?

E, enquanto falávamos sobre a localização de cada uma de minhas irmãs, como se tivéssemos que reuni-las para uma festa de aniversário e não para o enterro de nosso pai, a conversa foi me parecendo cada vez mais surreal.

– Quando você acha que deve ser o funeral? Com Electra em Los Angeles e Ally em algum lugar em alto-mar, com certeza não podemos pensar nisso até semana que vem – disse eu.

– Bem… – Ouvi a hesitação na voz de Marina. – Talvez seja melhor conversarmos sobre isso quando você estiver em casa. Não há nenhuma pressa agora, Maia, por isso, se preferir passar seus últimos dias de férias em Londres, não tem problema. Não há mais o que fazer por ele aqui… – Sua voz falhou, tomada pela tristeza.

– Ma, é claro que vou estar no primeiro voo para Genebra que eu conseguir! Vou ligar para a companhia aérea imediatamente e depois vou fazer o máximo para entrar em contato com todas elas.

– Sinto tanto, *chérie* – disse Marina com pesar. – Sei como você o adorava.

– Sim – eu disse, a estranha tranquilidade que eu sentira enquanto debatíamos o que fazer me abandonando como a calmaria antes de uma tempestade violenta. – Ligo para você mais tarde, quando souber a hora que devo chegar.

– Por favor, cuide-se, Maia. Você passou por um choque terrível.

Apertei o botão para encerrar a ligação e, antes que as nuvens em meu coração derramassem uma torrente e me afogassem, subi até meu quarto para pegar minha passagem e entrar em contato com a companhia aérea.

Enquanto esperava ser atendida, olhei para a cama em que eu tinha acordado naquela manhã para mais *um dia como outro qualquer*. E agradeci a Deus por os seres humanos não terem o poder de prever o futuro.

A mulher intrometida que acabou atendendo não era nem um pouco prestativa, e eu sabia, enquanto ela falava sobre voos lotados, multas e detalhes do cartão de crédito, que minha barragem emocional estava prestes a se romper. Finalmente, quando consegui que me garantisse, com muita má vontade, um lugar no voo das quatro horas para Genebra – o que significava ter que jogar tudo na minha mala imediatamente e pegar um táxi para Heathrow –, sentei-me na cama e olhei por tanto tempo para a ramagem que decorava o papel de parede que o padrão começou a dançar diante dos meus olhos.

– Ele se foi... – sussurrei. – Se foi para sempre. Nunca mais vou vê-lo.

Esperando que dizer essas palavras fosse provocar uma torrente de lágrimas, fiquei surpresa em ver que nada aconteceu. Em vez disso, permaneci ali sentada, paralisada, a cabeça ainda cheia de questões práticas. Seria horrível ter que contar às minhas irmãs – a todas as cinco –, e revirei meu arquivo emocional para decidir para qual ligaria primeiro. Tiggy, a segunda mais jovem de nós e de quem eu sempre fora mais próxima, foi a escolha inevitável.

Com dedos trêmulos, toquei a tela para achar seu número e liguei. Quando caiu na caixa postal, não soube o que dizer além de algumas palavras confusas lhe pedindo que me ligasse de volta com urgência. Ela estava em algum lugar das Terras Altas, na Escócia, trabalhando em uma reserva para cervos selvagens órfãos e doentes.

Quanto às outras irmãs... Eu sabia que as reações iam variar, pelo menos externamente, da indiferença ao choro mais dramático.

Como não sabia bem para que lado *eu* penderia na escala de emoção quando falasse de fato com alguma delas, escolhi o caminho covarde de mandar para todas uma mensagem pedindo que me ligassem assim que pudessem. Então arrumei apressadamente a mala e desci a escada estreita que levava à cozinha para escrever um bilhete para Jenny explicando por que tive que partir tão de repente.

Resolvi arriscar a sorte e pegar um táxi na rua, então saí de casa andando rapidamente pela verdejante Chelsea Crescent como qualquer pessoa normal faria em qualquer dia normal de Londres. Acho que cheguei a dizer oi para um cara com quem cruzei, que passeava com um cachorro, e até consegui esboçar um sorriso.

Ninguém poderia imaginar o que tinha acabado de acontecer comigo, pensei enquanto entrava num táxi na movimentada King's Road, instruindo o motorista a seguir para Heathrow.

Ninguém poderia imaginar.

❋ ❋ ❋

Cinco horas depois, quando o sol descia vagarosamente sobre o lago Léman, em Genebra, eu chegava a nosso pontão particular na costa, de onde eu faria a última etapa da minha viagem de volta.

Christian já esperava por mim em nossa reluzente lancha Riva. Pela expressão em seu rosto, dava para ver que ele já sabia o que acontecera.

– Como você está, mademoiselle Maia? – perguntou, e percebi a compaixão em seus olhos azuis enquanto ele me ajudava a embarcar.

– Eu... estou feliz por ter chegado aqui – respondi sem demonstrar emoção.

Caminhei até a parte de trás do barco e me sentei no banco de couro cor de creme que formava um semicírculo na popa. Normalmente eu me sentava com Christian na frente, no banco do passageiro, enquanto atravessávamos as águas calmas na viagem de vinte minutos até nossa casa. Mas, naquele dia, queria um pouco de privacidade. Quando ele ligou o potente motor, o sol cintilava nas janelas das fabulosas casas que ladeavam as margens do lago. Muitas vezes, quando fazia esse trajeto, sentia que entrava num mundo etéreo, desconectado da realidade.

O mundo de Pa Salt.

Notei a primeira vaga evidência de lágrimas arder em meus olhos quando pensei no apelido carinhoso de meu pai, que eu tinha criado quando era mais nova. Ele sempre adorou velejar e, às vezes, quando voltava para nossa casa à beira do lago, cheirava a mar e ar fresco. De alguma forma, o nome pegou e, à medida que minhas irmãs mais novas foram chegando, passaram a chamá-lo assim também.

Conforme a lancha ganhava velocidade, o vento quente passando pelo meu cabelo, pensei nas centenas de viagens que eu tinha feito para Atlantis, o castelo de conto de fadas de Pa Salt. Como ficava em um promontório particular, atrás do qual se erguia abruptamente uma meia-lua de montanhas, inacessível por terra: só se podia chegar lá de barco. Os vizinhos mais próximos ficavam a quilômetros de distância pelo lago, então Atlantis era nosso reino particular, isolado do resto do mundo. Tudo o que havia naquele lugar era mágico, como se Pa Salt e nós – suas filhas – tivéssemos vivido ali sob algum encantamento.

Cada uma de nós tinha sido adotada por Pa Salt ainda bebê, vindas dos quatro cantos do mundo e levadas até lá para viver sob sua proteção. E cada uma de nós, como Pa sempre gostava de dizer, era especial, diferente... éramos *suas* meninas. Ele tirara nossos nomes das Sete Irmãs, sua constelação preferida. Maia era a primeira e a mais velha.

Quando eu era criança, ele me levava até seu observatório com cúpula de vidro no alto da casa, me levantava com suas mãos grandes e fortes e me fazia olhar o céu noturno pelo telescópio.

– Ali está – dizia enquanto ajustava a lente. – Olha, Maia, aquela é a linda estrela brilhante que inspirou seu nome.

E eu a *via*. Enquanto ele explicava as lendas que eram a origem dos nomes das minhas irmãs e do meu, eu mal escutava, simplesmente desfrutava da sensação de seus braços apertados à minha volta, completamente atenta àquele momento raro e especial quando o tinha só para mim.

Com o tempo percebi que Marina, que eu imaginava enquanto crescia que fosse minha mãe – eu até encurtara seu nome para "Ma" –, era apenas uma babá, contratada por Pa para cuidar de mim porque ele passava muito tempo fora. Mas é claro que Marina era muito mais do que isso para todas nós, garotas. Era ela quem secava nossas lágrimas, nos repreendia pelo mau comportamento à mesa e nos orientara tranquilamente durante a difícil transição da infância para a idade adulta.

Ela sempre estivera por perto, e eu não a teria amado mais se tivesse me dado à luz.

Durante os três primeiros anos da minha infância, Marina e eu moramos sozinhas em nosso castelo mágico às margens do lago Léman enquanto Pa Salt viajava pelos sete mares cuidando de seus negócios. E então, uma a uma, minhas irmãs começaram a chegar.

Normalmente, Pa me trazia um presente quando voltava para casa. Eu escutava o motor da lancha chegando e saía correndo pelos vastos gramados e por entre as árvores até o cais para recebê-lo. Como qualquer criança, eu queria ver o que ele tinha escondido em seus bolsos mágicos para me encantar. Em uma ocasião especial, no entanto, depois de me presentear com uma rena de madeira primorosamente esculpida, assegurando que vinha da oficina do Papai Noel no polo Norte, uma mulher uniformizada apareceu saindo de trás dele, e em seus braços havia um pequeno embrulho envolto em um xale. E o embrulho se mexia.

– Desta vez, Maia, eu lhe trouxe o mais especial dos presentes. Agora você tem uma irmã. – Ele sorrira para mim enquanto me pegava nos braços. – E não vai mais ficar sozinha quando eu tiver que viajar.

Depois disso, a vida mudou. A enfermeira que Pa trouxera com ele foi embora em algumas semanas, e Marina assumiu os cuidados da minha irmãzinha. Eu não conseguia entender como aquela coisinha vermelha que berrava e que por vezes cheirava mal e desviava a atenção de mim poderia ser um presente. Até que, certa manhã, Alcíone – que recebeu o nome da segunda estrela das Sete Irmãs – sorriu para mim de sua cadeira alta no café da manhã.

– Ela sabe quem eu sou – falei fascinada para Marina, que lhe dava comida.

– É claro que sabe, querida. Você é a irmã mais velha, aquela que ela vai admirar. Caberá a você lhe ensinar tudo que ela não sabe.

À medida que crescia, ela ia se tornando minha sombra, seguindo-me para todos os lugares, o que me agradava e me irritava em igual medida.

– Maia, me espere! – pedia gritando enquanto cambaleava atrás de mim.

Apesar de Ally – como eu a apelidara – ter sido originalmente um acréscimo indesejado à minha vida de sonho em Atlantis, eu não poderia ter desejado uma companhia mais doce e adorável. Ela raramente chorava e não tinha os ataques de pirraça das crianças de sua idade. Com seus cachos ruivos caindo pelo rosto e os grandes olhos azuis, Ally tinha um encanto natural que atraía as pessoas, incluindo nosso pai. Quando Pa Salt voltava de suas viagens longas ao exterior, eu notava como seus olhos se iluminavam quando ele a via, de uma maneira que eu tinha certeza que não brilhavam por mim. E, enquanto eu era tímida e reticente com estranhos, Ally tinha um jeito sempre receptivo, sempre disposta a confiar nos outros, e isso encantava todos.

Ela também era uma daquelas crianças que parecem se sobressair em tudo – especialmente na música e em qualquer esporte que tivesse a ver com água. Lembro-me de Pa ensinando-a a nadar na nossa ampla piscina. Enquanto eu lutava para me manter na superfície e odiava ficar embaixo d'água, minha irmãzinha parecia uma sereia. E, enquanto eu não conseguia me equilibrar direito nem no *Titã*, o imenso e lindo iate oceânico de Pa, quando estávamos em casa Ally implorava que ele a levasse para dar uma volta no pequeno Laser que mantinha atracado em nosso cais particular. Eu me agachava na popa estreita do barco, enquanto Pa e Ally assumiam o controle e cruzávamos rapidamente as águas cristalinas. Aquela paixão comum por velejar os conectava de uma forma que eu sentia que nunca conseguiria.

Embora Ally tenha estudado música no Conservatório de Genebra e fosse uma flautista altamente talentosa, que poderia ter seguido carreira em uma orquestra profissional, desde que deixara a escola de música tinha escolhido ser velejadora em tempo integral. Agora participava regularmente de regatas e representara a Suíça em diversas competições.

Quando Ally tinha quase três anos, Pa chegou em casa com nossa próxima irmã, a quem deu o nome de Astérope, como a terceira das Sete Irmãs.

– Mas vamos chamá-la de Estrela – disse Pa, sorrindo para Marina, Ally e para mim, que observávamos a recém-chegada deitada no berço.

Naquela época, eu tinha aulas todas as manhãs com um professor particular, por isso a chegada da minha mais nova irmã me afetou menos do que a de Ally havia afetado. Então, apenas seis meses depois, outra bebê se juntou a nós, uma garotinha de doze semanas chamada Celeno, nome que Ally imediatamente reduziu para Ceci.

Havia uma diferença de apenas três meses entre Estrela e Ceci e, desde que me lembro, as duas forjaram uma estreita ligação. Pareciam gêmeas, conversando em uma linguagem de bebê só delas, e continuavam se comunicando desse jeito. Elas viviam em seu próprio mundo particular, que excluía todas nós, suas outras irmãs. E mesmo agora, na casa dos 20 anos, nada havia mudado. Ceci, a mais nova das duas, era sempre a chefe, atarracada e morena, em contraste com Estrela, pálida e muito magra.

No ano seguinte, outra bebê chegou – Taígeta, que apelidei de "Tiggy", porque seu cabelo escuro e curto nascia em ângulos estranhos de sua cabecinha e me fazia lembrar do porco-espinho da famosa história de Beatrix Potter.

Eu tinha então 7 anos e me liguei a Tiggy desde o primeiro momento em que coloquei os olhos nela. Ela era a mais delicada de todas nós e, na infância, enfrentara uma doença atrás da outra, mas, mesmo ainda bem pequena, fora sempre serena e complacente. Depois que Pa trouxe para casa, alguns meses mais tarde, outra neném, que recebeu o nome de Electra, Marina, exausta, muitas vezes me perguntava se eu me importaria de ficar com Tiggy, que continuamente tinha febre ou tosse. Depois que a diagnosticaram como asmática, raramente a tiravam do quarto para passear em seu carrinho, de modo que o ar frio e a névoa pesada do inverno de Genebra não atingissem seu peito.

Electra era a mais nova das irmãs, e seu nome combinava perfeitamente com ela. Eu já estava acostumada com bebês e toda a atenção que exigiam, mas minha irmã mais nova era, sem dúvida, a mais desafiadora de todas. Tudo relacionado a ela *era* elétrico. Sua habilidade natural de mudar em um instante da água para o vinho e vice-versa fazia nossa casa, antes tão tranquila, reverberar diariamente com seus gritos agudos. Os ataques de pirraça ressoavam na minha cabeça de criança e, quando ela cresceu, sua personalidade impetuosa não se suavizou.

Ally, Tiggy e eu tínhamos, secretamente, nosso próprio apelido para ela: nossa irmã caçula era chamada entre nós três de "Difícil". Todas pisávamos em ovos perto dela, tentando não fazer nada que pudesse deflagrar uma repentina mudança de humor. Sinceramente, havia momentos em que eu a odiava por toda a perturbação que trouxera a Atlantis.

Porém, quando Electra sabia que uma de nós estava em apuros, ela era a primeira a oferecer ajuda e apoio. Assim como era capaz de um enorme egoísmo, sua generosidade em outras ocasiões era igualmente marcante.

Depois de Electra, toda a família esperava a chegada da Sétima Irmã. Afinal, tínhamos recebido nossos nomes em homenagem à constelação preferida de Pa Salt e não estaríamos completas sem ela. Até sabíamos seu nome – Mérope – e nos perguntávamos como ela seria. Mas um ano se passou, depois outro, e outro, e nosso pai não trouxe mais nenhum bebê para casa.

Lembro-me claramente de um dia em que estava com ele no observatório. Eu tinha 14 anos, e entrava na adolescência. Esperávamos para assistir a um eclipse, que, explicara Pa, era um momento seminal para a humanidade e geralmente trazia alguma mudança.

– Pa – disse eu –, o senhor nunca vai trazer para casa nossa sétima irmã?

Ao ouvir isso, sua figura grande e protetora pareceu congelar por alguns segundos. De repente, parecia que ele carregava o peso do mundo nos ombros. Embora não tivesse se virado, pois estava ajustando o telescópio para o eclipse que ia acontecer, percebi instintivamente que o que eu dissera o deixara angustiado.

– Não, Maia, não vou. Porque eu nunca a encontrei.

Quando pude enxergar Marina de pé no cais, perto da cerca viva de abetos que escondia nossa casa de olhares curiosos, finalmente senti o peso da verdade inexorável que era a perda de Pa.

Então percebi que o homem que tinha criado o reino em que todas havíamos sido princesas não estava mais lá para conservar o encantamento.

2

Quando desci da lancha para o cais, Marina passou os braços delicadamente ao redor dos meus ombros de um jeito que sempre reconfortava. Em silêncio, seguimos juntas por entre as árvores e pelo gramado vasto que subia até a casa. Em junho, nossa casa estava no auge de sua beleza. Os jardins floresciam, convidando seus ocupantes a explorar passagens escondidas e grutas secretas.

A casa, construída no final do século XVIII no estilo Luís XV, era uma visão de grande esplendor e elegância. Tinha três andares, e suas fortes paredes pintadas num tom cor-de-rosa pálido eram cortadas por janelas altas com vidraças e cobertas por um telhado vermelho inclinado com pequenas torres em cada extremidade. Seu interior era decorado de maneira requintada, com todos os luxos modernos, e os tapetes grossos e os sofás macios aconchegavam todos que lá viveram. Nós, garotas, dormíamos no andar mais alto, de onde se tinha uma incrível vista livre do lago por sobre as copas das belas árvores. Marina também ocupava uma suíte no andar de cima.

Olhei para ela e pensei em como parecia exausta. Seus bondosos olhos castanhos estavam marcados pela fadiga, e sua boca, que normalmente exibia um sorriso, estava contraída e tensa. Calculava que ela já devia ter 60 e poucos anos, mas não parecia. Alta, com feições aquilinas muito marcadas, ela era uma mulher elegante e bonita, sempre vestida impecavelmente, o bom gosto natural refletindo sua ascendência francesa. Quando eu era mais nova, ela usava o cabelo escuro e sedoso solto, mas agora se encontrava preso em um coque na altura do pescoço.

Centenas de perguntas disputavam prioridade em minha mente, mas apenas uma exigia ser feita de imediato.

– Por que você não me ligou assim que Pa teve o ataque cardíaco? – perguntei quando chegamos à casa e entramos na sala de estar de pé-direito alto que dava para um amplo terraço de pedra, repleto de vasos de capuchinhos em tom dourados e vermelho-vivo.

– Maia, acredite em mim, implorei a ele que me deixasse contar para você, para todas vocês, mas ele me pareceu tão angustiado quando sugeri isso que tive de fazer o que ele queria.

Eu compreendia que não havia muito que ela pudesse ter feito, já que Pa lhe pedira que não entrasse em contato conosco. Ele era o rei, e Marina era, na melhor das hipóteses, sua súdita mais confiável, e, na pior, sua criada, que devia fazer exatamente o que ele ordenava.

– Onde ele está agora? – perguntei. – Ainda lá em cima no quarto? Devo ir vê-lo?

– Não, *chérie*, ele não está lá em cima. Você gostaria de tomar um pouco de chá antes que eu lhe conte mais? – perguntou ela.

– Para ser sincera, acho que eu tomaria um gim-tônica forte – admiti, enquanto desabava em um dos enormes sofás.

– Vou pedir a Claudia que prepare. E acho que, desta vez, talvez eu a acompanhe.

Vi Marina sair da sala para procurar Claudia, nossa governanta, que trabalhava em Atlantis havia tanto tempo quanto Marina. A mulher era alemã, e sua aparente austeridade escondia um coração de ouro. Como todas nós, ela adorava seu patrão. Perguntei-me de repente o que aconteceria com ela e Marina. E, na verdade, o que aconteceria com a própria Atlantis agora que Pa havia partido.

As palavras ainda pareciam incongruentes nesse contexto. Pa sempre estava sempre "partindo" – para algum lugar, para fazer algo, embora nenhum de seus empregados ou ninguém da família tivesse alguma ideia específica do que ele realmente fazia para ganhar a vida. Eu havia perguntado a ele uma vez, quando minha amiga Jenny foi passar as férias escolares conosco e ficou visivelmente impressionada com a opulência em que vivíamos.

– Seu pai deve ser incrivelmente rico – sussurrara ela quando saímos do jato particular de Pa, que tinha acabado de pousar no aeroporto La Môle, perto de Saint-Tropez.

O motorista esperava na pista para nos levar até o porto, onde embarcaríamos em nosso magnífico iate de dez leitos, o *Titã*, e zarparíamos em nosso cruzeiro anual no Mediterrâneo, com o destino que Pa Salt tivesse escolhido.

Como qualquer criança, rica ou pobre, nunca me parecera incomum a forma como levávamos a vida, já que era a única que eu conhecia. Todas nós tivéramos aulas com professores particulares quando éramos mais novas, e só quando fui para um colégio interno aos 13 anos é que comecei a perceber como nossa vida era distante daquela que a maioria das outras pessoas levava.

Quando perguntei a Pa o que exatamente ele fazia para garantir a nossa família todos os luxos imagináveis, ele olhou para mim daquele seu jeito misterioso e sorriu.

– Sou um tipo de mágico.

O que, como ele havia pretendido, não me esclareceu nada.

Conforme fui crescendo, comecei a perceber que Pa Salt era um mestre ilusionista, e nada era o que parecia a princípio.

Quando Marina voltou para a sala trazendo dois gins-tônicas numa bandeja, me ocorreu que, com 33 anos, eu não fazia ideia de quem meu pai havia sido no mundo fora de Atlantis. E me perguntava se agora eu ia finalmente começar a descobrir.

– Aqui está – disse Marina, pousando o drinque na minha frente. – Ao seu pai – continuou, erguendo a taça. – Que Deus o tenha.

– Sim, a Pa Salt. Que ele descanse em paz.

Marina tomou um longo gole antes de apoiar o drinque de volta na mesa e pegar minhas mãos.

– Maia, antes de conversarmos sobre qualquer outra coisa, sinto que devo lhe dizer algo.

– O quê? – perguntei, reparando em sua testa, franzida de ansiedade.

– Você me perguntou antes se seu pai ainda estava aqui na casa. A resposta é que ele já está em seu local de descanso. Era desejo dele que o sepultamento acontecesse imediatamente e que nenhuma de vocês estivesse presente.

Olhei para Marina como se ela tivesse enlouquecido.

– Mas, Ma, você me disse apenas algumas horas atrás que ele morreu no início desta manhã! Como é possível que o enterro tenha sido providenciado tão rapidamente? E *por quê?*

– Maia, seu pai foi inflexível: assim que falecesse, seu corpo deveria ser levado em seu jato até o iate. A bordo, ele devia ser colocado em um caixão de chumbo que aparentemente estava no porão do *Titã* fazia muitos anos à espera desse acontecimento. De lá, deveria ser levado para o mar.

Naturalmente, dado seu amor pela água, ele queria que seu descanso final fosse no oceano. E não desejava causar às filhas a angústia de... assistir a isso.

– Ah, meu Deus – falei. As palavras de Marina fizeram meu corpo tremer de horror. – Mas com certeza ele sabia que todas nós iríamos querer nos despedir adequadamente, não? Como ele pôde fazer isso? O que vou dizer às outras? Eu...

– *Chérie*, nós duas, que moramos nesta casa há mais tempo, sabemos que, no que dizia respeito a seu pai, nunca tivemos como questionar as coisas. Só posso acreditar – continuou ela, baixinho – que ele desejava ir para seu repouso final como viveu: com privacidade.

– E no controle – acrescentei, a raiva de repente ardendo dentro de mim. – É quase como se ele não confiasse que as pessoas que o amavam fariam o que era melhor para ele.

– Seja o que for que ele tenha pensado – disse Marina –, espero apenas que, no devido tempo, vocês todas possam se lembrar dele como o pai amoroso que era. A única coisa que eu sei é que vocês eram o mundo dele.

– Mas qual de nós o conhecia? – perguntei, com lágrimas de frustração brotando nos olhos. – Algum médico veio confirmar a morte dele? Você deve ter uma certidão de óbito. Posso ver?

– O médico me pediu alguns dados pessoais, como o local e o ano em que ele nasceu. Eu respondi que era apenas uma empregada e não tinha certeza desse tipo de coisa. Então o coloquei em contato com Georg Hoffman, o advogado que cuida de todos os negócios de seu pai.

– Mas *por que* ele era tão reservado, Ma? Hoje no avião, estava pensando que não me lembro de vê-lo trazer amigos aqui para Atlantis. Às vezes, quando estávamos no iate, algum de seus parceiros de negócios vinha a bordo para uma reunião e eles desapareciam lá embaixo em seu escritório, mas ele nunca socializava de verdade.

– Ele queria manter a vida familiar separada dos negócios para que pudesse dedicar toda a atenção para suas filhas quando estivesse em casa.

– As filhas que ele adotou de várias partes do mundo e trouxe para morar aqui. Por que, Ma, por quê?

Marina olhou para mim em silêncio. Seus olhos sábios e tranquilos não me deram nenhuma pista se ela sabia ou não a resposta.

– Quer dizer, quando você é criança – continuei –, cresce aceitando a vida que tem. Mas nós duas sabemos que é muito incomum, se não completamente estranho, que um homem solteiro, de meia-idade, adote seis meninas e as traga aqui para a Suíça para crescerem sob o mesmo teto.

– Seu pai *era* um homem incomum – concordou Marina. – Mas com certeza dar a órfãs carentes a chance de terem uma vida melhor sob sua proteção não pode ser visto como algo ruim – continuou ela, tentando mudar o foco. – Muitos ricos adotam crianças quando não conseguem ter filhos por conta própria.

– Mas geralmente são casados – disparei. – Ma, você sabe se Pa alguma vez teve uma namorada? Alguém que amou? Eu vivi com ele por 33 anos e nunca o vi com uma mulher.

– *Chérie*, entendo que seu pai se foi e de repente você se deu conta de que muitas perguntas que queria ter feito nunca serão respondidas, mas realmente não posso ajudá-la. Além disso, este não é o momento – acrescentou Marina delicadamente. – Por ora, temos que celebrar quem ele era para cada uma de nós e recordá-lo como o ser humano gentil e amoroso que todas conhecíamos dentro das paredes da Atlantis. Tente lembrar que seu pai já tinha 80 e tantos anos. Ele viveu uma vida longa e gratificante.

– Mas ele estava velejando no lago havia apenas três semanas, controlando o veleiro como um homem com a metade da sua idade – lembrei. – É difícil conciliar essa imagem com a de alguém que estava morrendo.

– Sim, graças a Deus, ao contrário de muitos outros de sua idade, ele não sofreu com uma morte lenta e difícil. É ótimo você e as garotas poderem se lembrar dele assim em forma, feliz e saudável – encorajou Marina. – Com certeza é o que ele iria querer.

– Ele não sofreu no final, sofreu? – perguntei, hesitante, sabendo em meu coração que, caso tivesse sofrido, Marina nunca iria me dizer.

– Não. Ele sabia o que estava vindo, Maia, e acredito que tenha feito as pazes com Deus. Acho que ele ficou feliz em partir.

– Como posso dizer às outras que o pai delas se foi? – perguntei, angustiada. – E que elas não têm sequer um corpo para enterrar? Elas vão se sentir como eu agora, como se ele tivesse simplesmente evaporado.

– Seu pai pensou nisso antes de morrer, e Georg Hoffman, seu advogado, entrou em contato comigo hoje cedo. Prometo que cada uma de vocês terá a chance de dizer adeus a ele.

– Mesmo morto, Pa tem tudo sob controle – falei com um suspiro de desalento. – A propósito, deixei mensagens para todas as minhas irmãs, mas até agora nenhuma delas me retornou.

– Bem, Georg Hoffman está só esperando vocês todas chegarem para vir aqui. E por favor, Maia, não me pergunte o que ele vai dizer, pois não tenho a menor ideia. Pedi a Claudia que preparasse uma sopa para você. Duvido que você tenha comido alguma coisa desde a manhã. Prefere levar a comida para o pavilhão, ou quer ficar aqui em casa esta noite?

– Vou tomar um pouco de sopa aqui e depois vou para o pavilhão, se você não se importar. Acho que preciso ficar sozinha.

– É claro. – Marina se aproximou de mim e me deu um abraço. – Entendo que choque terrível deve ser para você. E sinto muito por você mais uma vez ter que suportar o fardo da responsabilidade pelo restante das garotas, mas foi a você que ele me pediu que contasse primeiro. Não sei se isso pode dar algum conforto. Posso pedir a Claudia que esquente a sopa? Acho que nós duas precisamos comer algo reconfortante.

Depois que comemos, falei para Marina ir para a cama e lhe dei um beijo de boa-noite, pois podia ver que ela também estava exausta. Antes de sair da casa, subi os vários lances de escada até o último andar e dei uma espiada no quarto de cada uma das minhas irmãs. Tudo permanecia do mesmo jeito que elas deixaram quando saíram de casa para seguir o caminho que escolheram, e cada quarto ainda revelava suas personalidades bastante diferentes. Sempre que voltavam, como pombas para seu ninho à beira da água, nenhuma delas parecia ter o menor interesse em mudá-los. Inclusive eu.

Abri a porta do meu antigo quarto e fui até a prateleira onde ainda guardava os objetos mais preciosos da minha infância. Peguei uma velha boneca de porcelana que Pa tinha me dado quando eu ainda era muito nova. Como sempre, ele tecera uma história mágica de como a boneca um dia pertencera a uma jovem condessa russa, mas que ficara solitária em seu palácio coberto de neve em Moscou depois de sua dona ter crescido e se esquecido dela. Ele me dissera que o nome da boneca era Leonora e que ela precisava de novos braços para cuidarem dela com amor.

Coloquei a boneca de volta na prateleira e peguei a caixa que continha o presente que Pa me dera quando fiz 16 anos. Então a abri e tirei o colar que estava lá dentro.

– É uma pedra da lua, Maia – dissera ele enquanto eu observava aquela pedra incomum, que brilhava com uma tonalidade azul leitosa e era cercada por pequenos diamantes. – É mais velha do que eu e tem uma história muito interessante. – Lembrei que ele então hesitara, como se estivesse considerando algo em sua mente. – Talvez um dia eu lhe conte – continuara ele. – O colar provavelmente parece um pouco adulto para você agora, mas acho que um dia lhe cairá muito bem.

Pa tinha razão. Na época, eu enfeitava meu corpo – assim como todas as minhas colegas de escola – com pulseiras prateadas baratas e grandes cruzes penduradas em cordões de couro no pescoço. Eu nunca tinha usado a pedra da lua, que ficara ali, esquecida na prateleira, desde aquela época.

Mas eu a usaria agora.

Fui até o espelho, prendi o pequeno fecho da delicada corrente de ouro em meu pescoço e observei-a. Talvez fosse minha imaginação, mas a pedra parecia emitir um brilho forte em contraste com minha pele. Levei instintivamente os dedos para tocá-la enquanto andava até a janela e olhava as luzes do lago Léman.

– Descanse em paz, querido Pa Salt – sussurrei.

E, antes que minha mente fosse tomada por outras lembranças, saí rapidamente do meu quarto de infância e da casa, seguindo pelo caminho estreito que me levava à minha casa atual, a cerca de 200 metros dali.

A porta da frente do pavilhão ficava sempre destrancada. Com os recursos de segurança de alta tecnologia protegendo o perímetro daquele terreno, a chance de roubarem meus poucos pertences era pequena.

Ao entrar, vi que Claudia já havia passado ali para acender as luzes da minha sala de estar. Desabei no sofá, engolida pelo desespero.

Eu era a irmã que nunca tinha partido.

3

Quando meu celular tocou às duas da manhã, eu estava deitada na cama sem conseguir dormir, pensando por que eu não conseguia relaxar e chorar pela morte de Pa. Senti meu estômago revirar subtamente quando vi na tela que era Tiggy.

– Alô?

– Maia, sinto muito por ligar tão tarde, mas só agora recebi sua mensagem. O sinal aqui é bem fraco. Pude notar pela sua voz que havia algo errado. Você está bem?

O som da voz doce e suave de Tiggy derreteu a superfície da pedra de gelo que parecia ter tomado o lugar do meu coração.

– Sim, eu estou bem, mas...

– Aconteceu alguma coisa com Pa Salt?

– Sim – respondi, engolindo em seco, tão tensa que mal conseguia respirar. – Como você soube?

– Não soube... Quer dizer, eu não sei de nada... Mas tive uma sensação muito estranha hoje de manhã quando estava no planalto procurando uma das jovens corças que tínhamos marcado algumas semanas atrás. Eu a encontrei morta e então, por algum motivo, pensei em Pa. Procurei afastar aquele pensamento, imaginei que estava só chateada por causa da corça. Ele...?

– Tiggy, sinto muito, muito mesmo, mas... tenho que lhe contar. Ele morreu hoje cedo. Ou melhor, agora o certo seria dizer ontem.

– Ah, Maia, não! Não posso acreditar. O que aconteceu? Foi um acidente de barco? Na última vez que o vi, falei para ele que não devia mais andar no Laser sozinho.

– Não, ele morreu aqui em casa. Foi um ataque cardíaco.

– Você estava com ele? Ele sofreu? Eu... – Percebi sua voz falhar. – Não suporto imaginar que ele tenha sofrido.

– Não, Tiggy, eu não estava aqui. Tinha ido visitar minha amiga Jenny em Londres por alguns dias. Na verdade – respirei fundo enquanto lembrava –, foi Pa que me convenceu a ir. Ele disse que me faria bem sair de Atlantis e descansar um pouco.

– Ah, Maia, deve ser horrível para você. Quer dizer, você quase nunca sai de casa e quando sai…

– Eu sei.

– Você não acha que ele sabia, acha? E que queria poupá-la?

Tiggy disse em voz alta o mesmo pensamento que tinha ocupado minha mente nas últimas horas.

– Não, acho que não. É a Lei de Murphy. De qualquer forma, não se preocupe comigo. Estou muito mais preocupada com você depois desta terrível notícia que acabei de lhe dar. Você está bem? Queria estar aí para poder lhe dar um abraço.

– Para ser sincera, não sei dizer como estou me sentindo, porque simplesmente não parece real. E talvez só vá parecer quando eu chegar em casa. Vou tentar pegar um voo amanhã. Você já contou às outras?

– Deixei várias mensagens pedindo que me ligassem com urgência.

– Vou estar aí assim que puder para ajudar você, Maia querida. Tenho certeza de que vamos ter muito que fazer para organizar o funeral.

Não tive coragem de lhe contar que nosso pai já havia sido sepultado.

– Vai ser bom ter você aqui. Agora tente dormir um pouco, Tiggy, se você conseguir. E, se precisar conversar a qualquer hora, estou aqui.

– Obrigada. – A voz de Tiggy falhou e notei que ela estava à beira das lágrimas, agora que começava a absorver a notícia. – Maia, você sabe que ele não se foi. Nenhum espírito morre, eles apenas passam para outro plano.

– Espero que seja verdade. Boa noite, Tiggy querida.

– Fique bem, Maia. Vejo você amanhã.

Quando apertei o botão para encerrar a ligação, deitei exausta na cama, desejando compartilhar das fervorosas crenças espirituais de Tiggy sobre a vida após a morte. Mas, por ora, eu não conseguia pensar em uma única razão cármica para Pa Salt ter deixado a Terra.

Talvez um dia eu *tenha acreditado* que havia um Deus, ou pelo menos algum poder além da compreensão humana. Em algum ponto ao longo do caminho, porém, esse conforto foi tirado de mim.

E, se eu fosse sincera comigo mesma, saberia exatamente quando isso tinha acontecido.

Se ao menos eu pudesse aprender a *sentir* novamente em vez de permanecer um simples robô que por fora parece um ser humano normal e tranquilo... O fato de eu aparentemente não conseguir reagir à morte de Pa com a devida emoção era a maior evidência da gravidade do meu problema.

E ainda assim, pensei, eu não tinha dificuldade em confortar os outros. Sabia que minhas irmãs me viam como a fortaleza da família, aquela que estaria lá para ajudá-las se houvesse um problema. Maia: sempre prática, sensata e, como dissera Marina, supostamente a "forte".

A verdade era que eu tinha mais medo do que qualquer uma delas. Enquanto todas as minhas irmãs tinham criado asas e deixado o ninho, eu havia ficado, escondendo-me por trás da necessidade da minha presença quando Pa começou a envelhecer. Isso além da desculpa de que combinava perfeitamente com a carreira que eu escolhera, que era bastante solitária.

Ironicamente, dado o vazio de minha vida pessoal, eu passava os dias em um mundo fictício e muitas vezes romântico, traduzindo romances do russo e do português para o francês, minha primeira língua.

Tinha sido Pa quem primeiro notara meu dom: como eu podia imitar como um papagaio qualquer língua em que se dirigisse a mim. Sendo um linguista experiente, ele gostava de trocar de um idioma para o outro e ver se eu conseguia fazer o mesmo. Aos 12 anos, eu era trilíngue, dominando o francês, o alemão e o inglês – todas as línguas faladas na Suíça –, e já era proficiente em italiano, latim, grego, russo e português.

Idiomas eram uma verdadeira paixão para mim, um desafio interminável, porque, por mais que aprendesse, eu sempre poderia ser ainda melhor. As palavras e seu uso correto me absorviam, então, quando tive de decidir que faculdade faria, a escolha foi óbvia.

Na época, perguntei a Pa em que idiomas deveria me concentrar.

Ele me encarou pensativo.

– Bem, Maia, você é quem deve decidir, mas talvez não deva ser aquela que melhor domina no momento, já que terá três ou quatro anos na universidade para aprendê-la e se aperfeiçoar.

– Eu realmente não sei, Pa – retruquei com um suspiro. – Adoro todas elas. É por isso que estou lhe perguntando.

– Bem, então vou analisar de um ponto de vista lógico e lhe dizer que, nos próximos trinta anos, o poder econômico mundial vai mudar radicalmente. Portanto, se eu fosse você, como já é fluente em três das principais línguas ocidentais, eu buscaria algo diferente.

– Você está falando de países como China e Rússia? – quis saber.

– Sim, e Índia e Brasil, é claro. Todos esses países têm vastos recursos inexplorados e culturas fascinantes.

– Sempre gostei de russo e, na verdade, também de português. É uma língua muito – me lembro de procurar pelas palavras – expressiva.

– Bem, então é isso. – Pa sorriu e pude ver que ele estava satisfeito com a minha resposta. – Por que você não estuda as duas línguas? Com seu talento linguístico natural, pode facilmente dar conta disso. E eu lhe garanto, Maia, que, dominando uma dessas línguas, ou as duas, o mundo será seu. Poucas pessoas conseguem ter ideia do que está por vir. O mundo está mudando, e você estará na vanguarda.

❀ ❀ ❀

Minha garganta estava seca, então rolei para fora da cama e fui até a cozinha sem fazer barulho para tomar um copo d'água. Pensei em como Pa esperava que eu, armada com minhas habilidades especiais, entraria confiante no novo mundo que ele tinha certeza que estava por vir. E, naquela época, eu também tinha quase certeza de que era o que eu faria. Além de tudo, eu ansiava por deixá-lo orgulhoso.

Mas, como acontece com tantas pessoas, a vida me pegou desprevenida e me fez sair completamente da trajetória planejada. Em vez de funcionar como uma plataforma para me lançar ao mundo, meu talento permitira que me escondesse na casa da minha infância.

Sempre que minhas irmãs apareciam, voltando das mais variadas experiências ao redor do mundo, me provocavam por causa de minha vida reclusa. Diziam que eu corria o risco de me tornar uma solteirona, que, afinal, como eu iria conhecer alguém se me recusava a pôr os pés fora de Atlantis?

– Você é tão bonita, Maia. Todo mundo que a conhece diz a mesma coisa, e ainda assim você fica aqui sozinha e desperdiça sua beleza – repreendera-me Ally na última vez que a vira.

Provavelmente, era minha aparência que fazia com que eu me destacasse na multidão. Em uma família de seis irmãs, todas tínhamos recebido rótulos desde bem novas, as principais características que tornavam cada uma especial: *Maia, a bonita; Ally, a líder; Estrela, a apaziguadora; Ceci, a pragmática; Tiggy, a maternal; e Electra, a bomba-relógio*.

A questão era: os dons que tínhamos recebido nos trouxeram sucesso e felicidade?

Algumas das minhas irmãs ainda eram muito jovens e não tinham vivido o suficiente para saber ou para que eu pudesse julgar. Mas, quanto a mim, eu sabia que o meu "dom" da beleza ajudara a provocar o momento mais doloroso da minha vida, simplesmente porque eu era muito ingênua na época para entender o poder que ele exercia. Então agora eu o escondia, quer dizer, eu escondia a mim mesma.

Quando vinha me visitar no pavilhão nos últimos tempos, Pa costumava me perguntar se eu era feliz.

– É claro, Pa.

Eu sempre respondia afirmativamente. Afinal, ao que parecia, eu tinha pouca razão para *não* ser feliz. Eu morava com total conforto e tinha dois pares de braços amorosos a um pulo de distância. E o mundo, tecnicamente, *era* meu. Eu não tinha amarras, nem obrigações... no entanto, como eu ansiava por elas.

Sorri ao pensar em Pa, apenas algumas semanas atrás, encorajando-me a visitar minha velha amiga de escola em Londres. Como Pa havia sugerido, e como eu passara a vida adulta sentindo que o desapontava, concordei. Mesmo que eu não pudesse ser "normal", esperava que, se eu fosse visitar Jenny, ele achasse que eu era.

Então eu fui para Londres... e voltei ao descobrir que ele se fora. Para sempre.

Àquela altura já eram quatro da manhã. Voltei para o quarto e me deitei, ansiosa para pegar no sono. Mas não conseguia. Meu coração começou a bater mais depressa quando percebi que, com a morte de Pa, eu não podia usá-lo como desculpa para me esconder ali. Atlantis talvez até fosse vendida. Tinha certeza de que Pa nunca falara comigo sobre o que aconteceria caso ele morresse. E, até onde eu sabia, ele também não dissera nada às minhas irmãs.

Até poucas horas atrás, Pa Salt era onipotente, onipresente. Uma força da natureza que nos mantinha firmemente de pé.

Pa costumava dizer que éramos seus pomos de ouro. Maduros e perfeitos, apenas esperando para ser colhidos. Mas agora o galho tinha sido sacudido e nós havíamos caído no chão, sem nenhuma mão firme para aparar a queda.

❀ ❀ ❀

Ouvi alguém batendo à porta do pavilhão e saí grogue e aos tropeços da cama para atender. Algumas horas antes, quando amanhecia, havia procurado desesperada os comprimidos prescritos para mim havia anos e tomei um. Quando olhei para o relógio no corredor e vi que já passava das onze, quis não ter me entregado ao sono.

Ao abrir a porta, dei de cara com o rosto preocupado de Marina.

– Bom dia, Maia. Tentei ligar para seu telefone fixo e para o celular, mas, como você não atendeu, vim ver se estava bem.

– Desculpe, tomei um comprimido e apaguei. Entre – falei, bastante constrangida.

– Não, vou deixar você acordar com calma. Depois que você tomar banho e se arrumar, pode ir lá em casa? Tiggy me ligou para dizer que deve chegar por volta das cinco. Ela conseguiu entrar em contato com Estrela, Ceci e Electra, que também estão a caminho. Alguma notícia da Ally?

– Vou dar uma olhada no meu celular e, se ela não tiver respondido, tento ligar novamente.

– Como você está? Não está me parecendo nada bem, Maia.

– Vou ficar bem, Ma, sério. Apareço lá mais tarde.

Fechei a porta e fui depressa ao banheiro jogar um pouco de água fria no rosto para acordar. Quando olhei no espelho, pude ver por que Marina tinha perguntado se eu estava bem. Durante a noite, haviam aparecido algumas linhas ao redor dos meus olhos e enormes olheiras embaixo deles. Meu cabelo castanho-escuro, que geralmente brilhava, caía oleoso e sem vida pelo meu rosto. E minha pele morena, que costuma estar tão perfeita que dispensa muita maquiagem, estava pálida e inchada.

– Estou longe de ser a mais bela da família esta manhã – murmurei para o meu reflexo antes de procurar o celular entre os lençóis embolados.

Quando finalmente o encontrei embaixo do edredom, vi que havia oito ligações não atendidas. Ouvi as vozes das minhas irmãs, cujas reações variavam entre descrença e choque. A única irmã que ainda não tinha respondido ao meu S.O.S. era Ally. Mais uma vez deixei recado em sua caixa postal, pedindo que ela me ligasse com urgência.

Quando cheguei à casa principal, encontrei Marina e Claudia trocando lençóis e arejando os quartos das minhas irmãs no último andar. Eu podia ver que Marina, apesar da tristeza, estava contente por ter seu bando de garotas voltando para o ninho. Era muito raro nos dias de hoje estarmos todas juntas sob o mesmo teto. A última vez tinha sido onze meses atrás, em julho, no iate de Pa, quando fizemos um cruzeiro pelas ilhas gregas. No Natal, apenas quatro de nós estávamos ali em casa, já que Estrela e Ceci viajavam pelo Extremo Oriente.

– Mandei Christian ir de barco buscar comida e outras coisas que eu pedi – disse Marina enquanto descíamos a escada. – Suas irmãs são tão complicadas hoje em dia, com essa história de Tiggy ser vegana, e sabe-se lá qual a dieta da moda que Electra está seguindo agora – resmungou, parte dela apreciando cada segundo do repentino caos que fazia lembrar, eu sabia, os dias em que todas nós estávamos sob seus cuidados. – Claudia está desde a madrugada na cozinha, mas achei que podíamos fazer algo simples esta noite, uma massa e alguns tipos de salada.

– Você sabe a que horas Electra vai chegar? – perguntei ao entrarmos na cozinha, onde o delicioso cheiro da comida de Claudia trouxe de volta uma enxurrada de lembranças da infância.

– Provavelmente só de madrugada. Ela conseguiu pegar um voo de Los Angeles para Paris e de lá seguirá para Genebra.

– Como ela estava?

– Chorando – respondeu Marina. – Histericamente.

– E Estrela e Ceci?

– Como sempre, Ceci estava cuidando de tudo para as duas. Não falei com Estrela. Ceci parecia profundamente chocada, a pobrezinha, como se estivesse sem chão. Elas chegaram em casa de volta do Vietnã há apenas dez dias. Coma um pouco de pão fresco, Maia. Tenho certeza de que você ainda não comeu nada esta manhã.

Marina colocou uma fatia cheia de geleia na minha frente.

– Tremo só de pensar em como elas vão estar – murmurei enquanto mordia um pedaço.

– Elas estarão como sempre, e cada uma vai reagir à sua própria maneira – respondeu Marina sabiamente.

– E, é claro, todas acham que estão voltando para casa para o funeral de Pa – falei com um suspiro. – Mesmo que fosse um momento extremamente perturbador, pelo menos seria um rito de passagem, uma oportunidade de celebrarmos a vida dele, levá-lo para seu lugar de repouso final e, então, tentar seguir em frente. Agora, elas vão chegar em casa e descobrir que nosso pai já foi sepultado.

– Eu sei, Maia. Mas o que está feito está feito – disse Marina com uma voz triste.

– Com certeza deve haver ao menos alguns amigos ou parceiros de negócios a quem devemos dar a notícia, não?

– Georg Hoffman disse que cuidaria de tudo isso. Ele me ligou de novo hoje de manhã para saber quando todas vocês estariam aqui para que pudesse vir encontrá-las. Eu falei que avisaria assim que conseguíssemos entrar em contato com Ally. Talvez ele possa lançar alguma luz sobre como funcionava a mente misteriosa de seu pai.

– Bem, espero que alguém possa – murmurei amargamente.

– Você se importa se eu deixá-la aqui comendo sozinha? Tenho mil coisas para fazer antes de suas irmãs chegarem.

– Claro que não. Obrigada, Ma – respondi. – Não sei o que nós faríamos sem você.

– E eu sem vocês.

Ela me fez um carinho no ombro e saiu da cozinha.

4

Logo após as cinco horas, depois de uma tarde caminhando sem rumo pelos jardins e tentando trabalhar um pouco em uma tradução para tirar Pa da minha mente, ouvi a lancha sendo atracada ao cais. Aliviada por Tiggy ter finalmente chegado e saber que ao menos eu não ficaria mais sozinha com meus pensamentos, abri a porta da frente e corri pelo gramado para recebê-la.

Observei-a sair graciosamente do barco. Pa sugerira várias vezes que ela fizesse aulas de balé quando era mais nova, porque Tiggy não andava, ela simplesmente flutuava, movendo seu corpo esbelto e ágil de maneira tão suave que era como se seus pés não tocassem o chão. Sua presença era quase sobrenatural, com seus enormes olhos brilhantes, emoldurados por cílios longos, dominando o belo rosto arredondado. Ao observá-la, notei de repente sua semelhança com os frágeis jovens cervos de que ela tão ardentemente cuidava.

– Querida Maia – disse ela, estendendo os braços para mim.

Então nos abraçamos silenciosamente por algum tempo. Quando nos afastamos, vi que seus olhos estavam cheios de lágrimas.

– Como você está? – perguntou.

– Em estado de choque, meio tonta ainda… E você?

– Do mesmo jeito. Ainda não consegui absorver a notícia – respondeu ela enquanto andávamos abraçadas em direção à casa.

Tiggy parou abruptamente no terraço e virou para mim.

– Pa está…? – Ela olhou para a casa. – Se estiver, preciso só de um instante para me preparar.

– Não, Tiggy, ele não está mais em casa.

– Ah, imagino que devam tê-lo levado para… – Tomada pela tristeza, Tiggy não conseguiu completar.

– Vamos entrar, tomar uma xícara de chá e eu lhe explico tudo.

– Você sabe, eu tentei senti-lo… Quer dizer, seu espírito – disse Tiggy com um suspiro. – Mas tudo que sinto é um vazio, e mais nada.

– Talvez seja muito cedo para sentir alguma coisa – consolei-a, acostumada às ideias estranhas de Tiggy e sem querer esmagá-las com um duro pragmatismo. – Eu com certeza não sinto nada – acrescentei enquanto caminhávamos para a cozinha.

Claudia estava junto à pia e, quando virou-se para ver Tiggy – que eu sempre suspeitara ser sua favorita –, vi a compaixão em seus olhos.

– Isso tudo não é horrível? – disse Tiggy, dando-lhe um abraço. Ela era a única de nós que se sentia à vontade o bastante para abraçar Claudia.

– Sim, é realmente horrível – concordou Claudia. – Vá com Maia para a sala de estar. Levarei chá para vocês lá.

– Onde está Ma? – perguntou Tiggy enquanto atravessávamos a casa.

– Lá em cima, dando os retoques finais nos quartos de vocês. E ela provavelmente quer que a gente tenha algum tempo sozinhas primeiro – falei quando nos sentamos.

– Ela estava aqui? Quer dizer, ela estava com Pa no final?

– Sim.

– Mas por que ela não entrou em contato com a gente antes? – Tiggy fez a mesma pergunta que eu havia feito.

Durante a meia hora seguinte, procurei responder às mesmas perguntas com que eu bombardeara Marina no dia anterior. Também lhe contei que o corpo de Pa já havia sido sepultado em um caixão de chumbo no oceano, esperando que ela fosse se sentir tão ultrajada quanto eu. Tiggy simplesmente ergueu os ombros como se entendesse.

– Ele queria voltar para o lugar que amava, queria que seu corpo descansasse lá para sempre. De certa forma, Maia, estou feliz por não tê-lo visto… *sem vida*, porque agora posso sempre me lembrar dele como era.

Observei minha irmã com surpresa. Tiggy era a mais sensível de todas nós, e a notícia da morte de Pa evidentemente não a afetara – exteriormente, pelo menos – tanto quanto eu tinha previsto. Seu cabelo castanho e cheio brilhava ao redor do rosto como uma lustrosa juba, e seus enormes olhos castanhos, com seu habitual ar inocente, quase assustado, cintilavam. A serenidade de Tiggy me deu esperança de que minhas outras irmãs pudessem, pelo menos externamente, ter um ponto de vista tão otimista quanto o dela, ainda que não fosse o meu caso.

– Por mais irônico que seja, você está maravilhosa, Tiggy – elogiei-a, expressando meus pensamentos. – Parece que todo aquele ar fresco da Escócia lhe faz bem.

– Ah, faz sim, com certeza – concordou ela. – Depois de todos aqueles anos da minha infância que tive de passar presa em casa, sinto como se eu também tivesse sido solta na selva. Amo meu trabalho de verdade, mesmo que seja difícil, e a cabana em que estou morando é incrivelmente básica. Não tem nem banheiro.

– Nossa! – falei, admirada de sua capacidade de abrir mão de todo o conforto para seguir sua paixão. – Então é mais gratificante do que trabalhar no laboratório do zoológico de Servion?

– Ah, Deus, sem dúvida. – Tiggy ergueu uma sobrancelha. – Para ser sincera, embora fosse um ótimo emprego, eu odiava aquilo lá, porque não trabalhava diretamente com os animais, só analisava sua constituição genética. Você provavelmente acha que sou louca por desistir de uma próspera carreira para andar pelas Terras Altas dia e noite por uma mixaria, mas acho muito mais gratificante.

Ela levantou o rosto e sorriu para Claudia, que entrava na sala carregando uma bandeja, que deixou na mesa baixa antes de se retirar.

– Não acho que você seja louca, Tiggy. Sério, entendo perfeitamente.

– Na verdade, até nosso telefonema na noite passada, eu estava me sentindo mais feliz do que nunca.

– Isso é porque você descobriu sua vocação, tenho certeza disso – falei, sorrindo.

– Sim, isso e… outras coisas – admitiu, e notei um leve rubor em suas faces delicadas. – Mas isso é para outra hora. Quando as outras vão chegar?

– Ceci e Estrela devem chegar às sete, e Electra, de madrugada – respondi, servindo um pouco de chá em duas xícaras.

– Como estava Electra quando você lhe contou? – perguntou Tiggy. – Na verdade, não precisa responder, eu posso imaginar.

– Bem, foi Ma quem falou com ela. Pelo que soube, se acabou de chorar.

– Como esperado, então – disse Tiggy, tomando um gole de chá. Suspirou, e, de repente, a luz sumiu de seus olhos. – É tão estranho. Continuo achando que Pa vai entrar aqui a qualquer segundo. E, é claro, isso nunca mais vai acontecer.

– Não, não vai – concordei com tristeza.

– Precisamos fazer alguma coisa? – perguntou Tiggy, levantando-se subitamente do sofá e caminhando até a janela para olhar para fora. – Sinto que deveríamos estar fazendo... *alguma coisa.*

– Aparentemente, o advogado de Pa virá conversar conosco quando estivermos todas aqui, para explicar as coisas, mas por ora – encolhi os ombros, deixando o desânimo me dominar – tudo o que podemos fazer é esperar pelas outras.

– Acho que você tem razão.

Percebi que Tiggy pressionava a testa contra o vidro da janela.

– Nenhuma de nós o conhecia de verdade, não é? – disse ela com tranquilidade.

– Não, não conhecíamos – admiti.

– Maia, posso lhe perguntar outra coisa?

– Claro.

– Você algum dia se perguntou de onde veio? Quer dizer, quem eram seus pais verdadeiros?

– Isso com certeza já passou pela minha cabeça, Tiggy, mas Pa sempre foi tudo para mim. Ele *era* o meu pai. Acho que por isso eu nunca precisei, nem quis, pensar além disso.

– Você acha que se sentiria culpada se tentasse descobrir?

– Talvez – respondi. – Mas Pa sempre me bastou, e não consigo imaginar um pai mais amoroso ou dedicado.

– Entendo. Vocês dois sempre tiveram uma ligação especial. Talvez seja sempre assim com o primeiro filho.

– Mas cada uma de nós tinha uma relação especial com ele. Ele amava todas nós.

– Sim, eu sei que ele me amava – concordou Tiggy calmamente. – Mas isso não me impediu de me questionar de onde vim. Pensei em perguntar a ele, mas não queria aborrecê-lo. Por isso nunca perguntei. De qualquer forma, é tarde demais agora. – Ela reprimiu um bocejo e disse: – Você se importaria se eu fosse para o meu quarto descansar um pouco? Talvez seja um efeito retardado do choque ou o fato de eu não tirar um dia de folga há semanas, mas estou completamente exausta.

– Claro que não. Vá se deitar, Tiggy.

Observei-a caminhar pela sala até a porta.

– Vejo você mais tarde.

– Durma bem – falei quando me vi sozinha de novo. E estranhamente irritada.

Talvez eu estivesse mais sensível a isso, mas aquele ar meio místico de Tiggy, seu jeito de parecer ligeiramente desligada de tudo à sua volta, de repente parecia mais pronunciado. Não sabia bem o que esperava dela. Afinal, eu temia a reação das minhas irmãs à notícia e devia estar feliz por Tiggy parecer estar lidando com isso tão bem.

Ou será que a verdadeira razão do meu incômodo era o fato de cada uma das minhas irmãs ter vidas que iam muito além de Pa Salt e da casa de nossa infância, ao passo que ele e Atlantis delimitavam todo o meu mundo?

✹ ✹ ✹

A lancha chegou com Estrela e Ceci um pouco depois das sete no cais, onde eu aguardava para recebê-las. Ceci, que nunca fora dada a demonstrações físicas de afeto, me permitiu abraçá-la brevemente antes de se afastar.

– Que notícia chocante, Maia – comentou. – Estrela está muito abalada.

– Tenho certeza – respondi, observando Estrela atrás da irmã, parecendo ainda mais pálida do que o habitual.

– Como você está, querida? – perguntei, passando os braços em volta dela.

– Devastada – sussurrou Estrela, pousando a cabeça, com seu magnífico cabelo da cor do luar, em meu ombro por alguns segundos.

– Pelo menos estamos todas juntas agora – falei, enquanto Estrela se afastava de mim em direção a Ceci, que imediatamente passou seu braço forte e protetor mais uma vez em torno dela.

– O que a gente precisa fazer? – perguntou Ceci enquanto nós três caminhávamos para a casa.

Então, como eu fizera antes, levei as duas para a sala de estar e esperei que se sentassem. E mais uma vez expliquei as circunstâncias da morte de Pa e seu desejo de ter um sepultamento reservado, sem a presença de nenhuma de nós.

– Então quem foi que jogou de fato o corpo de Pa do barco? – perguntou Ceci, da maneira minuciosamente lógica como só minha quarta irmã poderia ser. Entendi que ela não pretendia ser insensível. Ceci queria apenas os fatos.

– Não fiz essa pergunta, para ser sincera, mas tenho certeza de que podemos descobrir. Provavelmente foi algum membro da tripulação do *Titã*.

– E onde foi isso? Quer dizer, perto de Saint-Tropez, onde o iate estava ancorado, ou navegaram até alto-mar? Tenho certeza de que foi o que fizeram – acrescentou Ceci.

Estrela e eu sentimos um arrepio diante da necessidade de saber os detalhes.

– Ma só me disse que ele foi sepultado em um caixão de chumbo que já estava a bordo do *Titã*. Mas o lugar eu realmente não sei – respondi, esperando que fosse o fim do inquérito de Ceci.

– Esse advogado provavelmente vai nos dizer exatamente o que está no testamento – insistiu ela.

– Sim, acho que sim.

– Pelo que nós sabemos, agora estamos sem nada – continuou ela, encolhendo os ombros. – Você se lembra de como ele era obcecado por ensinar a cada uma de nós a se sustentar? Não duvido que ele tenha deixado toda a sua fortuna para a caridade – acrescentou.

Por mais que eu entendesse que a falta de tato natural de Ceci estivesse provavelmente mais pronunciada naquele momento para ajudá-la a lidar com sua própria dor, eu havia chegado ao meu limite. Não respondi ao seu comentário e em vez disso me virei para Estrela, sentada em silêncio no sofá ao lado da irmã.

– Como você está? – perguntei delicadamente.

– Eu…

– Ela está em choque, como todas nós – interrompeu Ceci antes que Estrela pudesse falar. – Mas vamos superar isso juntas, não é? – E estendeu a mão forte e morena em direção à irmã, envolvendo seus dedos finos e pálidos. – É realmente uma pena, porque eu estava prestes a dar uma ótima notícia a Pa.

– E qual é? – perguntei.

– Me ofereceram uma vaga num curso preparatório de um ano no Royal College of Art, em Londres, a partir de setembro.

– Que notícia maravilhosa, Ceci – falei. Embora nunca tivesse entendido suas estranhas "instalações", como ela as chamava, e preferisse um estilo de arte moderna mais tradicional, eu sabia que era sua paixão e estava contente por ela.

– Sim, estamos muito empolgadas, não é?

– Sim – concordou Estrela, obediente, embora não parecesse. Eu podia ver seu lábio inferior tremendo.

– Vamos nos mudar para Londres. Isto é, se ainda houver dinheiro para isso depois que nos reunirmos com esse advogado do Pa.

– Sinceramente, Ceci – falei, minha paciência finalmente chegando ao limite –, não acho que este seja o momento de pensar nessas coisas.

– Me desculpe, Maia, você sabe que esse é o meu jeito. Eu amava muito Pa. Ele era um homem brilhante e sempre encorajou meu trabalho.

Apenas por alguns segundos, pude enxergar vulnerabilidade e, talvez, um pouco de medo nos olhos de Ceci, que tinham um tom de amêndoa perto da pupila.

– Sim, ele era único – afirmei.

– Certo. Estrela, por que você e eu não subimos e desfazemos as malas? – sugeriu Ceci. – Que horas é o jantar, Maia? Nós duas estamos com um pouco de fome.

– Vou pedir a Claudia que termine o mais rápido possível. Electra ainda vai levar horas para chegar e não recebi nenhuma notícia de Ally.

– Vemos você mais tarde, então – concluiu Ceci, levantando-se, seguida por Estrela. – Qualquer coisa que eu possa fazer, você sabe que só precisa falar – disse Ceci, abrindo um sorriso triste. Apesar de toda a sua insensibilidade, eu sabia que estava sendo sincera.

Depois que elas saíram, pensei um pouco sobre o enigma que era a relação entre minha terceira e minha quarta irmãs. Marina e eu conversamos sobre isso muitas vezes, à medida que elas cresciam, preocupadas que Estrela simplesmente se escondesse por trás da personalidade forte de Ceci.

– Estrela parece não ter opinião própria – eu dissera várias vezes. – Não faço ideia do que ela realmente pensa sobre nada. Isso certamente não pode ser saudável.

Marina concordava completamente comigo, mas, quando eu comentava sobre isso com Pa Salt, ele abria seu enigmático sorriso e me dizia para não me preocupar.

– Um dia, Estrela vai abrir suas asas e voar, como o anjo glorioso que é. Espere e verá.

Aquilo não me confortava, porque, da mesma forma que Estrela contava muito com a irmã, era óbvio que, apesar da segurança aparente de Ceci, a dependência era mútua. E, se Estrela um dia fizesse *mesmo* o que Pa Salt previra, eu sabia que Ceci ficaria completamente perdida.

❋ ❋ ❋

O jantar naquela noite foi bastante melancólico. Minhas três irmãs se adaptavam ao fato de estarem em casa, onde tudo em volta era um lembrete da enormidade do que havíamos perdido. Marina fazia o máximo para nos animar, mas parecia não saber bem como agir. Fez algumas perguntas sobre o que cada uma de suas preciosas meninas faziam no momento, mas as lembranças implícitas de Pa Salt traziam lágrimas esporádicas aos nossos olhos. Por fim, as tentativas de conversa deram lugar ao silêncio.

– Só vou me sentir melhor quando conseguirmos falar com a Ally e pudermos seguir em frente, descobrir o que Pa Salt tinha a nos dizer – disse Tiggy com um longo suspiro. – Me desculpem, mas vou subir para me deitar.

Após beijar todas nós, ela deixou a cozinha, e alguns minutos depois Ceci e Estrela fizeram o mesmo.

– Ah, querida – comentou Marina, suspirando, quando ficamos nós duas sozinhas na mesa –, elas estão arrasadas. E concordo com Tiggy: quanto antes encontrarmos Ally e ela vier, mais rápido poderemos seguir em frente.

– Ela certamente está em algum lugar onde o celular não pega – falei. – Você deve estar completamente exausta, Ma. Vá para a cama, eu fico acordada esperando a Electra chegar.

– Você tem certeza, *chérie*?

– Tenho – confirmei, sabendo como Marina sempre achara difícil lidar com minha irmã caçula.

– Obrigada, Maia – concordou ela, sem mais nenhum protesto. Então se levantou da mesa, me deu um beijo suave no alto da cabeça e saiu da cozinha.

Durante a meia hora seguinte, insisti em ajudar Claudia a limpar a bagunça do jantar, grata por ter algo a fazer enquanto esperava Electra. Acostumada à aversão de Claudia a conversa fiada, naquela noite sua presença serena e silenciosa me parecia particularmente reconfortante.

– Devo trancar a casa, Srta. Maia? – perguntou ela.

– Não, você também teve um dia difícil. Vá para a cama e eu cuido disso.

– Como quiser. *Gute Nacht* – disse ela, saindo da cozinha.

Comecei, então, a andar pela casa, sabendo que ainda levaria pelo menos duas horas para Electra chegar. Eu me sentia bem desperta por ter dormido até mais tarde naquela manhã, algo a que não estava acostumada. Cheguei à porta do escritório de Pa Salt. Tomada por uma necessidade de sentir sua presença, virei a maçaneta da porta e descobri que estava trancada.

Isso me surpreendeu e me perturbou. Durante as várias horas que ele passava naquela sala, trabalhando em casa, a porta sempre estivera aberta para nós, suas filhas. Ele nunca estava ocupado demais para abrir um sorriso acolhedor ao me ouvir bater timidamente na porta, e eu sempre gostei de ficar em seu escritório, onde estava a essência física e material dele. Embora houvesse vários computadores em sua mesa e uma grande tela pendurada na parede pronta para conferências via satélite, meus olhos sempre corriam para os tesouros pessoais arrumados aleatoriamente nas prateleiras atrás da escrivaninha.

Eram objetos simples que ele me contara ter reunido durante suas constantes viagens pelo mundo – entre outras coisas, uma miniatura delicada da madona, numa moldura dourada, que cabia na palma da minha mão, uma rabeca antiga, uma bolsinha de couro bem gasta e um livro de poesias em inglês surrado, escrito por alguém de que eu nunca ouvira falar.

Nada raro, nada que, pelo que eu soubesse, fosse particularmente valioso, apenas objetos que significavam algo para ele.

Tinha certeza de que, se tivesse desejado, um homem como Pa poderia ter enchido nossa casa de obras de arte inestimáveis e antiguidades refinadas, mas na realidade não tínhamos muitos objetos de grande valor financeiro. Na verdade, sempre achei que ele tinha aversão a bens materiais inanimados muito caros. Ele vociferava contra seus contemporâneos ricos, que faziam um papel ridículo quando pagavam somas exorbitantes por obras de arte famosas, que acabavam na maioria das vezes trancadas em cofres por medo de serem roubadas.

– A arte deve ser vista por todos – dizia ele para mim. – É um presente do pintor para a alma. Uma pintura que tem de ser escondida não vale nada.

Quando eu me atrevia a mencionar que ele próprio tinha um jato particular e um imenso iate de luxo, Pa erguia uma sobrancelha.

– Maia, você não vê que essas coisas são simplesmente um meio de transporte? Elas têm uma função prática, são usadas para um fim. Se pegassem fogo amanhã, eu poderia facilmente substituí-las. É o suficiente para mim ter minhas seis obras de arte humanas: minhas filhas. As únicas coisas na Terra que vale a pena cuidar, porque todas vocês são insubstituíveis. As pessoas que você ama *são* insubstituíveis, Maia. Lembre-se disso, está bem?

Ele me dissera aquelas palavras havia muitos anos, e elas ficaram guardadas comigo. Só desejava com todo o meu ser que tivesse me lembrado delas quando precisei.

Afastei-me da porta do escritório de Pa Salt, desamparada, e fui para a sala de estar, ainda me perguntando por que diabos o cômodo estava trancado. Perguntaria a Marina no dia seguinte, pensei, enquanto caminhava até uma mesa qualquer e pegava uma fotografia. Tinha sido tirada a bordo do *Titã* havia alguns anos e mostrava Pa, cercado por todas as suas filhas, encostado na balaustrada do convés do iate. Ele exibia um largo sorriso, suas belas feições relaxadas, os cabelos grisalhos jogados para trás pela brisa marinha, e seu corpo ainda forte e musculoso bronzeado pelo sol.

– Quem *era* você? – perguntei à fotografia, franzindo a testa.

Por falta de coisa melhor para fazer, liguei a televisão e zapeei os canais até achar o noticiário. Como de costume, o jornal falava de guerra, dor e destruição, e eu já ia mudar de canal quando o locutor anunciou que o corpo de Kreeg Eszu, um famoso capitão de indústria que dirigia uma grande multinacional de comunicações, havia sido encontrado na enseada de uma ilha grega.

Ouvi atentamente, o controle remoto paralisado na mão, enquanto o locutor explicava que a família anunciara que Kreeg fora recentemente diagnosticado com câncer terminal. E dava a entender que, devido ao diagnóstico, ele havia decidido tirar a própria vida.

Meu coração começou a bater acelerado. Não só porque meu pai recentemente também escolhera passar a eternidade no fundo do oceano, mas porque aquela história tinha uma ligação direta *comigo*...

O locutor disse que o filho de Kreeg, Zed, que vinha trabalhando com o pai havia alguns anos, assumiria imediatamente o cargo de diretor executivo da Athenian Holdings. Uma imagem de Zed apareceu na tela e instintivamente fechei os olhos.

– Ah, Deus – murmurei, perguntando-me por que o destino escolhera aquele momento para me lembrar de um homem que eu passara os últimos catorze anos tentando desesperadamente esquecer.

Tudo indicava que, ironicamente, no espaço de poucas horas, nós dois tínhamos perdido nossos pais para uma sepultura feita de água.

Levantei e andei pelo quarto, tentando tirar da mente a imagem de seu rosto – que parecia, se é que era possível, ainda mais bonito do que eu me lembrava.

Pense na dor que ele lhe causou, Maia, disse a mim mesma. *Acabou, acabou já faz anos. Não volte, de jeito nenhum.*

Mas eu sabia, é claro: percebi enquanto me afundava no sofá com um suspiro, já sem energia, que aquilo nunca poderia de fato acabar.

5

Algumas horas depois, ouvi o zumbido suave do motor da lancha anunciando a chegada de Electra. Respirei fundo e tentei me recompor. Ao sair da casa e caminhar pelos jardins iluminados pelo luar, o orvalho quente sob meus pés descalços, vi que Electra já atravessava os gramados em minha direção. Sua bela pele cor de ébano parecia brilhar à luz da lua enquanto suas pernas muito longas encurtavam rapidamente a distância entre nós.

Com mais de 1,80 metro de altura, Electra sempre fazia com que me sentisse insignificante perto de sua elegância natural e majestosa. Quando me alcançou, foi ela quem me abraçou com força, minha cabeça se encaixando confortavelmente em seu peito.

– Ah, Maia! – falou, com um gemido. – Por favor, me diga que não é verdade. Ele não pode ter morrido, simplesmente não pode. Eu...

Electra começou a soluçar alto e achei melhor, em vez de perturbar as irmãs que já dormiam em casa, levá-la ao pavilhão. Guiei-a gentilmente naquela direção, e ela ainda chorava em desespero quando fechei a porta, levando-a para se sentar no sofá na sala.

– Maia, o que vamos fazer sem ele? – perguntou ela, seus brilhantes olhos cor de mel implorando por uma resposta.

– Não há nada que possamos fazer para acabar com a dor da perda, mas espero que, já que estamos todas aqui juntas, possamos pelo menos confortar umas às outras – falei, pegando depressa uma caixa de lenços de papel da prateleira e colocando-a ao lado dela no sofá. Ela pegou um lenço e enxugou os olhos. – Não parei chorar desde que Ma me contou. Não consigo suportar isso, Maia, simplesmente não consigo.

– Não, nenhuma de nós consegue – respondi. E, enquanto a observava e a ouvia extravasar sua dor, pensei em como sua presença física sensual e fascinante não combinava com a garotinha vulnerável que habitava sua alma. Muitas vezes eu via fotos dela em revistas de braços dados com um astro de cinema ou algum playboy rico, parecendo fabulosa e completamente dona de si, e me perguntava se era mesmo a irmã emocionalmente instável que eu conhecia. Depois de um tempo, concluí que Electra ansiava por constantes demonstrações de amor e atenção para satisfazer alguma profunda insegurança.

– Posso pegar alguma coisa para você beber? – perguntei num intervalo entre seus soluços. – Um conhaque, talvez? Pode ajudar a acalmá-la.

– Não, não bebo há meses. Mitch também está sem beber.

Mitch era o atual namorado da Electra, conhecido pelo resto do mundo como Michael Duggan, um cantor americano mundialmente famoso que estava em uma turnê internacional com ingressos esgotados, apresentando-se em grandes arenas completamente lotadas de fãs aos berros.

– Onde ele está agora? – perguntei, imaginando que falar dele impediria que Electra tivesse outro ataque de choro.

– Chicago, e semana que vem ele vai estar no Madison Square Garden. Maia, você pode me dizer como Pa Salt morreu? Preciso muito saber.

– Você tem certeza, Electra? Você obviamente está muito abalada e acabou de chegar de um voo muito longo. Talvez depois de uma boa noite de sono você fique mais calma.

– Não, Maia. – Electra balançou a cabeça e fez um esforço visível para se recompor. – Por favor, me diga agora.

Então, pela terceira vez, repeti o que Marina havia me contado, repassando rapidamente o máximo de informações que eu podia. Electra ficou sentada em silêncio, ouvindo atentamente cada palavra que eu dizia.

– Vocês já pensaram no funeral? Mitch disse que, se for semana que vem, ele poderia pegar um voo para cá e me ajudar a enfrentar tudo isso.

Pela primeira vez, fiquei aliviada por Pa ter decidido ser sepultado sem a nossa presença. Só de pensar no circo midiático que seria se o namorado famoso de Electra fizesse uma aparição no funeral de Pa cheguei a estremecer.

– Electra – comecei –, nós duas estamos cansadas agora e…

– O que foi, Maia? – indagou Electra, percebendo minha hesitação. – Me conte, por favor.

– Está bem, vou falar, mas por favor tente não ficar nervosa de novo.

– Farei o máximo que puder, eu prometo.

Então eu disse a ela que já havia acontecido uma espécie de funeral. E devo dizer, a seu favor, que, embora ela tenha cerrado os punhos de tensão até os nós dos dedos ficarem brancos, ela não chorou novamente.

– Mas por que ele faria isso? – perguntou. – É muito cruel negar a todas nós a oportunidade de nos despedir devidamente dele. – Os olhos dourados de Electra brilharam com raiva. – Sabe, isso é típico dele. Para mim, foi algo muito egoísta.

– Bem, temos que acreditar que ele pensava justamente o oposto e queria nos poupar da dor de lhe dizer adeus.

– Mas como vou conseguir sentir que ele de fato se foi? Como qualquer uma de nós vai conseguir? Em Los Angeles, eles falam o tempo todo em "conclusão" e em como isso é importante. Como sentir algo assim agora?

– Para ser sincera, Electra, acho que nunca se consegue ter essa sensação de conclusão depois de perder alguém que se ama.

– Talvez não, mas isso não ajuda. – Electra olhou para mim. – Bem, Pa Salt e eu nunca concordávamos mesmo sobre a maioria das coisas. Quer dizer, era óbvio que ele desaprovava a forma como eu ganho a vida. Acho que ele era a única pessoa que acreditava que eu tinha um cérebro. Você lembra como ele ficava furioso quando eu me dava mal nas provas da escola.

Era verdade, eu me lembrava *vividamente* das discussões acaloradas que reverberavam de seu escritório sobre os terríveis boletins de Electra e sobre outros aspectos de sua vida à medida que ela crescia. Para Electra, as regras existiam apenas para ser quebradas, e ela era a única de nós que discutia de igual para igual com Pa até que um deles vencesse. Ainda assim, eu podia ver o brilho de admiração nos olhos de Pa quando falava de sua impetuosa caçula.

– Ela com certeza é determinada – dissera-me ele em mais de uma ocasião –, e isso fará com que ela sempre se destaque da multidão.

– Electra, ele adorava você – confortei-a. – E sim, talvez ele quisesse que você usasse seu cérebro, mas, por outro lado, que pai não quer isso? E, vamos encarar os fatos, você se tornou mais bem-sucedida e famosa do que qualquer uma de nós. Compare sua vida com a minha. Você tem tudo.

– Não, não tenho – disse ela, suspirando de repente. – É tudo uma ilusão, nada é real, mas enfim... Estou cansada, Maia. Você se importaria se eu dormisse aqui no pavilhão com você esta noite?

– Claro que não. A cama extra está arrumada. Durma até a hora que quiser, porque, até termos notícia da Ally, não há nada que possamos fazer além de esperar.

– Obrigada. E me desculpe por estar tão emotiva. Mitch me indicou um terapeuta que está tentando me ajudar com minhas mudanças humor – confessou. – Pode me dar um abraço? – perguntou ao se levantar.

– Claro que posso.

Envolvi-a com meus braços, trazendo-a para junto de mim. Então ela pegou sua mala de mão e caminhou em direção à porta da sala, parando na soleira.

– Estou com uma dor de cabeça terrível – disse ela. – Por acaso você teria codeína?

– Não, desculpe, mas acho que tenho alguns comprimidos de paracetamol, pode ser?

– Não se preocupe. – Electra abriu um sorriso cansado. – Vejo você amanhã.

Enquanto eu apagava as luzes do pavilhão e caminhava para meu quarto, me ocorreu que, assim como eu tinha sido surpreendida pela reação branda da Tiggy, Electra também me dera o que pensar. Notei que ela tentava ocultar o desespero, o que tinha me deixado preocupada.

Quando me acomodei debaixo das cobertas – meticulosamente rearrumadas por Claudia depois da minha noite agitada –, pensei em como a morte de Pa Salt estava se mostrando um momento seminal para todas nós.

❀ ❀ ❀

Nenhuma das minhas irmãs havia acordado na manhã seguinte quando fui ver se Marina tinha recebido alguma notícia de Ally.

– Não – respondeu ela, desamparada.

– Pa saberia o que fazer. Ele sempre sabia.

– Sim – concordou Marina. – Como estava Electra?

– Chocada, devastada e muito irritada por não poder se despedir apropriadamente de Pa, mas ela conseguiu manter as emoções sob controle. No limite.

– Que bom. Georg Hoffman me ligou novamente para ver se tínhamos localizado Ally e tive que dizer que não. O que podemos fazer?

– Nada, a não ser tentar nos manter pacientes. A propósito, Ma – falei enquanto preparava um pouco de chá para mim –, quando tentei entrar no escritório de Pa ontem à noite, a porta estava trancada. Você sabe por quê?

– Porque seu pai me pediu que a trancasse para ele pouco antes de morrer. E logo depois insistiu que eu lhe desse a chave. Não faço ideia de onde ele a guardou e, para ser sincera, como tudo tem sido assim tão... difícil desde então, isso fugiu da minha mente.

– Bem, com certeza teremos de encontrá-la. Sem dúvida, Georg vai precisar entrar lá. É provável que Pa guardasse lá todos os documentos.

– É claro. Bem, já que nenhuma das suas irmãs levantou e é quase meio-dia, pensei em pedir a Claudia que preparasse um brunch – disse Marina.

– Boa ideia – concordei. – Vou voltar ao pavilhão e ver se Electra já acordou.

– Está bem, *chérie*. – Marina abriu um sorriso solidário. – A espera vai acabar logo.

– Eu sei.

Saí da casa e me dirigia ao pavilhão quando avistei, em meio às árvores, uma figura solitária sentada no cais olhando para o lago. Andei até ela e toquei de leve em seu ombro, tentando não assustá-la.

– Estrela, você está bem?

– Sim, acho que sim – disse ela, dando de ombros.

– Posso me juntar a você?

Ela fez um gesto quase imperceptível com a cabeça em resposta e, enquanto me sentava e balançava as pernas na beirada do cais, olhei para ela e vi que seu rosto estava manchado de lágrimas.

– Onde está a Ceci? – perguntei.

– Ainda dormindo. Ela gosta de dormir quando está chateada. Não consegui dormir nada na noite passada.

– Também estou tendo dificuldade – admiti.

– Simplesmente não posso acreditar que ele se foi, Maia.

Fiquei ao lado dela em silêncio, sabendo como era raro ela falar abertamente sobre seus sentimentos com outra pessoa que não fosse Ceci. E eu não queria dizer nada que a fizesse se calar.

– Eu me sinto... – disse ela, finalmente – ... perdida. Sempre soube de alguma maneira que Pa era a única pessoa que realmente me entendia. Quer dizer, que me entendia *mesmo*.

Então se virou para mim, suas feições marcantes, quase fantasmagóricas, distorcidas em uma expressão de desespero.

– Você sabe o que eu quero dizer, Maia?

– Sim – respondi lentamente. – Acho que sim. E, por favor, Estrela, se você algum dia você precisar de outra pessoa com quem conversar, estou sempre aqui. Lembre-se disso, está bem?

– Vou me lembrar.

– Aí está você!

Nós duas instintivamente demos um salto e, ao virarmos, vimos Ceci caminhando a passos largos em nossa direção. Talvez tenha sido minha imaginação, mas tive quase certeza de ver um ligeiro ar de irritação passar pelos olhos azuis de Estrela.

– Como você estava dormindo, vim tomar um pouco de ar fresco – disse Estrela enquanto se levantava.

– Bem, estou acordada agora. E Tiggy também. Electra chegou ontem à noite? Dei uma olhada no quarto dela e não havia sinais de alguém ter dormido lá.

– Sim, ela ficou no pavilhão comigo. Vou ver se ela está acordada – falei, levantando e seguindo minhas irmãs pelo gramado.

– Você deve ter tido uma noite difícil, Maia, lidando com os exageros de costume de Electra – disse Ceci.

– Na verdade, para os padrões dela, Electra até que estava relativamente calma – respondi, sabendo da animosidade entre minha quarta e minha sexta irmãs. Uma era a antítese da outra: Ceci tão prática e avessa a demonstrar emoções quanto Electra era volátil.

– Bem, tenho certeza de que não será assim por muito tempo – respondeu Ceci, fungando. – Vejo você mais tarde.

Voltei ao pavilhão, pensando na angústia de Estrela. Embora ela não tivesse de fato falado sobre isso, foi a primeira vez que eu pressenti que a dominação que Ceci exercia sobre ela podia ser um problema. Ao entrar no pavilhão, ouvi o barulho de alguém na cozinha.

Electra, deslumbrante em um robe de seda esmeralda, enchia a chaleira.

– Dormiu bem? – perguntei.

– Como um bebê. Você me conhece, sempre durmo assim. Quer um pouco de chá?

Olhei para o saquinho de chá meio desconfiada.

– O que é isso?

– Chá verde. Todo mundo está tomando isso na Califórnia. Mitch diz que faz muito bem.

– Bem, você me conhece, sou viciada no bom e velho chá preto inglês cheio de cafeína – falei, sorrindo enquanto me sentava –, então acho que vou passar.

– Somos todos viciados em alguma coisa, Maia. Eu não me preocuparia muito quanto ao chá. Então, alguma notícia da Ally?

Contei a ela exatamente o que Marina me dissera.

– Sei que a paciência não é uma das minhas virtudes, como meu terapeuta não cansa de me lembrar, mas temos mesmo que ficar todas aqui até Ally aparecer? Se ela estiver em alto-mar, pode demorar semanas.

– Espero que não – respondi enquanto a observava se movimentar graciosamente pela cozinha. Embora eu fosse considerada a mais bela da família, sempre pensei que esse título deveria ser de Electra. Apesar de ter acabado de sair da cama, o cabelo solto caía sobre os ombros como uma juba emaranhada, seu rosto não precisava de nenhuma maquiagem para realçar as incríveis maçãs do rosto e os lábios eram carnudos. Isso somado ao seu corpo ao mesmo tempo atlético e feminino fazia com que ela lembrasse uma rainha amazona.

– Você tem alguma coisa aqui que não seja cheia de aditivos? – perguntou, abrindo a geladeira e analisando o conteúdo.

– Me desculpe. Nós, simples mortais, não prestamos atenção às letras miúdas dos rótulos – repliquei, esperando que ela entendesse a piada.

– Bem, vamos encarar os fatos, Maia, sua aparência não importa muito quando você quase não vê ninguém, não é mesmo?

– É, você está certa: de fato não importa – respondi, tranquila. Afinal, era verdade.

Electra finalmente resolveu comer uma banana de café da manhã, descascou-a e mordeu um pedaço, desconsolada.

– Tenho uma sessão de fotos importante para a *Vogue* daqui a três dias. Espero não ter que cancelar.

– Também espero que não, mas quem sabe quando Ally vai aparecer? Ontem à noite, pesquisei na internet as regatas que estão acontecendo agora, mas não consegui encontrar nenhuma. Não podemos nem mesmo enviar uma mensagem para as autoridades marítimas entrarem em contato com ela. De qualquer maneira – sugeri –, as outras já estão acordadas lá na casa, então, quando você se trocar, por que não vamos até lá falar com elas?

– Se for preciso – disse Electra, indiferente.

– Bem, vejo você daqui a pouco – falei, levantando-me da mesa, sabendo que, em um estado de humor como esse, era melhor Electra ficar sozinha.

Fui até a sala que eu usava como escritório, sentei diante da mesa e liguei o computador. Vi que tinha recebido um e-mail gentil de Floriano Quintelas, autor do lindo romance *A cachoeira silenciosa*, que eu havia traduzido do português alguns meses antes. Eu me correspondera com ele durante o processo de tradução, quando quebrei a cabeça para traduzir uma frase específica – queria preservar da forma mais autêntica possível sua escrita poética e etérea –, e vínhamos trocando e-mails periodicamente desde então.

Ele me escrevia para contar que iria a Paris em julho e adoraria que eu fosse à festa de lançamento de seu livro. Ele também anexara os primeiros capítulos de seu novo romance, pedindo-me que os lesse se eu tivesse tempo.

Seu e-mail me emocionou, pois a tradução pode ser uma tarefa anônima e igualmente ingrata. Por isso, eu ficava muito feliz nas raras ocasiões em que um autor entrava em contato comigo diretamente e eu sentia uma ligação entre nós.

Então algo desviou minha atenção do computador: vinda do cais, uma figura familiar corria pelo gramado.

– Ally – falei, surpresa, levantando de um pulo da cadeira. – Electra, Ally chegou! – gritei para avisar enquanto saía depressa do pavilhão para cumprimentá-la.

Minhas outras irmãs obviamente também a tinham visto chegar e, quando alcancei o terraço da casa principal, Ceci, Estrela e Tiggy já estavam reunidas em volta dela.

– Maia – disse Ally quando me viu –, isso não é horrível?

– Sim, absolutamente terrível. Mas como você soube? Temos tentado entrar em contato com você há dois dias.

– Vamos entrar? – disse ela. – Então eu explico.

Fiquei um pouco para trás enquanto, aglomeradas em volta de Ally, minhas irmãs entravam em casa. Embora eu fosse a mais velha e aquela a quem cada uma delas procurava quando tinha um problema, quando estávamos em grupo Ally sempre liderava. Como eu a deixava fazer agora.

Marina já a esperava de braços abertos ao pé da escada. Ally a abraçou, e Marina sugeriu que fôssemos para a cozinha.

– Boa ideia. Estou mesmo desesperada por um pouco de café – disse Ally. – Fiz uma longa viagem até aqui.

Enquanto Claudia preparava um grande bule de café, Electra entrou discretamente e foi recebida de maneira calorosa por todas, menos por Ceci, que simplesmente acenou com a cabeça.

– Certo, vou lhes contar o que aconteceu, porque, para ser sincera, ainda estou confusa sobre isso – começou Ally enquanto nos sentávamos em torno da mesa. – Ma – disse ela a Marina, que estava por perto –, você precisa ouvir isso também. Talvez você possa ajudar a explicar.

Marina sentou-se à mesa conosco.

– Eu estava no mar Egeu, treinando para a Regata das Cíclades que acontecerá semana que vem, quando um amigo velejador me perguntou se eu queria acompanhá-lo em seu iate por alguns dias. O tempo estava fantástico, e foi ótimo ficar na água apenas relaxando para variar – reconheceu Ally com um sorriso triste.

– Quem era o dono do barco? – perguntou Electra.

– Eu falei, apenas um amigo – respondeu Ally bruscamente, e todas nós erguemos as sobrancelhas, incrédulas.

Depois de um momento, Ally retomou a história:

– De qualquer forma, nós estávamos lá numa tarde, alguns dias atrás, quando meu amigo disse que um outro velejador lhe falara pelo rádio que tinha visto o *Titã* ancorado na costa de Delos. Meu amigo obviamente sabia que o barco pertencia a Pa e achamos que seria divertido surpreendê-lo, indo encontrá-lo. Se corrêssemos, poderíamos alcançá-lo em cerca de uma hora, então levantamos âncora e partimos.

Ally tomou um gole de café antes de continuar.

– Eu vi o *Titã* pelo binóculo quando nos aproximamos e passei um rádio para Hans, o capitão de Pa, dizendo que estávamos por perto. Mas – disse Ally, suspirando –, por razões que não entendi na ocasião, não recebemos retorno. E, na verdade, pudemos ver que o barco já se afastava de nós. Fizemos o que podíamos para alcançá-lo, mas, como todas sabem, o barco de Pa pode voar se for preciso.

Vi os rostos absortos de minhas irmãs em volta da mesa, todas claramente intrigadas pela história de Ally.

– O sinal no meu celular estava péssimo, só ontem consegui ouvir todas as suas mensagens me pedindo que ligasse com urgência. E uma sua, Ceci, me contando exatamente o que tinha acontecido.

– Me desculpe, Ally. – Ceci baixou os olhos, constrangida. – Não via razão para rodeios. Precisávamos que você voltasse para casa o quanto antes.

– E eu vim. Então, por favor – suplicou Ally –, alguém pode me dizer que diabos estava acontecendo? E por que vi o barco de Pa Salt na Grécia quando ele já estava… morto?

Todos os olhos se voltaram para mim, inclusive os de Ally. Assim, contei a ela o que havia acontecido o mais resumidamente possível, recorrendo algumas vezes à confirmação de Marina. O rosto de Ally perdeu a cor quando expliquei onde e como nosso pai quis ser sepultado.

– Ah, meu Deus – sussurrou ela. – Então é provável que eu tenha chegado na hora de seu funeral reservado. Não é de admirar que o barco tenha se afastado de mim o mais rápido que pôde. Eu…

Ally apoiou a cabeça nas mãos e as outras garotas levantaram e se reuniram em torno dela. Marina e eu trocamos olhares aflitos das extremidades opostas da mesa. Depois de algum tempo, Ally se recompôs e pediu desculpas por sua reação emotiva.

– Deve ser um choque terrível para você perceber o que estava realmente acontecendo – disse Tiggy. – Sentimos muito por você, Ally.

– Obrigada – agradeceu ela, balançando a cabeça. – Mas agora, parando para pensar, lembro que Pa me disse uma vez, quando estávamos velejando juntos, que queria ser sepultado no mar. Então acho que isso tudo faz sentido.

– Fora o fato de nenhuma de nós ter sido convidada para assistir à cerimônia – comentou Electra, amarga.

– Não. Não fomos – disse Ally, suspirando. – E, no entanto, totalmente por acaso, lá estava eu. Vocês se importariam se eu ficasse um pouco sozinha?

Após ouvir de mim e das outras irmãs que aquilo era mesmo o melhor que podia fazer, além de algumas outras frases de apoio e solidariedade, Ally saiu da cozinha.

– Como isso deve ser terrível para ela – disse Marina.

– Bem, pelo menos agora nós sabemos aproximadamente onde Pa Salt quis ser sepultado – comentou Ceci.

– Minha nossa, Ceci, é só nisso que você consegue pensar? – disparou Electra.

– Me desculpe, sempre prática, é assim que eu sou – respondeu Ceci, imperturbável.

– Sim, fico feliz que a gente saiba onde ele *deve* estar – rebateu Tiggy. – Todas nós sabemos que ele tinha um fraco pelas ilhas gregas, pelas Cíclades em particular. Talvez neste verão a gente deva pegar seu iate e levar uma coroa de flores para jogar no mar, onde quer que Ally tenha visto o barco no radar.

– Sim – arriscou Estrela. – É uma ótima ideia, Tiggy.

– Agora, meninas, alguém quer um brunch? – perguntou Marina.

– Eu não – respondeu Electra. – Vou comer uma salada, se houver algo verde nesta casa.

– Tenho certeza de que vamos encontrar alguma coisa que a agrade – disse Marina pacientemente, sinalizando para Claudia que ela devia começar a preparar a comida. – Agora que Ally está em casa, devo ligar para Georg Hoffman e pedir que ele venha assim que puder?

– Com certeza – respondeu Ceci, antes que eu pudesse abrir a boca. – Vamos ouvir logo o que Pa Salt tinha para nos dizer.

– Você acha que Ally vai estar pronta para isso? – quis saber Marina. – Ela teve um choque terrível hoje.

– Para ser sincera, acho que, como todas nós, ela deve preferir acabar logo com isso – falei. – Então, sim, Ma, ligue para o Georg.

6

Ally não apareceu para o almoço, e nós a deixamos sozinha, sabendo que ela precisaria de algum tempo para assimilar o que tinha acontecido.

Marina chegou à cozinha quando Claudia tirava os pratos da mesa.

– Falei com Georg, ele virá no final da tarde. Aparentemente, seu pai foi específico e preciso em seus pedidos.

– Certo. Cairia bem um pouco de ar fresco depois de todo esse almoço – disse Ceci. – Alguém está a fim de dar um passeio rápido no lago?

As outras irmãs, talvez ansiosas por escapar da crescente tensão, concordaram de imediato.

– Não vou acompanhá-las, se não se importam – falei. – Alguém precisa ficar aqui para esperar por Ally.

Depois que as quatro saíram na lancha com Christian, avisei a Marina que iria voltar ao pavilhão e que estaria lá se Ally precisasse de mim. Aconcheguei-me no sofá com o laptop e comecei a ler os capítulos iniciais do novo livro de Floriano Quintelas. Assim como no primeiro, a prosa era primorosamente trabalhada e o enredo era exatamente o tipo que eu amava. A narrativa se passava cem anos antes, perto das Cataratas do Iguaçu, e contava a história de um menino africano libertado da tirania da escravidão. Entretida, devo ter relaxado tanto que acabei cochilando, e só me lembro de perceber que meu laptop tinha deslizado para o chão e alguém chamava meu nome.

Acordei sobressaltada e vi que era Ally.

– Sinto muito, Maia. Você estava dormindo, não é?

– Acho que sim – concordei, por algum motivo me sentindo culpada.

– Ma disse que as outras meninas foram para o lago, então pensei em vir aqui conversar. Você se importa?

– Nem um pouco – falei, tentando me livrar do torpor do cochilo inesperado.

– Posso preparar uma xícara de chá para nós? – perguntou Ally.

– Sim, obrigada. O chá preto de sempre para mim.

– Eu sei – disse ela, sorrindo e erguendo ligeiramente as sobrancelhas enquanto saía da sala. Quando voltou com duas xícaras fumegantes e se sentou, notei que, ao levar a xícara à boca, suas mãos tremiam.

– Maia, preciso lhe contar uma coisa.

– O quê?

Ally pousou a xícara abruptamente no pires.

– Esqueça o chá. Você tem algo mais forte?

– Tem um pouco de vinho branco na geladeira – falei e fui até a cozinha para pegar a garrafa e uma taça. Como Ally raramente bebia, eu sabia que, fosse lá o que ela quisesse me dizer, devia ser sério.

– Obrigada – disse ela quando lhe entreguei a taça. – Provavelmente não é nada – continuou enquanto tomava um gole –, mas, quando chegamos perto de onde o barco de Pa estava e o vimos acelerar para longe, havia outro grande barco ainda ancorado por lá.

– Bem, com certeza isso não é incomum, não é mesmo? – perguntei. – Estamos no final de junho e as águas do Mediterrâneo devem mesmo estar lotadas de turistas.

– Sim, mas… eu e meu amigo reconhecemos o barco. Era o *Olimpo*.

A xícara de chá estava a meio caminho da boca quando escutei o que Ally acabara de dizer e então a pousei de volta no pires, fazendo barulho.

– E é claro que você já deve saber o que aconteceu no *Olimpo*. Li sobre isso no jornal enquanto estava no avião.

Ally mordeu o lábio.

– Sim, eu vi no noticiário.

– Você não acha estranho Pa ter escolhido esse lugar específico para ser sepultado? E que, provavelmente no mesmo horário, Kreeg Eszu tenha decidido tirar a própria vida ali perto?

É claro que pensei – por mais razões do que eu poderia contar a Ally – que era uma coincidência absurda, quase obscena. Mas algo além disso? Não podia ser.

– Sim – falei, fazendo o máximo para esconder minha angústia. – Sem dúvida. Mas tenho certeza de que não há ligação. Eles nem sequer se conheciam, não é?

– Pelo que eu saiba, não – concordou Ally. – Mas o que de fato sabíamos da vida de Pa além desta casa e do iate? Conhecemos muito poucos de seus amigos ou parceiros de negócios. E é bem possível que eles tenham se conhecido. Afinal de contas, os dois eram incrivelmente ricos e bem-sucedidos.

– Sim, Ally, mas tenho certeza de que foi apenas uma coincidência. Você também estava por perto em seu barco. É simples: Delos é uma ilha muito bonita e muitos barcos vão para lá.

– Eu sei disso. Mas não consigo tirar da cabeça que Pa está lá sozinho no fundo do mar. E, é claro, na hora eu nem imaginava que ele estivesse morto. Muito menos que estava em algum lugar no fundo daquele incrível mar azul. Eu...

Levantei e passei um braço em volta da minha irmã.

– Ally, por favor, esqueça que o outro barco estava lá... É irrelevante. Mas o fato de você estar lá para ver o local onde Pa escolheu ser sepultado é, na verdade, reconfortante. Talvez, como Tiggy sugeriu, possamos fazer um cruzeiro juntas no verão e jogar uma coroa de flores na água.

– O pior é que... – Ally soluçava agora – ... eu me sinto tão culpada!

– Por quê?

– Porque... aqueles poucos dias no barco foram tão bonitos! Eu estava tão feliz, mais feliz do que em qualquer momento da minha vida. E a verdade é que eu não queria que ninguém entrasse em contato comigo, então desliguei o celular. Enquanto estava desligado, Pa estava morrendo! Bem quando ele precisou de mim eu não estava lá!

– Ally, Ally... – Afastei seu cabelo do rosto enquanto a embalava delicadamente. – Nenhuma de nós estava lá. E sinceramente acredito que era esse o desejo de Pa. Lembre-se de que eu moro aqui e mesmo eu tinha deixado o ninho quando aconteceu. Pelo que Ma disse, não havia realmente nada que pudéssemos fazer. E devemos acreditar nisso.

– Sim, eu sei. Mas sinto que havia tantas coisas que eu queria perguntar a ele, ou lhe dizer, e agora ele se foi.

– Acho que todas nos sentimos assim – falei com pesar. – Mas pelo menos temos umas às outras.

– Sim, nós temos. Obrigada, Maia – disse Ally, agradecida. – Não é incrível como nossas vidas podem virar de ponta-cabeça em questão de horas? – perguntou com um suspiro.

– É, sim – concordei com sinceridade. – De qualquer forma, alguma hora eu gostaria de saber a razão dessa sua felicidade.

– E alguma hora vou lhe contar, eu prometo. Mas agora não. Como você está, Maia? – perguntou de repente, mudando de assunto.

– Eu estou bem – respondi, encolhendo os ombros. – Ainda em estado de choque, como todo mundo.

– Sim, imagino, e contar o que aconteceu às nossas irmãs não deve ter sido fácil. Lamento não ter estado aqui para ajudá-la.

– Bem, pelo menos agora que você está aqui podemos nos encontrar com Georg Hoffman e tentar seguir em frente.

– Ah, sim, me esqueci de dizer que Ma nos pediu para estar em casa em uma hora – informou Ally. – Ele deve chegar a qualquer minuto, mas quer conversar com ela primeiro, aparentemente. Então, será que posso tomar outra taça de vinho enquanto esperamos?

❀ ❀ ❀

Às sete horas, Ally e eu voltamos para a casa e encontramos nossas irmãs sentadas no terraço ao sol do fim do dia.

– Georg Hoffman chegou? – perguntei quando nos sentamos.

– Sim, mas nos pediram para esperar aqui, depois ele e Ma sumiram. Isso é típico de Pa Salt, misterioso até o fim – comentou Electra, mordaz.

Nós seis, tensas, esperamos ali sentadas até Georg finalmente aparecer no terraço com Marina.

– Desculpe fazê-las esperarem tanto, meninas, mas eu precisava organizar umas coisas. Meus pêsames a todas – disse ele com ar sério, apertando a mão de cada uma de nós ao redor da mesa com a tradicional formalidade suíça. – Posso me sentar?

– Claro – respondi, indicando a cadeira ao meu lado, e o estudei. Ele estava impecável em seu terno escuro, as rugas em seu rosto bronzeado e o cabelo grisalho e um pouco calvo indicando que devia ter uns 60 e poucos anos.

– Estarei lá dentro se alguém precisar de mim – disse Marina com um aceno de cabeça antes de caminhar na direção da casa.

– Bem, meninas – começou ele. – Sinto muitíssimo que nosso primeiro encontro ao vivo seja nestas circunstâncias tão trágicas. Mas tenho a impressão de já conhecer todas vocês muito bem por intermédio do seu pai, e a primeira coisa que preciso lhes dizer é que ele as amava muito. Não só isso, ele também tinha muito orgulho das pessoas em quem vocês se transformaram. Nos falamos logo antes de ele... nos deixar, e ele queria que eu lhes dissesse isso.

Fiquei surpresa ao ver uma lágrima brilhar nos olhos de Georg. Eu sabia como era incomum um homem como ele demonstrar qualquer emoção, e isso fez com que eu, de alguma forma, simpatizasse com ele.

– Tenho certeza de que a primeira coisa a fazer é tirar as questões financeiras do caminho e garantir a vocês que todas terão recursos razoáveis pelo resto da vida. Apesar disso, seu pai fazia questão de que não vivessem como princesas preguiçosas, então vocês todas vão receber uma quantia que será suficiente para sustentá-las, mas nunca vai lhes proporcionar uma vida de luxo. Essa parte, como ele enfatizou para mim, é o que vocês terão que conseguir por si mesmas, como ele o fez. Os bens do seu pai vão para um fundo de pensão em nome de todas vocês, e ele me concedeu a honra de administrar. Caberá a mim decidir lhes dar ou não ajuda financeira sempre que vocês me procurarem com uma proposta ou um problema.

Todas permanecemos em silêncio, ouvindo atentamente o que Georg nos dizia.

– Esta casa também faz parte do fundo de pensão, e tanto Claudia quanto Marina disseram que teriam prazer em continuar aqui e tomar conta de tudo. No dia em que a última de vocês morrer, o fundo será dissolvido, a propriedade poderá ser vendida e o lucro dividido entre os descendentes que vocês vierem a ter. Se não houver descendentes, o dinheiro será doado a uma instituição de caridade que seu pai escolheu. Pessoalmente, acho que ele fez uma escolha muito inteligente – comentou Georg. – Garantiu que a casa continuará aqui até o fim da vida de vocês, então sempre terão um lugar seguro para voltar. Mas é claro que o maior desejo dele era que todas vocês ganhassem o mundo e determinassem o próprio destino.

Vi minhas irmãs se entreolharem, sem saber se estavam felizes ou não com a decisão de Pa. Quanto a mim, percebi que os aspectos práticos e financeiros pouco haviam mudado. Eu ainda tinha o pavilhão, pelo qual eu pagava um aluguel mínimo para Pa, e minha profissão cobriria tranquilamente qualquer outra necessidade imediata.

– Agora há mais uma coisa que o seu pai deixou para vocês, e devo pedir a todas que me acompanhem. Por aqui, por favor.

Georg se levantou e, em vez de andar em direção à porta da frente, deu a volta na casa, seguido por nós, como cordeiros atrás de um pastor através dos jardins. Fomos dar em um jardim secreto, abrigado atrás de uma fileira de cercas vivas de teixo imaculadamente podadas. Dava para o lago e permitia uma visão ampla e espetacular do pôr do sol e das montanhas do outro lado.

Do terraço que ficava no meio do jardim saíam degraus que desciam até uma pequena praia de seixos, de águas claras e frias, em que minhas irmãs e eu nadáramos muitas vezes no verão. Eu também sabia que aquele era o local preferido de Pa no jardim. Se eu não o encontrava em casa, geralmente o achava sentado ali, em meio ao cheiro doce de lavanda e ao perfume das rosas que emanava dos canteiros bem-cuidados.

– Então – disse Georg –, aqui estamos. Isso é que quero mostrar a vocês.

Ele apontou para o terraço no centro do jardim e nos deparamos com a estranha mas bela escultura que aparecera ali.

Nós nos reunimos em volta e observamos o objeto, fascinadas. Era um pedestal de pedra mais ou menos da altura do quadril, sobre o qual havia uma esquisita estrutura circular. Enquanto dava uma olhada, percebi que a figura era formada por uma série intricada de aros finos sobrepostos, com uma pequena bola dourada no centro. Olhando com mais atenção, percebi que a bola era, na verdade, um globo terrestre, com o contorno dos continentes gravados, e que era atravessada por uma fina flecha de metal. Em torno da circunferência havia outro aro, em que apareciam gravados os doze signos do Zodíaco.

– O que é isso? – perguntou Ceci, falando por todas nós.

– Isso aqui é uma esfera armilar – explicou Georg.

Georg percebeu que não tínhamos entendido e continuou.

– As esferas armilares existem há milhares de anos. Os antigos gregos originalmente as usavam para determinar a posições das estrelas, assim como a hora do dia. Isto – disse ele, indicando os aros dourados em volta do globo – representa as linhas equatorial, latitudinais e longitudinais da Terra. E esta aqui, a linha do meridiano, que circunda todas elas e tem os doze signos do Zodíaco inscritos, vai de norte a sul. A flecha central aponta diretamente para Polaris, a Estrela do Norte.

– É lindo – suspirou Estrela, curvando-se para olhar mais de perto.

– Sim, mas o que isso tem a ver com a gente? – perguntou Electra.

– Explicar isso não faz parte das minhas atribuições – disse Georg. –

Mas, se vocês olharem com atenção, verão que os nomes de todas vocês aparecem nos aros para os quais acabei de apontar.

Todas nos curvamos mais para perto e vimos que Georg estava certo.

– Essa aqui é a sua, Maia – disse Ally, apontando. – Tem uns números depois do nome, que me parecem um conjunto de coordenadas – continuou ela, passando a examinar as suas. – Sim, tenho certeza de que é isso mesmo. É o que usamos para navegar no mar o tempo todo.

– E tem também algumas inscrições, mas parecem estar em outra língua – comentou Electra.

– Estão em grego – falei, reconhecendo imediatamente as letras.

– E o que elas dizem? – perguntou Tiggy.

– Preciso de um papel e uma caneta para anotá-las e poder traduzi-las – falei, olhando atentamente a minha inscrição.

– Certo, é uma escultura bem legal e está aqui no terraço. Mas o que ela significa? – perguntou Ceci, impaciente.

– Isso também não cabe a mim dizer – respondeu Georg. – Marina está servindo champanhe no terraço principal, conforme instruções do seu pai. Ele queria que todas vocês brindassem o seu falecimento. Em seguida vou entregar a cada uma um envelope que ele deixou. Espero que isso explique bem mais do que posso lhes contar.

Mais uma vez, nós o seguimos pelo jardim, atordoadas e em silêncio. Ao chegarmos ao terraço, encontramos duas garrafas geladas de champanhe Armand de Brignac e uma bandeja com taças de cristal. Quando nos acomodamos, Marina serviu uma taça para cada um de nós.

Georg ergueu a sua.

– Por favor, juntem-se a mim na celebração da vida notável que seu pai teve. Tudo que posso lhes dizer é que este era o funeral que ele desejava, com todas as suas meninas reunidas em Atlantis, lar que ele teve a honra de dividir com vocês durante todos os anos.

Como robôs, todas nós erguemos as taças.

– A Pa Salt – falei.

– A Pa Salt – repetiram minhas irmãs em coro.

Um pouco desconfortáveis, todos tomamos um gole. Olhei para o céu e depois em direção ao lago e às montanhas e disse a ele que o amava.

– Mas e aí? Quando vamos receber as cartas? – perguntou Ally depois de um tempo.

– Vou pegá-las agora. – O advogado se levantou e deixou a mesa.

– Bom, este deve ser o velório mais bizarro que eu já vi – comentou Ceci.

– É, a cara de Pa Salt – disse Electra com um sorriso de canto de boca.

– Pode me servir um pouco mais de champanhe? – perguntou Ally.

Notando que todas tínhamos esvaziado nossas taças, Marina voltou a enchê-las.

– Você está entendendo alguma coisa, Ma? – perguntou Estrela, ansiosa.

– Sei tanto sobre isso quanto vocês, *chérie* – respondeu ela, com seu habitual jeito enigmático.

– Ah, eu só queria que ele estivesse aqui para explicar pessoalmente... – disse Tiggy, os olhos de repente se enchendo de lágrimas.

– Mas ele não está, querida – lembrou Ally em voz baixa. – E por algum motivo eu acho que é perfeito assim. Ele tornou as coisas o mais fáceis possível. E agora temos que tirar forças umas das outras.

– Você tem razão – concordou Electra.

Olhei para Ally e desejei ter a capacidade que ela sempre parecia ter de encontrar as palavras certas para animar nossas irmãs.

Quando Georg voltou, o champanhe já havia nos deixado um pouco mais relaxadas. Ele sentou novamente e colocou seis envelopes de papel velino cor de creme na mesa.

– Essas cartas foram deixadas comigo umas seis semanas atrás. No caso da morte do seu pai, fui instruído a entregá-las para cada uma de vocês.

Olhamos para os envelopes com uma mistura de interesse e desconfiança.

– Posso tomar mais um pouco de champanhe também? – perguntou Georg, com a voz um tanto tensa.

Percebi, então, como aquilo tudo devia ser difícil para ele. Contar a seis filhas de luto qual seria o estranho legado de seu pai devia ser demais até mesmo para o indivíduo mais pragmático.

– Claro, Georg – disse Marina, enquanto servia uma taça para ele.

– Temos que abri-las agora ou depois, quando estivermos sozinhas? – perguntou Ally.

– Seu pai não estipulou nada em relação a isso – respondeu Georg. – Tudo que ele disse foi que deveriam abri-las quando cada uma de vocês estivesse pronta e se sentisse à vontade para fazê-lo.

Observei minha carta. Meu nome estava escrito na bela caligrafia tão familiar do meu pai. Só de olhar para ela tive vontade de chorar.

Nós nos entreolhamos, tentando perceber como as outras se sentiam em relação àquilo.

– Acho que prefiro ler a minha sozinha – disse Ally.

Todas murmuraram alguma coisa, concordando. Eu sabia que, como de costume, Ally instintivamente percebera como nos sentíamos.

– Então meu trabalho está feito. – Georg tomou o resto do champanhe, depois enfiou a mão no bolso do paletó e pegou seis cartões de visita, que distribuiu entre nós. – Por favor, não hesitem em me contatar, qualquer uma de vocês, se precisarem da minha ajuda. E podem ter certeza de que estarei ao seu dispor dia e noite. De qualquer jeito, conhecendo seu pai, tenho certeza de que ele já deve ter previsto tudo de que cada uma de vocês pode precisar. Portanto, é chegada a hora de eu deixá-las. Mais uma vez, meninas, meus sentimentos.

– Obrigada, Georg – falei. – Agradecemos muito sua ajuda.

– Adeus. – Ele se levantou e fez um gesto para todas nós. – Se precisarem de mim, sabem onde me encontrar. Não há necessidade de me acompanharem até a saída.

Então, em silêncio, acompanhamos Georg com os olhos enquanto ele se afastava, depois vi Marina se levantar da mesa.

– Acho que vocês devem estar com fome. Vou pedir a Claudia para servir o jantar aqui fora – disse ela e entrou em casa.

– Estou quase com medo de abrir isto – falou Tiggy, passando os dedos pelo envelope. – Não faço ideia do que pode haver aqui.

– Maia, você acha que poderia voltar até a escultura e traduzir aquelas citações gravadas? – perguntou Ally.

– Claro – respondi, vendo Marina e Claudia trazerem pratos de comida. – Farei isso depois do jantar.

– Espero que vocês não fiquem chateadas, mas estou sem fome – disse Electra, levantando-se. – Vejo vocês mais tarde.

Quando ela saiu, percebi que cada uma de nós queria ter coragem de fazer o mesmo. Todas queríamos passar algum tempo sozinhas.

– Você está com fome? – perguntou Ceci a Estrela.

– Acho que seria bom a gente comer alguma coisa – respondeu baixinho Estrela, apertando com força seu envelope.

– Está bem – disse Ceci.

Todas nos forçamos bravamente a engolir a comida, preparada com carinho por Claudia. E então, uma a uma, minhas irmãs começaram a se levantar e sair silenciosamente da mesa, até ficarmos apenas Ally e eu.

– Maia, você fica chateada se eu também for me deitar? Estou completamente exausta.

– É claro que não – respondi. – Você foi a última a saber, ainda está se recuperando do choque.

– É, acho que é isso mesmo – concordou ela, levantando-se. – Boa noite, Maia querida.

– Boa noite.

Depois que ela deixou o terraço, meus dedos se fecharam em volta do envelope, que ficara ao lado do prato durante a última hora. Por fim, levantei-me e caminhei em direção ao pavilhão. Já no meu quarto, coloquei o envelope debaixo do travesseiro, depois fui ao escritório pegar papel e caneta.

Armada com uma lanterna, cruzei de novo o jardim para estudar a esfera armilar. A noite chegara e as primeiras estrelas iam surgindo. Pa Salt me mostrara as Sete Irmãs muitas vezes de seu observatório quando elas estavam bem sobre o lago, entre novembro e abril.

– Sinto sua falta – sussurrei para o céu – e espero um dia entender.

Então voltei minha atenção para os aros dourados em torno do globo. Copiei as palavras gregas o melhor que pude com a lanterna na mão esquerda e depois, pensando que deveria voltar no dia seguinte para me certificar de ter copiado tudo direito, contei as inscrições que eu anotara.

Havia seis.

Mas ainda havia um aro que eu não tinha olhado. Quando iluminei o sétimo deles, procurando a inscrição, vi que estava em branco, exceto por um nome: Mérope.

7

Passei a madrugada traduzindo as frases da esfera armilar. Não sabia quão relevante eram para as outras garotas, mas não achava que fosse meu dever investigar. Deixei a minha por último, quase assustada demais para saber o que dizia. Quando terminei de traduzir, respirei fundo e li.

Nunca deixe o medo decidir seu destino

Eu sabia que nada poderia descrever quem eu era com mais precisão do que as sete palavras que Pa Salt tinha me deixado.

❋ ❋ ❋

Na manhã seguinte, depois de preparar minha indispensável xícara de chá, voltei ao quarto, peguei hesitante o envelope sob o travesseiro e levei-o para a sala. Observei-o por algum tempo enquanto tomava meu chá.

Então, depois de inspirar fundo algumas vezes, peguei-o e rasguei uma das pontas. Havia algo além da carta; quando enfiei a mão, senti algo sólido e suave ao toque. Quando o retirei, vi que era um ladrilho de pedra em forma triangular cor de creme, mas com uma tonalidade esverdeada. Virei--o e encontrei na parte de trás uma inscrição desbotada e ilegível.

Incapaz de decifrá-la, deixei-o de lado e, com as mãos trêmulas, desdo-brei a carta de Pa e comecei a ler.

Atlantis
Lago Léman, Suíça

Querida Maia,
Tenho certeza de que, quando você se sentar para ler isto, vai estar se sentindo confusa e triste. Minha amada primogênita, só posso lhe dizer

que você foi uma grande alegria para mim. Embora eu não possa dizer que sou seu pai biológico, peço que acredite que a amei como se fosse. E devo lhe contar que foi você que me inspirou a adotar suas lindas irmãs mais novas, e que todas vocês têm me dado mais felicidade do que qualquer outra coisa na minha vida.

Você nunca me pediu que lhe contasse sobre sua verdadeira origem, onde a encontrei e as circunstâncias que levaram à sua adoção. Tenha certeza de que eu teria lhe contado se você tivesse perguntado, como uma de suas irmãs fez há alguns anos. Mas, ao deixar este mundo, sinto que é certo lhe dar a liberdade de descobrir isso no futuro, se você quiser.

Nenhuma de vocês chegou com uma certidão de nascimento e, como você sabe, todas vocês foram oficialmente registradas como minhas filhas. Ninguém pode tirar isso de você. No entanto, posso pelo menos lhe indicar a direção correta. Depois disso, só você poderá decidir fazer a viagem de volta ao seu passado, se assim desejar.

Na esfera armilar, que a esta altura vocês já devem ter visto, há um conjunto de coordenadas indicando exatamente onde sua história começou. E há também uma pequena pista dentro do envelope para ajudá-la um pouco mais.

Maia, não posso lhe dizer o que você vai encontrar se decidir voltar ao país em que nasceu, mas posso lhe dizer que sua verdadeira família e a história deles tocaram minha vida.

Estou triste por não ter tempo para lhe contar minha própria história, e acho que algumas vezes você sentiu que eu mantinha muita coisa em segredo. Tudo que fiz foi para protegê-las. No entanto, claro, nenhum homem ou mulher é uma ilha. E, quando você cresceu, eu tive de deixá-la livre para voar.

Todos nós guardamos segredos, mas, por favor, acredite em mim quando digo que a família é tudo. E que o amor de um pai ou uma mãe por um filho é a força mais poderosa na Terra.

Maia, é compreensível que eu olhe para trás e me arrependa de muitas decisões que tomei. É claro, faz parte da condição humana cometer erros e é assim que aprendemos e crescemos. Porém, meu maior desejo é pelo menos passar para minhas preciosas filhas um pouco da sabedoria que adquiri.

Imagino que uma parte de você, em razão de sua experiência de vida até agora, perdeu a fé na natureza humana. Minha querida Maia, por favor, *saiba que eu também sofri dessa mesma aflição e que isso atrapalhou minha vida algumas vezes. No entanto, ao longo dos muitos anos que passei na Terra, aprendi que, para cada maçã podre entre nós, existem milhares de outras pessoas cujos corações estão cheios de bondade. E você deve confiar na bondade intrínseca a cada ser humano. Só então você será capaz de viver e amar plenamente.*

Vou deixá-la agora, minha adorada Maia. Tenho certeza de que dei a você e suas irmãs muito em que pensar.

Sempre cuidarei de você lá do céu.

Um beijo de seu pai, que tanto te ama,

Pa Salt

Permaneci sentada segurando a carta e vi que minhas mãos tremiam. Eu sabia que precisaria lê-la de novo, e provavelmente uma terceira e uma quarta vez, mas uma frase ficou na minha cabeça.

Ele sabia?

Liguei para o celular de Marina e perguntei se ela poderia me encontrar no pavilhão. Ela chegou cinco minutos depois e notou a angústia no meu rosto.

Fomos para a sala e ela viu a carta aberta na mesa de centro.

– Ah, Maia – disse ela, estendendo os braços para mim. – Tenho certeza de que você deve estar muito angustiada depois de ouvir seu pai falar com você do túmulo.

Permaneci parada, sem aceitar seu abraço.

– Ma, por favor, você tem que me falar se algum dia contou a Pa Salt sobre o nosso… segredo?

– Claro que não! Por favor, acredite em mim, eu nunca a trairia!

Eu podia ver a dor nos olhos bondosos de Marina.

– Então ele nunca soube?

– Não. Como poderia?

– Na carta, ele escreveu algo que me fez pensar que ele *sabia*…

– Posso dar uma olhada?

– Claro. Aqui está. – Peguei a carta e entreguei a ela, observando-a atentamente enquanto ela lia.

Depois de algum tempo, ela olhou para mim, sua expressão mais calma. Ela assentiu, como se tivesse entendido.

– Compreendo por que você reagiu assim, mas sinceramente acho que seu pai estava apenas compartilhando com você a verdade *dele*.

Desabei no sofá e apoiei a cabeça nas mãos.

– Maia. – Marina balançou a cabeça e suspirou. – Como a carta de seu pai diz, todos nós cometemos erros. Nós simplesmente fazemos o que achamos que é certo no momento. E você, em especial, tem passado a vida colocando os sentimentos dos outros em primeiro lugar. Principalmente os do seu pai.

– Eu só não queria desapontá-lo.

– Eu sei, *chérie*, mas tudo que seu pai queria para todas vocês era que fossem felizes e se sentissem seguras e amadas. Por favor, hoje mais do que nunca, não se esqueça disso. Mas talvez seja hora, agora que ele se foi, de pensar um pouco em si mesma e no que *você* quer. – Marina levantou-se rapidamente. – Electra disse que vai embora. Tiggy também. Ceci ligou para Georg Hoffman bem cedo hoje e foi com Estrela até o escritório dele em Genebra. E Ally está ocupada em seu laptop na cozinha.

– Você sabe se alguma delas já leu as cartas? – perguntei, tentando me recompor.

– Se leram, não me contaram – afirmou Marina. – O que acha de almoçar lá em casa com a gente, antes de Electra e Tiggy irem embora?

– É claro. E eu sinto muito, Ma, por ter duvidado de você.

– É perfeitamente compreensível, depois de ler a carta. Agora fique um pouco sozinha para se acalmar. Vejo você em casa à uma da tarde.

– Obrigada – sussurrei enquanto Marina saía da sala. Antes de chegar à porta, ela parou e virou para olhar para mim.

– Maia, sinceramente, você é a filha que eu gostaria de ter tido. E, assim como seu pai, amo você como se fosse minha.

❀ ❀ ❀

Depois que ela saiu, caí no sofá e me desmanchei em lágrimas. Era como se uma torrente de emoções havia muito enterradas estivesse implorando para ser libertada – e, para minha vergonha, perdi completamente o controle e me afundei em um mar de autopiedade.

Eu sabia que estava chorando por *mim*. Não por Pa, por sua morte inesperada e pela dor que ele deve ter sofrido em seus instantes finais, mas por minha própria dor da perda e por me sentir indigna por não confiar nele o suficiente para lhe contar a verdade.

Que tipo de pessoa eu era? O que eu havia feito?

E por que eu estava sentindo todas essas coisas agora, coisas que não estavam ligadas de forma alguma à morte de Pa?

Estou me comportando como Electra, disse a mim mesma, esperando que com isso conseguisse me controlar. Mas não deu certo. E as lágrimas simplesmente não paravam de rolar. Perdi a noção do tempo e, quando finalmente levantei os olhos, Tiggy estava de pé na minha frente, o rosto preocupado.

– Ah, Maia, só vim aqui para dizer que Electra e eu vamos embora daqui a pouco e queríamos nos despedir. Mas não posso deixar você assim...

– Imagina – falei, fungando. – Me desculpe, eu...

– Por que você está se desculpando? – perguntou ela, sentando-se ao meu lado e pegando minhas mãos. – Você também é humana. Acho que às vezes você se esquece disso.

Notei que ela viu a carta de Pa, que ainda estava na mesinha de centro, e eu a peguei instintivamente.

– Foi muito perturbador? – quis saber ela.

– Sim... e não...

Eu não conseguiria explicar. E, de todas as irmãs que poderiam estar ali naquele momento, Tiggy era aquela com quem tinha sido mais maternal, aquela que contara comigo e a quem eu sempre ajudara quando precisava. Não deixei de notar a inversão de papéis.

– Você perdeu o almoço, aliás – disse ela.

– Eu sinto muito.

– Por favor, você pode parar de se desculpar? Todas nós entendemos, nós amamos você. E sabemos o que a morte de Pa significa para você.

– Mas olhe para mim! Eu sou aquela que resolve tudo, a que ajuda todo mundo! E agora sou eu quem está neste estado. Você abriu a sua carta? – perguntei.

– Não, ainda não. Eu acho, ou pelo menos *sinto*, que devo levá-la de volta comigo para a Escócia. E ler a carta no meu cantinho especial e particular, no planalto.

– Bem, aqui é a minha casa, o lugar ao qual pertenço, então abri aqui. Mas me sinto tão culpada, Tiggy – confessei.

– Por quê?

– Porque… estou chorando por mim. Não pelo Pa, mas por *mim*.

– Maia – disse ela com um suspiro –, você acha mesmo que existe alguma outra razão para as pessoas chorarem pela morte de um ente querido?

– Sim, é claro. Eles choram por uma vida interrompida, pela dor que a pessoa sofreu, não é?

– Bem… – Tiggy abriu um pequeno sorriso. – Sei que você acha difícil acreditar no que eu acredito, que *existe* vida após a morte e que nossas almas continuam a existir, mas imagino Pa agora em algum lugar do universo, liberto de seu inadequado corpo humano… livre pela primeira vez. Porque tantas vezes eu vi em seus olhos quanto ele sofreu durante a vida. E tudo que posso dizer é que, quando um de meus cervos morre e é libertado da dor de viver, entendo que estou chorando pela minha própria perda, porque vou sentir muita falta do animal. Maia, por favor, mesmo que você não consiga acreditar que existe algo além desta Terra, tente entender que a dor tem a ver com quem ficou para trás. *Conosco*. Estamos todos sofrendo por nós mesmos e nossa perda. E você não deve se sentir culpada por isso.

Olhei para minha irmã, sentindo sua serena aceitação. E silenciosamente reconheci que enterrara conscientemente por muitos anos a parte de mim que ela chamava de "alma".

– Obrigada, Tiggy, e sinto muito por não ter almoçado com vocês.

– Você não perdeu muita coisa. Acabou que só Ally e eu almoçamos. Electra estava fazendo as malas e disse que já havia comido muita besteira, e Ceci e Estrela ainda estão em Genebra. Elas foram falar com Georg Hoffman hoje de manhã.

– Ma me contou. Ceci provavelmente foi falar de dinheiro, não?

– Acredito que sim. Você já deve saber que ela conseguiu uma vaga num curso de arte em Londres. Elas vão precisar de um lugar para morar e isso custa dinheiro.

– Sim.

– É claro que a morte de Pa afeta mais você do que qualquer uma de nós. Quer dizer, nós sabemos que você ficou aqui para lhe fazer companhia e cuidar dele.

– Tiggy, essa não é exatamente a verdade. Fiquei aqui porque não tinha nenhum lugar para ir – admiti com franqueza.

– Como de costume, acho que você está sendo muito dura consigo mesma. Pa *era* parte do motivo para você ficar aqui. Agora que ele se foi, o mundo pode ser seu. Você tem um trabalho que pode ser feito em qualquer lugar, pode ir para onde quiser. – Tiggy olhou para o relógio de pulso. – Eu preciso mesmo fazer as malas. Tchau, querida Maia – disse enquanto jogava os braços em volta dos meus ombros. – Cuide-se. Você sabe que, se precisar de mim, é só ligar. Por que não vem me visitar nas Terras Altas qualquer dia? A paisagem é tão bonita, e a atmosfera, incrivelmente tranquila.

– Quem sabe, Tiggy. Obrigada.

Assim que ela foi embora, fiz um esforço para sair e me despedir de Electra. Mas, quando atravessava o jardim em direção ao cais, Electra apareceu bem na minha frente.

– Estou indo – anunciou. – Minha agência me avisou que vai me processar se eu não estiver na sessão de fotos amanhã de manhã.

– Claro.

– Ei. – Electra inclinou a cabeça de lado. – Você está bem?

– Estou.

– Escute, agora que você não tem mais Pa com quem se preocupar aqui, por que não aparece lá em La-La Land e fica comigo e com Mitch por algum tempo? Tem uma casinha de hóspedes incrível no quintal. Estou falando sério, você é bem-vinda a qualquer hora.

– Obrigada, Electra. Mande notícias, está bem?

– Claro que sim. Então, vejo você em breve – disse ela quando chegamos ao cais, no momento exato em que Ceci e Estrela saíam do barco.

– Oi, meninas – disse Ceci, e seu sorriso me informou que sua missão em Genebra tinha sido obviamente bem-sucedida.

– Está indo embora, Electra? – perguntou Estrela.

– Preciso voltar para Los Angeles. Algumas de nós têm que trabalhar para ganhar a vida, sabe? – falou, enfática, e eu sabia que o comentário era direcionado a Ceci.

– Bem, pelo menos algumas de nós usam o cérebro, e não o corpo, para isso – replicou Ceci quando Ally chegou ao cais com Tiggy.

– Meninas, meninas, deveríamos nos apoiar neste momento, não é mesmo? Tchau, Electra. – Ally foi até a irmã e deu um beijo em cada bochecha.

– Vamos tentar nos ver em breve.

– Claro – concordou Electra enquanto beijava Estrela, ignorando Ceci. – Está pronta, Tiggy?

– Sim – disse Tiggy, e foi até Estrela, a única irmã de quem faltava se despedir. Enquanto a abraçava, vi Tiggy sussurrar em seu ouvido e Estrela sussurrar algo em resposta.

– Certo, vamos andando – ordenou Electra. – Não posso arriscar perder meu voo.

Então Tiggy e Electra subiram no barco e ficamos, as quatro remanescentes, acenando em despedida enquanto ouvíamos o ronco do motor se distanciar, depois viramos e caminhamos de volta para a casa.

– Acho que Estrela e eu também vamos embora hoje mais tarde – comentou Ceci.

– Sério? Não podemos ficar mais um pouco? – perguntou Estrela, bastante chorosa.

– De que adianta? Pa não está mais aqui, a gente já falou com o advogado, e precisamos chegar a Londres o quanto antes para encontrar um lugar para morar.

– Tem razão – disse Estrela.

– O que você vai fazer em Londres enquanto Ceci estiver estudando arte? – perguntou Ally.

– Ainda não sei muito bem – respondeu Estrela.

– Está pensando em fazer um curso da Cordon Bleu, não é, Estrela? Ela cozinha superbem, sabia? – acrescentou Ceci para mim. – Bem, vou ver se consigo algum voo. Sei que tem um às oito horas de Genebra para Heathrow que seria perfeito. Até logo.

Fiquei com Ally, observando as duas entrarem em casa.

– Não precisa nem dizer nada – falei com um suspiro. – Eu sei.

– Enquanto crescíamos, sempre achei que era uma coisa positiva elas serem tão próximas – comentou Ally. – Elas eram as filhas do meio, e era bom terem uma à outra.

– Lembro-me de Pa sugerindo que as duas fossem para escolas diferentes e Estrela chorando histericamente, pedindo para deixá-la ficar com Ceci – lembrei.

– Um dos problemas é que ninguém nunca tem a chance de conversar com Estrela sozinha. Ela está bem? Ela parece péssima desde que chegou aqui.

– Ally, não faço a menor ideia. Na verdade, às vezes sinto como se eu mal a conhecesse – admiti.

– Bem, como Ceci vai ficar ocupada com o curso de arte, se Estrela resolver fazer alguma coisa também talvez as duas tenham uma chance de se desgrudarem um pouco. Agora, que tal você e eu nos sentarmos um pouco no terraço? Posso pedir a Claudia para trazer alguns sanduíches para você. Você está meio pálida, Maia, não comeu nada. E preciso conversar com você sobre uma coisa.

Concordei e sentei ao sol, o calor acariciando meu rosto e me ajudando a relaxar. Ally voltou e sentou ao meu lado.

– Claudia vai trazer alguma coisa para comer – disse ela. – Maia, não quero ser enxerida, mas você abriu sua carta ontem à noite?

– Abri, sim. Bom, na verdade foi hoje de manhã – confessei.

– E está claro que ficou aborrecida.

– No começo, sim, mas agora estou bem, Ally. Sério – respondi, nem um pouco pronta para falar sobre isso. A doce preocupação de Tiggy me reconfortara, mas eu sabia que a atenção de Ally faria me sentir infantilizada. – E você?

– Sim, eu abri a minha – disse Ally. – Era linda e me fez chorar, mas também me deixou um pouco mais animada. Falando nisso, passei a manhã pesquisando as coordenadas na internet. Agora sei exatamente de onde cada uma de nós veio. E uma coisa eu posso dizer: tem algumas surpresas na lista – acrescentou, enquanto Claudia chegava com uma travessa de sanduíches e a colocava na mesa à minha frente.

– Você sabe exatamente onde nós nascemos? Onde *eu* nasci?

– Sim, ou pelo menos onde Pa nos encontrou. Você quer saber, Maia? Eu posso contar ou posso deixá-la pesquisar sozinha.

– Eu... não tenho certeza – falei, sentindo um frio no estômago.

– Tudo que posso dizer é o seguinte: Pa conheceu mesmo muitos lugares.

Então observei Ally. Queria ter a calma que ela aparentava diante desse paradoxo entre uma morte misteriosa e revelações impactantes sobre nosso nascimento.

– Então você sabe de onde veio? – perguntei.

– Sei, mesmo que ainda não faça sentido.

– E as outras? Você disse a elas que sabe onde nasceram?

– Não, mas expliquei como procurar as coordenadas no Google Earth.

Quer que eu conte a você também? Ou prefere só saber onde Pa a encontrou? – Os belos olhos azuis de Ally estavam fixos em mim.

– No momento, eu realmente não sei.

– Bem, como eu falei, é bem fácil pesquisar.

– Então, provavelmente, é isso que eu vou fazer quando estiver pronta – falei com firmeza, sentindo que mais uma vez estava um passo atrás da minha irmã.

– Vou anotar as instruções de como identificar as coordenadas, caso você algum dia queira saber. Você teve tempo de traduzir aquelas citações em grego gravadas na esfera armilar?

– Tive. Traduzi todas.

– Bom, eu gostaria muito de saber o que Pa escolheu para mim – disse Ally. – Pode me dizer, por favor?

– Não me lembro exatamente, mas posso voltar ao pavilhão e anotar para você.

– Obrigada.

Mordi um dos sanduíches que Claudia havia colocado à minha frente, desejando pela milésima vez ser mais como Ally, que lidava com tudo com tranquilidade, que nunca tinha medo de nada que a vida de repente apresentava. A carreira que escolhera – cheia de perigo e por vezes solitária, enfrentando ondas que poderiam em um instante virar a frágil embarcação em que velejava – era uma metáfora perfeita de quem ela era. Acho que, de todas nós, era ela quem se sentia mais à vontade consigo mesma. Ally nunca sucumbia a pensamentos negativos. Ela via qualquer contratempo como uma lição positiva de vida e então seguia em frente, determinada.

– Então, pelo visto, nós duas somos capazes de oferecer às outras irmãs as informações de que elas precisam se quiserem explorar seu passado – refletiu Ally.

– Sim, mas talvez seja cedo demais para qualquer uma de nós decidir se vai querer seguir as pistas que Pa nos deixou.

– Talvez – disse Ally, suspirando. – Além disso, tenho a Regata das Cíclades, que vai começar em breve, e terei que ir embora daqui assim que possível para me juntar à tripulação. Sinceramente, Maia, depois do que vi alguns dias atrás, voltar para o mar vai ser complicado.

– Faço ideia – falei. Depois de tudo o que eu havia pensado sobre ela, fiquei surpresa ao perceber sua repentina vulnerabilidade. – Mas você vai ficar bem, tenho certeza.

– Tomara. Para ser sincera, é a primeira vez que fico apreensiva desde que comecei a competir profissionalmente.

– Ally, há anos você se dedica à vela, então não se deixe intimidar. Faça isso por Pa. Ele não iria querer que você perdesse a confiança em si mesma.

– Tem razão. Vou fazer o máximo para nos ajudar a vencer. Por ele. Obrigada, Maia. Sabe, eu estava pensando mais cedo como eu deixei que isso dominasse minha vida. Lembra como eu queria desesperadamente me tornar uma flautista profissional quando era mais nova? Mas, quando entrei para a escola de música, o vírus da vela já havia me pegado.

– Claro que me lembro – falei, sorrindo. – Você tem talento para tantas coisas, Ally, mas, devo admitir, sinto falta de ouvir você tocar flauta.

– Engraçado, estou começando a perceber que também sinto falta. Mas você vai ficar bem aqui sozinha?

– É claro que vou. Por favor, não se preocupe comigo. Eu tenho Ma e o meu trabalho. Vou ficar bem.

– Bem, você gostaria de velejar alguns dias comigo mais para o fim do verão? Podemos ir aonde você quiser. Quem sabe à Costa Amalfitana? É tão bonito lá, um dos meus lugares favoritos. E quem sabe eu levo a flauta comigo? – disse ela com um sorriso discreto.

– É uma ótima ideia, mas temos que ver. Estou muito ocupada com uma tradução.

– Conseguimos dois lugares em um voo para Heathrow – disse Ceci, irrompendo no terraço atrás de nós. – Christian vai nos levar ao aeroporto daqui a uma hora.

– Então vou ver se consigo um voo de última hora para Atenas e vou com vocês. Maia, não se esqueça de anotar a citação para mim, está bem? – disse Ally, levantando da mesa e desaparecendo dentro de casa.

– Foi tudo bem no escritório de Georg? – perguntei a Ceci.

– Tudo – respondeu ela, balançando a cabeça afirmativamente. – Então você já traduziu as citações? – perguntou enquanto puxava uma cadeira e se sentava.

– Sim.

– Ally também me disse que já tem nossas coordenadas.

– Você já abriu sua carta? – perguntei.

– Não. Estrela e eu concordamos que vamos esperar por um momento mais tranquilo, só nos duas, para abrir e ler as cartas. Mas seria ótimo se você pudesse anotar nossas citações, colocá-las num envelope e me entregar antes de irmos embora. Pedi a Ally que fizesse o mesmo com as coordenadas.

– Com certeza posso lhe dar a sua, Ceci, mas Pa deixou claro em sua carta para mim que devo entregar cada citação traduzida em mãos para cada irmã. Então darei a da Estrela diretamente para ela – falei, surpresa com a tranquilidade com que menti.

– Está bem – disse Ceci, dando de ombros. – Mas é claro que vamos compartilhar as informações. – Ela olhou para mim de repente. – Você vai ficar bem aqui, agora que Pa se foi? O que você vai fazer?

– Tenho meu trabalho para me manter ocupada.

– Sim, mas todas nós sabemos que você morava aqui por causa dele. De qualquer forma, seria ótimo se você pudesse aparecer em Londres para nos visitar quando tivermos nosso novo apartamento. Já entrei em contato com algumas imobiliárias. Nós duas adoraríamos receber você.

– Obrigada pela gentileza, Ceci. Vamos combinar.

– Que bom. Maia, posso lhe perguntar uma coisa?

– Claro, Ceci.

– Você… você acha que Pa gostava de mim?

– Que pergunta mais estranha! É claro que ele gostava. Ele amava todas nós, igualmente.

– É só que…

Vi seus dedos de unhas curtas movendo-se sobre a mesa como os de um pianista.

– O que foi? – perguntei.

– Bem, para ser sincera, estou com medo de abrir a carta. Quer dizer, como você sabe, não sou a pessoa mais emotiva e nunca senti que tinha um relacionamento muito próximo com Pa. Não sou burra, sei que as pessoas, menos a Estrela, claro, pensam que sou rude e prática demais, mas eu *sinto* as coisas lá dentro. Você entende?

A revelação inesperada de Ceci me fez estender instintivamente a mão para tocar a dela.

– Entendo perfeitamente. Mas, Ceci, me lembro de você chegando em casa quando era um bebê e como Ma ficara chocada, porque fazia muito pouco tempo que Pa havia trazido Estrela. Quando perguntei a Pa por que nos trouxera outra irmã assim tão rápido, ele disse que você era tão especial que simplesmente tinha que trazê-la logo para casa. E essa é a verdade.

– Sério?

– *Sério.*

Pela primeira vez desde que eu a conhecia, minha quarta irmã parecia estar prestes a chorar.

– Obrigada, Maia – disse ela, agradecida. – Agora preciso falar com Estrela que vamos embora daqui a pouco.

Enquanto a via se levantar e entrar em casa, pensei em quanto a morte de Pa já havia mudado todas nós.

❀ ❀ ❀

Uma hora mais tarde, depois de entregar a cada irmã uma cópia de sua inscrição traduzida, eu estava mais uma vez no cais me despedindo. Fiquei observando Ally, Ceci e Estrela cruzarem o lago na lancha, voltando para suas vidas. No pavilhão, servi uma taça de vinho, pensando em como cada uma das minhas irmãs me oferecera um tempo de suas vidas. Se eu quisesse, poderia literalmente passar o próximo ano cruzando o globo e conhecendo seus vários mundos.

Mas ali estava eu, ainda morando em minha casa de infância. Contudo, houve um lugar antes daquele. Uma vida da qual não me lembrava e nada sabia.

Caminhei determinada até o escritório e liguei o laptop. Talvez estivesse na hora de descobrir quem *eu* era. De onde eu vim. E a que lugar eu pertencia.

Minhas mãos tremiam um pouco quando acessei o Google Earth. Digitei cuidadosamente as coordenadas como Ally me instruíra e prendi a respiração, esperando o laptop me dizer onde encontrar meus antepassados. Finalmente, depois de o pequeno círculo girar na tela por uma eternidade como um globo em seu eixo, as informações apareceram à minha frente. E o lugar do meu nascimento foi revelado.

8

Surpreendentemente, naquela noite dormi um sono profundo e sem sonhos, do qual acordei revigorada. Fiquei olhando para o teto do meu quarto, processando o que descobrira no dia anterior.

Aquela informação não tinha sido um choque para mim – era como se eu sempre soubesse, como se estivesse gravado em algum lugar do meu DNA. E, na verdade, puramente por acaso, minha vida já havia englobado uma parte disso. Mal podia acreditar que eu talvez já tivesse visto a casa na qual nasci. Pela imagem aérea do Google Earth, ela parecia enorme e grandiosa, e eu me perguntava por que, dado seu aparente esplendor, eu tinha sido levada de lá por Pa Salt quando era bebê.

Quando me levantava da cama, meu celular tocou, e eu corri para tentar atender antes que a ligação caísse. Vi na tela um número desconhecido, provavelmente telemarketing, então desisti de atender e entrei na cozinha para me reanimar com a costumeira xícara de chá preto matinal.

Enquanto eu bebia, me ocorreu que era realmente incrível pensar que, se eu quisesse, poderia simplesmente entrar em um avião amanhã e, dentro de 24 horas, bater na porta do meu passado.

A Casa das Orquídeas, Laranjeiras, Rio de Janeiro, Brasil.

Procurei em minha mente os detalhes exatos da conversa que tivera com Pa antes de escolher que faculdade cursaria. Não havia dúvida de que ele me incentivara a optar pelo português como um dos idiomas, e lembrei como aprendê-lo tinha sido tão fácil quanto aprender minha língua materna, o francês. Fui para a sala e busquei o pequeno ladrilho triangular que estava no envelope, peguei-o e analisei a inscrição desbotada na parte de trás.

Desta vez, a inscrição, que percebi estar em português, fez muito mais sentido. Era possível identificar algumas letras e uma data – 1929 –, mas eu não conseguia decifrar o resto.

Um súbito arrepio de emoção correu pelo meu corpo, mas procurei contê-lo imediatamente. Seria ridículo simplesmente ir assim para o Brasil. Ou não?

Pensei mais um pouco enquanto tomava uma segunda xícara de chá. Quando me acalmei, concluí que sim, talvez em algum momento no futuro eu fizesse essa viagem. Afinal, eu tinha um motivo legítimo para ir lá, já que traduzia obras de autores brasileiros para o francês. Eu poderia marcar uma visita aos editores brasileiros de Floriano Quintelas – o autor que entrara em contato comigo havia pouco tempo – para ver se me indicavam alguns outros autores que precisassem de meus serviços.

Meu celular tocou novamente. Levantei para buscá-lo na mesa de cabeceira e vi que quem ligara anteriormente havia deixado uma mensagem de voz. Encostei o aparelho no ouvido enquanto voltava para a cozinha e ouvi uma voz familiar.

– Maia, oi, sou eu, Zed. Espero que se lembre de quem eu sou – disse ele com uma risadinha protocolar. – Escute, não sei se você já soube da terrível notícia sobre meu pai, tão absurdamente trágica. Para ser sincero, ainda estamos tentando nos recuperar do choque. Eu não teria ligado, mas soube do seu pai ontem por um amigo velejador. Pelo que ele me falou, seu pai acabou de falecer também. Enfim, tenho que ir a Genebra nos próximos dias e pensei como seria bom vê-la. Talvez possamos chorar no ombro um do outro. A vida é estranha, não é? Não tenho nem ideia se você ainda está morando em Genebra, mas consegui o número da sua casa em algum lugar. Então, quando eu chegar, ligo para você, ou posso até mesmo tentar a sorte e aparecer na famosa Atlantis se até lá você não me der notícias. Sinto muito por seu pai. E se cuide.

Um bipe me alertou para o final da mensagem, mas eu continuava ali, parada no mesmo lugar, em choque por ouvir a voz dele pela primeira vez em catorze anos.

– Ah, meu Deus – falei baixinho, enquanto pensava na possibilidade de Zed aparecer ali de repente em alguns dias. Eu me senti como um coelho assustado por uma forte luz: parte de mim queria que eu me arrastasse para baixo da cama para me esconder, caso ele já estivesse em Genebra e pudesse chegar ali a qualquer momento.

Pensei que Marina ou Claudia poderiam muito bem atender o telefone de casa e, sem querer, contar a ele que eu estava ali. Senti um arrepio percorrer meu corpo. Eu tinha de ir até lá imediatamente e avisá-las para não dizer a *ninguém* que ligasse que eu estava em casa.

Mas e se Zed simplesmente aparecesse à porta? Ele sabia onde ficava Atlantis. Eu havia explicado a ele com detalhes como encontrá-la.

– Tenho que sair daqui – sussurrei para mim mesma, minhas pernas finalmente obedecendo ao comando para me levarem até a sala de estar. Fiquei andando de um lado para outro, inquieta, pensando qual das ofertas das minhas irmãs eu aceitaria.

Nenhuma delas me atraía, então pensei se deveria simplesmente voltar para Londres e me esconder na casa de Jenny até achar que era seguro voltar.

Mas até quando? Zed poderia muito bem ficar em Genebra por um longo tempo. Eu apostava que a enorme riqueza de seu pai estava em contas e cofres de bancos suíços.

– Por que agora? – lamentava aos céus.

Justo quando eu precisava de algum tempo para me recuperar, para me acalmar, eu teria que sair dali. Vê-lo novamente ia me despedaçar por completo, ainda mais no frágil estado de espírito em que me encontrava.

Olhei para a mesinha de centro e estendi os dedos instintivamente até a superfície suave do ladrilho triangular. Eu o observava enquanto minha mente processava o pensamento que acabara de surgir.

Se eu queria me afastar dele e que ninguém soubesse onde eu estava, então o Brasil seria uma escolha perfeita. Eu podia levar o laptop e trabalhar lá mesmo na tradução que estava fazendo. Por que não?

– Sim, Maia, por que não? – disse a mim mesma.

❋ ❋ ❋

Uma hora mais tarde, entrei na cozinha e perguntei a Claudia onde Marina estava.

– Ela foi resolver algumas coisas em Genebra, Srta. Maia. Quer que eu lhe dê algum recado quando ela chegar?

– Sim – respondi, procurando lá no fundo a coragem para falar. – Diga a ela que vou viajar hoje à noite e ficarei fora por pelo menos algumas semanas. E, Claudia, se alguém me procurar, por telefone ou pessoalmente, diga que ficarei fora por um tempo.

O rosto normalmente impassível de Claudia revelou sua surpresa.

– Aonde vai, Srta. Maia?

– Por aí – falei, tentando aparentar indiferença.

– Está bem – respondeu ela.

Esperei que Claudia continuasse, mas ela não disse mais nada.

– Vou voltar ao pavilhão para fazer as malas – informei. – E você pode dizer ao Christian, quando ele voltar, que preciso que me leve de lancha até Genebra por volta das três horas?

– Devo preparar o almoço?

– Não, obrigada – respondi. Meu estômago já estava revirado o bastante. – Apareço aqui para me despedir antes de ir embora. E lembre-se, Claudia, se alguém me ligar a partir de agora, eu não estou.

– Eu sei, Maia, a senhorita já falou.

Duas horas mais tarde, depois de ter reservado os voos e um hotel e estar com uma mala feita às pressas na mão, deixei Atlantis. Enquanto a lancha me levava suavemente pelo lago até Genebra, de repente me ocorreu que eu não sabia se estava correndo para *longe* do meu passado ou em direção a ele.

9

$\mathcal{D}$evido à diferença de cinco horas do fuso horário, cheguei ao território brasileiro às seis horas da manhã seguinte. Como esperava dar de cara com o radiante sol sul-americano, fiquei desapontada ao deparar com o céu nublado. Então me dei conta de que eu tinha chegado durante o inverno do hemisfério sul, o que – apesar de a temperatura estar em 20 e tantos graus – significava a ausência do intenso calor tropical que eu estava esperando. Quando saí no saguão de desembarque, vi um homem segurando uma placa com meu nome.

– Olá, sou Maia D'Aplièse. Como você está? – perguntei em português quando me aproximei do motorista, e me diverti com a expressão de surpresa em seu rosto.

Eu o segui até o carro e saímos do aeroporto em direção à Zona Sul. Olhava pela janela com ávido interesse. Aquela – aparentemente – era a cidade em que eu nascera. Embora eu tivesse viajado para o Brasil durante meu segundo ano de faculdade, o programa de intercâmbio fora em uma universidade de São Paulo, e minhas viagens tinham me levado apenas à primeira capital, Salvador. Histórias sobre o Rio, sua violência, pobreza e vida noturna tinham me deixado com certo receio de visitá-la, principalmente por ser mulher e estar sozinha. Mas agora ali estava eu, e, se a informação de Pa Salt estivesse correta, eu era parte do DNA da cidade, e ela, do meu.

O motorista, feliz por conhecer uma rara estrangeira que falava português fluentemente em seu carro, me perguntou de onde eu era.

– Daqui. Eu nasci aqui – respondi.

Ele me observou pelo espelho retrovisor.

– Ora, é claro! Agora vejo que você parece brasileira! Mas seu sobrenome é D'Aplièse, então imaginei que fosse francesa. Você está aqui para visitar seus parentes?

– Sim, acredito que sim – disse, e a verdade daquela frase ressoou em minha mente.

– Olhe. – O motorista apontou para cima, onde, sobre uma alta montanha, ficava uma estátua branca, de braços abertos, abraçando a cidade. – Esse é o nosso Cristo Redentor. Sempre sei que estou em casa quando o vejo.

Olhei para a figura pálida, esculpida com elegância, que parecia pairar entre as nuvens como uma aparição angelical. Embora, assim como o resto do mundo, eu tivesse visto aquela imagem inúmeras vezes nos meios de comunicação, a realidade era de tirar o fôlego e surpreendentemente tocante.

– Você já foi até lá para ver de perto? – perguntou o motorista.

– Não, ainda não.

– Então você não nega que é do Rio. Uma carioca! – disse ele com um sorriso. – Mesmo sendo uma das sete maravilhas do mundo moderno, nós do Rio acabamos não visitando muito a estátua. São os turistas que lotam o lugar.

– Com certeza eu vou lá – prometi quando entramos em um túnel e o Cristo Redentor desapareceu de vista.

Quarenta minutos depois, paramos no Hotel Caesar Park. Do outro lado da larga avenida ficava a praia de Ipanema, deserta naquela hora da manhã, mas simplesmente magnífica, estendendo-se até onde a vista alcançava.

– Aqui está meu cartão, Srta. D'Aplièse. Meu nome é Pietro e, se precisar sair a qualquer momento, é só me ligar.

– Obrigada – agradeci, e lhe dei uma gorjeta antes de seguir o porteiro até o saguão para o check-in.

Alguns minutos mais tarde, estava instalada em uma suíte agradável e espaçosa, com amplas janelas que davam para uma vista maravilhosa do mar. O quarto era absurdamente caro, mas era o único que tinham disponível assim tão em cima da hora. E, como eu raramente esbanjava meu salário, não me senti culpada. Dependendo do que acontecesse nos próximos dias, se eu decidisse ficar por mais tempo, alugaria um apartamento.

E *o que* iria acontecer nos próximos dias?

As últimas 24 horas tinham sido como um furacão. Impulsionada apenas pelo pânico e pelo desespero em me afastar da Suíça, eu não tinha pensado bem no que faria quando de fato chegasse. Mas, por ora, tendo dormido tão mal no avião e me sentindo exausta pelo trauma dos últimos dias, resolvi pendurar a placa de *Não perturbe* na porta, depois deslizei sob os lençóis limpos e cheirosos e fui dormir.

❀ ❀ ❀

Quando acordei algumas horas mais tarde, percebi que estava com fome, mas também ansiosa para ver a cidade, então peguei o elevador para o restaurante no último andar. Sentei no pequeno terraço, que tinha uma vista maravilhosa do mar e das montanhas, e pedi uma salada càesar e uma taça de vinho branco. As nuvens tinham sido sopradas para longe como uma lembrança, e lá embaixo a praia agora estava lotada de corpos bronzeados sob o sol.

Depois que comi, senti minha mente clarear o suficiente para me permitir pensar no que era melhor fazer. Dei uma olhada no endereço indicado pelas coordenadas, que eu tinha anotado no celular, e pensei que não havia garantia nenhuma de que minha família biológica ainda morava naquela casa. Eu não sabia seus nomes ou qualquer outra coisa sobre eles. Não pude evitar um riso nervoso ao me imaginar aparecendo lá de repente e anunciando que estava à procura de minha família havia muito perdida.

Mas então, tentando honrar a citação de Pa Salt na esfera armilar, ponderei que o pior que eles podiam fazer era bater a porta na minha cara. Talvez a taça de vinho e o jet lag estivessem despertando em mim uma incomum coragem. Então voltei para a minha suíte e, antes que mudasse de ideia, liguei para a recepção e perguntei se Pietro, o motorista que me buscara no aeroporto, podia me levar àquele endereço.

– Sem problemas – disse o recepcionista. – Você quer que o carro a leve agora?

– Sim.

E então, dez minutos depois, eu estava de volta ao carro de Pietro, saindo de Ipanema.

– Esse lugar, a Casa das Orquídeas, acho que sei qual é – comentou ele.

– Eu, não – confessei.

– Bem, se é a que estou pensando, com certeza é muito interessante. É muito antiga e costumava ser a casa de uma rica família portuguesa – disse Pietro quando paramos novamente em um dos engarrafamentos que, segundo ele, nunca tinham fim.

– A casa pode ter novos proprietários – ponderei.

– Isso é verdade. – Ele me olhou no retrovisor e percebi que ele notou minha tensão. – Você está procurando algum parente?

– Sim – respondi com sinceridade.

O carro voltou a andar e olhei para o alto, logo vendo o Cristo Redentor pairando acima de mim. Apesar de nunca ter sido particularmente religiosa, naquele momento, de alguma forma, Seus braços estendidos, que pareciam abraçar tudo em volta, me passaram uma sensação reconfortante.

– Vamos passar pelo endereço que você falou em alguns instantes – informou-me Pietro quinze minutos depois. – Duvido que você consiga ver muita coisa da rua, porque a casa tem uma cerca viva alta para garantir a privacidade. Esse bairro costumava ser muito exclusivo, mas agora, infelizmente, construíram muitos prédios.

Pude ver que realmente se estendia pela rua uma mistura de lojas comerciais e prédios de apartamentos.

– A casa é aquela.

Segui o dedo estendido de Pietro e vi uma longa cerca viva, com lindas porém destrutivas flores silvestres despontando entre as folhas. Comparado ao nosso impecavelmente bem-cuidado jardim em Genebra, aquele parecia não ver um par de mãos atenciosas havia muito tempo.

Tudo que eu podia ver acima da cerca viva eram umas chaminés antigas, cujos tijolos, originalmente vermelhos, haviam escurecido, cobertos por anos de fuligem.

– Talvez a casa esteja desocupada – disse Pietro, dando de ombros, ao examinar, como eu, o exterior descuidado.

– Talvez – concordei.

– Devo estacionar aqui? – perguntou ele, diminuindo a velocidade e encostando na lateral da rua, poucos metros depois da propriedade.

– Sim, por favor.

Ele parou o carro, desligou o motor e se virou para mim.

– Estarei aqui esperando. Boa sorte, Srta. D'Aplièse.

– Obrigada.

Saí do carro e bati a porta com muito mais força do que precisava, preparando-me para o que poderia acontecer. Enquanto caminhava pela calçada, disse a mim mesma que, na verdade, o que quer que acontecesse nos próximos minutos não importaria. Eu sempre tivera um pai amoroso e alguém que era praticamente minha mãe, sem contar minhas irmãs. Além disso, a razão pela qual eu estava ali tinha menos a ver com o que eu poderia encontrar por trás daquela cerca viva do que com as coisas das quais instintivamente fugia.

Aquele pensamento me deu a confiança de que eu precisava, então passei pelo grande portão de ferro e segui em frente. Pela primeira vez, pousei os olhos na casa que as coordenadas diziam ser onde minha história havia começado.

Era uma elegante mansão do século XVIII, de estrutura quadrada simétrica e paredes de estuque branco, com intricadas mísulas e cornijas de gesso remetendo ao passado colonial do Brasil. No entanto, à medida que me aproximava, eu podia ver que o estuque estava desgastado e rachado e que a pintura nas dezenas de janelas altas havia descascado em vários lugares, revelando a madeira.

Reunindo coragem, caminhei em direção à casa, passando ao lado de uma fonte de mármore esculpido em que um dia deve ter jorrado água. Notei que a maioria das venezianas das janelas estava bem fechada e me perguntei se Pietro estava certo e já não havia mais ninguém morando naquela casa.

Depois de subir os amplos degraus até a porta da frente, apertei a campainha antiquada, mas não ouvi nenhum som vindo lá de dentro. Tentei mais duas vezes, então bati na porta com toda a confiança que pude reunir. Esperei por uma resposta, mas não escutei nenhum som de passos dentro da casa. Daí resolvi bater de novo com mais força.

Já estava parada à porta havia alguns bons minutos e percebi que era inútil continuar ali, pois ninguém atenderia. Olhei para cima e, mais uma vez notando as venezianas fechadas dos cômodos do andar de cima, concluí que realmente não devia morar mais ninguém na casa.

Desci os degraus, refletindo se deveria voltar direto para onde estava Pietro e esquecer toda aquela ideia, ou se valia a pena dar uma volta e tentar pelo menos dar uma espiada por uma rachadura em uma das venezianas. Acabei optando pela última opção e comecei a andar silenciosamente em torno da casa.

Percebi, então, que a construção era muito mais longa do que larga, e a parede lateral da casa se estendia até o que um dia fora um belo jardim. Continuei caminhando ao longo da lateral, desapontada por não encontrar nenhuma fresta visível pela qual pudesse espiar. Quando cheguei ao final da parede, descobri um terraço coberto de musgo.

Meu olhar foi imediatamente atraído por uma escultura de pedra no canto mais afastado, em meio a alguns vasos de barro rachados. Representava uma jovem mulher sentada, olhando fixamente para a frente. Ao me aproximar, vi que o nariz estava quebrado, mas mesmo assim as linhas claras e simples da mulher eram absolutamente lindas.

Já ia virar para examinar a parte de trás da casa quando notei alguém sentado sob uma árvore no jardim abaixo do terraço.

Senti o coração pulsar enquanto me encolhia junto à parede fora da vista da pessoa e espiava atrás da esquina da casa para observar a figura. Daquela distância, era difícil formar uma imagem exata. Tudo o que eu podia dizer era que se tratava de uma mulher e, pelo jeito como estava sentada na cadeira, percebi também que era muito idosa.

Vê-la fez com que mil pensamentos diferentes disparassem pelas minhas sinapses. Como nunca fui boa em tomar decisões rápidas, fiquei ali encolhida, espiando a senhora idosa que podia ou não ser minha parente.

Olhei, então, para o céu e soube, instintivamente, que Pa nunca fugiria de momentos como aquele. E, pela primeira vez em minha vida adulta, eu também não fugiria.

Saí do meu esconderijo e caminhei até a mulher. Ela não virou a cabeça em minha direção enquanto me aproximava. Quando finalmente cheguei perto o suficiente para vê-la melhor, notei que seus olhos estavam fechados e ela parecia estar dormindo.

Isso me deu a oportunidade de observar melhor o rosto dela. Perguntei-me se eu poderia reconhecer alguns traços semelhantes aos meus, mas sabia que havia uma grande chance de ela ser uma completa estranha – alguém que ocupara a casa nesses 33 anos em que eu estivera longe.

– Desculpe, posso ajudá-la?

Quase dei um pulo de susto quando ouvi uma voz suave atrás de mim, falando comigo em português. Então me virei. Uma mulher negra, muito magra, com cabelo crespo grisalho e usando um uniforme de empregada antiquado, olhava para mim, desconfiada.

– Sinto muito – falei rapidamente. – Ninguém atendeu na porta da frente…

A mulher levou um dedo aos lábios.

– Shhh, ela está dormindo. Por que está aqui?

– Porque eu... – Como eu poderia explicar a verdade para aquela mulher em poucas palavras sussurradas? – Soube que tenho uma ligação com esta casa e eu gostaria de falar com o proprietário.

Senti que ela me examinava e pude notar um brilho repentino em seus olhos quando viu algo em meu pescoço.

– A dona Beatriz não recebe ninguém. Ela está muito doente e sofrendo muito.

– Bem, talvez você possa dizer a ela que eu a procurei. – Abri minha bolsa e procurei um cartão de visita, que entreguei à empregada. – Estou hospedada no Caesar Park. Poderia lhe dizer que eu gostaria muito de falar com ela?

– Posso, mas não vai adiantar – disse a empregada com rispidez.

– Posso perguntar há quanto tempo a senhora na cadeira mora nesta casa?

– Ela morou aqui a vida inteira. Venha, vou acompanhá-la até o portão.

Senti um calafrio ao escutar a resposta da mulher, e então lancei um último olhar em direção à senhora idosa na cadeira. Se Pa Salt e suas coordenadas estivessem corretas, isso poderia significar que *devíamos* ter algum parentesco. Virei e a empregada me acompanhou de volta para o outro lado do terraço. Tínhamos chegado à extremidade da casa quando uma voz fraca ecoou em nossa direção.

– Quem é ela?

Nós duas paramos e nos viramos, e vi o brilho de medo nos olhos da empregada.

– Perdoe-me, dona Beatriz, eu não queria perturbá-la – respondeu ela.

– Você não perturbou. Fiquei observando vocês nos últimos cinco minutos. Traga-a aqui. Não podemos conversar a essa distância.

A empregada fez o que a patroa pediu e, relutante, me levou de volta até o outro lado do terraço e degraus abaixo até o jardim. Ela me guiou até a senhora e em seguida leu as informações do meu cartão.

– Ela é a Srta. Maia D'Aplièse e é tradutora.

Agora, cara a cara com a mulher, notei seu rosto emaciado, a pele extremamente pálida, como se sua força vital estivesse lentamente desaparecendo. Mas, quando seus olhos penetrantes me examinaram e um brilho fugaz de reconhecimento e choque passou por eles, percebi que ela estava mentalmente alerta.

– Por que você está aqui? – perguntou ela.

– É uma longa história.

– O que você quer?

– Nada, eu...

– A Srta. D'Aplièse me contou que tinha uma ligação com esta casa – interveio a empregada, quase de maneira encorajadora, pensei.

– Sério? E que tipo de ligação seria essa?

– Disseram para mim que foi nesta casa que nasci – respondi.

– Bem, sinto muito desapontá-la, senhorita, mas não nasceu nenhum bebê sob este teto desde meu próprio filho, há mais de 55 anos. Não é mesmo, Yara? – perguntou à empregada.

– Sim, senhora.

– Então, quem lhe deu essa informação? Alguém que quer inventar alguma ligação comigo para poder herdar esta casa quando eu morrer, sem dúvida.

– Não, senhora, garanto que não tem nada a ver com dinheiro. Não é por isso que estou aqui – falei com firmeza.

– Então por favor explique mais claramente *por que* está aqui.

– Porque... eu fui adotada quando era bebê. Meu pai adotivo morreu semana passada e me escreveu uma carta dizendo que minha família um dia morou nesta casa. – Eu a encarava, esperando que a sinceridade do que acabara de dizer estivesse visível em meus olhos.

– Entendo. – Mais uma vez ela me examinou atentamente, parecendo hesitar antes de continuar. – Então preciso lhe dizer que seu pai cometeu um terrível engano e você perdeu a viagem. Lamento não poder ajudar mais. Adeus.

Quando finalmente deixei a empregada me conduzir até a saída, tinha a mais absoluta certeza de que a senhora estava mentindo.

10

mbora fossem apenas oito da noite quando cheguei ao hotel, meu corpo me dizia que já passava da meia-noite e cometi o erro de cair em um sono profundo e sem sonhos, acordando às cinco da manhã do dia seguinte.

Fiquei na cama pensando no que eu tinha visto e descoberto no dia anterior. Apesar das negações veementes da velha senhora, meu instinto dizia que Pa Salt não havia se enganado. No entanto, pensei com tristeza, não tinha ideia do que poderia fazer a seguir. Independentemente do que a mulher e sua empregada soubessem, elas tinham deixado claro que não compartilhariam comigo.

Peguei o ladrilho em minha bolsa, mais uma vez tentando decifrar a inscrição que havia nele, mas logo desisti. De que adiantava? Tudo o que eu tinha eram algumas palavras desbotadas ilegíveis e uma data. Um momento no tempo gravado no verso de um pedaço triangular de pedra.

Liguei meu laptop para me distrair e, ao dar uma olhada nos meus e-mails, vi uma mensagem da editora brasileira para a qual vinha trabalhando e que eu contatara durante as longas três horas e meia de espera no aeroporto Charles de Gaulle, em Paris.

> *Cara Srta. D'Aplièse,*
>
> *Estamos muito felizes por você ter decidido visitar o Brasil. Nosso escritório fica em São Paulo, então talvez não seja conveniente para você viajar até aqui para nos encontrar, mas adoraríamos conhecê-la pessoalmente, se desejar. Encaminhamos seu e-mail para Floriano Quintelas, o autor, já que ele mora no Rio. Tenho certeza de que ele ficaria contente em conhecê-la e ajudá-la durante sua estadia em nosso belo país. Por favor, não hesite em entrar em contato se precisar de alguma coisa.*
>
> *Um abraço,*
> *Luciano Baracchini*

A simpatia e a receptividade do e-mail trouxeram um sorriso aos meus lábios. Eu lembrava, pela minha última visita, como a cultura brasileira era diferente do formal estilo suíço. E não duvidava que, se eu tivesse qualquer problema, aquelas pessoas que eu nunca tinha visto iam me receber e me ajudar da melhor forma possível.

Deitei novamente na cama, olhando pela janela enquanto o sol se erguia no fim da enseada e a larga avenida lá embaixo começava a ser inundada pelo tráfego do início da manhã. A cidade estava acordando.

Depois de ontem, eu me perguntava se deveria tentar cavar mais fundo para descobrir os segredos que o Rio escondia de mim...

Como a única alternativa era retornar a Genebra – algo que eu no momento não cogitava fazer –, resolvi ficar mais alguns dias e bancar a turista. Mesmo que tivesse chegado a um beco sem saída na busca de meus antepassados, eu poderia pelo menos conhecer a cidade onde tinha nascido.

Então me vesti, peguei o elevador, deixei o hotel, atravessei a rua e cheguei à praia de Ipanema. Àquela hora da manhã, o lugar ainda estava deserto e, enquanto eu caminhava em direção às ondas que batiam contra a areia macia sob meus pés, me virei e olhei para o Rio da perspectiva do mar.

Um imenso conjunto de edifícios – de todas as alturas e tamanhos – disputava espaço ao longo da beira-mar, e atrás dos prédios eram visíveis os topos da colinas acima da silhueta da cidade. À minha direita, a longa extensão da enseada terminava em um promontório rochoso, enquanto à esquerda eu tinha a vista deslumbrante dos picos gêmeos do morro Dois Irmãos.

E ali, completamente sozinha, senti uma energia percorrendo minhas veias e uma repentina sensação de leveza e liberdade.

Isto aqui é parte de mim, e eu sou parte disto...

Num impulso, comecei a correr pela praia, os dedos dos pés se dobrando para se agarrar à areia escorregadia e me dar apoio enquanto eu estendia alternadamente os braços em um momento de pura alegria. Depois de um tempo, parei, curvada e ofegante, rindo do meu comportamento atípico.

Saí da praia, atravessei a rua e comecei a andar mais para dentro da cidade, notando a mistura de prédios coloniais e modernos, forçados a viver lado a lado devido aos sucessivos estilos arquitetônicos.

Dobrei a esquina e me vi em uma praça onde alguns vendedores já montavam uma feira. Parei em uma barraquinha, peguei um pêssego e o rapaz atrás dela sorriu para mim.

– Pode levar, senhorita.

– Obrigada – agradeci e fui embora, meus dentes perfurando a polpa macia e suculenta da fruta. Parei de repente quando olhei para cima e vi novamente a figura branca do Cristo pairando acima de mim.

– É isso que vou fazer hoje – anunciei a mim mesma.

Nessa hora me dei conta de que não fazia ideia de onde estava ou de quanto havia me distanciado do hotel, então simplesmente segui o rumor das ondas e, como um pombo-correio que já tivesse gravado um mapa da área, acabei encontrando o caminho de volta.

Tomei o café da manhã no terraço do hotel e, pela primeira vez desde que Pa falecera, tive apetite. Ao voltar para o quarto, havia diversas mensagens no meu celular. Resolvi ignorá-las para não deixar nenhum aspecto da realidade estragar a alegria que eu sentia naquela manhã. No entanto, vi um e-mail na minha caixa de entrada, e o remetente chamou minha atenção. A mensagem era de Floriano Quintelas.

Querida Srta. D'Aplièse,

Meu editor me contou que você está aqui no Rio. Seria um prazer conhecê-la pessoalmente e, quem sabe, levá-la para jantar ou almoçar e agradecer por seu trabalho na tradução do meu livro. Meus editores franceses estão apostando em boas vendas. Ou talvez você simplesmente queira conhecer minha linda cidade pelos olhos de um verdadeiro carioca. O número do meu celular está no final deste e-mail. Para ser franco, eu ficaria muito ofendido se você não entrasse em contato comigo durante sua visita.

Estou à sua disposição.

Um abraço,

Floriano Quintelas

O e-mail me fez rir. Durante nossa troca de mensagens no ano anterior com relação a seu livro, *A cachoeira silenciosa*, eu já havia percebido que ele não gostava de desperdiçar palavras desnecessariamente.

Então, pensei, *se ele fosse a Genebra e entrasse em contato comigo, será que eu me ofereceria para lhe mostrar a cidade?*

E eu ficaria ofendida se ele não entrasse em contato?

A resposta a essas perguntas era sim.

Concluí que a melhor maneira de responder seria por e-mail. Não faço ideia de quantos minutos passei escrevendo o texto, depois editando e reescrevendo, mas finalmente fiquei satisfeita e apertei "enviar".

Assim que mandei, naturalmente, li outra vez a mensagem.

Caro Floriano, é ótimo estar aqui no Rio e seria muito bom – eu apagara "um prazer" – *encontrá-lo alguma hora. Vou ao Corcovado agora bancar a turista, mas você pode entrar em contato comigo neste número. Atenciosamente, Maia D'Aplièse.*

Satisfeita por ter conseguido passar cordialidade e distância ao mesmo tempo – afinal, eu também era escritora –, fui procurar o recepcionista no saguão do hotel para descobrir como poderia subir até o Cristo Redentor.

– Senhorita, podemos lhe oferecer a experiência de luxo ou a real, mas eu aconselharia a última – disse o recepcionista. – Pegue um táxi na rua para o Cosme Velho, diga ao motorista que você vai ao Cristo e depois pegue o trem que sobe o morro do Corcovado.

– Obrigada.

– De nada.

Dez minutos depois, eu estava em um táxi a caminho do Cosme Velho e do Cristo. Meu celular tocou na bolsa. Vi que era Floriano Quintelas e atendi.

– Alô?

– Srta. D'Aplièse?

– Sim.

– Aqui é o Floriano. Onde você está?

– Em um táxi, indo ver o Cristo. Estou perto da estação de trem agora.

– Posso me juntar a você?

Hesitei e ele notou.

– Se preferir fazer o passeio sozinha, eu entendo.

– Não, claro que não. Eu ficaria feliz em ter alguém que conhece o local para me guiar.

– Bem, por que você não pega o trem e eu a encontro lá no alto, na escadaria?

– Está bem – concordei. – Mas como você vai me reconhecer? Lá deve estar cheio.

– Vou reconhecê-la, Srta. D'Aplièse. Já vi sua foto na internet. Tchau.

Paguei ao motorista e desci em frente à estação do Corcovado, uma pequena construção ao pé da montanha, enquanto me perguntava como seria Floriano Quintelas. Afinal, eu nunca o vira, apenas me apaixonara pela maneira como ele escrevia.

Comprei o ingresso e subi no trem de dois vagões, que me fez lembrar dos frágeis bondes alpinos que serpenteavam pelas montanhas na Suíça. Sentei e comecei a ouvir uma cacofonia de línguas diferentes – notavelmente, nenhuma delas era o português. Depois de um tempo, o trem começou a subir e eu fiquei observando a encosta densamente arborizada, espantada em ver que uma selva como aquela estivesse tão perto de uma grande cidade. Isso nunca seria permitido em Genebra.

Senti minha cabeça se curvar para trás enquanto subíamos, espantada com a capacidade humana de criar um veículo que podia me levar, junto aos outros passageiros, pelo que parecia ser uma encosta quase vertical. A vista ficava cada vez mais espetacular, até que finalmente paramos em uma pequena estação e todos desceram do trem.

Olhei para cima e vi os calcanhares do Cristo Redentor em cima de um pedestal elevado. A escultura se erguia tão alto que eu mal conseguia vê-la por completo. Meus companheiros de viagem começaram a subir as escadas e me perguntei onde Floriano pretendia que nos encontrássemos, no alto ou na base. Sem querer perder mais tempo, comecei a subir. E subir. Centenas de degraus mais tarde, parei para respirar, ofegante depois do esforço naquele dia quente.

– Olá, Srta. D'Aplièse – escutei me chamarem em português. – É um prazer finalmente conhecê-la pessoalmente.

Um par de gentis olhos castanhos sorriu para mim, achando graça de minha visível surpresa.

– Você é Floriano Quintelas?

– Sim! Não me reconheceu da foto na orelha do livro?

Meu olhar examinou rapidamente o rosto bonito e bronzeado, os lábios grossos entreabertos em um largo sorriso que revelava dentes muito brancos e regulares.

– Sim, mas… – Fiz um gesto para os degraus embaixo. – Como você chegou aqui antes de mim?

– Porque, senhorita, eu já estava aqui em cima. – Floriano sorriu.

– Como? Por quê? – perguntei a ele, confusa.

– Está claro que você não leu minha biografia com atenção. Se tivesse lido, saberia que sou historiador. E que também trabalho ocasionalmente como guia para alguém importante que deseje meus conhecimentos sobre o Rio.

– Entendo.

– A verdade é que meu livro ainda não me garante dinheiro suficiente para viver, então é assim que eu complemento minha renda – admitiu ele. – Mas não é nenhum sacrifício mostrar minha cidade maravilhosa aos visitantes e falar um pouco sobre ela. Hoje de manhã, recebi um grupo de americanos ricos que queriam chegar aqui em cima antes que enchesse muito. Você pode ver que agora já tem bastante gente.

– Sim.

– Então, Srta. D'Aplièse, estou inteiramente à sua disposição. – Floriano fingiu se curvar.

– Obrigada – falei, ainda aturdida com sua rápida e inesperada aparição.

– Está pronta para a história do marco mais emblemático do Brasil? E não precisa me dar uma gorjeta no fim – brincou ele, enquanto me levava por entre a multidão até chegarmos a um pátio, de frente para a estátua. – Esta é a melhor visão Dele. Não é incrível?

Meus olhos correram para o rosto sereno do Cristo enquanto Floriano me contava como a estátua tinha sido construída. Minha mente estava tão tomada pela imagem que eu quase não absorvia os detalhes do que ele estava falando.

– O milagre é que ninguém morreu durante a construção... Outro fato interessante é que o mestre de obras que trabalhou no *Cristo* era judeu, mas, antes do fim do trabalho, ele se converteu ao cristianismo. O Sr. Levy escreveu os nomes de todas as pessoas de sua família e os guardou no coração do Cristo antes de selá-lo na estátua com concreto.

– Que linda história.

– Há muitas histórias comoventes como essa. Por exemplo – voltamos a caminhar e subimos até a estátua –, toda a parte externa do Cristo é um mosaico de fragmentos triangulares de pedra-sabão. Mulheres da sociedade passaram muitos meses colando-os a um papel especial para montar grandes painéis, o que garantia que o revestimento externo fosse flexível e, portanto, a estátua não corresse o risco de sofrer grandes rachaduras. Uma velha senhora que participou do trabalho me contou que muitas mulheres escreviam os nomes de seus amados e uma mensagem ou uma oração na parte de trás dos ladrilhos. E aqui estão, colados para sempre no Cristo.

Senti meu coração dar um salto e olhei para ele com ar de espanto.

– Srta. Maia, você está bem? Foi algo que eu disse?

– É uma história muito longa – consegui, por fim, dizer.

– Bem, você pode imaginar que essas são as minhas preferidas – disse ele com um sorriso malicioso, antes de procurar em meu rosto outro sorriso em resposta. Então seu rosto passou a exibir preocupação. – Você de repente ficou pálida. Talvez tenha pegado muito sol. Vamos tirar uma foto... Bom, é claro que você vai querer uma foto na frente do Cristo com os braços abertos, como ele. E depois a gente desce até o café para tomar um pouco d'água.

Então, como muitas centenas de milhares de turistas antes de mim, posei como Floriano sugeriu, sentindo-me meio estúpida parada ali, os braços estendidos, tentando abrir um sorriso.

Depois descemos até um café protegido do sol e ele me disse para me sentar a uma das mesas. Voltou logo depois e sentou do outro lado, colocando uma garrafa de água à nossa frente, com a qual encheu dois copos.

– Então me diga: qual é a sua história?

– Floriano, é realmente muito complicada. – Em seguida suspirei, sem conseguir dizer mais nada.

– E eu sou um estranho e você não se sente à vontade em dividir isso comigo. Eu entendo – disse ele, balançando a cabeça de maneira tranquila. – Eu me sentiria da mesma forma. Então posso lhe fazer apenas duas perguntas?

– Claro.

– Em primeiro lugar, sua história "muita complicada" é a razão para você estar aqui no Rio?

– Sim.

– E, em segundo lugar, o que foi que eu disse que abalou você?

Pensei em sua pergunta por alguns segundos enquanto bebia um gole de água. O problema era que, se eu contasse a ele, acabaria tendo que explicar tudo. Mas, como ele provavelmente era uma das poucas pessoas que poderiam me dizer se o ladrilho triangular, suave ao tato, com a inscrição desbotada na parte de trás fora um dia destinado ao Cristo, eu não tinha muita escolha.

– Tenho algo que eu gostaria que você visse – falei por fim.

– Então me mostre – incentivou ele.

– Na verdade, está no cofre no meu quarto de hotel.

– É valioso? – Floriano ergueu uma sobrancelha.

– Não, não financeiramente pelo menos. Só para mim.

– Bem, como já estou aqui no Cristo há três longas horas, sugiro que eu a leve até seu hotel. Então você pega seja lá o que for e me mostra.

– Sério, Floriano, não quero lhe trazer nenhum problema.

– Srta. Maia – disse ele, levantando da mesa –, eu também tenho que descer a montanha, então você pode muito bem ir comigo. Vamos lá?

– Está bem, obrigada.

Para minha surpresa, ele não se dirigiu ao trem, mas para um micro-ônibus estacionado perto do café. Ao subir a bordo, ele cumprimentou o motorista e lhe deu um tapinha nas costas. Já havia outros passageiros sentados e, poucos minutos depois, o ônibus começou a descer por uma estrada sinuosa, cercada de mata fechada. Passados alguns minutos, chegamos a um estacionamento, e Floriano caminhou até um pequeno Fiat vermelho e abriu a porta.

– Às vezes meus clientes não querem fazer o passeio de trem e eu os trago direto aqui – explicou. – Então, Srta. Maia, aonde vamos? – perguntou ele.

– Hotel Caesar Park, em Ipanema.

– Perfeito, porque meu restaurante favorito fica ali perto e meu estômago está me dizendo que é hora do almoço. Eu gosto de comer – declarou, enquanto descíamos depressa pela sinuosa e íngreme estrada no meio da mata. – Devo admitir que estou curioso para descobrir o que você quer me mostrar – disse ele quando saímos do Corcovado e nos juntamos ao tráfego incessante que passava pelo Cosme Velho.

– Provavelmente não é nada – falei.

– Então você não terá perdido nada ao me mostrar – respondeu ele, impassível.

Enquanto ele dirigia, olhei disfarçadamente para meu novo amigo. Sempre achei estranho conhecer pessoalmente alguém com quem apenas havia trocado mensagens. Mas, na verdade, Floriano era quase exatamente como eu imaginara a partir de seus romances e e-mails.

Ele era incrivelmente bonito – pessoalmente, ainda mais do que na fotografia, por causa de sua energia e seu charme descontraído. Tudo nele

– desde o cabelo preto cheio e a pele bronzeada até o corpo musculoso – indicava sua origem sul-americana.

Mas, ironicamente, ele não fazia o meu tipo. Eu sempre me sentira atraída pelo extremo oposto – homens europeus, de pele e cabelos claros. Talvez, pensei, como eu própria tinha a pele morena, eu buscasse o *meu* extremo oposto para me completar.

– Então – disse Floriano quando parou em frente ao hotel –, você corre lá em cima e pega seja lá o que for e eu espero você aqui.

Na suíte, penteei o cabelo e passei um pouco de batom, depois peguei o ladrilho triangular no cofre e o guardei na bolsa.

– Agora vamos almoçar – anunciou Floriano quando entrei novamente no carro e ele deu a partida. – É logo no outro quarteirão, mas é difícil encontrar um lugar para estacionar. – Alguns minutos depois, ele apontou para uma casa branca em estilo colonial com mesas dispostas em sua bonita varanda. – É para lá que nós vamos. Você desce e guarda uma mesa para nós. Encontro você daqui a pouco.

Fiz o que ele pediu e fui levada por uma garçonete para um local à sombra. Sentei e fiquei observando as pessoas, aproveitando para ouvir as mensagens na caixa postal. Meu coração disparou novamente ao ouvir a voz de Zed dizendo que ligara para Atlantis e a governanta dissera que eu estava fora do país. Ele sentia muito por não me encontrar, dizia a mensagem, e estava indo para Zurique no dia seguinte.

O que significava que agora era seguro voltar para casa...

– Meu Deus! Deixo você sozinha por alguns minutos e outra vez a encontro pálida desse jeito – exclamou Floriano, surgindo de repente e olhando para mim com curiosidade enquanto se sentava à minha frente. – O que houve agora?

Fiquei espantada por ele ter notado pela segunda vez minha angústia. E percebi que seria difícil esconder qualquer coisa daquele homem que parecia ter uma forte intuição natural.

– Não foi nada – falei, guardando o celular na bolsa. – Na verdade, me sinto muito aliviada.

– Que ótimo. Bem, eu vou tomar uma Bohemia. Quer uma também?

– Não sou muito fã de cerveja, para ser sincera.

– Mas, Maia, você está no Rio! Precisa tomar uma cerveja. Ou uma caipirinha, que lhe garanto que é muito mais forte – acrescentou.

Aceitei a cerveja e, quando a garçonete veio, nós dois pedimos o sanduíche de carne que Floriano recomendou.

– A carne é argentina. Apesar de detestarmos nossos vizinhos por nos derrotarem às vezes no futebol, gostamos muito de comer suas vacas – disse ele com um sorriso. – Bem, não consigo mais esperar para ver o objeto precioso que você quer me mostrar.

– Está bem.

Tirei o ladrilho da bolsa e coloquei-o cuidadosamente na áspera mesa de madeira entre nós.

– Posso? – perguntou ele, estendendo as mãos.

– Claro.

Observei-o pegar o ladrilho com cuidado e analisá-lo. Depois virou a peça e viu as palavras desbotadas na parte de trás.

– Veja só. – Ele respirou fundo e pude notar sua surpresa. – Só agora entendo por que você ficou em choque. E sim, antes mesmo de você perguntar, me parece que esse ladrilho um dia esteve destinado a adornar o corpo do Cristo. Ora, ora – disse ele, intimidado e mudo pela presença do ladrilho triangular. Por fim, perguntou: – Você pode me dizer como conseguiu isso?

Quando chegaram nossas cervejas e depois os sanduíches de carne, contei a Floriano toda a história. Ele ouviu pacientemente, interrompendo poucas vezes quando precisava de alguma explicação. Ao terminar de falar, o prato de Floriano estava vazio e o meu mal tinha sido tocado.

– Então, agora nós trocamos. Você come enquanto eu falo. – Floriano apontou para o meu prato e eu fiz o que ele disse. – Com certeza posso ajudá-la em um ponto: o nome da família que mora na Casa das Orquídeas. A família Aires Cabral é muito conhecida no Rio, aristocrática, na verdade. Descendentes da antiga família real portuguesa. Vários de seus antepassados tiveram papel importante ao longo dos últimos duzentos anos de história do Rio.

– Mas não tenho nenhuma prova para mostrar àquela senhora de que tenho algo a ver com a família dela – lembrei-o.

– Bem, não podemos ter certeza disso ainda. Ou, na verdade, de coisa nenhuma até concluirmos uma investigação adequada – continuou Floriano. – Em primeiro lugar, posso muito facilmente traçar a história deles por meio de certidões de nascimento, casamento e óbito. Em uma família católica proeminente como a deles, tenho certeza de que tudo isso tem sido meticulosamente registrado. Depois temos que tentar decifrar os nomes no ladrilho e ver se correspondem aos que encontramos na árvore genealógica deles.

Eu me sentia zonza em razão da cerveja, do fuso horário e de ter acordado tão cedo.

– Será que vale a pena? – perguntei. – Mesmo que algum nome bata, duvido que aquela senhora admitiria qualquer coisa.

– Um passo de cada vez, Maia. E, por favor, tente não ser tão derrotista. Você voou de tão longe até o Rio para descobrir sua história e não pode desistir depois de apenas um dia. Assim, se você aprovar, enquanto você volta para o hotel e tira um cochilo, vou bancar o detetive, está bem?

– Estou falando sério, Floriano, não quero lhe causar nenhum problema.

– Problema? Para um historiador como eu, isso é um presente! Mas já vou avisando: parte dessa história pode acabar no meu próximo livro – replicou com um sorriso. – Bem, posso levar isso comigo? – Ele apontou o ladrilho. – Eu poderia dar um pulo no Museu da República e ver se algum dos meus colegas está no laboratório com seu equipamento mágico de imagem ultravioleta. Tenho certeza de que eles podem ajudar a decifrar a inscrição no ladrilho.

– Claro – concordei, sentindo que seria rude recusar.

De repente notei duas jovens na casa dos 20 e poucos anos aproximando-se timidamente por trás de Floriano.

– Desculpe-me, mas você é o Floriano Quintelas? – perguntou uma das garotas, chegando mais perto.

– Sou, sim.

– Só queríamos dizer o quanto adoramos seu livro. Você poderia nos dar um autógrafo?

A garota estendeu para Floriano um pequeno caderno e uma caneta.

– Claro.

Ele sorriu enquanto assinava o caderno e conversou tranquilamente com as meninas. Algum tempo depois, elas foram embora, com os rostos corados de alegria.

– Então, você é famoso? – provoquei-o quando nos levantamos da mesa.

– No Rio, sim – disse ele, dando de ombros. – Meu livro foi um best-seller aqui, mas só porque paguei as pessoas para lerem – brincou. – Muitos outros países compraram os direitos de tradução e vão publicá-lo no ano que vem. Então quem sabe vou poder deixar de trabalhar como guia turístico e me dedicar em tempo integral a escrever.

– Achei a história muito bonita e tocante e acredito que o livro vai se sair muito bem.

– Obrigado, Maia – disse ele. – Seu hotel fica aqui perto – acrescentou ele, apontando a direção. – Quero ir logo antes que os departamentos com os quais preciso falar no Museu da República fechem por hoje. Que tal nos encontrarmos no saguão do hotel esta noite, por volta das sete horas? Talvez eu já tenha algumas respostas para você.

– Claro, se você tiver tempo.

– Tenho sim. Tchau.

Então se despediu com um aceno, e fiquei observando-o caminhar de maneira decidida pela rua. Quando me virei na direção oposta, percebi que aquele homem – historiador, escritor, celebridade e guia turístico ocasional – era um ser humano cheio de surpresas.

11

— ntão...

Horas mais tarde, podia perceber a animação de Floriano quando pegamos o elevador para o bar na cobertura do hotel.

– Tenho novidades para você. E, como são boas, acredito que seja a hora de você experimentar sua primeira caipirinha.

– Está bem – concordei enquanto nos sentávamos a uma mesa na frente do terraço, de onde se via o sol se pôr lentamente, dando lugar a uma noite agradável.

– Veja. – Ele me entregou uma folha que tirou de uma pasta de plástico. – Dê uma olhada nisso. É uma lista de todos os nascimentos, casamentos e mortes registrados da família Aires Cabral desde 1850.

Olhei para a lista, ainda sem acreditar que tinham alguma relevância para mim.

– Então, você pode ver que Gustavo Aires Cabral se casou com Izabela Bonifácio em janeiro de 1929. Eles tiveram uma menina em abril de 1930, chamada Beatriz Luiza. Não há nenhuma certidão de óbito no nome dela, por isso podemos supor por enquanto que ela é a senhora que você conheceu na casa ontem.

– E ela teve filhos? – arrisquei.

– Sim, teve. Ela se casou com Evandro Carvalho em 1951 e eles também tiveram uma menina em 1956, que batizaram de Cristina Izabela.

– Carvalho era o sobrenome daquela senhora! Ouvi a empregada chamá-la assim. E Cristina? O que aconteceu com ela?

– É aí que a linha parece terminar, ao menos segundo os nascimentos ou óbitos registrados no Rio – continuou Floriano. – Não consegui encontrar mais nenhum registro de outro filho que Cristina possa ter tido. Mas, por outro lado, não sabemos o sobrenome do pai, nem, na verdade, se ela se casou. Infelizmente, o cartório estava fechando, e eu não tive tempo de checar as informações.

– Logo, se tenho algum parentesco com essa família, e é um grande "se", então Cristina é a óbvia candidata a ser minha mãe – falei calmamente quando minha bebida chegou. – Saúde – eu disse, fazendo um brinde com Floriano e tomando um bom gole da bebida forte amarga, que quase me sufocou ao deslizar pela garganta.

Floriano riu ao ver meu desconforto.

– Desculpe, eu deveria ter avisado que a bebida era forte – disse ele, bebendo sua própria caipirinha como se fosse água. – Também fui até o Museu da República e pedi ao meu amigo que desse uma olhada rápida na inscrição na parte de trás do ladrilho com a máquina de imagem ultra-violeta. A única coisa que ele pôde me dizer com certeza é que o primeiro nome no ladrilho é "Izabela", que, pelos registros que encontrei, tecnica-mente seria sua bisavó.

– E o outro nome no ladrilho?

– Está muito mais desbotado, e meu amigo está fazendo mais testes, mas já descobriu as três primeiras letras.

– E são as três primeiras letras do nome do meu possível bisavô, Gustavo Aires Cabral? – perguntei.

– Não, não são. Ele anotou para você o que decifrou até agora. – Floriano me passou outra folha de papel da pasta de plástico.

Observei-a.

– *L a u...*? – Olhei para ele sem entender.

– Dê a Stephano mais 24 horas e tenho certeza de que ele terá decifrado o restante do nome. Ele é o melhor, eu garanto. Quer outra? – perguntou, apontando para a caipirinha.

– Não, obrigada. Acho que vou tomar uma taça de vinho branco.

Depois de pedir outras bebidas para nós dois, Floriano olhou para mim atentamente.

– O que foi? – perguntei.

– Tenho outra coisa para lhe mostrar, Maia. E, se não for uma prova de-finitiva de que você realmente tem uma ligação com a família Aires Cabral, então não sei o que é. Está pronta?

– Não é nada ruim, não é? – perguntei, apreensiva.

– Não. Acho que é algo muito bonito. Veja isto.

Entregou-me outro pedaço de papel. Estava todo tomado pela fotografia granulada do rosto de uma mulher.

– Quem é ela?

– Izabela Aires Cabral, cujo primeiro nome está na parte de trás do ladrilho e que pode muito bem ser sua bisavó. Você vê a semelhança, Maia? – perguntou, me incentivando.

Olhei bem para o rosto da mulher. Sim, até eu podia ver meu próprio rosto refletido ali.

– Talvez – falei, dando de ombros.

– Maia, isso é incrível – afirmou Floriano com ênfase. – E posso lhe dizer que há muito mais de onde veio isso. Há um arquivo inteiro de fotografias de Izabela de jornais antigos, que acessei em microfilme na Biblioteca Nacional. Ela era considerada, na época, uma das mulheres mais bonitas do Brasil. Casou-se com Gustavo Aires Cabral na catedral aqui do Rio, em janeiro de 1929. Foi o casamento do ano.

– Pode ser simplesmente uma coincidência – falei, desconfortável com a comparação implícita entre mim e a modelo de beleza de sua época. – Mas...

– Sim? – disse ele, ansioso para que eu continuasse.

– Quando eu estava na Casa das Orquídeas, me chamou atenção uma escultura no canto do terraço. Era uma escultura bastante incomum, longe de ser do tipo que se espera encontrar em um jardim. Representava uma mulher sentada em uma cadeira. Olhando para esta fotografia, tenho certeza de que era a mesma mulher. E sim, na hora me lembro de pensar que ela me parecia familiar.

– Porque ela se parece com você! – disse ele, enquanto a garçonete transferia as bebidas da bandeja para a nossa mesa. – Bem, sinto que já fizemos algum progresso.

– E sou muito grata por isso, Floriano, mas ainda não acho que aquela senhora que conheci ontem vá me dizer qualquer coisa, ou admitir que me reconhece de alguma forma. E por que deveria? Você não agiria da mesma forma nessa circunstância? – desafiei-o.

– Bem, com certeza, se uma completa estranha entrasse no meu jardim, mesmo que ela *de fato* exibisse uma estranha semelhança com a minha mãe, e contasse que lhe falaram que pertencia à minha família, eu a veria com desconfiança – concordou Floriano, com o semblante sério.

– Então, o que fazemos agora? – perguntei.

– Vamos falar com ela de novo. Acho que eu deveria acompanhá-la. Meu nome deve lhe garantir certa credibilidade.

Não pude evitar um sorriso irônico diante da total convicção de Floriano de que aquela senhora saberia quem ele era. Como eu notara, os sul-americanos pareciam lidar com suas qualidades e seus feitos de uma forma despudoradamente aberta e sincera.

– Também quero ver essa escultura que você mencionou, Maia – continuou Floriano. – Você se importaria de eu ir com você?

– Nem um pouco. Você tem me ajudado tanto com tudo isso.

– Posso lhe garantir que tem sido um prazer. Afinal, você é a cara de uma das mulheres mais bonitas que o Brasil já teve.

Corei, me sentindo desconfortável com o elogio. Minha mente cética pensou logo se ele esperava favores em troca da ajuda. Sexo casual era a norma nos dias de hoje, eu sabia, mas era algo a que eu nem cogitava ceder.

– Desculpe – disse ele quando seu celular tocou, e então trocou palavras rápidas em português com alguém que chamou de "querida". – Sem problemas. Estarei aí em quinze minutos. – Ele olhou para mim e suspirou. – Infelizmente, tenho que deixá-la – falou, tomando o resto de sua caipirinha. – Petra, a garota com quem eu moro, conseguiu perder a chave de novo. – Então revirou os olhos e pediu a conta.

– Não – interrompi com firmeza –, pode deixar que eu pago, como um agradecimento por toda a sua ajuda.

– Então eu agradeço também. – E fez um gesto cortês com a cabeça. – A que horas busco você amanhã?

– Quando for melhor para você. Não tenho planos.

– Então eu sugiro às dez e meia, antes que a dona Beatriz Carvalho almoce e tire o cochilo da tarde. Não se levante – disse ele enquanto se preparava para sair. – Fique e termine seu vinho. Até amanhã, Maia. Tchau.

Ele se afastou de mim, cumprimentando com ar tranquilo a garçonete, que se virou para ele com um olhar de admiração de quem o reconhecia. Tomei um gole de vinho, sentindo-me ridícula por ter imaginado, por um momento, que ele desejava dormir comigo.

Assim como todo mundo, ele tinha sua própria vida. Bem, pensei enquanto levava a taça aos lábios, talvez eu estivesse prestes a descobrir a minha.

12

Na manhã seguinte, Floriano estava pontualmente na hora marcada no saguão do hotel, e saímos em seu Fiat vermelho. Ele costurava entre os carros com confiança em meio ao tráfego incessante, e eu prendia a respiração toda vez que escapávamos de bater por um triz.

– De onde você é? – perguntei, para desviar minha atenção da maneira assustadora como dirigia. – É brasileiro de verdade?

– E o que você acha que é um brasileiro de verdade? – Ele devolveu a pergunta. – Não existe isso. Somos um povo composto de mestiços, diferentes nacionalidades, credos e cores. Os únicos brasileiros "de verdade" eram os indígenas nativos, que os portugueses começaram a matar quando chegaram aqui há quinhentos anos clamando as riquezas do nosso país. E muitos dos que não tiveram uma morte sangrenta sucumbiram às doenças que os colonizadores trouxeram. Resumindo minha longa história familiar, minha mãe é descendente de portugueses e meu pai é italiano. Não existe essa coisa de linhagem pura aqui no Brasil.

Eu aprendia rápido sobre o país onde talvez tivesse nascido.

– E quanto à família Aires Cabral?

– Bem, curiosamente, eles eram puramente portugueses até Izabela, sua possível bisavó, chegar à cena. O pai dela era um homem de origem italiana muito rico que, como muitos na época, tinha feito fortuna com o café. E, lendo nas entrelinhas, presumo que os pais de Gustavo Aires Cabral tenham enfrentado tempos difíceis, como tantas outras famílias aristocráticas preguiçosas. Izabela era muito bonita e vinha de uma família rica, então podemos presumir que algum acordo foi feito.

– Imagino que suas conclusões sejam por enquanto apenas suposição, e não fatos, não é? – indaguei.

– Cem por cento suposição. Mas, exceto por algumas datas, um diário e uma carta ocasional, é sempre assim que se começa a investigar um acontecimento histórico – argumentou Floriano. – Nunca temos certeza absoluta, porque as vozes que precisaríamos ouvir para confirmar a história não estão mais conosco. Como historiador, você tem que aprender a juntar as peças de um quebra-cabeça para criar uma imagem completa.

– Sim. Creio que esteja certo – comentei, entendendo o que ele queria dizer.

– É claro que, na era da internet, em que tudo está registrado, a história e a pesquisa vão mudar. Estamos entrando em um novo tempo, em que haverá menos segredos, menos mistérios a serem descobertos. Graças a Deus também sou romancista, porque a senhora Wikipédia e seus amigos têm usurpado meu trabalho de historiador. Minhas lembranças quando eu for velho serão inúteis. Minha história vai estar na rede à disposição de quem quiser.

Pensava nisso quando Floriano – sem nem sequer me pedir que lhe indicasse a direção certa – dobrou na entrada da Casa das Orquídeas.

– Como você sabia exatamente onde era? – perguntei, espantada, enquanto ele estacionava confiante em frente à casa.

– Minha querida Maia, sua possível família há muito perdida é famosa no Rio. Todo historiador conhece esta casa. É um dos poucos vestígios de uma era perdida. Então – disse ele, desligando o motor e se virando para mim. – Está pronta?

– Estou.

Com Floriano na frente, nos aproximamos da casa e subimos os degraus da entrada.

– A campainha não funciona – eu disse a ele.

– Então vou bater.

E ele bateu. Com força, como se quisesse acordar os mortos. Depois de trinta segundos, como ninguém atendeu, Floriano bateu na porta de novo, ainda mais forte dessa vez, e ouvimos o barulho de pés correndo em direção à porta. Então escutei alguém abrindo trancas e fechaduras. Finalmente a porta foi aberta, e vi, de pé na soleira, a empregada negra de cabelos grisalhos que eu havia conhecido em minha última visita. Assim que me viu, ela me reconheceu e seu rosto se contraiu em pânico.

– Desculpe por perturbá-la, senhora, mas meu nome é Floriano Quintelas. Sou amigo da Srta. D'Aplièse. Posso lhe garantir que não queremos perturbar ou incomodar sua patroa, mas temos algumas informações que achamos que devem interessá-la. Sou um historiador muito respeitado e também escritor.

– Sei quem é, Sr. Floriano Quintelas – disse a empregada, mantendo os olhos em mim. – A dona Beatriz Carvalho está tomando café na sala de estar, mas, como já informei à sua amiga, ela é uma mulher muito doente.

O jeito formal como a empregada falava me deu vontade de rir. Era como se ela estivesse atuando em um melodrama vitoriano de segunda categoria.

– Por que não entramos com você e explicamos à dona Beatriz Carvalho quem somos? – sugeriu Floriano. – E então, se ela não se sentir disposta a conversar conosco, prometo que vamos embora.

Floriano já estava com um pé na soleira da porta, o que forçou a mulher, contrariada, a se afastar e nos conduzir por um grande salão de entrada com piso de ladrilhos e uma imensa escadaria em curva que levava para os andares superiores. Uma elegante mesa redonda de mogno ocupava o centro da sala, e notei um imponente relógio de pêndulo junto à parede. Sob a curva da escada, eu podia ver um corredor longo e estreito que saía do salão e certamente levava à parte de trás da casa.

– Você faria a gentileza de nos mostrar o caminho? – pediu Floriano, adotando o tom formal da empregada.

Ela parou, hesitante, como se pesasse algo em sua mente. Em seguida, fez que sim para nós e tomou a direção do corredor, e nós a seguimos. Quando chegamos em frente a uma porta no fim do corredor pouco iluminado, a empregada se virou para nós. E, dessa vez, eu podia ver que ela não nos deixaria entrar antes de falar com a patroa.

– Esperem aqui – disse ela com firmeza.

Depois que a empregada entrou na sala, fechando a porta na nossa cara, me virei para Floriano.

– Ela é uma senhora doente. Você acha certo perturbá-la?

– Não, Maia, mas, da mesma forma, você acha certo ela se recusar a divulgar possíveis detalhes de sua verdadeira origem? Aquela mulher atrás da porta pode muito bem ser sua avó. A filha dela pode ser sua mãe. Você realmente se importa por estarmos perturbando sua rotina por alguns minutos?

A empregada saiu da sala.

– Ela receberá os senhores por cinco minutos. Nem um segundo a mais.

Mais uma vez senti o olhar dela me estudar atentamente enquanto entrávamos em uma sala escura que cheirava a mofo e umidade. A decoração certamente não era alterada havia décadas e, quando meus olhos se acostumaram à escuridão, notei o tapete oriental puído sob nossos pés e as cortinas desbotadas em tom de damasco na janela. O ar decadente, porém, era compensado pelo belo mobiliário antigo de jacarandá e nogueira e pelo magnífico lustre suspenso no alto.

A dona Beatriz estava sentada em uma cadeira de veludo de espaldar alto com uma manta sobre os joelhos. Havia ainda um jarro de água e vários frascos de remédio na mesinha ao seu lado.

– Você voltou – disse ela.

– Por favor, perdoe a Srta. D'Aplièse por incomodá-la novamente – começou Floriano. – Mas a senhora pode imaginar que, para ela, encontrar a família é um assunto muito importante. E nada a fará desistir disso.

– Sr. Floriano – disse a velha com um suspiro –, já falei para sua amiga ontem que não posso ajudá-la.

– Tem certeza, dona Beatriz? Basta olhar para aquele retrato pendurado na parede sobre a lareira para ver que a Srta. Maia não está aqui por algum motivo oculto. Ela não está atrás de dinheiro, quer apenas encontrar sua família. Isso é tão errado assim? Pode culpá-la por isso?

Olhei na direção que Floriano apontara e vi uma pintura a óleo da mulher que agora eu sabia ser Izabela Aires Cabral. Dessa vez não tive dúvida: até eu sabia que era como um reflexo dela.

– Izabela Aires Cabral era sua mãe – continuou Floriano. – E a senhora também teve uma filha, Cristina, em 1956.

A velha se empertigou, os lábios contraídos, em silêncio.

– Não quer nem mesmo considerar a possibilidade de realmente ter uma neta? Devo lhe dizer, senhora, que provas da origem da Srta. D'Aplièse estão sendo reunidas neste momento por um amigo meu no Museu da República. Nós vamos voltar – prometeu Floriano.

A velha continuou muda, sem olhar nos olhos de Floriano. De repente, ela contraiu o rosto de dor.

– Por favor, me deixem – disse ela, e eu vi a agonia em seus olhos.

– Chega – sussurrei para Floriano, angustiada. – Ela está doente, não é justo.

Floriano concordou com um leve aceno de cabeça.

– Adeus, dona Beatriz. Tenha um ótimo dia.

– Sinto muito, dona Beatriz – falei. – Não vamos mais incomodá-la, eu prometo.

Floriano virou de costas e marchou decidido para a porta, e eu o segui logo atrás, envergonhada e à beira das lágrimas.

A empregada esperava no corredor e caminhamos até ela.

– Obrigado por nos deixar entrar, senhora – agradeceu Floriano enquanto a seguíamos pelo corredor em direção à porta.

– Continue distraindo a mulher – sussurrou ele para mim. – Ainda quero ver uma coisa.

Enquanto Floriano desaparecia, descendo os degraus à nossa frente, virei-me para a empregada, o rosto cheio de remorso.

– Sinto muito por ter perturbado a dona Beatriz. Prometo que não volto aqui sem a permissão dela.

– A dona Beatriz está muito doente, senhorita. Ela está morrendo e tem pouco tempo de vida, você deve ter percebido.

Quando chegamos à porta, a empregada parou hesitante ao meu lado, e percebi que havia algo mais que ela queria me dizer.

– Eu só queria perguntar uma coisa – falei apontando a fonte desativada na entrada. – Você chegou a ver esta casa no auge da glória?

– Sim, eu nasci aqui.

Pude ver que ela relembrava algo enquanto olhava para a estrutura em ruínas com tristeza nos olhos. De repente ela se virou para mim, no mesmo instante em que notei, com o canto do olho, que Floriano dava a volta na casa.

– Senhorita, tenho algo para você – sussurrou ela.

– Perdão? – Eu me distraíra temporariamente com o desaparecimento de Floriano e não tinha escutado o que a empregada dissera.

– Tenho algo para lhe dar. Mas, por favor, se eu confiar isso a você, deve jurar que nunca vai contar à dona Beatriz. Ela nunca perdoaria minha traição.

– Claro – falei. – Entendo completamente.

A empregada tirou um fino pacote de papel pardo do bolso do avental branco e me entregou.

– Por favor, eu imploro, não conte a ninguém que lhe dei isso – continuou ela com a voz rouca. – Foi minha mãe quem os entregou a mim. Ela falou que eram parte da história da família Aires Cabral e, antes de morrer, pediu que os guardasse em segurança.

Olhei para ela, espantada.

– Obrigada – disse baixinho, feliz em ver que Floriano tinha reaparecido e esperava junto ao carro. – Mas por quê? – perguntei.

Com um dedo longo e fino, ela apontou a pedra da lua pendurada na fina corrente de ouro em volta do meu pescoço.

– Eu sei quem a senhorita é. Adeus.

Ela correu de volta para dentro de casa e fechou a porta.

Atordoada, enfiei o pacote na minha bolsa e desci os degraus em direção ao carro.

Floriano já estava dentro do Fiat, com o motor ligado. Entrei e ele deu a partida, seguindo na velocidade de costume.

– Você viu a escultura? – perguntei.

– Sim – disse ele, enquanto seguíamos pela rua, nos afastando da casa. – Lamento que a dona Beatriz tenha se recusado a admitir que você é da família dela, Maia, mas meu cérebro tortuoso já está juntando as peças do quebra-cabeça. E acho que posso entender a resistência dela. Quando voltarmos, vou deixá-la direto no hotel e depois passar no Museu da República para consultar a biblioteca.

Logo chegamos ao hotel.

– Devo ligar mais tarde para lhe contar as novidades? – perguntou ele.

– Sim, por favor – respondi, saindo do carro.

Ele acenou e partiu, e eu peguei o elevador até a minha suíte. Fechei a porta, pendurei a placa de *Não perturbe*, depois fui até a cama e peguei o pacote. Dentro havia um maço de cartas bem presas por um cordão. Coloquei-as em cima da cama, desamarrei o nó e peguei o primeiro envelope, que notei ter sido meticulosamente aberto com um abridor de cartas. Observei os envelopes e vi que todas as cartas tinham sido endereçadas a uma "Srta. Loen Fagundes".

Tirei cuidadosamente a carta do envelope, sentindo a fragilidade do fino papel entre meus dedos. Desdobrei-a e vi que o endereço escrito na parte de cima era de Paris, datado de 30 de março de 1928. Dei uma olhada nas cartas seguintes e percebi que o maço à minha frente não havia sido organizado por ordem cronológica e que havia algumas cartas enviadas em 1927 para Loen Fagundes em um endereço no Brasil. Depois de abrir mais alguns envelopes, identifiquei que a assinatura na parte inferior de todas as cartas era "Izabela", a mulher que pode ter sido minha bisavó... As palavras da empregada voltaram à minha mente.

Eu sei quem a senhorita...

Meus dedos tocaram o colar de pedra da lua. Pensei que aquela pedra havia me acompanhado como uma espécie de lembrança, talvez da minha mãe, quando Pa Salt me adotou ainda bebê. Ele me dissera, quando me deu o colar, que havia uma história interessante por trás dele. Talvez ele estivesse sutilmente sugerindo que lhe perguntasse algum dia qual era; talvez na época ele não quisesse me preocupar falando de uma ligação direta com meu passado. Ele esperara que eu perguntasse. E agora eu desejava, com todo o meu coração, que tivesse feito isso.

Durante a hora seguinte, dei uma olhada rápida nas cartas – que deviam ser mais de trinta – e as arrumei em uma pilha na ordem cronológica.

Eu estava ansiosa para começar a ler os textos, escritos em uma bela e imaculada caligrafia. Então meu celular tocou e ouvi a voz de Floriano do outro lado da linha, todo animado.

– Maia, tenho notícias. Posso dar um pulo aí daqui a uma hora?

– Você se importaria de nos encontrarmos amanhã de manhã? Estou um pouco enjoada – menti, cheia de culpa, querendo tirar o resto do dia para ler as cartas.

– Amanhã às dez, então?

– Sim. Tenho certeza de que estarei bem até lá.

– Se precisar de alguma coisa, Maia, por favor me ligue.

– Pode deixar, obrigada.

– Sem problemas. Melhoras – disse ele.

Desliguei o celular e pedi ao serviço de quarto duas garrafas de água e um sanduíche de frango. Quando o serviço de quarto chegou, devorei tudo distraidamente, peguei a primeira carta e, com os dedos trêmulos, comecei a ler...

Izabela

Rio de Janeiro
Novembro de 1927

13

Izabela Rosa Bonifácio foi acordada pelo ruído de minúsculos pés arranhando o piso de ladrilhos. Sentou-se depressa, olhou para baixo e viu o sagui olhando para ela. Nas patas – uma cópia peluda em miniatura das suas próprias mãos –, havia uma escova de cabelo. Bel não pôde deixar de rir enquanto o sagui a encarava, seus brilhantes olhos negros implorando que o deixasse escapar com o novo brinquedo.

– Então você quer escovar o cabelo? – perguntou ela deslizando de bruços até o pé da cama. – Por favor, me devolva isso – pediu, estendendo a mão para o macaco. – É meu, e minha mãe vai ficar muito chateada se você roubá-lo de mim.

O macaco inclinou a cabeça em direção à sua rota de fuga e, quando os dedos longos e finos de Bel se esticaram para pegar a escova, a criatura saltou suavemente no parapeito da janela e desapareceu de vista.

Com um suspiro, Bel se deixou cair de costas na cama, sabendo que ouviria outro sermão dos pais sobre manter as venezianas fechadas durante a noite exatamente por aquele motivo. Era uma escova de madrepérola, presente de batismo de sua avó paterna, e, como ela dissera ao macaco, sua mãe não acharia graça nenhuma. Bel se arrastou de volta para a cabeceira e deitou a cabeça nos travesseiros, alimentando a vã esperança de que o sagui deixasse cair a escova no jardim em seu voo de volta para sua casa na selva, na encosta atrás da casa.

Uma leve brisa soprou uma mecha do cabelo escuro e grosso para a frente do seu rosto, trazendo consigo os aromas delicados das goiabeiras e dos limoeiros que cresciam no jardim abaixo de sua janela. Embora o relógio ao lado da cama lhe dissesse que eram apenas seis e meia da manhã, ela já podia sentir o calor do dia que estava por vir. Olhou para o alto e viu que não havia nem uma sombra de nuvem encobrindo o céu, que clareava rapidamente.

Loen, sua empregada, só bateria à porta dali a uma hora para ajudá-la a se vestir. Bel se perguntou se deveria finalmente reunir coragem para sair de fininho da casa enquanto todos dormiam e dar um mergulho na água fria da magnífica piscina de azulejos azuis que Antônio, seu pai, mandara construir no jardim.

Era a mais recente aquisição de Antônio, que estava muito orgulhoso de ter uma das primeiras piscinas daquele tipo em uma casa particular no Rio. Havia um mês, ele tinha convidado todos os amigos importantes para vê-la, que ficaram reverentes em volta admirando-a. Os homens usavam ternos caros, e as mulheres, cópias dos mais recentes modelos de Paris compradas nas lojas exclusivas da avenida Rio Branco.

Bel tinha pensado na ocasião como era irônico que nenhum deles tivesse trazido roupa de banho. Ela também ficara completamente vestida naquele calor escaldante, desejando mais que tudo poder tirar o vestido formal e mergulhar na água fria e clara. Na verdade, até aquele dia, Bel ainda não tinha visto ninguém realmente usar a piscina. Quando perguntou se poderia dar um mergulho, seu pai balançara a cabeça.

– Não, querida, você não pode ser vista pelos criados em uma roupa de banho. Só pode nadar quando eles não estiverem por perto.

Como os criados estavam *sempre* por perto, Bel rapidamente percebera que a piscina era simplesmente outro ornamento, um bem imponente que seu pai podia ostentar para impressionar os amigos. Outro degrau em sua busca incessante para alcançar o status social que tanto desejava.

Quando perguntou a Carla, sua mãe, por que o pai nunca parecia satisfeito com o que tinha, mesmo eles morando em uma das casas mais bonitas do Rio, jantando frequentemente no Copacabana Palace e tendo até um Ford novinho, ela deu de ombros placidamente.

– Simplesmente porque, não importa quantos carros ou fazendas possua, ele nunca poderá mudar o sobrenome.

Aos 17 anos, Bel já sabia que Antônio era descendente de imigrantes italianos, que tinham vindo ao Brasil para trabalhar numa das várias fazendas de café que se espalhavam pelas terras verdejantes e férteis em torno da cidade de São Paulo. O pai dele não só trabalhara duro como também era inteligente, e economizara para comprar seu próprio pedaço de terra e começar seu negócio.

Quando Antônio já tinha idade suficiente para assumir os negócios, a fazenda de café prosperava, e ele pôde comprar outras três. Os lucros tornaram sua família rica e, quando Bel tinha 8 anos, seu pai comprara uma bela fazenda antiga a cinco horas de carro do Rio. Aquele era o lugar que ela ainda considerava como seu lar. Escondida no alto das montanhas, a espaçosa sede da fazenda era tranquila e acolhedora, guardava as lembranças mais preciosas de Bel. Livre para andar à vontade pelos dois mil hectares da propriedade, ela tivera uma infância idílica e despreocupada.

No entanto, embora Antônio agora estivesse mais perto do Rio, ainda não estava satisfeito. Ela se lembrava de ouvir, certa noite durante o jantar, o pai explicar à mãe por que eles deviam um dia mudar para a cidade.

– O Rio é a capital, a sede de todo o poder no Brasil. E nós devemos fazer parte disso.

À medida que os negócios de Antônio se ampliavam, sua ambição também aumentava. Havia três anos, seu pai chegara em casa e anunciara que tinha comprado uma casa no Cosme Velho, um dos bairros mais exclusivos do Rio.

– Agora os aristocratas portugueses não poderão mais me ignorar, porque serão nossos vizinhos! – exultara Antônio, batendo a mão na mesa em triunfo.

Bel e sua mãe trocaram um olhar horrorizado diante da ideia de deixar sua casa na montanha e se mudar para a cidade grande. Carla, normalmente serena, desta vez foi inflexível ao dizer que a Fazenda Santa Tereza não devia ser vendida, para que pudessem pelo menos ter um santuário caso precisassem fugir do calor do verão carioca.

– Por que, mãe, por quê? – perguntou então Bel, chorando, quando sua mãe entrou no quarto para lhe dar um beijo de boa-noite. – Adoro morar aqui. Não quero me mudar para a cidade.

– Porque não basta para o seu pai ser tão rico quanto os aristocratas portugueses do Rio. Ele quer ter o mesmo status deles na sociedade. E conquistar o respeito desses senhores.

– Mas, mãe, até eu vejo que os portugueses do Rio encaram com desprezo os paulistas italianos como nós. A senhora acha que algum dia ele vai conseguir o respeito deles?

– Bem – respondeu a mãe, com ar cansado –, Antônio alcançou tudo o que desejou até agora.

– Mas como vamos saber como nos comportar? – perguntou. – Morei no campo a maior parte da minha vida. Nós nunca vamos nos adaptar como papai deseja.

– Seu pai já está falando de termos algumas aulas com a Sra. Nathalia Santos, uma mulher da aristocracia portuguesa cuja família tem passado por tempos difíceis. Ela ganha a vida ensinando pessoas como nós a se comportar na sociedade do Rio. E ela também pode nos apresentar a outras famílias.

– Então vamos virar bonecas, que usam as melhores roupas, dizem as coisas certas e usam os talheres corretos? Acho que prefiro morrer.

Para ilustrar a ideia, Bel fingiu se sufocar.

– É isso mesmo – concordou Carla, rindo das considerações da filha, com um brilho afetuoso nos olhos. – E, é claro, você, Izabela, sua amada filha única, pode ser a galinha que lhe dará os ovos de ouro. Você já é muito bonita, Bel, e seu pai acha que sua aparência lhe trará um bom casamento.

Bel olhara para a mãe, horrorizada.

– Ser usada como moeda de troca para meu pai ser aceito pela sociedade? Bem, eu não vou fazer isso!

Então se jogou sobre a cama e socou os travesseiros.

Carla caminhou até cama e acomodou sua rechonchuda figura na beirada do colchão, batendo de leve com a mão gorda nas costas contraídas da filha.

– Não é tão ruim quanto parece, querida – disse, procurando confortá-la.

– Mas eu só tenho 15 anos! Quero me casar por amor, não por status. E, além disso, os portugueses são pálidos, magros e preguiçosos. Prefiro os italianos.

– Ah, Bel, você não pode dizer isso. Cada raça tem sua mistura de coisas boas e ruins. Tenho certeza de que seu pai vai encontrar alguém de que você goste. O Rio é uma cidade muito grande.

– Eu não vou para o Rio!

Carla se curvou e beijou o cabelo escuro e sedoso da filha.

– Bem, posso lhe dizer uma coisa, você com certeza herdou a personalidade do seu pai. Boa noite, querida.

❀ ❀ ❀

Isso tinha acontecido fazia três anos, e nada do que Bel dissera à mãe deixara de ser verdade. Seu pai continuava ambicioso, sua mãe, gentil, a sociedade do Rio permanecia tão inflexível em suas tradições quanto duzentos anos antes, e os portugueses ainda eram nada atraentes.

E, no entanto, a casa no Cosme Velho era espetacular. As paredes pintadas de um ocre suave, e as janelas envidraçadas abrigavam cômodos harmoniosos que tinham sido completamente redecorados segundo as especificações de seu pai. Ele também insistira na instalação de todos os possíveis confortos modernos, como um telefone e banheiros no andar de cima. Do lado de fora, os jardins perfeitamente cuidados poderiam rivalizar com o esplendor do magnífico Jardim Botânico.

A casa fora batizada de Mansão da Princesa, em homenagem à Princesa Isabel, que um dia bebera a água do rio Carioca, que corria pelo quintal e acreditava-se ter propriedades curativas.

No entanto, apesar do luxo inegável que a cercava, Bel achava opressiva a presença maciça do Corcovado, que se erguia bem atrás da casa e jogava sua sombra sobre ela. Muitas vezes, ela se pegava com saudade dos amplos espaços abertos e do ar puro das montanhas.

Desde sua chegada à cidade, a Sra. Santos, sua professora de etiqueta, tornara-se parte da rotina diária de Bel. Ensinara à menina como entrar em uma sala – os ombros para trás, a cabeça erguida, *flutue* – e martelara em sua cabeça as árvores genealógicas de cada família portuguesa importante do Rio. E, à medida que ia aprendendo francês, piano, história da arte e literatura europeia, Bel começava a sonhar em viajar para o Velho Mundo.

A parte mais difícil dessas aulas, no entanto, era que a Sra. Santos insistia em que ela esquecesse a língua nativa de sua família, que aprendera desde o berço com a mãe. Bel ainda lutava para falar português sem sotaque italiano.

Muitas vezes ela se olhava no espelho e abria um sorriso irônico. Porque, apesar de todo o esforço que Nathalia Santos fazia para apagar a origem de Bel, suas feições a entregavam. Sua pele impecável, que nas montanhas precisava de apenas um pouco de sol para adquirir um bronzeado reluzente – a Sra. Santos a advertira várias vezes para evitar o sol –, era o contraste perfeito para as ondas volumosas de seu cabelo escuro e para os enormes olhos castanhos que falavam de ardentes noites toscanas nas colinas de sua verdadeira pátria.

Seus lábios grossos insinuavam a sensualidade de seu povo, e seus seios protestavam diariamente quando eram contidos por um espartilho apertado. Enquanto Loen puxava todas as manhãs os cordões do espartilho, tentando domar os sinais exteriores de feminilidade, Bel muitas vezes sentia que a peça constritiva era a metáfora perfeita de sua própria vida. Ela era como um animal selvagem, cheio de fogo e paixão, preso em uma jaula.

Izabela observou uma pequena lagartixa correr como um raio de um canto do teto para outro e pensou que o animal poderia fugir a qualquer momento pela janela aberta, como fizera o sagui. Ela, no entanto, passaria mais um dia presa como um frango prestes a ser colocado para assar no calor ardente do forno social do Rio, aprendendo a ignorar sua natureza e a se tornar a dama da sociedade que o pai queria que ela fosse.

Na semana seguinte, os planos do pai para seu futuro atingiriam seu auge. Ela faria 18 anos e seria apresentada à sociedade carioca com uma festa espetacular no maravilhoso Copacabana Palace.

Depois disso, Bel sabia que seria forçada a aceitar a melhor proposta de casamento que seu pai pudesse arrumar. E perderia os últimos vestígios de liberdade que lhe restavam.

Uma hora mais tarde, uma familiar batida na porta alertou-a da chegada de Loen.

– Bom dia, Srta. Bel. A manhã não está linda? – perguntou a empregada ao entrar no quarto.

– Não – respondeu Bel, mal-humorada.

– Vamos, a senhorita precisa levantar e se vestir. Tem um dia muito cheio.

– Eu? – Bel fingiu ignorância, sabendo muito bem quais eram as obrigações que tinha pela frente.

– Agora, minha pequena, não brinque comigo – advertiu Loen, empregando a forma de tratamento que usava com Bel desde criança quando estavam a sós. – Sabe tão bem quanto eu que tem aula de piano às dez horas e logo depois chega seu professor de francês. E hoje à tarde a madame Duchaine vem fazer os últimos ajustes do seu vestido de baile.

Bel fechou os olhos e fingiu não ouvir.

Implacável, Loen se aproximou da cama e balançou gentilmente o ombro de Izabela.

– O que há de errado com a senhorita? Daqui a uma semana vai fazer 18 anos, e seu pai organizou uma festa maravilhosa. Todos no Rio vão estar lá! Não está animada?

Bel não respondeu.

– Que vestido quer usar hoje? O creme ou o azul? – insistiu Loen.

– Tanto faz!

Loen foi calmamente até o armário e a cômoda, então colocou as roupas que ela mesma escolhera na ponta da cama de Bel.

Relutante, Bel despertou e se sentou.

– Perdoe-me, Loen. Estou triste porque um sagui entrou aqui esta manhã e roubou minha escova de cabelo, que foi presente da minha avó. Sei que minha mãe vai ficar brava comigo por ter deixado as venezianas abertas de novo.

– Não! – Loen estava horrorizada. – Aquela linda escova de madrepérola está agora com os macacos na selva. Quantas vezes já lhe falaram para manter as janelas fechadas à noite?

– Muitas – concordou Bel, resignada.

– Vou pedir aos jardineiros que procurem pelo chão. Pode ser que a encontrem logo.

– Obrigada – disse Bel enquanto levantava os braços para ajudar Loen a tirar sua camisola.

❀ ❀ ❀

No café da manhã, Antônio Bonifácio estudava a lista de convidados para a festa de sua filha no Copacabana Palace.

– A Sra. Santos realmente selecionou as pessoas mais influentes, e a maioria aceitou – comentou Antônio com satisfação. – Embora a família Carvalho Gomes tenha falado que não vai, nem a Ribeiro Barcellos. Disseram que sentem muito, mas têm outro compromisso. – Antônio ergueu uma sobrancelha.

– Bem, eles não sabem o que vão perder. – Carla pousou a mão de maneira reconfortante no ombro do marido, sabendo que essas eram duas das famílias mais importantes do Rio. – A festa vai ser o assunto de toda a cidade, e eles ouvirão a respeito, tenho certeza.

– Espero que sim – resmungou Antônio. – Está saindo bem cara. E você, minha princesa, estará no centro de tudo.

– Sim, papai. Sou muito grata.

– Bel, você sabe que não deve me chamar de "papai", e sim de "pai" – repreendeu-a Antônio.

– Desculpe-me, pai, é difícil mudar o hábito de uma vida inteira.

– Então... – Antônio dobrou o jornal cuidadosamente e se levantou, despedindo-se da esposa e da filha com um aceno. – Estou indo para o escritório cuidar do trabalho que vai pagar por tudo isso.

Os olhos de Bel seguiram o pai, que saía da sala, e ela pensou como ele ainda era bonito, com seu corpo alto e elegante e sua cabeleira escura, ligeiramente grisalha nas têmporas.

– Meu pai está tão tenso – disse Bel à mãe, suspirando. – Ele está preocupado com a festa, não é?

– Bel, seu pai é sempre tenso. Seja sobre a produção dos cafezais de uma de nossas fazendas ou sobre sua festa, ele sempre vai encontrar algo com que se preocupar. É só... quem ele é – disse Carla, dando de ombros. – Também preciso ir. A Sra. Santos virá agora de manhã para repassarmos os últimos preparativos para a recepção no Copacabana Palace. Ela quer que você se junte a nós depois de suas aulas de piano e francês para dar uma olhada na lista de convidados.

– Mas, mãe, já sei a lista de cor e salteado – reclamou Bel.

– Eu sei, querida, mas nada pode dar errado.

Carla se levantou para sair, então hesitou por um instante e se virou de novo para Bel.

– Tem outra coisa que preciso lhe dizer. Minha querida prima Sofia está se recuperando de uma doença muito grave, e eu a convidei, junto com seus três filhos, para ficar em nossa fazenda enquanto se recupera. Como só temos Fabiana e seu marido lá, vou mandar Loen para cuidar dos filhos de Sofia, assim ela pode descansar. Loen deve ir para o campo no fim da semana.

– Mas mãe! – exclamou Bel, consternada. – Minha festa é daqui a alguns dias. O que vou fazer sem ela?

– Sinto muito, Bel, mas não há opção. Gabriela estará aqui, e tenho certeza de que irá ajudá-la em tudo que precisar. Agora tenho que ir ou vou me atrasar. – Carla deu um tapinha reconfortante no ombro da filha e saiu da sala.

Bel afundou de volta na cadeira e digeriu a indesejada notícia. Estava arrasada com a ideia de ficar sem sua aliada mais próxima nos dias que antecediam um dos eventos mais importantes de sua vida.

Loen nascera na fazenda da família. Seus antepassados africanos haviam sido escravos na plantação de café. Quando a escravidão finalmente foi abolida no Brasil, em 1888, muitos escravos libertos deixaram de trabalhar no mesmo dia e abandonaram seus antigos patrões, mas os pais de Loen decidiram ficar. Eles continuaram a trabalhar para os donos da fazenda na época, uma rica família portuguesa, até que, como tantos aristocratas cariocas que ficaram sem a mão de obra escrava para cuidar dos cafezais, os proprietários foram obrigados a vender a propriedade. O pai de Loen escolhera aquele momento para desaparecer no meio da noite. Ela, então com 9 anos, e sua mãe, Gabriela, tiveram de se cuidar sozinhas.

Quando Antônio comprou a fazenda alguns meses depois, Carla teve pena delas e insistiu para que fossem admitidas como empregadas. E fazia três anos que mãe e filha se mudaram com a família para o Rio.

Ainda que Loen fosse, tecnicamente, apenas uma criada, ela e Bel cresceram juntas na fazenda isolada. Como havia poucas crianças da mesma idade com quem brincar, as duas tinham forjado uma ligação especial. Embora pouco mais velha do que Bel, Loen tinha uma experiência surpreendente para sua idade e era uma fonte inesgotável de conselhos e consolo para sua jovem patroa. Bel, por sua vez, procurara retribuir a bondade e a lealdade de Loen passando os longos e lânguidos entardeceres na fazenda ensinando-a a ler e escrever.

Então, pelo menos, pensou Bel com um suspiro enquanto tomava café, elas poderiam se corresponder enquanto estivessem longe.

– Já terminou, senhorita? – perguntou Gabriela, interrompendo seus pensamentos e abrindo um sorriso solidário, que indicava que tinha escutado o anúncio de Carla.

Bel olhou para o aparador cheio de mangas frescas, figos, amêndoas, e um cesto de pães recém-assados. Era o suficiente para alimentar uma rua inteira, pensou, que dirá uma família de três pessoas.

– Sim, pode tirar a mesa. E sinto muito pelo trabalho extra que terá enquanto Loen estiver longe – acrescentou.

Gabriela deu de ombros estoicamente.

– Sei que minha filha também vai ficar decepcionada por não estar aqui para os preparativos do seu aniversário. Mas tudo vai dar certo.

Depois que Gabriela saiu, Bel pegou o *Jornal do Brasil* que estava na mesa e o abriu. Na primeira página, havia uma fotografia de Bertha Lutz, a ativista pelos direitos das mulheres, junto às suas aliadas em frente à prefeitura. Lutz fundara a Federação Brasileira pelo Progresso Feminino havia seis anos e lutava para que todas as mulheres do Brasil tivessem direito ao voto. Bel acompanhava avidamente seus passos. Parecia-lhe que os tempos estavam mudando para outras mulheres no Brasil, enquanto ali estava ela, com um pai preso no passado, que acreditava que as mulheres deveriam simplesmente se casar com quem desse o maior lance e depois ter uma prole saudável.

Desde que se mudaram para a cidade, Antônio mantivera a preciosa filha praticamente prisioneira e nunca permitia que ela nem sequer desse uma volta fora de casa sem a companhia de uma mulher mais velha. Ele não parecia perceber que as poucas garotas de sua idade que conhecera em recepções formais, e que eram consideradas amigas adequadas pela Sra. Santos, vinham de famílias que abraçavam os novos tempos, e não que lutavam contra eles.

Sua amiga Maria Elisa da Silva Costa, por exemplo, tinha realmente uma ascendência aristocrática portuguesa, mas sua família não flanava de um evento social para outro como o pai de Bel tão equivocadamente acreditava. A velha corte portuguesa em que Antônio sonhava ingressar com sua família tinha praticamente entrado para a História, seus últimos vestígios defendidos por uns poucos ainda apegados a um mundo que desaparecia.

Maria Elisa era uma das poucas jovens que Bel conhecera com quem sentira ter algo em comum. O pai dela, Heitor, era um arquiteto de renome e recentemente tinha conquistado o projeto do monumento do Cristo Redentor no alto do Corcovado, a montanha que se erguia abruptamente em direção ao céu atrás da casa de Izabela. A família de Maria Elisa morava ali perto, em Botafogo, e, quando o pai dela precisava subir ao topo da montanha para conferir medidas para a obra, ela o acompanhava até o Cosme Velho para visitar Bel, e Heitor pegava o trem do Corcovado. Bel esperava a visita dela mais tarde naquele dia.

– Senhorita, posso lhe trazer mais alguma coisa? – perguntou Gabriela, parada à porta com a pesada bandeja.

– Não, obrigada, Gabriela, pode ir.

Poucos minutos depois, Bel se levantou e deixou a sala também.

❀ ❀ ❀

– Você deve estar tão animada para sua festa – disse Maria Elisa quando as duas se sentaram à sombra da densa floresta tropical que chegava até o jardim da casa.

A mata era mantida sob controle por um pequeno exército de jardineiros que cuidava para que não invadisse o terreno imaculado, mas, além dos limites da casa, a vegetação subia indomada até a montanha.

– Acho que ficarei feliz quando isso acabar – respondeu Bel com muita sinceridade.

– Bem, eu estou ansiosa pela festa, pode ter certeza – continuou Maria Elisa, sorrindo. – Alexandre Medeiros vai estar lá, e tenho uma queda por ele. Vai ser incrível se ele me chamar para dançar – acrescentou enquanto tomava um gole de uma laranjada que a cozinheira havia acabado de fazer. – Algum rapaz chamou sua atenção? – perguntou, olhando para Bel com expectativa.

– Não, e, além disso, sei que meu pai vai querer escolher um marido para mim.

– Ah, ele é tão antiquado! Quando converso com você, vejo que dei sorte com meu pai, mesmo que a cabeça dele esteja sempre nas nuvens com seu Cristo. Você sabia – disse Maria Elisa, baixando a voz para um sussurro – que meu pai, na verdade, é ateu e, no entanto, aqui está ele, construindo o maior monumento a Nosso Senhor do mundo inteiro!

– Talvez esse projeto mude suas crenças – sugeriu Bel.

– Ontem à noite, eu o ouvi falar com minha mãe sobre ir à Europa para encontrar um escultor para a estátua. E, como ele ficará longe por muito tempo, disse que nós iríamos com ele. Você pode imaginar, Bel? Vamos ver todas as maravilhas de Florença, Roma e, é claro, Paris. – Maria Elisa franziu de alegria o nariz sardento.

– Europa? – exclamou Bel, virando o rosto para a amiga. – Maria Elisa, neste momento, posso sinceramente dizer que eu a odeio. Meu sonho a vida inteira foi ir à Europa. Principalmente para Florença, de onde minha família veio.

– Bem, talvez, se formos mesmo, você possa ir com a gente, pelo menos durante uma parte da viagem. Seria ótimo para mim também, senão vou ter apenas meus dois irmãos como companhia. O que você acha? – Os olhos de Maria Elisa brilhavam de empolgação.

– Acho uma ideia maravilhosa, mas meu pai não deixaria – afirmou Bel categoricamente. – Se ele nem sequer me deixa dar uma volta aqui na rua sozinha, não acredito que me deixaria viajar para a Europa. Além disso, ele me quer aqui no Rio, disponível para me casar o mais rápido possível. – Desconsolada, Bel esmagou uma formiga com o sapato.

O som de um carro parando na entrada da casa alertou-as para a chegada do pai de Maria Elisa, que vinha buscá-la.

– Então – disse ela, levantando e dando em Bel um abraço caloroso –, vejo você quinta que vem na sua festa?

– Sim.

– Tchau, Bel – despediu-se enquanto atravessava o jardim. – E não se preocupe, prometo que vamos pensar num plano.

Izabela voltou a se sentar, sonhando em ver a catedral de Santa Maria e a fonte de Netuno em Florença. De todas as aulas que a Sra. Santos organizara para ela, história da arte tinha sido de que mais gostara. Um artista fora contratado para ensiná-la noções básicas de desenho e pintura. Aquelas tardes em que ficara sentada num ateliê arejado, na Escola Nacional de Belas Artes, tinham sido alguns dos momentos mais agradáveis desde que chegara ao Rio.

O artista também era escultor e deixara que ela experimentasse trabalhar com uma argila vermelha espessa. Bel ainda se lembrava da suavidade úmida da argila entre os dedos, sua maleabilidade enquanto tentava moldar uma figura.

– Você realmente tem talento – dissera o artista com aprovação depois que ela lhe mostrara o que considerava uma versão lamentável da *Vênus de Milo*. Mas, tivesse habilidade ou não, Bel amara o clima do ateliê e sentia falta de ir lá toda semana depois que as aulas terminaram.

Ouviu a voz de Loen chamando-a do terraço, o que significava que madame Duchaine tinha chegado para os ajustes finais do vestido.

Então, deixou os pensamentos sobre a Europa e suas glórias na selva para trás, levantou-se e atravessou de volta o jardim até a casa.

14

a manhã de seu décimo oitavo aniversário, Bel acordou e viu pela janela pesadas nuvens cinzentas cruzando o horizonte e ouviu o som de trovões que se aproximavam. Aquilo era sinal de que uma tempestade ameaçadora estava se formando, e o céu era iluminado por fortes raios. De uma hora para a outra, os céus se abririam e sem cerimônia se derramariam sobre o Rio, encharcando seus infelizes habitantes.

Gabriela andava depressa de um lado para outro no quarto, recitando os compromissos de Bel para aquele dia, mas também deu uma espiada pela janela, observando o céu.

– Só podemos rezar para que o céu desabe logo antes da sua festa e a chuva já tenha passado quando seus convidados começarem a chegar. Será um desastre se seu lindo vestido ficar salpicado de lama quando você descer do carro para entrar no hotel. Vou à capela pedir a Nossa Senhora que faça a chuva parar até a noite, e que o sol apareça e seque as poças. Agora vamos, dona Izabela, seus pais estão esperando você na sala para o café da manhã. Seu pai quer vê-la antes de sair para o escritório. É um dia muito especial para todos nós.

Por mais que amasse Gabriela, Bel desejou pela centésima vez que Loen estivesse ali para compartilhar aquele dia especial com ela e a ajudasse a se acalmar.

Dez minutos depois, ela entrou na sala. Antônio levantou da mesa, os braços estendidos em direção a ela.

– Minha filha preciosa! Agora você se tornou uma moça, e eu não poderia estar mais orgulhoso. Venha abraçar seu pai.

Bel se deixou envolver pelos braços fortes e protetores do pai, sentindo o aroma reconfortante da água-de-colônia que ele sempre usava e do óleo que passava no cabelo.

– Agora vá beijar sua mãe e lhe daremos seu presente.

– *Piccolina* – disse Carla de maneira carinhosa, falando, distraída, em italiano. Ela se levantou da mesa e beijou ternamente a filha, em seguida se afastou e abriu os braços. – Olhe para você! Tão bonita.

– Beleza que herdou de sua querida mãe, é claro – interveio Antônio, lançando um olhar afetuoso para a esposa.

Bel podia ver que os olhos dele estavam cheios de lágrimas. Nos últimos tempos, era raro ver seu pai demonstrar emoção, e ela foi imediatamente transportada de volta à época em que eram apenas uma simples família italiana, antes de Antônio enriquecer. Sentiu um nó na garganta.

– Venha ver o que compramos para você. – Antônio esticou a mão para a cadeira ao lado dele e pegou dois estojos de veludo. – Olhe isto – disse ele, abrindo ansiosamente a tampa da caixa maior para revelar o que havia dentro. – E isto. – Então abriu a caixa menor.

Bel engasgou diante da beleza do colar e dos brincos de esmeralda à sua frente.

– Pai! Meu Deus! Eles são maravilhosos.

A aniversariante se inclinou para perto e, incentivada pelo pai, tirou o colar do forro de seda. Era feito de ouro, com esmeraldas que iam aumentando de tamanho até a magnífica pedra reluzente que ficaria no meio de seu decote.

– Experimente – encorajou o pai, fazendo sinal para que sua esposa prendesse o colar atrás.

Quando Carla terminou, os dedos de Bel correram para o pescoço, e ela tocou as pedras suaves e frias.

– Fica bem em mim?

– Antes de olhar, você deveria colocar os brincos – disse Antônio, e Carla ajudou-a a prender as delicadas gemas em formato de gota nas orelhas. – Agora pode olhar! – Antônio virou Bel para o espelho acima do aparador. – Ficaram lindos! – exclamou enquanto observava o reflexo da filha, as joias reluzentes em contraste com a pele clara de seu pescoço fino.

– Pai, devem ter custado uma fortuna!

– Vieram das minas de esmeralda de Minas Gerais, e eu mesmo examinei as pedras brutas e escolhi as melhores.

– E é claro, querida, seu vestido de seda creme, bordado com fios esmeralda, foi desenhado especialmente para destacar seu presente de aniversário – acrescentou Carla.

– Esta noite – continuou Antônio, satisfeito –, não haverá nenhuma mulher na sala com joias mais bonitas ou caras. Mesmo que estejam usando as joias da coroa de Portugal!

De repente, toda a alegria infantil e natural de receber um presente tão magnífico se evaporou. Ao olhar para seu reflexo no espelho, Bel percebeu que Antônio não desejava agradar a filha em seu aniversário. As joias eram apenas mais uma maneira de impressionar as várias pessoas importantes que iriam à festa naquela noite.

Agora, as reluzentes pedras verdes em torno de seu pescoço pareciam vulgares, ostentosas... Ela era simplesmente uma tela na qual o pai exibia sua riqueza. E seus olhos se encheram de lágrimas.

– Ah, querida, não chore. – Carla ficou ao seu lado. – Entendo que você esteja emocionada, mas não deve se incomodar em seu dia especial.

Bel aproximou-se instintivamente da mãe e descansou a cabeça em seu ombro, enquanto crescia dentro dela o medo do futuro.

❁ ❁ ❁

Bel se lembrava da sua festa de 18 anos no Copacabana Palace – a noite em que ela e principalmente seu pai foram enfaticamente apresentados à sociedade carioca – como uma série de instantâneos vívidos e confusos.

Gabriela, obviamente, fora agraciada em seu pedido a Nossa Senhora. Embora o céu tenha desabado a tarde toda, às quatro horas, quando Bel acabou de tomar banho e o cabeleireiro chegara para prender seu cabelo espesso e reluzente em um penteado no alto da cabeça, a chuva parou. Finos cordões de pequenas esmeraldas – mais um presente de seu pai – foram entrelaçados em seu coque. E seu vestido, feito de um cetim trazido especialmente de Paris e habilmente costurado por madame Duchaine para acentuar seus seios, seus quadris estreitos e a barriga reta, caía como uma segunda pele.

Quando chegou ao hotel, uma multidão de fotógrafos contratados por Antônio entrou em ação.

A fonte de champanhe jorrou como se fosse água a noite toda, e o raro caviar beluga, importado da Rússia, foi servido à vontade como se fosse salgadinho barato.

Depois de um jantar extravagante tendo lagosta à Thermidor como prato principal, acompanhado dos melhores vinhos franceses, a mais famosa banda do Rio se apresentou na varanda. A enorme piscina tinha sido coberta com placas de madeira para que os hóspedes pudessem dançar sob a luz das estrelas.

Antônio se recusara a permitir que tocassem samba, que, embora cada vez mais popular, ainda era considerado música dos pobres no Rio. No entanto, tinha sido persuadido pela Sra. Santos a autorizar alguns números vigorosos de maxixe, convencido pelo argumento de que a enérgica dança era a última moda nos sofisticado clubes de Paris e Nova York.

Bel lembrava-se de dançar naquela noite com diversos homens, e o toque deles em seu ombro nu era tão insignificante quanto um mosquito que bastava espantar.

Então Antônio se aproximou trazendo um jovem rapaz que queria lhe apresentar.

– Izabela, gostaria que conhecesse Gustavo Aires Cabral – dissera o pai. – Ele a admirava de longe e ficaria muito feliz com uma dança.

Bel identificou imediatamente pelo sobrenome que aquele rapaz pequeno e pálido vinha de uma das famílias mais aristocráticas do Brasil.

– Claro – concordou ela, baixando os olhos com deferência. – Seria uma honra, senhor.

Ela não pôde deixar de notar que Gustavo era tão baixo que seus olhos mal ficavam na mesma altura dos dela, e, quando ele se curvou para beijar sua mão, percebeu que seu cabelo já começava a rarear.

– Senhorita, onde vinha se escondendo? – murmurou ele enquanto a levava para a pista de dança. – Você é certamente a mulher mais bonita do Rio.

Enquanto dançavam, Bel não precisou olhar para seu pai para saber que ele os observava com um sorriso de satisfação.

Mais tarde, quando seu bolo de aniversário de dez camadas foi cortado e todos se serviram de mais uma taça de champanhe da fonte para brindar à sua saúde, Bel ouviu uma súbita explosão. Como todos na varanda, ela virou a cabeça na direção do som e viu um barco que flutuava nas ondas perto da costa, disparando centenas de fogos de artifício no formato de girândolas, serpentinas e estrelas. Os fogos coloridos iluminaram a noite do Rio, deixando todos boquiabertos com o espetáculo. Com Gustavo ao seu lado, Bel não pôde fazer nada além de exibir um sorriso falso de gratidão.

Bel acordou às onze no dia seguinte e, depois de ter escrito para Loen – que, ela sabia, devia estar ansiosa para ter notícias da festa – na fazenda, saiu do quarto e desceu as escadas. A família Bonifácio havia chegado em casa depois das quatro da manhã, e ela encontrou os pais tomando um café tardio, com os olhos vermelhos de cansaço.

– Vejam só quem está aí – disse Antônio à esposa. – A recém-coroada princesa do Rio!

– Bom dia, pai. Bom dia, mãe – disse ela enquanto se sentava e Gabriela a servia. – Só café, obrigada – pediu, dispensando com um aceno a comida.

– Como você está hoje, minha querida?

– Um pouco cansada – admitiu.

– Será que não exagerou um pouco no champanhe ontem à noite? – indagou Antônio. – Eu com certeza me excedi.

– Não, só bebi uma taça a noite toda. Estou simplesmente cansada, é só. Não vai ao escritório hoje, pai?

– Vou. Mas achei que, pelo menos uma vez, eu poderia chegar tarde. E veja – disse Antônio, apontando uma bandeja de prata em cima da mesa, cheia de envelopes. – Alguns convidados já mandaram por suas empregadas cartas de agradecimento por ontem à noite, convidando-a para almoçar ou jantar. Há também uma carta endereçada diretamente a você. É claro que não a li, mas dá para ver de quem é pelo selo. Pegue-a, Izabela, e conte a seus pais o que ela diz.

Antônio passou o envelope para ela e Bel viu o brasão da família Aires Cabral selando a parte de trás. Ela abriu a carta e leu as poucas linhas no papel timbrado em alto-relevo.

– E então? – indagou Antônio.

– É de Gustavo Aires Cabral. Ele agradece pela noite passada e diz que espera me ver novamente em breve.

Antônio bateu palmas de alegria.

– Izabela, como você é esperta! Gustavo é descendente do último imperador de Portugal e vem de uma das melhores famílias do Rio.

– E pensar que ele escreveu para a nossa filha! – Carla juntou as mãos no peito, também emocionada.

Bel examinou a alegria no rosto dos pais e suspirou.

– Pai, Gustavo só me mandou um cartão de agradecimento pela noite. Isso não é uma proposta de casamento.

– Não, querida, mas um dia poderá ser. – Seu pai piscou. – Vi como ele ficou encantado com você. Ele mesmo me disse isso. E por que não deveria ficar? – Antônio mostrou a primeira página do *Jornal do Brasil*, que trazia uma foto de Bel, radiante, chegando à festa. – Você é o assunto da cidade, minha princesa. Sua vida e a nossa serão muito diferentes de agora em diante.

❊ ❊ ❊

E, de fato, nas semanas seguintes, à medida que o Natal se aproximava e a temporada social do Rio atingia seu auge, Bel foi convidada a uma sucessão de eventos. Madame Duchaine foi chamada de novo e instruída a fazer novos vestidos para Bel usar em bailes, óperas e em uma série de jantares em endereços particulares. Perfeitamente treinada pela Sra. Santos, Bel portava-se em cada ocasião com segurança e desembaraço.

Gustavo Aires Cabral, que Maria Elisa e ela secretamente apelidaram de "fuinha", em razão de sua semelhança com o animal e de seu hábito de circular em volta de Bel toda hora, estava presente em muitos dos eventos.

Na estreia de *Don Giovanni* no Theatro Municipal, ele a encontrou no foyer e insistiu para que ela fosse no intervalo ao camarote de seus pais para apresentá-la formalmente a eles.

– Você deveria se sentir honrada – disse Maria Elisa, erguendo as sobrancelhas, quando Gustavo afastou-se de Bel e atravessou a multidão que bebia champanhe no foyer antes de a cortina subir. – Os pais dele são o mais próximo da realeza que nos resta no Rio. Ou pelo menos – continuou ela, rindo – eles agem como se fossem.

E, de fato, quando foi levada ao camarote no intervalo, Bel se viu fazendo uma reverência improvisada, como se estivesse conhecendo o próprio antigo imperador. A mãe de Gustavo, Luiza Aires Cabral, com ar altivo e carregada de diamantes, examinou-a estreitando os olhos com frieza.

– Srta. Bonifácio, você é realmente tão bonita quanto todos têm falado – disse de maneira cortês.

– Obrigada – agradeceu Bel timidamente.

– E seus pais? Eles estão aqui? Acho que ainda não tivemos o prazer de conhecê-los.

– Não, eles não vieram hoje.

– Seu pai possui algumas fazendas de café na região de São Paulo, pelo que me disseram, não é? – perguntou o pai de Gustavo, Maurício, uma réplica mais velha do filho.

– Tem sim, senhor.

– E, é claro, está enriquecendo com elas. Há muitas pessoas fazendo fortuna do nada naquela região – disse Luiza.

– Sim, senhora – concordou Bel, entendendo o menosprezo que surgia nas entrelinhas.

– Bem – disse Maurício depressa, lançando à mulher um olhar de advertência –, precisamos chamá-los para um almoço.

– Claro.

A senhora Aires Cabral acenou com a cabeça para Bel e em seguida voltou sua atenção para uma mulher sentada a seu lado.

– Acho que eles gostaram de você – disse Gustavo enquanto a levava de volta ao seu camarote.

– Sério? – Bel tinha pensado justo o contrário.

– Sim. Eles fizeram perguntas e estavam interessados. Isso é sempre um bom sinal. Vou lembrá-los da promessa de convidar seus pais.

Ao reencontrar Maria Elisa, Bel confessou esperar ardentemente que Gustavo esquecesse.

❀ ❀ ❀

Os três Bonifácios, no entanto, foram devidamente convidados para almoçar na casa da família Aires Cabral. Carla se preocupou até o último instante com o que usaria na ocasião, experimentando a maioria dos vestidos de seu guarda-roupa.

– Mãe, por favor, é só um almoço – argumentava Bel. – Tenho certeza de que eles não vão se importar com o que você estiver usando.

– Ah, vão, sim. Você não percebe que iremos lá para sermos avaliados? Uma palavra negativa de Luiza Aires Cabral e as portas que até agora se abriram tão facilmente para você no Rio vão imediatamente se fechar em nossas caras.

Bel suspirou e saiu do quarto de vestir de sua mãe, no fundo querendo gritar que não importava o que a família Aires Cabral pensava sobre seus pais ou sobre ela porque não seria vendida como um pacote de carne a *ninguém*.

❀ ❀ ❀

– Você vai aceitar se Gustavo a pedir em casamento? – perguntou Maria Elisa quando, naquela tarde, visitou Bel e a amiga lhe contou sobre o convite.

– Deus do céu! Eu mal o conheço. E, além disso, tenho certeza de que os pais dele querem que a noiva do filho seja uma princesa portuguesa, não a filha de imigrantes italianos.

– Talvez queiram, mas meu pai diz que a família Aires Cabral está passando por dificuldades. Como muitas das que pertencem à aristocracia tradicional, eles fizeram fortuna com o ouro de Minas Gerais, mas isso foi há duzentos anos. Depois as fazendas de café deles foram à falência quando a escravidão foi abolida. Meu pai diz que eles fizeram muito pouco para remediar a situação, e desde então a fortuna deles está minguando.

– Como eles podem ser pobres se vivem em uma das melhores casas no Rio e a mãe de Gustavo anda repleta de joias? – perguntou Bel.

– As joias são herança de família, e aparentemente a casa não vê pintura há cinquenta anos. Meu pai foi lá uma vez inspecioná-la porque estava muito malconservada. Ele disse que o lugar é tão úmido que há mofo verde crescendo pelas paredes do banheiro. Mas, quando apresentou ao Sr. Maurício Aires Cabral o orçamento da reforma, ele se engasgou horrorizado e despachou meu pai de lá. – Maria Elisa encolheu os ombros. – Eu juro, eles têm apenas um sobrenome influente, e não dinheiro. Seu pai, por outro lado, é muito rico. – Ela olhou para Bel. – Por mais que tente negar, você sabe o que está acontecendo, não é?

– Mesmo que ele peça, eles não podem me obrigar a casar com ele, Maria Elisa. Não se isso me fizer infeliz.

– Bem, acho que seu pai faria de tudo para convencê-la. Ter uma filha com o sobrenome Aires Cabral e seus próprios netos serem dessa linhagem seria um sonho para ele. Qualquer um pode ver que é a combinação perfeita: você entra com a beleza e a riqueza, e Gustavo com a linhagem nobre.

Embora Bel viesse tentando com todas as forças evitar pensar sobre o cenário, as palavras contundentes de Maria Elisa atingiram em cheio o alvo.

– Que Deus me ajude – disse ela, suspirando. – O que eu posso fazer?

– Eu não sei, Bel, realmente não sei.

Para tentar combater o desespero que ameaçava dominá-la, Bel falou sobre aquilo que não saía de sua mente desde que Maria Elisa tocara no assunto pela primeira vez.

– Quando você vai para a Europa?

– Dentro de seis semanas. Estou tão animada. Papai já reservou as cabines no navio que nos levará até a França.

– Maria Elisa… – Bel estendeu a mão e pegou a da amiga. – Eu lhe imploro que pergunte ao seu pai se ele estaria disposto a pedir ao meu que me deixe viajar para Paris com você. Convença-o a persuadir meu pai de que seria ótimo que eu concluísse minha educação conhecendo o Velho Mundo se quer que eu faça um bom casamento. É sério, se eu não fizer algo agora, você tem razão: meus pais vão me casar com Gustavo dentro dos próximos meses. Eu tenho que escapar, *por favor*.

– Tudo bem. – Os olhos castanhos e tranquilos de Maria Elisa captaram a aflição de Bel. – Vou falar com meu pai e ver o que ele pode fazer. Mas talvez já seja tarde demais. O fato de a família Aires Cabral ter convidado você e seus pais para irem à casa dela me diz que uma proposta é iminente.

– Mas eu só tenho 18 anos! Não sou jovem demais para me casar? Bertha Lutz diz que temos que lutar por nossa independência, ganhar nosso próprio sustento, para que nenhuma de nós precise se vender ao maior lance feito por um homem. E as mulheres a apoiam em suas reivindicações por igualdade!

– Sim, Bel, apoiam, mas essas mulheres não são *você*. Prometo que vou conversar com meu pai para ver se conseguimos tirá-la do Rio, pelo menos por alguns meses – disse Maria Elisa, acariciando a mão da amiga para reconfortá-la.

– E talvez eu nunca mais volte – sussurrou Bel para si mesma.

✺ ✺ ✺

No dia seguinte, Bel entrou no carro com os pais e foram levados até a Casa das Orquídeas, o lar da família Aires Cabral. Sentada ao lado da mãe, Bel podia sentir sua tensão.

– Sério, mãe, é só um almoço.

– Eu sei, querida – disse Carla, olhando para a frente enquanto o motorista cruzava os portões de ferro forjado e parava diante de uma imponente mansão branca.

– É mesmo uma propriedade impressionante – comentou Antônio ao sair do carro, e os três caminharam até o pórtico da entrada.

No entanto, apesar do tamanho da casa e de sua graciosa arquitetura clássica, Bel não pôde deixar de se lembrar das palavras de Maria Elisa ao notar os jardins malcuidados e a pintura gasta.

Uma empregada os cumprimentou e os levou a uma austera sala de estar cheia de móveis antigos. Bel respirou fundo. A sala cheirava a umidade, e, apesar do calor que fazia lá fora, ela estremeceu.

– Vou dizer à Sra. Aires Cabral que os senhores chegaram – disse a criada, indicando que se sentassem.

Depois do que pareceu uma espera excessivamente longa, durante a qual os três ficaram sentados em silêncio, Gustavo finalmente entrou na sala.

– Sr. e Sra. Bonifácio e Izabela, estou realmente muito feliz de tê-los aqui na nossa casa. Meus pais estão um pouco atrasados, mas se juntarão a nós daqui a pouco.

Gustavo apertou a mão de Antônio, beijou a de Carla e depois manteve a de Bel na sua.

– Permita-me dizer como você está bonita hoje, Izabela. Posso lhes oferecer um refresco enquanto esperamos meus pais?

Finalmente, após dez minutos de conversa artificial, o Sr. e a Sra. Aires Cabral entraram na sala.

– Queiram nos desculpar, estávamos cuidando de alguns assuntos de família, mas agora chegamos – disse o Sr. Aires Cabral. – Vamos almoçar?

A sala de jantar era incrivelmente grande, com uma mesa de mogno que Bel calculou que poderia comportar quarenta convidados e tinha, em toda a sua borda, um elegante trabalho de entalhamento. Mas, ao olhar para o teto, viu grandes rachaduras nas cornijas um dia requintadas.

– Você está bem, Izabela? – perguntou Gustavo, que se sentara ao lado dela.

– Sim, estou.

– Que bom.

Bel vasculhou a mente atrás de algum assunto, tendo esgotado todas as amenidades possíveis nas ocasiões anteriores em que se encontraram.

– Há quanto tempo sua família mora nesta casa? – conseguiu finalmente perguntar.

– Há duzentos anos – explicou Gustavo. – E penso que nada mudou muito nesse tempo – observou ele com um sorriso. – Às vezes, sinto como se morasse em um museu, embora muito bonito.

– É realmente lindo – concordou Bel.

– Assim como você – acrescentou Gustavo, cortês.

Durante o almoço, Bel pegou Gustavo olhando para ela todas as vezes que virava a cabeça em sua direção. Os olhos dele mostravam apenas admiração, em contraste com seus pais, que não estavam apenas conversando educadamente com os Bonifácios, mas sim os interrogando. Bel notou do outro lado da mesa o rosto tenso e pálido de sua mãe, que se esforçava para conversar com a Sra. Aires Cabral, e lançou a ela um olhar solidário.

No entanto, à medida que o vinho aliviava a tensão, Gustavo, em particular, começou a falar mais à vontade com ela do que antes. Durante o almoço, Bel ficou sabendo sobre sua paixão por literatura, seu amor pela música clássica e seus estudos de filosofia grega e história portuguesa. Como não trabalhara um dia sequer em sua vida, Gustavo dedicara seu tempo ao aprendizado cultural, e era ao discutir esses assuntos que de fato parecia vivo. Enquanto expunha seu próprio amor pela arte, Bel começou a achar Gustavo mais interessante, e o restante do almoço foi bastante agradável.

– Acho que você é um estudioso natural – disse ela com um sorriso quando todos se levantaram da mesa para tomar café na sala de estar.

– É muito gentil da sua parte dizer isso, Izabela. Vindo de você, qualquer elogio vale mil vezes mais. E você também conhece bastante arte.

– Sempre quis viajar para a Europa, para ver algumas das obras dos grandes mestres – admitiu ela com um suspiro.

Meia hora depois, os Bonifácios se despediram.

Quando o carro já havia se afastado da casa, Antônio se virou e sorriu para a esposa e a filha sentadas no banco de trás.

– Bem, duvido que as coisas pudessem ter se saído melhor.

– Sim, meu querido – concordou Carla, como sempre. – O almoço correu bem.

– Mas a casa… santo Deus! Precisa ser demolida e construída de novo. Ou, pelo menos, de uma fortuna cafeeira para restaurá-la. – Antônio deu um sorriso presunçoso. – E a comida que eles serviram… Já comi melhor em uma barraca de praia. Convide-os para jantar semana que vem, Carla, e vamos lhes mostrar como as coisas devem ser. Diga à cozinheira para comprar os melhores peixes e as melhores carnes e não economize em nada.

– Sim, Antônio.

Quando chegaram em casa, Antônio saiu imediatamente, dizendo que precisava passar algumas horas no escritório. Carla e Bel atravessaram o jardim.

– Gustavo parece um rapaz muito doce – arriscou a mãe.

– Sim, ele é – concordou Bel.

– Você sabe, Bel, que ele está encantado por você, não sabe?

– Não, mãe, como poderia estar? Essa foi a primeira vez que, de fato, conversamos.

– Eu o vi olhando para você durante o almoço e posso lhe garantir que ele já gosta muito de você. – Em seguida, Carla suspirou fundo. – E isso, pelo menos, me faz feliz.

15

— Você já pediu ao seu pai que converse com o meu sobre a Europa? – perguntou Bel quando Maria Elisa veio visitá-la alguns dias depois. Ela podia notar o desespero em sua própria voz.

– Já pedi, sim – disse Maria Elisa enquanto sentavam no lugar de costume no jardim. – Ele ficou feliz com a ideia de você ir conosco se seu pai concordar. E prometeu falar com ele quando vier me buscar mais tarde.

– Meu Deus. – Bel soltou um suspiro. – Estou rezando para ele fazer o possível para convencer meu pai.

– O que me preocupa, Bel, é que, pelo que você me disse, Gustavo deve pedi-la em casamento muito em breve. Mesmo que seu pai concorde, seu noivo certamente não vai querer perder você de vista.

Maria Elisa fez uma pausa e observou o rosto ansioso de Bel antes de continuar.

– Seria realmente tão terrível assim você se casar com ele? Afinal, acabou de dizer que Gustavo pelo menos é um homem inteligente e gentil. Você moraria em uma das casas mais bonitas do Rio, que, tenho certeza, seu pai teria enorme prazer em reformar a seu gosto. E com seu novo sobrenome aliado à sua beleza, você seria a rainha da sociedade carioca. Muitas garotas adorariam uma oportunidade como essa – ressaltou.

– O que você está dizendo? – Bel se virou para a amiga com um brilho nos olhos negros. – Achei que estivesse do meu lado.

– E estou, Bel, mas você me conhece, sou pragmática e ouço a razão em vez da emoção. Tudo que estou dizendo é que poderia ser pior.

– Maria Elisa – Bel torcia as mãos –, eu não o amo! Isso não é o mais importante?

– Em um mundo ideal, sim. Mas nós duas sabemos que o mundo não é ideal.

– Você parece uma velha falando, Maria Elisa. Por acaso não deseja se apaixonar?

– Talvez – concordou ela. – Mas também sei que o amor é apenas uma das muitas coisas que tenho que levar em conta antes de me casar. Só estou dizendo para ter cuidado, Bel, porque, se você recusar a proposta de Gustavo, será uma terrível afronta à família dele. E, por mais que eles não sejam mais ricos, ainda possuem muita influência aqui no Rio. A vida pode se tornar difícil para você e seus pais.

– Bem, o que você está me dizendo é que, se Gustavo me pedir em casamento, não terei outra escolha a não ser aceitar? Então devo simplesmente subir o Corcovado e me atirar lá de cima?

– Bel... – Maria Elisa balançou a cabeça e ergueu as sobrancelhas. – Por favor, acalme-se. Tenho certeza de que existem maneiras de contornar isso. Mas deve haver um equilíbrio entre o que *você* quer e os desejos dos outros.

Bel observou Maria Elisa, que detinha o olhar em um beija-flor que voava depressa por entre as árvores. Como sempre, a amiga parecia serena, como um lago de águas tranquilas, sem nenhuma ondulação em sua superfície, enquanto ela própria, Bel, era como uma cachoeira descendo com força a montanha e se chocando contra as rochas lá embaixo.

– Eu queria ser mais parecida com você, Maria Elisa. Você é tão sensata.

– Não, sou apenas mais flexível. Mas, por outro lado, não tenho sua paixão ou sua beleza.

– Não seja boba. Você é uma das pessoas mais bonitas que eu conheço, por dentro e por fora. – Num impulso, Bel estendeu os braços para abraçá-la. – Obrigada por seu conselho e sua ajuda. Você é uma verdadeira amiga.

❀ ❀ ❀

Uma hora depois, Heitor da Silva Costa, o pai de Maria Elisa, chegou à entrada da Mansão da Princesa. Gabriela abriu a porta, e Bel e Maria Elisa, escondidas, ouviram quando ele perguntou se Antônio estava em casa.

Bel nunca tinha trocado mais do que algumas amabilidades com o Sr. Heitor da Silva Costa em várias situações sociais, mas gostara do que vira. Ela o achava muito bonito, com feições elegantes e olhos azuis muito claros que pareciam frequentemente se distanciar de onde ele estava, vagando para longe. Talvez, pensou ela, para o topo do morro do Corcovado e a estátua monumental do Cristo que ele estava construindo.

Bel suspirou aliviada quando o pai saiu do escritório e cumprimentou Heitor no corredor calorosamente, embora um pouco surpreso. O que lhe dava esperança era saber que Antônio respeitava Heitor, pois, além de pertencer a uma antiga família portuguesa, o pai de Maria Elisa recentemente se tornara uma espécie de celebridade no Rio devido ao projeto do Cristo.

As duas garotas ouviram seus pais entrarem no escritório e fecharem a porta.

– Não estou aguentando mais! – disse Bel, afundando em uma cadeira. – Todo o meu futuro depende dessa conversa.

– Você é tão dramática, Bel – rebateu Maria Elisa, sorrindo. – Tenho certeza de que vai ficar tudo bem.

Vinte minutos depois e ainda angustiada com o suspense, Bel ouviu a porta do escritório se abrir e os dois homens saírem, conversando sobre o Cristo.

– Quando quiser subir a montanha para ver o projeto, é só falar – dizia Heitor. – Agora tenho que encontrar minha filha e levá-la para casa.

– Claro. – Antônio fez um sinal para Gabriela encontrar Maria Elisa. – É um prazer recebê-lo aqui, senhor, e agradeço sua gentil oferta.

– Imagina. Ah, aí está você, Maria Elisa. Precisamos nos apressar porque tenho uma reunião marcada às cinco no Centro. Até mais, Sr. Bonifácio.

Enquanto pai e filha se viravam para sair, Maria Elisa encolheu os ombros com ar de dúvida e Bel ficou observando, parada no final do corredor. Então sua amiga desapareceu pela porta da frente.

Bel viu seu pai esperar alguns segundos e em seguida se virar para voltar ao escritório. Ao encontrá-la ali de pé, parada, a ansiedade estampada no rosto, ele balançou a cabeça e suspirou pesadamente.

– Estou vendo que você já sabia disso.

– Foi ideia da Maria Elisa – Bel se apressou para completar. – Ela me convidou porque queria ter uma companhia feminina na viagem pela Europa. O senhor sabe que ela só tem dois irmãos mais novos e...

– Como eu disse ao Sr. Heitor da Silva Costa e agora direi a você, Izabela, a ideia está fora de questão.

– Mas por quê, pai? Com certeza o senhor entende que eu aprenderia muito em uma viagem pela Europa, não é?

– Você não precisa aprender mais nada, Izabela. Gastei milhares de réis na sua educação e valeu a pena. Você já pescou um peixe grande. Nós dois sabemos que uma proposta de casamento do Sr. Gustavo é algo iminente. Então, diga-me, por que raios eu concordaria, neste momento crucial, em mandá-la para o Velho Mundo, se você está prestes a ser coroada rainha do Novo?

– Pai, por favor, eu…

– Basta! Não quero mais ouvir falar disso. O assunto está encerrado. Vejo você no jantar.

Soluçando, Bel virou as costas, atravessou correndo a cozinha, surpreendendo as criadas que preparavam o jantar, e disparou pela porta que levava para o quintal. Atravessou o jardim e, sem se preocupar com o vestido, se embrenhou pela mata que cobria a encosta, agarrando-se às plantas e às árvores para conseguir subir.

Dez minutos depois, quando estava alto o suficiente para ninguém ouvi-la, jogou-se no solo quente e uivou como um animal selvagem. Quando a raiva e a frustração finalmente se aplacaram, Bel rolou de lado e tirou a terra do vestido de musselina. Sentou com o queixo apoiado nos joelhos, abraçando com força as pernas. Quando olhou ao longe, a linda vista do Rio começou a acalmá-la. Ela examinou a paisagem lá embaixo, observando atentamente o enclave do Cosme Velho. Então virou o rosto para ver o imenso morro do Corcovado acima dela, sobre o qual pairava uma nuvem cinza.

A alguma distância na direção oposta, também em uma montanha, ficava uma favela, um amontoado de construções feitas de todo material que os moradores pobres conseguiam encontrar. Se prestasse bastante atenção, podia ouvir os sons fracos dos surdos que os moradores tocavam dia e noite enquanto dançavam samba, a música dos morros, para esquecer a miséria de suas vidas. E a visão e a música daquela gente sofrida fez com que ela caísse em si.

Eu não passo de uma menina rica, egoísta e mimada, repreendeu-se Bel. *Como posso me comportar assim quando tenho tudo e eles não têm nada?*

Então baixou a cabeça lentamente até os joelhos e pediu perdão.

– Por favor, Virgem Santa, me livre deste coração apaixonado e o substitua por um como o de Maria Elisa – orou fervorosamente –, pois o meu não me faz nenhum bem. E eu juro que serei grata e obediente de agora em diante e não lutarei mais contra os desejos de meu pai.

❋ ❋ ❋

Dez minutos depois, Bel desceu a montanha e atravessou a cozinha, suja e desarrumada, mas com a cabeça erguida. Subiu a escada correndo e pediu a Gabriela que preparasse seu banho. Então entrou na banheira e ficou refletindo como, no futuro, seria a mais perfeita e submissa filha... e *esposa*.

Durante o jantar, ninguém tocou na proibida viagem à Europa, e, ao se deitar naquela noite, Bel sabia que o assunto nunca mais seria mencionado.

16

uas semanas depois, os três membros da família Aires Cabral foram a um requintado jantar na Mansão da Princesa. Antônio fez de tudo para impressioná-los, enfatizando que seu negócio de café crescia à medida que a demanda dos Estados Unidos pelos grãos mágicos do Brasil aumentava a cada mês.

– Nossa família teve algumas fazendas de café perto do Rio, mas, com a abolição da escravatura, em pouco tempo deixaram de ser rentáveis – comentou o pai de Gustavo.

– Ah, sim. Tenho muita sorte de minhas fazendas ficarem perto de São Paulo, onde nunca dependemos tanto do trabalho escravo – replicou Antônio. – E, é claro, a terra em torno de São Paulo é muito mais adequada ao cultivo do café. Acredito que o meu esteja entre os melhores. Vamos prová-lo depois do jantar.

– Sim, claro, todos nós devemos abraçar o Novo Mundo – concordou Maurício secamente.

– E devemos nos esforçar para manter os valores e as tradições do passado – acrescentou a mãe de Gustavo de maneira enfática.

Durante o jantar, Bel observou Luiza Aires Cabral, que raramente abria um sorriso. Não havia dúvida de que, quando mais jovem, ela devia ter sido muito bonita, com seus olhos de um azul incomum e traços elegantes. Mas parecia que a amargura a corroera por dentro e apagara qualquer traço exterior de charme. Bel prometeu a si mesma que, independentemente do rumo que sua vida tomasse, aquele nunca seria seu destino.

– Soube que você conhece a filha de Heitor da Silva Costa, Maria Elisa – comentou Gustavo com sua voz tranquila. – Ela é muito sua amiga?

– É, sim.

– Na próxima semana, meu pai e eu vamos subir o Corcovado com o Sr. Heitor da Silva Costa para ele nos atualizar sobre o projeto. Meu pai faz parte do Círculo Católico, que foi o grupo que começou a alimentar o sonho de erguer um monumento ao Cristo lá em cima. Pelo que soube, os planos do Sr. Heitor já mudaram diversas vezes. Não invejo a tarefa que ele assumiu. A montanha tem mais de 700 metros de altura.

– Nunca fui até o topo, apesar de morarmos tão perto – replicou Bel. – A montanha começa bem no fundo do nosso jardim.

– Talvez seu pai me deixe levá-la.

– Eu adoraria, muito obrigada – respondeu ela, de maneira educada.

– Então está combinado. Peço a ele mais tarde.

Quando Bel desviou o olhar de Gustavo para comer o delicioso pudim de leite condensado, ainda sentia os olhos dele sobre ela.

Duas horas mais tarde, quando os convidados foram embora e a empregada fechou a porta, Antônio sorriu para Carla e Bel.

– Acho que eles ficaram impressionados, e acredito que você, minha princesa – ele segurou o queixo de Bel –, terá notícias de Gustavo muito em breve. Ele me perguntou antes de sair se poderia levá-la ao Corcovado semana que vem. É um lugar perfeito para um pedido de casamento, não é?

Bel abriu a boca para negar a sugestão do pai, mas então se lembrou da promessa de adotar uma atitude mais submissa.

– Sim, pai – disse ela, baixando os olhos timidamente.

Mais tarde, ao se deitar para dormir, desejando mais uma vez que Loen estivesse ali para conversar, ela ouviu uma batida na porta.

– Pode entrar.

– Querida. – O rosto de Carla apareceu. – Não acordei você, acordei?

– Não, mãe. Por favor, entre. – Deu um tapinha no colchão, e a mãe sentou na cama segurando suas mãos.

– Izabela, lembre-se de que você é minha filha amada e eu a conheço bem, então tem algo que preciso lhe perguntar, já que parece que Gustavo a pedirá em casamento em breve. É isso que você quer?

Bel se lembrou novamente de sua promessa e pensou cuidadosamente em como devia responder.

– Mãe, na verdade eu não amo Gustavo. Nem gosto dos pais dele. Nós duas sabemos que eles apenas nos toleram e prefeririam que seu filho encontrasse uma noiva portuguesa. Mas Gustavo é doce e amável, e uma pessoa boa, eu acho. Sei como isso faria vocês felizes, principalmente meu pai.

Então – Bel não pôde deixar de soltar um pequeno suspiro antes de prosseguir –, se ele me pedir em casamento, eu aceitarei.

Carla olhou fixamente para a filha.

– Você tem certeza, Bel? Independentemente do que seu pai queira, eu, como mãe, preciso saber o que você realmente sente. Seria um pecado terrível sujeitá-la a uma vida que você não deseja. Acima de tudo, quero que você seja feliz.

– Obrigada, mãe, e tenho certeza de que serei.

– Bem – disse Carla após uma pausa –, acredito que um homem e uma mulher podem aprender a se amar ao longo dos anos. Confie em mim, sei do que estou falando. Eu me casei com seu pai. – Ela riu com ironia. – Também tinha dúvidas no início, mas agora, apesar de todos os defeitos dele, eu não mudaria nada em Antônio. E lembre-se, é sempre importante que o homem ame mais a mulher do que ela o ame.

– Por que você diz isso, mãe?

– Porque, minha querida, enquanto o coração das mulheres pode ser volúvel e amar diversas vezes, os homens, ainda que demonstrem menos os sentimentos, quando amam, geralmente amam para sempre. E eu acredito que Gustavo a ame. Posso ver isso quando ele olha para você. E é o que vai garantir que seu marido permaneça ao seu lado e seja fiel. – Carla beijou Bel. – Durma bem, querida.

Sua mãe saiu do quarto e Bel ficou pensando no que ela dissera. Só esperava que a mãe estivesse certa.

❖ ❖ ❖

– Está pronta para ir?

– Sim. – Bel esperava pacientemente na sala de visitas enquanto sua mãe e seu pai a inspecionavam.

– Você está linda, minha princesa – disse Antônio, admirando-a. – Que homem poderia recusá-la?

– Você está nervosa, querida? – perguntou Carla.

– Vou subir o Corcovado de trem com Gustavo, e é só – respondeu Bel, tentando conter a irritação crescente.

– Bem – disse Antônio, dando um salto quando a campainha tocou –, veremos. Ele chegou.

– Boa sorte, e que Deus a abençoe – falou Carla, beijando o rosto da filha.

– Vamos esperar as novidades aqui – disse Antônio, enquanto Bel deixava a sala e encontrava Gabriela do lado de fora, que esperava com o novo chapéu *cloche* de seda comprado especialmente para a ocasião.

Gustavo estava de pé na soleira da porta, o corpo magro surpreendentemente elegante em um terno de linho creme, e com um bonito chapéu de palha na cabeça.

– Izabela, você está linda. Nosso motorista espera lá fora. Podemos ir?

Enquanto andavam até o carro e se acomodavam no banco traseiro, Bel percebeu que Gustavo estava muito mais nervoso do que ela. Nos três minutos de carro até a pequena estação de onde partia o trem do Corcovado, ele permaneceu em silêncio. Saíram do carro, e ele a acompanhou até um dos dois vagões simples ligados a uma minúscula locomotiva.

– Espero que você aprecie a vista, mesmo o passeio não sendo muito confortável – comentou Gustavo.

O trem começou a subir a montanha, tão íngreme que Bel sentiu o pescoço tensionar para manter a cabeça erguida. Quando o trem deu um solavanco, Bel instintivamente segurou o ombro de Gustavo, que na mesma hora passou o braço pela sua cintura.

Era o gesto mais íntimo que tinham experimentado até então e, embora não tivesse despertado nenhuma agitação em Bel, tampouco ela sentira repulsa. Era como o toque reconfortante de um irmão mais velho. O barulho do motor tornava impossível qualquer conversa, então Bel relaxou e começou a apreciar o passeio enquanto o trenzinho estrepitava pela exuberante selva urbana que nascia bem nos fundos do seu jardim.

Bel quase ficou desapontada quando o trem parou na estação no alto da montanha e os passageiros desceram.

– Há um ponto aqui de onde se tem uma excelente vista do Rio, mas também podemos subir logo a escadaria até o topo e checar como andam as obras das fundações do Cristo Redentor – disse Gustavo.

– Quero ir direto ao topo, é claro – respondeu Bel, sorrindo, e notou o olhar de aprovação de Gustavo.

Subiram os degraus íngremes atrás das almas mais corajosas, o sol inclemente testando sua resistência ao calor e fazendo-os sofrer cada vez mais em suas roupas formais.

Não devo *suar*, pensou Bel, sentindo as roupas de baixo grudarem na pele. Finalmente, chegaram ao planalto no alto da montanha. À frente deles havia um mirante. Mais adiante, Bel podia ver escavadoras arrancando pedaços de rocha com suas garras gigantes. Gustavo pegou sua mão e levou-a para a sombra do mirante.

– O Sr. Heitor da Silva Costa explicou que eles precisam cavar muitos metros na terra para garantir que a estátua não tombe. – Então virou Bel pelos ombros e levou-a até a beirada do mirante. – Agora, olhe lá.

Bel seguiu seu dedo indicador e viu o telhado vermelho de um elegante edifício.

– Não é o Parque Lage?

– Sim, e o jardim de lá é impressionante. Mas você conhece a história da casa que fica lá dentro?

– Não, não conheço.

– Bem, não faz muito tempo, um brasileiro se apaixonou por uma cantora de ópera italiana. Ele queria desesperadamente que ela se casasse com ele e morassem juntos no Rio, mas ela, acostumada à Itália, não desejava se mudar para cá. Então ele lhe perguntou o que seria necessário para ela deixar sua amada Roma para trás. Ela respondeu que queria morar num palácio, como aqueles de seu país. Então – disse Gustavo, sorrindo – ele construiu o palácio para ela, que se casou com ele, se mudou para o Rio e mora entre as paredes daquele lindo pedaço de sua terra natal até hoje.

– Que história romântica.

Antes que pudesse se controlar, Bel suspirou, em seguida se curvou o máximo possível e olhou para a linda vista lá embaixo. Quase no mesmo instante, sentiu outra vez um braço em volta da cintura.

– Cuidado. Eu não gostaria de ter que contar a seus pais que você caiu do alto do Corcovado – disse ele com um sorriso. – Sabe, Izabela, se eu pudesse, construiria para você uma casa tão bonita quanto aquela lá embaixo.

Bel, ainda junto à beirada, o rosto escondido, ouviu as palavras que vinham de trás dela.

– É muito gentil de sua parte, Gustavo.

– Também é a verdade. Izabela… – E gentilmente a virou de frente para ele. – Você deve saber o que estou para lhe pedir.

– Eu…

Imediatamente ele levou um dos dedos aos lábios de Izabela.

– Acho melhor você não dizer nada por enquanto ou minha coragem irá me abandonar. – Tenso, ele pigarreou. – Com a sua beleza, entendo que não sou fisicamente o que você merece como marido. Nós dois sabemos que você poderia ter qualquer homem que desejasse. Todos os homens do Rio estão sob seu encanto, assim como eu. Mas quero lhe dizer que não é apenas sua aparência que me atrai.

Gustavo fez uma pausa e Bel sentiu que devia dizer algo. Abriu a boca para responder, mas ele novamente levou o dedo aos lábios dela e a silenciou.

– Por favor, deixe-me terminar. Desde a primeira vez que a vi em sua festa de 18 anos, soube que queria ficar com você. Pedi ao seu pai que nos apresentasse e, bem – ele encolheu os ombros –, o resto nós sabemos. Claro, devemos ser pragmáticos e aceitar que, aparentemente, nossa união seria por conveniência, já que sua família tem o dinheiro e a minha, o sobrenome. Mas, Izabela, tenho que lhe dizer que, para mim, não seria um casamento construído sobre essas bases tristes. Porque... – Gustavo baixou a cabeça por um instante, depois olhou para ela. – Eu amo você.

Bel olhou para ele e viu a sinceridade em seus olhos. Mesmo sabendo previamente que ele a pediria em casamento naquele dia, aquelas palavras tinham sido mais comoventes e verdadeiras do que esperava. E ela começou a acreditar no que sua mãe lhe dissera. Então, ironicamente se sentiu tomada por uma grande compaixão por Gustavo, junto com culpa, e só pedia a Deus que pudesse compartilhar de seus sentimentos, finalmente encaixando todas as peças do quebra-cabeça de sua existência.

– Gustavo, eu...

– Izabela, por favor – suplicou ele. – Juro que estou quase terminando. Tenho quase certeza de que, neste momento, você não sente o mesmo por mim. Mas acredito que eu posso lhe proporcionar tudo de que precisa para prosperar na vida. E espero que um dia você venha a me amar, pelo menos um pouco.

Bel olhou para trás de Gustavo e viu que agora estavam sozinhos no mirante.

– Se isso ajuda – continuou Gustavo –, encontrei o Sr. Heitor da Silva Costa há três dias, e ele me disse quanto você queria viajar pela Europa com a família dele. Izabela, quero que você vá. Se você concordar em ficarmos noivos imediatamente e nos casarmos logo que você voltar da Europa, então direi ao seu pai que acredito que uma viagem pelo Velho Mundo seria ótimo para minha futura esposa.

Bel olhou fixamente para Gustavo, completamente surpresa pela proposta.

– Você é muito jovem, querida. Deve se lembrar de que sou quase dez anos mais velho – disse ele, tocando o rosto de Bel. – E quero que amplie seus horizontes, assim como pude fazer quando eu era mais jovem. Então, o que você me diz?

Bel sabia que devia responder rapidamente. O que Gustavo estava lhe oferecendo era a realização de um sonho. Uma palavra dele poderia lhe dar o que ela mais desejava – a liberdade de viajar para além das fronteiras estreitas do Rio. Teria um preço alto, mas que de qualquer maneira ela já se preparara para pagar.

– Gustavo, é muito generoso de sua parte sugerir isso.

– Bem, é claro que não estou feliz com isso, Izabela. Sentirei sua falta todos os dias, mas também entendo que as belas aves não podem ficar presas numa gaiola. Se você as ama, deve deixá-las livres para voar. – Gustavo pegou suas mãos. – Obviamente, queria ser eu mesmo a lhe mostrar as atrações da Europa. Na verdade, tinha pensado em levá-la em uma viagem pela Europa em nossa lua de mel. Mas, verdade seja dita, não tenho condições atualmente de financiar essa aventura. Além disso, meus pais dependem da minha presença aqui. Então, o que você me diz?

Ele a encarou cheio de expectativa.

– Gustavo, com certeza seus pais e a sociedade carioca não aprovariam essa ideia, não é mesmo? Se eu for sua noiva, não deveria ficar aqui no Rio com você até nos casarmos?

– No Velho Mundo, de onde meus pais vieram, é bastante comum uma jovem fazer uma viagem cultural antes de se casar. Eles vão aceitar. Então, querida Izabela, não me deixe esperando por mais tempo. Mal posso suportar a angústia.

– Eu acho que... – Bel respirou fundo. – Acho que minha resposta é sim.

– Graças a Deus – disse ele genuinamente aliviado. – Então posso lhe dar isto.

Gustavo enfiou a mão em um bolso interno do paletó e pegou uma caixinha surrada de couro.

– A aliança que está aqui dentro é parte da herança da minha família. Segundo dizem, foi usada pela prima do imperador Dom Pedro quando ficou noiva.

Bel estudou o diamante impecável, incrustado entre duas safiras.

– É linda – falou com sinceridade.

– A pedra no centro é muito antiga, das minas de Diamantina, e o ouro é de Ouro Preto. Posso colocá-la em seu dedo? Só para conferir o tamanho – acrescentou depressa. – Porque, é claro, devo acompanhá-la até sua casa e pedir sua mão formalmente a Antônio.

– Claro.

Gustavo deslizou o anel no quarto dedo da mão direita de Bel.

– Pronto – disse ele. – Precisa de um leve ajuste para caber em seu fino e belo dedo, mas ficou bem em você. – Gustavo pegou a mão dela e beijou a aliança. – Você sabia, minha doce Izabela, que a primeira coisa que notei em você foram suas mãos? Elas são – continuou enquanto beijava cada ponta dos dedos dela – tão delicadas.

– Obrigada.

Gustavo gentilmente tirou a aliança do dedo de Bel e guardou-a de volta na caixa.

– Agora é melhor descermos antes que o trem pare de funcionar e fiquemos presos aqui. Acho que seu pai não iria gostar nem um pouco disso – brincou ele.

– Não – concordou Izabela enquanto ele a conduzia pela mão para fora do mirante e desciam as escadas até a pequena estação. Mas ela no fundo sabia que, agora que fisgara seu "príncipe", seu pai ficaria satisfeito com absolutamente tudo.

❀ ❀ ❀

Quando chegaram em casa, Bel foi direto para o quarto enquanto Gustavo conversava com seu pai. Sentou-se, tensa, na beira da cama, dispensando Gabriela quando a criada perguntou se ela queria se trocar. Sentia-se insegura e empolgada em igual medida.

Refletiu sobre por que Gustavo encorajou sua viagem à Europa. Seria possível que ele estivesse secretamente aliviado em ter uma desculpa para adiar a união inevitável dos dois? Será que ele também não se sentia pronto para um casamento feito às pressas? Talvez, pensou, o pobre Gustavo estivesse sofrendo a mesma pressão dos pais dele. Mas, por outro lado, seu olhar de carinho quando lhe pedira em casamento parecera tão sincero…

Seus pensamentos foram interrompidos quando Gabriela entrou no quarto com um sorriso radiante no rosto.

– Parece que seu pai deseja sua presença lá embaixo. E me pediu para servir o melhor champanhe. Parabéns, senhorita. Espero que seja feliz e que Nossa Senhora a abençoe com muitos filhos.

– Obrigada, Gabriela. – Bel sorriu para a empregada quando deixou o quarto, e em seguida desceu com passos leves a escada em direção ao som das vozes na sala de visitas.

– E aqui está ela, a futura noiva! Venha, beije seu pai, minha princesa, e saiba que acabei de dar minha bênção à sua união.

– Obrigada, pai – replicou Bel enquanto ele beijava suas bochechas.

– Minha Izabela, saiba que hoje você fez de mim o pai mais feliz do mundo.

– E a mim, o homem mais feliz do Rio – disse Gustavo, sorrindo.

– Ah, aqui está sua mãe para contarmos a novidade – acrescentou Antônio quando Carla entrou.

A comemoração continuou quando o champanhe foi servido e os quatro brindaram à saúde e à felicidade de Bel e Gustavo.

– Veja bem, só me preocupa esse seu desejo de que ela viaje para milhares de quilômetros daqui antes de se casarem – disse Antônio, franzindo ligeiramente a testa, observando intrigado Gustavo.

– Como expliquei, Bel ainda é muito jovem, e acredito que uma viagem à Europa será importante para que amadureça. Além disso, vai tornar nossas conversas mais estimulantes quando ficarmos velhos e o afeto abrandar. – Gustavo sorriu e piscou disfarçadamente para Bel.

– Bem, não sei quanto a isso – continuou Antônio. – Mas suponho que pelo menos ela terá às mãos os melhores costureiros de Paris para confeccionar seu vestido de noiva – cedeu por fim.

– É claro. E tenho certeza de que ela ficará perfeita em qualquer um que escolher. – Gustavo tomou o restante de seu champanhe. – Agora preciso me despedir e contar aos meus pais essa notícia maravilhosa. Não que seja uma surpresa para eles – completou com um sorriso.

– Imagino. E, antes de sua noiva partir para a Europa, devemos dar uma festa de noivado. Talvez no Copacabana Palace, onde você viu sua futura esposa pela primeira vez. – Antônio não conseguia evitar o sorriso de orelha a orelha. – E teremos que anunciar nas colunas sociais de todos os jornais – acrescentou enquanto caminhava com Gustavo até a porta da frente.

– Fico feliz em deixar que a família da minha noiva cuide dos preparativos – concordou ele. Então beijou a mão de Bel. – Boa noite, Izabela, e obrigado por me fazer um homem muito feliz.

Antônio esperou até o carro de Gustavo se afastar da casa e então, com um grito de alegria, pegou Bel em seus braços fortes e girou-a no ar, como fazia quando ela era uma menina.

– Minha princesa, você conseguiu! *Nós* conseguimos. – Então colocou Bel no chão e abraçou a esposa. – Você também não está feliz, Carla?

– Claro. Desde que Bel esteja feliz, é uma notícia maravilhosa.

Antônio observou Carla por alguns segundos e franziu a testa.

– Você está bem, querida? Parece pálida.

– Estou com dor de cabeça, é só. – Carla fez um esforço para sorrir. – Agora vou pedir à cozinheira que prepare algo especial para o jantar.

Bel seguiu a mãe pelo corredor até a cozinha, em parte para escapar da euforia avassaladora do pai.

– Mãe, você está feliz por mim?

– Claro que estou feliz, Izabela.

– E tem certeza de que está se sentindo bem?

– Sim, querida. Agora suba e coloque um vestido bem bonito para nosso jantar de comemoração.

17

As semanas seguintes passaram depressa, com o noivado de Bel e Gustavo sendo celebrado por toda a sociedade do Rio. Todas as pessoas influentes queriam fazer parte do conto de fadas – o mais próximo que tinham de um príncipe herdeiro e sua linda futura esposa.

Antônio se deleitava com os convites que ele e Carla recebiam para participar de saraus e jantares em casas cujas portas anteriormente se mantinham fechadas para eles.

Bel teve pouco tempo para pensar na viagem iminente à Europa, embora a passagem de navio já estivesse comprada e madame Duchaine tivesse sido chamada para preparar-lhe um guarda-roupa adequado para visitar a grande capital da moda do Velho Mundo.

Loen tinha finalmente voltado da fazenda, e Bel estava ansiosa para saber sua opinião sobre Gustavo.

– Pelo que vi, Srta. Bel – aventurou-se a dizer uma noite, antes do jantar, enquanto ajudava a patroa a colocar o vestido –, ele me parece um homem honrado, que irá se tornar um bom marido. E certamente seu sobrenome lhe trará muitas vantagens. Mas... – Ela parou abruptamente e balançou a cabeça. – Não, não acho que deva dizer.

– Loen, por favor, você me conhece desde criança e não há ninguém em quem eu confie mais. Você precisa me dizer o que está pensando.

– Então, perdoe-me por lembrá-la, minha pequena – respondeu ela, sua expressão se suavizando –, mas a senhorita falou em suas cartas que estava muito insegura com relação ao noivado. E agora que vi os dois juntos... bem, posso dizer que não está apaixonada por ele. Isso não a preocupa?

– Minha mãe acredita que posso aprender a amá-lo com o tempo. Além disso, que escolha eu tenho, na verdade? – disse Bel, suplicando com os olhos o apoio de Loen.

– Tenho certeza de que sua mãe está certa. Srta. Bel, eu... – Loen pareceu repentinamente insegura.

– O que foi?

– Quero lhe contar uma coisa. Quando estava na fazenda, eu conheci alguém. Quer dizer, um homem.

– Meu Deus, Loen! – Bel estava surpresa. – Por que você não me contou nada antes?

– Fiquei sem graça, eu acho, e a senhorita tem andado tão ocupada com o noivado que não surgiu uma oportunidade.

– Quem é ele? – perguntou Bel, curiosa.

– Bruno Canterino, filho de Fabiana e Sandro – confessou.

Bel pensou no belo rapaz que trabalhava na fazenda com os pais e sorriu para Loen.

– Ele é muito bonito, e vocês dois formam um lindo casal.

– Eu o conheço desde que éramos muito jovens e sempre fomos amigos. Mas desta vez virou algo mais – admitiu Loen.

– Você o ama? – perguntou Bel.

– Sim, e sinto muito a falta dele agora que estou de volta ao Rio. Bem, agora precisamos terminar de arrumá-la ou vai se atrasar.

Bel ficou em silêncio enquanto Loen a ajudava, sabendo exatamente por que sua confidente falara tão abertamente sobre seu próprio amor, mas igualmente ciente de que as engrenagens já estavam em movimento e não havia nada que pudesse deter seu casamento com Gustavo.

❈ ❈ ❈

O que reconfortava Bel era que quanto mais tempo passava com Gustavo, mais ele a cativava. Ele estava atento a suas menores necessidades e ouvia com interesse cada frase que saía de seus lábios. Sua felicidade genuína por ela ter aceitado seu pedido de casamento tornava difícil não se afeiçoar a ele.

– Se ele não é mais uma fuinha, então é como um cachorrinho – disse Maria Elisa, rindo, quando as duas amigas se encontraram em um baile de gala beneficente no Jardim Botânico. – Pelo menos você já não desgosta dele.

– Não, eu gosto muito de Gustavo – respondeu Bel. Queria acrescentar que esse era o problema. Ela devia *amar* o noivo.

– E mal posso acreditar que ele deixou você ir à Europa com minha família. Muitos homens na posição dele não aprovariam a viagem.

– Ele parece querer o melhor para mim – falou Bel cautelosamente.

– É, parece que sim. Você é uma garota de muita sorte. E vai voltar para ele, não vai? – Maria Elisa olhou para ela. – Esse noivado não é só uma estratégia para você viajar para a Europa, não é?

– O que você pensa de mim? – explodiu Bel. – Claro que vou voltar! Como lhe disse, passei a gostar muito de Gustavo.

– Que bom – disse Maria Elisa com firmeza –, porque não quero ter que contar a ele que sua noiva fugiu com um pintor italiano.

– Ah, claro, como se isso pudesse acontecer! – Bel revirou olhos.

❀ ❀ ❀

Na véspera do embarque de Bel com a família Da Silva Costa no navio que os levaria através do Atlântico até a França, Gustavo foi à Mansão da Princesa para se despedir. Pela primeira vez, os pais dela discretamente os deixaram sozinhos na sala de visitas.

– Então, esta é a última vez que nos veremos em muitos meses. – Ele sorriu para ela com tristeza. – Vou sentir sua falta, Izabela.

– E eu a sua, Gustavo – replicou ela. – Não sei como agradecer por me deixar ir.

– Só quero fazer você feliz. Agora, tenho uma coisa para lhe dar. – Gustavo enfiou a mão no bolso e pegou uma bolsinha de couro. Quando abriu, Bel viu que continha um colar. – Isto é para você – disse, e entregou a ela. – É uma pedra da lua, e dizem que protege quem usa, principalmente se a pessoa está viajando pelo oceano e para longe daqueles que a amam.

Bel olhou a delicada pedra de tom azul, rodeada de pequenos diamantes.

– Adorei – exclamou ela com genuíno entusiasmo. – Obrigada, Gustavo.

– Eu a escolhi especialmente para você – disse ele, satisfeito com a reação dela. – Não é muito cara, mas fico feliz que tenha gostado.

– Gostei – afirmou ela, tocada pela gentileza. – Você pode prender para mim?

Gustavo prendeu o colar, então levou os lábios ao pescoço dela e o beijou.

– Minha linda Izabela – disse ele, admirando-a. – Caiu muito bem em você.

– Prometo que vou usá-lo todos os dias.
– E escrever sempre?
– Sim.
– Izabela, eu…

De repente, ele segurou seu queixo, inclinando-o na própria direção, e a beijou nos lábios pela primeira vez. Como nunca fora beijada por um homem antes, Bel tinha curiosidade de saber como seria. Nos romances que lera, as mulheres costumavam sentir as pernas bambas no primeiro beijo. Enquanto a língua de Gustavo entrava em sua boca e ela tentava entender o que fazer com a sua, pensou que suas pernas certamente não tinham ficado bambas. Na verdade, quando ele se afastou, Bel concluiu que não tinha sido desagradável. Simplesmente não tinha sentido… nada. Nada mesmo.

– Adeus, querida Loen. Cuide-se, está bem? – despediu-se Bel enquanto se preparava para sair do quarto e se juntar a seus pais, que a levariam até o porto.

– Cuide-se também, Srta. Bel. Eu me preocupo com essa sua viagem ao outro lado do oceano sem mim. Por favor, escreva-me sempre, está certo?

– É claro – concordou Bel. – Vou lhe contar todas as coisas que não posso dizer aos meus pais – acrescentou com um sorriso conspirador. – Então guarde minhas cartas bem escondidas. Preciso ir agora, mas por favor escreva para mim e me conte tudo o que estiver acontecendo aqui. Cuide-se, Loen. – Então a beijou e deixou o quarto.

Quando entrou no carro, Bel pensou que até mesmo sua criada parecia estar vivendo aquele sentimento do qual certamente seria privada pelo resto de sua vida: a paixão.

Os pais de Bel subiram com ela a bordo do navio, ancorado no porto principal do Rio, o píer Mauá. Carla ficou admirada com a confortável suíte.

– Nossa, é como um quarto em terra firme – disse ela, caminhando até a cama e se sentando para testar o colchão. – Tem luz elétrica e até mesmo cortinas bonitas – exclamou, entusiasmada.

– Você esperava que Bel fosse viajar à luz de velas deitada em uma rede no convés? – brincou Antônio. – Posso lhe garantir que o preço dessa passagem garante todas as conveniências modernas imagináveis.

Pela milésima vez, Bel desejou que seu pai deixasse de avaliar tudo por quanto lhe custara. Soou um alerta, avisando todos que não eram passageiros da partida iminente do navio, e Bel abraçou a mãe.

– Por favor, mãe, cuide-se. A senhora não tem me parecido bem.

– Não exagere, Bel. Só estou ficando velha, é tudo – insistiu Carla. – Quero que você se cuide até estar de volta em casa, em segurança.

Quando Carla soltou a filha, Bel pôde ver as lágrimas nos olhos da mãe. Então Antônio tomou-a nos braços.

– Adeus, minha princesa. Espero que, depois de ver a beleza do Velho Mundo, você ainda queira voltar para seus pais, que a amam tanto, e seu noivo.

Bel subiu com eles até o convés e acenou enquanto desciam até o píer. Quando seus pais pareciam apenas pequenos pontos vistos lá do alto, pela primeira vez Bel foi invadida por uma onda de ansiedade. Estava viajando para o outro lado do mundo com uma família que mal conhecia. E quando o apito do navio soou, quase a deixando surda, e a distância entre a embarcação e a costa começou a aumentar, ela acenou freneticamente para Antônio e Carla.

– Adeus, meus queridos pais. Fiquem bem, e que Deus os abençoe.

❈ ❈ ❈

Bel estava gostando da viagem, com seu fluxo interminável de atrações para passageiros endinheirados. Passava as horas nadando na piscina com Maria Elisa – um prazer ainda mais intenso porque sempre lhe fora negado no Rio – e jogando croquet no gramado artificial no convés superior. As duas garotas riam dos olhares de admiração que despertavam em muitos rapazes quando elas entravam na sala de jantar todas as noites.

A aliança de noivado oferecia a Bel proteção contra homens excessivamente afetuosos, encorajados pelo vinho, quando dançavam ao som da banda após o jantar. Já Maria Elisa deixava-se levar por vários flertes inocentes, que Bel acabava vivendo de forma indireta.

Durante a viagem, como tinham de cruzar o oceano juntos, passou a conhecer a família de Maria Elisa muito melhor do que tivera chance no Rio. Os dois irmãos mais novos de Maria Elisa, Carlos e Paulo, tinham 14 e 16 anos respectivamente, a estranha fase entre a infância e a idade adulta em que alguns pelos começam a surgir no queixo. Eles raramente criavam coragem de falar com Bel. A mãe de Maria Elisa, Maria Georgiana, era uma mulher inteligente e perspicaz, que Bel logo descobriu ser dada a súbitas explosões de raiva se algo não a agradava. Passava a maior parte do dia jogando bridge no elegante salão, enquanto o marido raramente saía da cabine.

– O que seu pai faz lá dentro o dia inteiro? – perguntou Bel a Maria Elisa uma noite quando se aproximavam das ilhas de Cabo Verde, na costa da África, onde o navio iria atracar por algumas horas para se reabastecer de suprimentos.

– Ele está trabalhando em seu Cristo, é claro – respondeu Maria Elisa. – Minha mãe diz que perdeu o amor do marido para Nosso Senhor, em quem ele tantas vezes disse não acreditar! Irônico, não é?

Uma tarde, Bel bateu na porta da cabine que achava ser a de Maria Elisa. Como ninguém atendeu, abriu-a e chamou pela amiga. Imediatamente percebeu que cometera um engano quando Heitor da Silva Costa, diante de uma mesa coberta de papéis cheios de cálculos arquitetônicos complexos, virou-se surpreso para ela. Além da mesa, os papéis também cobriam a cama e o chão.

– Boa tarde. Como posso ajudá-la?

– Sinto muito incomodá-lo, senhor. Estava procurando Maria Elisa e simplesmente entrei na cabine errada.

– Por favor, não se preocupe. Eu mesmo me confundo tentando encontrar meu caminho por aqui. Todas as portas são iguais – disse Heitor com um sorriso reconfortante. – Quanto à minha filha, tente a cabine ao lado, mas ela pode estar em qualquer lugar deste navio. Confesso não saber por onde ela anda. – Então gesticulou para a mesa. – Tenho estado distraído por outras coisas.

– Posso... posso ver os seus desenhos?

– Você está interessada? – Os olhos claros de Heitor se iluminaram de prazer.

– Claro que sim! Todos no Rio dizem que é um milagre construir uma estátua no alto de uma montanha tão alta.

– Eles estão certos. E, como o Cristo não pode realizar o milagre ele próprio, cabe a mim. – Ele abriu um sorriso cansado. – Venha – disse, acenando para ela. – Vou lhe mostrar como acredito que pode dar certo.

Heitor lhe indicou uma cadeira para sentar e, durante a hora seguinte, mostrou a ela como iria construir uma estrutura forte o suficiente para sustentar o Cristo.

– Vigas de ferro e uma inovação europeia chamada de concreto armado vão preenchê-lo por dentro. Está vendo, Bel, o Cristo não será uma estátua, mas simplesmente um prédio revestido como um ser humano. Ele deve suportar os ventos fortes que soprarão à Sua volta e a chuva que cairá em Sua cabeça. Isso sem falar dos raios que Seu Pai lança em direção a nós, mortais, aqui na Terra, para nos lembrar de Seu poder.

Bel observava tudo perplexa. Ouvir a maneira poética e detalhada como Heitor falava de seu projeto era um prazer, e sentia-se honrada por ele lhe confiar tais informações.

– E agora, quando eu chegar à Europa, preciso encontrar o escultor que dê vida à minha imagem externa Dele. A engenharia interna da construção não importará para o público, que só verá Seu exterior. – Heitor olhou para ela, pensativo. – Acho que isso é muito comum na vida também. Concorda, senhorita?

– Sim – respondeu Bel, hesitante. Nunca havia pensado naquilo antes. – Creio que sim.

– Por exemplo – ponderou ele –, você é uma jovem muito bonita, mas eu conheço a alma que a inflama por dentro? E a resposta, obviamente, é não, não conheço. Então preciso encontrar o escultor certo para o trabalho, e voltar ao Rio com o rosto, o corpo e as mãos que Seus espectadores desejam.

Naquela noite, Bel deitou se sentindo um pouco desconfortável. Embora Heitor tivesse idade para ser seu pai, precisava admitir, constrangida, que tinha uma queda pelo pai da amiga.

18

eis semanas depois de ter deixado o Rio, o navio atracou calmamente em Le Havre. A família Da Silva Costa e Bel embarcaram no trem para Paris, onde um carro estava à espera na estação para levá-los a um elegante apartamento na Avenue de Marigny, perto da Champs-Élysées. Assim, a família ficaria perto do escritório que Heitor alugara para trabalhar e se reunir com diversos especialistas que desejava consultar para finalizar a estrutura do Cristo.

Quando fosse para a Itália e a Alemanha para conversar com dois dos mais renomados escultores europeus, a ideia era sua família viajar com ele.

Mas, até lá, Bel sabia que poderia se embrenhar em Paris. Naquela primeira noite, após o jantar, ela levantou o vidro da janela do quarto de pé-direito alto que dividia com Maria Elisa e olhou para fora, sentindo o cheiro desconhecido do novo ambiente e tremendo ligeiramente com o ar fresco da noite. Era início da primavera, o que, no Rio, significava temperaturas em torno dos 20 e poucos graus. Ali em Paris, acreditava que a temperatura devia estar na faixa dos 10 graus.

Lá embaixo, via as mulheres parisienses passeando pela calçada da charmosa avenida, de braços dados com cavalheiros. Estavam todas elegantemente vestidas, seguindo a nova moda, quase masculina, inspirada pela casa Chanel, que exibia linhas simples e desestruturadas, além de saias até o joelho, completamente diferentes dos vestidos formais e dos espartilhos a que Bel estava acostumada.

Ela suspirou e soltou o lindo cabelo do coque alto, perguntando se se atreveria a cortá-lo no novo estilo bem curto. Seu pai, é claro, quase certamente iria deserdá-la – ele sempre dizia que o cabelo era sua maior glória. Mas ali estava ela, a milhares de quilômetros, longe do controle paterno pela primeira vez na vida.

Uma onda de empolgação percorreu seu corpo e ela esticou o pescoço para a esquerda, onde podia ver as luzes cintilantes do Sena, o grande rio que atravessava Paris, e a margem esquerda além dele. Ela tinha ouvido falar muito sobre os artistas boêmios que ocupavam as ruas de Montmartre e Montparnasse, as modelos que posavam nuas para Picasso, e o poeta Jean Cocteau, cujo estilo de vida escandaloso, supostamente à base de ópio, alcançara até mesmo as colunas de fofocas do Rio.

Em suas aulas de história da arte, ficara sabendo que a margem esquerda tinha sido originalmente o reduto de artistas como Degas, Cézanne e Monet. Mas, naqueles dias, um grupo novo e muito mais ousado, liderado pelos surrealistas, tinha tomado conta do lugar. Escritores como F. Scott Fitzgerald e sua linda esposa, Zelda, tinham sido fotografados no La Closerie des Lilas bebendo absinto com seus famosos amigos boêmios. Pelo que ouvira falar, aquele grupo levava uma vida intensa e selvagem, bebendo durante o dia e dançando a noite toda.

– Hora de dormir, Bel. Estou exausta da viagem – disse Maria Elisa, interrompendo seus pensamentos ao entrar no quarto. – Você pode fechar essa janela? Está gelado aqui.

– Claro. – Bel baixou o vidro e foi até o banheiro para colocar a camisola. Dez minutos depois, elas estavam lado a lado em suas camas.

– Deus do céu, é tão frio aqui em Paris – disse Maria Elisa, tremendo enquanto puxava a coberta até o queixo. – Você não acha?

– Não, na verdade, não – respondeu Bel enquanto estendia o braço para desligar o abajur. – Boa noite, Maria Elisa, durma bem.

Deitada ali no escuro, Bel foi tomada pela expectativa das novidades que Paris e a multidão do outro lado do rio, cujo estilo de vida a deixava tão empolgada, lhe reservavam. E, na verdade, ela sentia uma onda de calor aquecê-la.

❀ ❀ ❀

No dia seguinte, Bel acordou cedo, e às oito horas já estava arrumada, ansiosa para sair e andar pelas ruas de Paris, absorvendo o clima do lugar. Heitor era o único membro da família na sala de jantar quando ela chegou para o café da manhã.

– Bom dia, Izabela. – Segurando uma caneta, ele olhou para ela, enquanto tomava um gole de café. – Como você está?

– Muito bem. Não estou incomodando você, estou?

– Não, não mesmo. Fico feliz com a companhia. Esperava tomar o café da manhã sozinho, já que minha esposa reclamou que o frio não a deixou pregar os olhos à noite.

– Infelizmente, sua filha também – relatou Bel. – Ela pediu à criada que levasse seu café da manhã na cama. Acha que pode estar resfriada.

– É bom ver que você não está sofrendo do mesmo mal – comentou Heitor.

– Ah, mesmo que eu estivesse com pneumonia, iria me levantar – assegurou-lhe enquanto a empregada lhe servia café. – Como alguém pode se sentir mal em Paris? – acrescentou, estendendo a mão para pegar, de uma cesta no centro da mesa, uma massa folhada num estranho formato de chifre.

– Isso é um croissant – informou Heitor quando a viu observando a comida. – É uma delícia para se comer quente, com geleia de frutas. Também adoro esta cidade, embora, infelizmente, não vá ter muito tempo para explorá-la enquanto estiver aqui. Tenho muitas reuniões marcadas.

– Com possíveis escultores?

– Sim. E, é claro, estou muito animado com isso. Também tenho uma reunião com um especialista em concreto armado, o que talvez não soe muito interessante, mas pode ser o ponto-chave do meu projeto.

– Você já foi a Montparnasse? – arriscou Bel enquanto dava uma mordida na massa folhada, que foi aprovada pelo seu paladar.

– Sim, mas já faz muitos anos. Na viagem que fiz quando era jovem. Quer dizer que a margem esquerda e seus... moradores incomuns atraem você?

Bel viu que os olhos de Heitor brilhavam.

– Sim. Quer dizer, o lugar foi o berço de alguns dos maiores artistas da nossa geração. Gosto muito de Picasso – falou Bel.

– Então, você é cubista?

– Não, e também não sou especialista. Simplesmente aprecio grandes obras de arte – esclareceu ela. – Desde que aprendi história da arte no Rio, fiquei interessada pelos artistas que as criaram.

– Então não é de admirar que esteja ansiosa para explorar o bairro boêmio. Mas eu lhe aviso, senhorita, é muito... decadente em comparação ao Rio.

– Imagino que seja decadente em comparação a qualquer lugar! – replicou Bel. – Eles vivem de uma maneira diferente, experimentando novas ideias, impulsionando o mundo da arte para a frente...

– Sim, é verdade. No entanto, se eu resolvesse fazer do estilo de pintura de Picasso minha inspiração para o Cristo, acho que teria um problema – disse ele com uma risada. – Então, infelizmente, minha pesquisa não vai me levar a Montparnasse. Agora, sinto que terei de ser rude e deixá-la. Preciso chegar à minha primeira reunião em meia hora.

– Vou ficar bem sozinha – respondeu Bel, enquanto observava Heitor se levantar e reunir seus papéis e seu caderno.

– Obrigado por sua companhia. Gosto muito das nossas conversas.

– Eu também – disse Bel timidamente.

Heitor acenou com a cabeça e deixou a sala.

O resfriado de Maria Elisa evoluiu para uma febre na hora do almoço, então o médico foi chamado. Maria Georgiana parecia um pouco melhor do que a filha, e o doutor prescreveu para as duas aspirina e repouso até a febre passar. Com a cidade de Paris acenando para ela ali de perto, Bel andava de um lado para o outro do apartamento como um animal enjaulado, sua frustração deixando-a menos solidária com o mal-estar de Maria Elisa do que sabia que deveria ser.

Sou uma pessoa terrivelmente egoísta, repreendeu-se sentada junto à janela, olhando ansiosa para a cidade fervilhando lá embaixo.

Finalmente, por puro tédio, concordou em jogar cartas com os irmãos mais novos da amiga, enquanto as preciosas horas de seu primeiro dia passavam.

Como Maria Georgiana e Maria Elisa demoravam a se recuperar, a impaciência de Bel crescia em ritmo acelerado. Perto do final da primeira semana, durante a qual ela não havia colocado os pés uma vez sequer em uma rua parisiense, reuniu coragem para perguntar a Maria Georgiana se poderia dar uma volta e respirar um pouco de ar fresco. A resposta, como esperado, foi não.

– Com certeza não desacompanhada, Izabela. E nem eu nem Maria Elisa estamos bem no momento para sair com você. Haverá tempo de sobra para conhecer Paris quando voltarmos de Florença – disse Maria Georgiana com firmeza.

Bel deixou o quarto de Maria Georgiana pensando em como conseguiria se conter até partirem para Florença. Sentia-se como um prisioneiro faminto, olhando pelas barras de ferro da cela para uma caixa de chocolate deixada tentadoramente a poucos milímetros de seu alcance.

Foi Heitor quem acabou salvando o dia. Durante aquela semana, eles sempre se viam no café da manhã e, embora estivesse preocupado com o trabalho, até mesmo ele notara sua infeliz solidão.

– Izabela, hoje vou a Boulogne-Billancourt para me encontrar com o escultor e professor Paul Landowski. Já nos falamos por carta e por telefone, mas vou ao ateliê para que me mostre onde e como trabalha. Ele por enquanto é meu favorito para o trabalho, embora ainda vá me reunir com outros escultores na Itália e na Alemanha. Você gostaria de me acompanhar?

– Eu… ficaria honrada, senhor. Mas não quero atrapalhar.

– Tenho certeza de que não vai atrapalhar. Imagino que esteja entediada presa aqui. Enquanto converso com o professor Landowski, tenho certeza de que podemos pedir a um de seus assistentes que lhe mostre o ateliê.

– Sr. Heitor, eu adoraria – disse Bel, exultante.

– Bem, não pense que é um favor – respondeu Heitor. – Afinal, seu futuro sogro é membro do Círculo Católico, que tem sido fundamental para promover a ideia de um monumento no Corcovado e para organizar a arrecadação de fundos. Seria bastante constrangedor levá-la de volta ao Rio e dizer que não lhe apresentei às riquezas culturais do Velho Mundo. Então – disse Heitor, sorrindo para ela –, sairemos às onze.

❀ ❀ ❀

Enquanto atravessavam de carro a Pont de l'Alma e seguiam para a margem esquerda, Bel olhava ansiosa pela janela, como se esperasse ver o próprio Picasso sentado em um café.

– O ateliê de Landowski fica um pouco longe daqui – explicou Heitor. – Acho que ele está menos interessado em beber com seus companheiros nas ruas de Montparnasse e mais inspirado pelo trabalho. E, é claro, ele tem família, o que não é algo que se acomoda facilmente na margem esquerda.

– O sobrenome dele não parece francês – disse Bel, um pouco decepcionada ao descobrir que Landowski não fazia parte do círculo que ansiava conhecer.

– Não, seus antepassados são poloneses, mas acho que já faz 75 anos que sua família mora na França. Talvez seu temperamento não combine com as excentricidades de alguns de seus contemporâneos. No entanto, ele adota o novo estilo art déco, que vem se destacando na Europa. E que acho que pode combinar muito bem com o meu Cristo.

– Art déco? – indagou Bel. – Não sei como é.

– Hum... como posso explicar o estilo? – murmurou Heitor para si mesmo. – Bem, é como se qualquer coisa que você pode ver no cotidiano, como uma mesa, um vestido, ou até mesmo um ser humano, fosse reduzido a suas linhas básicas. Não é excêntrico ou romântico no estilo clássico de muitos dos grandes artistas e escultores do passado. É simples, cru... como acredito que o próprio Cristo gostaria de ser visto.

À medida que seguiam viagem, a paisagem se tornava mais rural, a área urbana dando lugar a ocasionais agrupamentos de casas na beira da estrada. Bel não podia deixar de pensar como era irônico que, quando finalmente conseguia escapar do apartamento, acabava sendo levada para longe do coração pulsante da cidade que tanto desejava explorar.

Depois de errar o caminho algumas vezes, finalmente o motorista virou à esquerda na entrada de um largo casarão.

– Chegamos – disse Heitor, descendo logo do carro, os olhos brilhando de expectativa.

Enquanto o seguia pelo jardim, Bel viu uma figura magra com cabelo grisalho indisciplinado e uma longa barba surgir na lateral da casa, com um avental sujo de argila. Então os dois homens se cumprimentaram apertando as mãos e começaram a conversar animadamente. Bel manteve certa distância, sem querer interromper a conversa, e passaram-se alguns minutos até que Heitor pareceu lembrar que ela estava lá.

– Senhorita – disse ele, virando-se para ela. – Queira me desculpar. É sempre muito empolgante quando alguém tem o prazer de conhecer pessoalmente alguém com quem só se correspondeu por carta. Permita-me apresentar o professor Paul Landowski. Professor, esta é Izabela Bonifácio.

Landowski estendeu a mão e levou os dedos dela aos lábios.

– *Enchanté*. – Então olhou para a mão de Bel e, para surpresa dela, começou a traçar seu contorno suavemente com as pontas dos dedos. – Mademoiselle, você tem dedos belíssimos. Não é verdade, monsieur Da Silva Costa?

– Lamento nunca ter notado antes – respondeu Heitor. – Mas sim, senhor, você está certo.

– Agora, vamos ao assunto, monsieur – disse Landowski, soltando a mão de Bel. – Vou lhe mostrar meu ateliê, depois conversamos sobre a sua ideia do Cristo mais detalhadamente.

Bel seguiu os dois homens através do jardim, notando que a folhagem ainda parecia adormecida – verde, mas sem flores desabrochadas –, enquanto em sua terra natal as cores vibrantes das plantas nativas decoravam a paisagem durante o ano todo.

Landowski levou-os a uma estrutura alta, parecida com um celeiro, que ficava no final do jardim. As paredes laterais eram de vidro para deixar a luz entrar. Sentado em um dos cantos do espaço arejado, curvado sobre uma bancada, um rapaz trabalhava em um busto de argila. Ele nem sequer levantou os olhos quando entraram, de tão concentrado que estava em sua tarefa.

– Estou trabalhando em uma escultura provisória de Sun Yat-sen e tenho tido trabalho para aperfeiçoar seus olhos, que, evidentemente, têm um formato muito diferente dos nossos olhos ocidentais – declarou Landowski. – Meu assistente está vendo se consegue melhorar o que fiz.

– Você trabalha mais com argila ou pedra, professor Landowski? – perguntou Heitor.

– Com o que o cliente desejar. Você tem alguma ideia do que quer para o seu Cristo?

– Pensei em bronze, é claro, mas temo que o Nosso Senhor vá adquirir uma tonalidade esverdeada após alguns anos exposto ao vento e à chuva. Além disso, quero que todos no Rio olhem para cima e o vejam usando uma túnica clara, e não escura.

– Entendo – disse Landowski. – Mas, se você está falando de cerca de 30 metros, acho que vai ser impossível levar uma estátua de pedra desse tamanho até o alto de uma montanha, e muito menos erguê-la ao chegar lá.

– É claro – concordou Heitor. – É por isso que, com a estrutura arquitetônica interna que espero definir enquanto estiver na Europa, acredito que a parte externa do Cristo deva ser moldada e depois reconstruída peça por peça no Rio.

– Bem, se você já viu o suficiente por aqui, vamos até minha casa estudar os esboços que eu fiz. Mademoiselle – disse Landowski, voltando sua atenção para Bel –, você gostaria de se distrair aqui no ateliê enquanto nós dois conversamos? Ou ficaria mais à vontade na sala de visitas com minha esposa?

– Eu adoraria ficar aqui. Muito obrigada, monsieur – respondeu Bel. – É um privilégio ver o funcionamento de seu ateliê.

– Tenho certeza de que, se você pedir, meu assistente pode largar um pouco o trabalho no olho de Sun Yat-sen e lhe preparar um lanche. – Landowski acenou de maneira enfática na direção do jovem e em seguida deixou o ateliê com Heitor.

O assistente, no entanto, parecia alheio à sua presença enquanto ela andava pelo ateliê, querendo ver mais de perto o que ele estava fazendo, mas sem desejar perturbá-lo. Do outro lado da área de trabalho principal ficava um enorme forno, provavelmente para assar a argila. À sua esquerda, havia dois cômodos: um banheiro bem simples, com uma pia grande e pilhas de sacos de argila encostadas nas paredes em volta, e uma pequena cozinha sem janelas. Ela entrou no ateliê principal e olhou pela janela de trás, por onde viu uma série de enormes pedras de diferentes tamanhos e formatos, que provavelmente seriam usadas por Landowski em suas esculturas.

Após esgotar todas as distrações possíveis, Bel viu uma frágil cadeira de madeira e foi se sentar. Observou o assistente, que continuava com a cabeça baixa, totalmente concentrado. Dez minutos mais tarde, quando o relógio soou meio-dia, ele limpou as mãos na camisa de trabalho e de repente levantou os olhos.

– Almoço – anunciou e, pela primeira vez, olhou diretamente para Bel e sorriu. – *Bonjour,* mademoiselle.

Como ele estivera com a cabeça abaixada até então, Bel não vira seu rosto direito antes. Quando ele sorriu para ela, no entanto, ela sentiu um frio estranho no estômago.

– *Bonjour.* – Então sorriu para ele timidamente. O rapaz se levantou e caminhou até Bel, que se levantou quando ele chegou perto.

– Perdoe-me, mademoiselle, por ignorá-la – disse ele em francês –, mas eu estava concentrado em um globo ocular e é um trabalho muito delicado. – Ele parou a um metro de distância dela e a observou atentamente. – Já nos encontramos antes? Você parece familiar.

– Não, creio que seja impossível. Cheguei há poucos dias do Rio de Janeiro.

– Então estou enganado – falou ele, balançando a cabeça, pensativo. – Não vou apertar sua mão porque a minha está coberta de argila. Dê-me licença por alguns momentos enquanto vou me limpar.

– É claro – concordou Bel, conseguindo emitir pouco mais que um sussurro.

Quando ele tinha se aproximado para cumprimentá-la, ela conseguira se levantar com tranquilidade, mas, depois que o rapaz desaparecera no banheiro, sentou-se abruptamente, sentindo-se tonta e sem fôlego. Bel se perguntou se estava pegando o resfriado de Maria Elisa e sua mãe.

Cinco minutos depois, o jovem reapareceu, sem o avental e usando uma camisa limpa. Os dedos dela se moveram alguns centímetros para a frente por vontade própria, desejando instintivamente correr por aquele cabelo castanho longo e ondulado, acariciar a pele pálida do rosto dele, traçar a forma aquilina perfeita de seu nariz e os grossos lábios rosados que escondiam seus lindos dentes brancos. O ar distante de seus olhos verdes a lembrava dos de Heitor: fisicamente estavam ali, mas com os pensamentos em outro lugar.

De repente, Bel percebeu que os lábios dele se moviam e algum som saía de sua boca. Ele perguntava seu nome. Chocada com sua reação àquele rapaz, procurou voltar de seu devaneio, se recompor e falar lucidamente em francês.

– Mademoiselle, está se sentindo bem? Parece que viu um fantasma.

– Queira me desculpar, eu estava… longe. Meu nome é Izabela, Izabela Bonifácio.

– Ah, igual ao da rainha da Espanha – disse o assistente.

– E quase igual ao da falecida princesa do Brasil, Isabel – acrescentou ela rapidamente.

– Lamento admitir que sei muito pouco sobre seu país e a história dele. Além do fato de competirem conosco em acreditar que produzem a melhor xícara de café.

– Temos os melhores grãos, isso posso garantir – replicou Bel, na defensiva. – É claro que sei muito sobre seu país – completou, pensando se soava tão boba quanto se sentia.

– Sim. Nossa arte e nossa cultura atravessaram o mundo ao longo de centenas de anos, enquanto as de seu país ainda estão por emergir. E não tenho dúvidas de que irão – acrescentou ele. – Agora, como você parece ter sido abandonada pelo professor e por seu amigo arquiteto, talvez eu possa lhe oferecer um almoço enquanto me fala mais sobre o Brasil.

– Eu... – Bel olhou pela janela, ligeiramente nervosa com aquela situação inapropriada. Nunca vira aquele homem em sua vida e ali estava ela, sozinha com ele. Se seu pai ou seu noivo pudessem vê-la agora...

O jovem notou a aflição de Bel e acenou em um gesto que dizia para ela não se preocupar.

– Posso lhe garantir que vão se esquecer completamente de você enquanto estiverem concentrados na conversa. E talvez demorem horas. Então, se não quiser morrer de fome, por favor, sente-se àquela mesa ali que vou preparar nosso almoço.

O jovem se afastou e atravessou o ateliê em direção à cozinha que Bel vira antes.

– Perdoe-me, monsieur, mas qual é o *seu* nome?

Ele então parou e se virou.

– Perdoe-me, como sou mal-educado. Eu me chamo Laurent, Laurent Brouilly.

Bel se sentou no banco de madeira áspero que ficava em um canto da sala. Deixou escapar uma pequena risada quando pensou nas circunstâncias em que se encontrava. Estava sozinha com um rapaz, e não era só isso: ele preparava o almoço para os dois. Ela nunca vira seu pai entrar na cozinha, muito menos preparar uma refeição.

Alguns minutos depois, Laurent veio em sua direção carregando uma bandeja com duas deliciosas baguetes recém-assadas, que ela tanto amava, dois pedaços de um queijo francês de cheiro forte e um jarro de cerâmica com duas taças.

Ele apoiou a bandeja na mesa antes de puxar uma cortina velha que corria em um trilho preso ao teto.

– Para manter a poeira do ateliê longe da comida – explicou ele enquanto tirava a comida da bandeja e a colocava sobre a mesa sem toalha.

Em seguida, serviu uma quantidade generosa de um líquido amarelo-claro nas duas taças e entregou uma a Bel.

– Você toma vinho só com pão e queijo? – perguntou ela, maravilhada.

– Mademoiselle, somos franceses. Tomamos vinho com qualquer coisa, a *qualquer* hora. – Ele sorriu, levantando sua taça. – *Santé* – disse, tocando a dele na dela.

Laurent tomou um grande gole de vinho, e Bel bebericou da sua taça. Ela o observou arrancar um pedaço da baguete, abri-lo com os dedos e então começar a enchê-lo com fatias de queijo. Sem querer perguntar onde estavam os pratos, ela fez o mesmo.

Nunca um menu tão simples tivera um gosto tão delicioso, pensou ela com prazer. No entanto, em vez de devorar a comida em grandes mordidas como Laurent, Bel preferiu uma abordagem mais feminina e cortava pequenos pedaços de pão e queijo com os dedos antes de colocá-los na boca. Durante todo esse tempo, os olhos dele pareciam estar nela.

– O que você está olhando? – acabou perguntando Bel, desconfortável com seu olhar constante.

– Você – respondeu, bebendo o restante de sua taça e enchendo-a outra vez.

– Por quê?

Ele tomou mais um gole, depois deu de ombros de um jeito tipicamente francês que Bel aprendera a reconhecer ao observar os parisienses cruzando a rua sob sua janela.

– Porque, mademoiselle Izabela, você é uma linda visão.

Ainda que inapropriado, aquilo fez seu estômago gelar.

– Não fique tão horrorizada, mademoiselle. Tenho certeza de que uma mulher como você já ouviu isso milhares de vezes, não? Deve estar acostumada às pessoas olhando para você.

Bel pensou a respeito e achava que sim, ela atraía mesmo muitos olhares de admiração. Mas nunca havia notado um tão intenso quanto *aquele*.

– Já fizeram alguma pintura sua? Ou quem sabe uma escultura? – perguntou ele.

– Uma vez, quando eu era criança, meu pai encomendou meu retrato – revelou Bel um tanto timidamente.

– Estou surpreso. Pensei que estivessem fazendo fila em Montparnasse para pintá-la.

– Estou em Paris há menos de uma semana, monsieur, e até agora ainda não tinha saído de casa.

– Bem, já que a descobri, penso em guardá-la só para mim e não deixar nenhum daqueles malandros e vagabundos se aproximar de você – disse ele com um largo sorriso.

– Eu adoraria visitar Montparnasse – comentou Bel com um suspiro –, mas duvido que me deixem ir.

– É claro – concordou ele. – Pais por toda Paris prefeririam que suas filhas se afogassem no rio a perder suas virtudes e seus corações na margem esquerda. Onde você está hospedada?

– Em um apartamento na Avenue de Marigny, perto da Champs-Élysées. Estou aqui como convidada da família Da Silva Costa. Eles são os responsáveis por mim.

– E não estão ansiosos para aproveitar tudo que Paris tem a oferecer?

– Não. – Bel pensou que ele falava sério, até notar sua expressão brincalhona.

– Bem, como um verdadeiro artista sabe, toda regra existe para ser quebrada, toda barreira, para ser derrubada. Só temos uma vida, mademoiselle, e devemos vivê-la da maneira que quisermos.

Bel permaneceu em silêncio, mas a emoção de finalmente encontrar alguém que se sentia como ela era forte demais, e as lágrimas brotaram em seus olhos. Laurent notou imediatamente.

– Por que está chorando?

– No Brasil, a vida é muito diferente. Nós obedecemos às regras – disse Bel, a tristeza transparecendo na voz.

– Compreendo, mademoiselle – disse ele com delicadeza. – E posso ver que já aceitou uma delas. – Laurent indicou a aliança de noivado em seu dedo. – Você vai se casar?

– Sim, quando voltar da Europa.

– E está feliz com isso?

Bel foi pega de surpresa pela abordagem direta. Aquele homem era um completo estranho, que não sabia praticamente nada sobre ela, e ainda assim estavam compartilhando vinho, pão e queijo – *e* intimidades – como se eles se conhecessem a vida inteira. Se aquele era o estilo de vida boêmio, Bel concluiu que queria adotá-lo integralmente.

– Gustavo, meu noivo, será um marido fiel e carinhoso – respondeu ela, cuidadosa. – Além disso, acho que muitas vezes o casamento não envolve apenas amor – mentiu.

Laurent a observou por um tempo antes de suspirar e balançar a cabeça.

– Mademoiselle, uma vida sem amor é como um francês sem seu vinho, ou um ser humano sem oxigênio. Mas – continuou, suspirando novamente – talvez você tenha razão. Algumas pessoas aceitam a falta dele e estão dispostas a se contentar com outras coisas, como riqueza e posição social. Mas eu não. – Laurent balançou a cabeça. – Eu nunca me sacrificaria no altar do materialismo. Se eu tiver de passar minha vida com outra pessoa, quero acordar todas as manhãs e olhar nos olhos da mulher que amo. Estou surpreso por você estar disposta a se contentar com menos. Posso ver o coração apaixonado que bate em seu peito.

– Por favor, monsieur...

– Perdoe-me, mademoiselle, fui longe demais. Vou parar por aqui! Mas adoraria ter a honra de esculpi-la. Você se importaria se eu perguntasse ao monsieur Da Silva Costa se posso usá-la como modelo?

– Você pode perguntar a ele, mas eu não poderia... – Enrubescida, Bel não sabia como concluir a frase.

– Não, mademoiselle – disse Laurent, lendo sua mente. – Fique tranquila que não vou lhe pedir que tire a roupa. Pelo menos, não ainda – acrescentou.

Aquela insinuação tão íntima deixou Bel sem fala. Aquilo a excitava e assustava em igual medida.

– Onde você mora? – perguntou ela, desesperada para mudar de assunto.

– Como todo verdadeiro artista, alugo um sótão, junto com mais seis colegas, em um beco de Montparnasse.

– Você trabalha para o professor Landowski?

– Eu não usaria exatamente essa expressão, porque só recebo em comida e vinho – corrigiu Laurent. – E, quando o sótão que alugo em Montparnasse está muito cheio, ele às vezes me deixa dormir aqui, em um catre. Estou aprendendo meu ofício, e não há professor melhor do que Landowski. Enquanto os surrealistas fazem experiências com a pintura, Landowski faz o mesmo com a escultura art déco. Com ele, estão ficando para trás as obras elaboradas demais do passado. Landowski foi meu professor na École Nationale Supérieure des Beaux-Arts e, quando me escolheu para ser seu assistente, fiquei muito feliz em aceitar a oferta.

– De onde sua família é? – perguntou Bel.

– Por que isso lhe interessaria? – Laurent riu. – Depois você vai me perguntar de que classe social eu venho! Entenda, mademoiselle Izabela, todos nós, artistas aqui em Paris, somos simplesmente quem *nós* somos. Jogamos fora nosso passado e vivemos apenas o presente. Somos definidos por nosso talento, não por nossa origem. Mas, já que perguntou – disse ele, depois de tomar um gole de vinho –, vou lhe contar. Minha família vem de uma linhagem nobre e tem um castelo perto de Versalhes. Se eu não tivesse me afastado deles e da vida que desejavam para mim, como filho mais velho, eu seria Le Comte Quebedeaux Brouilly agora. No entanto, tendo meu pai anunciado que iria me tirar de seu testamento quando lhe disse que queria ser escultor, como falei antes, agora sou simplesmente eu. Não tenho um centavo em meu nome, e qualquer coisa que eu vá ganhar no futuro virá somente destas mãos.

Ele olhou para Bel, mas ela permaneceu calada. O que poderia dizer depois de ele ter ridicularizado todos os valores em que a vida dela se baseava?

– Talvez você esteja surpresa, mas posso lhe garantir que há muitos na mesma situação aqui em Paris. E pelo menos meu pai não teve que lidar com a infâmia de ter um filho homossexual, como os pais de vários dos meus conhecidos.

Bel olhou fixamente para Laurent, horrorizada por ele ter coragem de mencionar aquilo.

– Mas isso é ilegal! – Bel não pôde deixar de comentar.

Ele inclinou a cabeça para um lado e observou-a.

– E porque regimes preconceituosos ditam que seja assim significa que é errado?

– Eu… Eu não sei – disse ela, confusa, caindo num silêncio e tentando recuperar a compostura.

– Perdoe-me, mademoiselle, acredito tê-la chocado.

Bel viu o brilho em seus olhos e percebeu que ele gostava do efeito que causava nela.

Outro gole de vinho encorajou-a.

– Então, monsieur Brouilly, você deixou bem claro que não se importa com dinheiro ou bens materiais. Está feliz em viver de brisa?

– Sim, pelo menos por ora, enquanto sou jovem, saudável, e moro no centro do mundo, aqui em Paris. No entanto, admito que, no dia em que estiver velho e doente, nunca tendo ganhado dinheiro com as minhas esculturas, poderei, sim, lamentar minhas decisões. Muitos dos meus amigos artistas têm benfeitores gentis que os ajudam enquanto batalham para se lançar na carreira. No entanto, como muitos desses benfeitores são viúvas feias que esperam que o jovem artista que apoiam as recompensem de outras maneiras, esta não é uma opção para mim. É pouco melhor do que se prostituir, e não farei parte disso.

Mais uma vez, Bel ficou chocada com a franqueza com que ele falou tais palavras. É claro que ela ouvira falar dos bordéis da Lapa, no Rio de Janeiro, aonde os homens iam saciar suas necessidades físicas, mas esse assunto nunca era falado abertamente. E certamente não por um homem a uma dama de respeito.

– Vejo que estou assustando *mesmo* você, mademoiselle. – Laurent deu um sorriso cordial.

– Acho que talvez eu tenha muito a aprender sobre Paris, monsieur – respondeu ela.

– Tenho certeza de que sim. Quem sabe você possa me ver como seu instrutor nos costumes da vanguarda? Ah, vejo que aqueles dois finalmente retornam – disse ele, olhando pela janela por cima do ombro de Bel. – O professor está sorrindo... sempre um bom sinal.

Bel viu os dois homens entrarem no ateliê, ainda absortos na conversa. Laurent começou a recolher o que sobrara do almoço na bandeja, e Bel apressadamente colocou também sua taça de vinho, temendo que Heitor não fosse aprovar.

– Senhorita – disse Heitor quando a viu. – Peço desculpas por fazê--la esperar tanto, mas o professor Landowski e eu tínhamos muito que conversar.

– Imagine – respondeu Bel rapidamente. – Monsieur Brouilly estava me explicando... os fundamentos da escultura.

– Bom, muito bom. – Bel notou que Heitor estava distraído, e ele imediatamente voltou a falar com Landowski. – Viajo para Florença semana que vem e depois sigo para Munique. Estarei de volta em Paris no dia 25, e então entrarei em contato.

– Claro – concordou Landowski. – Talvez você ache que minhas ideias e meu estilo não sejam adequados para o que você precisa. Mas, não importa sua decisão, admiro sua coragem e determinação em executar um projeto tão difícil. E com certeza adoraria o desafio de fazer parte dele.

Os dois apertaram as mãos, e Heitor se virou para sair do ateliê, seguido por Bel.

– Monsieur Da Silva Costa, antes que vá embora, tenho um favor a lhe pedir – disse Laurent de repente.

– E o que seria? – perguntou Heitor, virando-se para ele.

– Eu gostaria de esculpir sua protegida, mademoiselle Izabela. Ela tem os mais finos traços que já vi e gostaria de descobrir se consigo lhes fazer justiça.

Heitor fez uma pausa, em dúvida.

– Admito que não sei o que dizer. É uma oferta muito lisonjeira, não é, Izabela? E, se você fosse minha filha, eu me sentiria mais à vontade para autorizar. Mas...

– Você já ouviu histórias sobre a má reputação de alguns artistas parisienses e sobre o que eles esperam de suas modelos – interveio o professor Landowski, dando um sorriso de quem compreendia a hesitação de Heitor. – Mas posso lhe assegurar, monsieur Da Silva Costa, que coloco minha mão no fogo por Brouilly. Não só ele é um escultor talentoso que, creio, é capaz de se tornar um grande artista, como também trabalha sob meu teto. Portanto, posso pessoalmente garantir a segurança da mademoiselle.

– Obrigado, professor. Vou falar com a minha esposa e entro em contato quando voltarmos de Munique – concordou Heitor.

– Esperarei notícias suas – disse Laurent. E, virando-se para Bel: – *Au revoir,* mademoiselle.

Bel e Heitor ficaram em silêncio durante a viagem de volta, perdidos em seus pensamentos. Quando o carro contornou Montparnasse, Bel sentiu um arrepio correndo por suas veias. Mesmo que seu almoço improvisado com Laurent Brouilly a tivesse perturbado, em muitos sentidos era a primeira vez que se sentia verdadeiramente viva.

19

Ao contrário do que imaginara antes de partir para a Europa – quando a ideia de conhecer a Itália, a terra de seus antepassados, a entusiasmava –, no dia seguinte, enquanto fazia as malas, não sentia a menor vontade de ir para Florença.

Mesmo quando chegou à cidade que sonhara visitar, ou quando viu a espetacular abóbada do grande Duomo da janela de sua suíte no hotel, ou sentiu o aroma de alho e ervas frescas que vinha dos restaurantes lá embaixo, seu coração não acelerou. E, alguns dias depois, quando pegaram um trem para Roma, onde ela e Maria Elisa jogaram moedas na Fontana di Trevi, depois visitaram o Coliseu, a imensa arena onde os bravos gladiadores lutavam por suas vidas, sentiu apenas uma vaga indiferença.

Ela havia deixado seu coração em Paris.

Naquele domingo, em Roma, juntou-se a milhares de católicos na praça de São Pedro para a missa do papa. Ajoelhou-se, cobrindo o rosto com a mantilha de renda preta e olhou para a figura vestida de branco na varanda e para os santos nos pedestais em volta de toda a praça. Na fila, como outras centenas de fiéis que oravam e desfiavam rosários enquanto esperavam a hóstia, Bel pediu a Deus que abençoasse sua família e seus amigos. E, em seguida, fez uma fervorosa oração por si própria. *Por favor, por favor, que o Sr. Heitor não se esqueça de perguntar sobre minha escultura e permita, por favor, que eu veja Laurent Brouilly de novo...*

De Roma, após se encontrar com alguns escultores e admirar várias das famosas obras de arte espalhadas pela cidade, Heitor partiu para Munique. Seu objetivo era ver a colossal estátua *Bavaria*, feita só de bronze e construída de modo inovador a partir de quatro enormes seções de metal fundidas.

– Acho que ela pode servir de inspiração para meu projeto, já que os desafios da construção têm muitas semelhanças com os do Cristo – explicou a Bel quando ela lhe perguntou a respeito durante um jantar.

Por razões que Bel não compreendia, Heitor decidira que o restante da família não o acompanharia na longa viagem para Munique. Em vez disso, voltariam a Paris, onde um tutor aguardava os dois meninos.

Quando embarcaram no trem-leito na estação de Roma Termini para iniciarem a viagem noturna até Paris, Bel suspirou aliviada.

– Você parece mais alegre esta noite – comentou Maria Elisa enquanto se ajeitava em sua cama forrada de veludo vermelho na cabine que dividiam. – Estava tão calada na Itália… Era como se estivesse em outro lugar.

– Quero voltar logo a Paris – respondeu Bel de maneira indiferente.

Quando Bel deitou em sua cama, viu a cabeça de Maria Elisa aparecer sobre a beirada do beliche.

– Só estou dizendo que você parece diferente, Bel, é tudo.

– Pareço? Acho que não. De que maneira?

– Como se você estivesse… Eu não sei… – Maria Elisa suspirou. – Como se você estivesse sonhando acordada o tempo todo. De qualquer forma, também estou ansiosa para conhecer Paris de verdade desta vez. Vamos aproveitar muito juntas, não vamos?

Bel pegou a mão que Maria Elisa oferecera e a apertou.

– Sim, é claro que vamos.

❀ ❀ ❀

Apartamento 4
Avenue de Marigny, 48
Paris
França

9 de abril de 1928

Queridos mãe e pai,

Aqui estou eu de volta a Paris, depois de conhecer a Itália. (Espero que tenham recebido a carta que lhes escrevi de lá.) Maria Elisa e sua mãe estão bem melhores do que da outra vez que estivemos aqui, então passamos os últimos dias conhecendo os pontos turísticos da cidade. Fomos ao Louvre e vimos a Mona Lisa, à Sacré-Coeur, em uma área chamada Montmartre, onde Monet, Cézanne e muitos outros grandes pintores franceses viveram e trabalharam, passeamos pelo magnífico Jardim das Tulherias e subimos até o topo do Arco do Triunfo. Ainda há tantos outros locais para ver – inclusive a Torre Eiffel – que tenho certeza de que nunca ficarei entediada.

O simples fato de caminhar pelas ruas daqui já é uma experiência e tanto, e, mãe, você adoraria as lojas! Nas ruas aqui perto estão os ateliês de muitos grandes estilistas franceses, e tenho um horário marcado para começar a ver meu vestido de noiva, como dona Luiza Aires Cabral sugeriu, na casa Lanvin, na Rue du Faubourg Saint-Honoré.

As mulheres aqui são tão chiques! Não pude deixar de notar que mesmo as que só têm dinheiro para comprar em lojas de departamentos, como Le Bon Marché, conseguem ser tão elegantes quanto as ricas. E a comida... Pai, devo lhe dizer que sua filha comeu escargots, que são pequenos caracóis cozidos com alho, manteiga e ervas. É preciso tirá-los das conchas com pequenos garfos. Achei deliciosos, embora deva admitir que não gostei das coxas de rã.

À noite, a cidade parece continuar acordada, e da minha janela posso ouvir o som de uma banda de jazz se apresentando no hotel em frente. Esse tipo de música é tocado em muitos lugares de Paris, e o Sr. Heitor da Silva Costa disse que podemos sair para ouvi-la uma noite dessas, num lugar respeitável, é claro.

Estou bem e muito feliz. Venho tentando aproveitar ao máximo esta oportunidade maravilhosa que recebi e não desperdiçar um segundo sequer. O Sr. Heitor passou os últimos dez dias na Alemanha, de onde deverá voltar esta noite, e toda a família tem sido muito gentil comigo.

Também conheci uma jovem carioca, que veio aqui tomar chá junto com a mãe há dois dias. Ela se chama Margarida Lopes de Almeida, e vocês devem reconhecer o nome da mãe dela, Julia Lopes de Almeida, bastante aclamada como escritora no Brasil. Margarida recebeu uma bolsa da Escola Nacional de Belas Artes, do Rio, e está atualmente em Paris aprendendo a técnica da escultura. Ela me falou sobre alguns cursos oferecidos pela École Nationale Supérieure des Beaux-Arts e pensei em tentar algum. Fiquei muito interessada no assunto devido à influência do Sr. Heitor da Silva Costa.

Escreverei novamente semana que vem, mas, por ora, mando meu amor e beijos através do oceano.

Sua filha que os ama muito,

Izabela

Bel pousou a caneta-tinteiro na escrivaninha, alongou-se e olhou pela janela. Nos últimos dias, as árvores da sua rua tinham florescido e agora estavam cobertas de delicadas flores cor-de-rosa. Quando uma brisa soprava, elas caíam como chuva perfumada nas calçadas, cobrindo-as com uma camada de pétalas.

Ela olhou para o relógio na mesa e viu que passava um pouco das quatro da tarde. Já escrevera para Loen contando-lhe sobre a Itália, e ainda havia muito tempo para escrever uma terceira carta para Gustavo antes de se trocar para jantar. Mas Bel não se sentia preparada para isso, pois era tão difícil corresponder ao tom amoroso das cartas que sempre recebia dele.

Talvez escrevesse mais tarde, pensou ela. Levantou-se e andou até a mesinha de centro, colocou distraidamente um bombom na boca e começou a mastigá-lo. O apartamento estava silencioso, embora pudesse ouvir o murmúrio das vozes dos meninos, ocupados com suas lições na sala de jantar ao lado. Maria Georgiana e Maria Elisa cochilavam, como costumavam fazer à tarde.

Heitor, pelo que lhe disseram, chegaria de Munique a tempo de jantar com a família, e Bel ficaria feliz com sua presença. Ela sabia que teria de conter a ânsia de lembrá-lo sobre Laurent e seu desejo de esculpi-la por um dia ou dois, mas pelo menos a visita de Margarida Lopes de Almeida ao apartamento a animara. Enquanto Maria Georgiana e a mãe de Margarida conversavam, as duas garotas também trocaram ideias. E Bel sentira uma grande afinidade com Margarida.

– Você já esteve em Montparnasse? – perguntara Bel em voz baixa enquanto tomavam chá.

– Sim, muitas vezes – sussurrara Margarida. – Mas você não deve contar a ninguém. Nós duas sabemos que Montparnasse não é lugar para jovens damas bem-educadas.

Margarida tinha prometido visitá-la novamente em breve para contar os detalhes do curso de escultura que fazia na École des Beaux-Arts.

– Com certeza, o Sr. Heitor não iria desaprovar que você fizesse o curso, já que o professor Landowski seria um dos seus tutores, não é? – acrescentara Margarida ao sair. – *À bientôt*, Izabela.

❂ ❂ ❂

Heitor chegou em casa ainda naquela noite, com o rosto pálido e exausto de sua longa viagem. Bel ouviu-o discorrer sobre as maravilhas da *Bavaria*, a estátua que ele vira na Alemanha. Mas também contou histórias assustadoras sobre a ascensão do Partido Nacional-Socialista dos Trabalhadores Alemães, sob o comando de um homem chamado Adolf Hitler.

– Você já decidiu quem vai esculpir o Cristo? – perguntou Bel enquanto a empregada servia generosas fatias de torta de frutas para cada um.

– Não pensei em outra coisa durante minha longa viagem de volta a Paris – respondeu Heitor. – Ainda estou inclinado a convidar Landowski, uma vez que sua obra exibe um perfeito equilíbrio artístico. É moderna, mas tem uma simplicidade e uma qualidade atemporal que acho que combina com o projeto.

– Fico feliz que pense assim – arriscou Bel. – Após conhecê-lo e visitar seu ateliê, gostei de sua abordagem realista. E sua habilidade técnica é bastante óbvia para qualquer um.

– Bem, não é óbvia para alguém que nunca a viu – resmungou Maria Georgiana, sentada ao lado de Heitor. – Talvez você alguma hora permita que eu também conheça o homem que irá projetar a parte externa de seu precioso Cristo.

– Claro, minha querida – concordou Heitor rapidamente. – Se essa realmente for a minha decisão.

– Achei o assistente dele muito talentoso também – disse Bel, tentando desesperadamente fazer Heitor se lembrar da proposta de Laurent.

– Sim – concordou ele. – Agora queiram me desculpar, pois estou realmente exausto da viagem.

Desapontada, Bel viu Heitor deixar a sala e notou a expressão amarga no rosto de Maria Georgiana.

– Bem, parece que seu pai, mais uma vez, passará a noite com o Cristo, e não com sua família. Não importa – disse ela aos filhos, pegando a colher para terminar a sobremesa –, vamos jogar cartas juntos depois do jantar.

Mais tarde, na cama, Bel pensou sobre o casamento dos Da Silva Costa.

E no casamento dos próprios pais. Em poucos meses, estaria casada, assim como eles. E lhe parecia cada vez mais que o casamento tinha a ver simplesmente com tolerância e com aceitar os defeitos do outro. Maria Georgiana claramente se sentia excluída e ignorada enquanto seu marido voltava toda a energia e a atenção para seu projeto. E a própria mãe de Bel se mudara contra a vontade da fazenda que amava para o Rio apenas para agradar o marido, que desejava ascender socialmente.

Inquieta, Bel virava de um lado para outro em seus travesseiros, enquanto se perguntava se era apenas isso que ela também tinha à sua frente. E, se fosse, era ainda mais imprescindível que reencontrasse Laurent Brouilly o mais rápido possível.

❊ ❊ ❊

Quando Bel acordou na manhã seguinte, Heitor já havia saído para uma reunião. Ela soltou um suspiro, frustrada por ter perdido a oportunidade de lembrá-lo do pedido de Laurent.

Naquele dia, Maria Elisa acabou notando sua crescente agitação enquanto almoçavam no Ritz com Maria Georgiana, passeavam pela Champs-Élysées e mais tarde iam ao elegante salão de Jeanne Lanvin em busca de um vestido de casamento para Bel.

– Qual é o problema com você, Bel? Está agindo como se fosse um tigre preso em uma jaula – reclamou. – Você mal demonstrou interesse nos desenhos e nos tecidos para seu lindo vestido de casamento, quando a maioria das jovens daria tudo para ter um vestido criado pela própria madame Lanvin! Não está gostando de Paris?

– Estou, estou, mas...

– Mas o quê? – perguntou Maria Elisa.

– É apenas que sinto... – Bel foi até a janela da sala de visitas enquanto tentava explicar. – Sinto que existe um mundo inteiro lá fora que não conhecemos.

– Mas, Bel, já vimos tudo o que há para se ver em Paris! O que mais pode haver?

Bel fez o máximo para conter sua irritação. Se Maria Elisa não entendia, ela não tinha como explicar. Com um suspiro, virou-se para a amiga.

– Nada, nada... Como você disse, vimos tudo em Paris. E você, assim como sua família, tem sido muito generosa comigo. Eu sinto muito. Talvez eu só esteja com saudades de casa – mentiu Bel, escolhendo a explicação mais fácil.

– Ah, mas é claro que sim! – Imediatamente, a natureza doce de Maria Elisa a fez correr até a amiga. – Como fui egoísta! Eu estou aqui com toda a minha família, enquanto você está a quilômetros de distância da sua. E, é claro, de Gustavo.

Bel aceitou o abraço reconfortante de Maria Elisa.

– Tenho certeza de que, se você quiser, pode voltar para casa mais cedo – acrescentou.

Bel balançou a cabeça, roçando o queixo na renda que cobria o ombro da amiga.

– Obrigada por sua compreensão, querida, mas tenho certeza de que estarei bem amanhã.

– Mamãe sugeriu contratar um tutor francês para me dar aulas todas as manhãs enquanto os meninos estão fazendo suas lições. Meu francês é terrível e, como papai deu a entender que a gente pode ficar aqui por mais um ano, eu gostaria de aperfeiçoá-lo. O seu é tão melhor que o meu, Bel, mas talvez você queira se juntar a mim em minhas aulas, o que acha? Isso pelo menos ajudaria um pouco a passar o tempo.

A ideia de alguém achar que um segundo em Paris pudesse ser entediante a ponto de precisar ser preenchido deixou Bel ainda mais deprimida.

– Obrigada, Maria Elisa. Vou pensar nisso.

❁ ❁ ❁

Após passar mais uma noite inquieta, tentando aceitar que sua temporada na cidade continuaria como estava e que ela nunca conheceria as maravilhas que a cidade tinha a oferecer, um acontecimento inesperado restaurou o ânimo de Bel.

Margarida Lopes de Almeida apareceu para o chá da tarde, acompanhada por sua mãe. Ela falou animada sobre as aulas de escultura na École des Beaux-Arts e disse a Bel que perguntara se ela poderia se juntar a eles.

– É claro que ter uma compatriota nas aulas tornaria tudo muito mais agradável para mim – disse Margarida a Maria Georgiana, cutucando disfarçadamente Bel sob a mesa.

– Eu não sabia sobre seu interesse em fazer esculturas, Izabela. Achei que preferisse apreciá-las – comentou Maria Georgiana.

– Ah, eu amei esculpir no breve curso que fiz no Rio – explicou Bel, notando o olhar de aprovação de Margarida. – E adoraria a oportunidade de aprender com alguns dos melhores professores do mundo.

– Ah, é verdade, mãe – interrompeu Maria Elisa. – Bel costumava me entediar de tanto que falava sobre suas aulas de arte. E, como o francês dela é muito melhor que o meu, talvez ela aproveite mais essas aulas de escultura que a Srta. Margarida sugere do que me acompanhando enquanto massacro o idioma.

Bel poderia tê-la beijado.

– E, é claro – acrescentou Margarida, olhando para a mãe –, isso significaria que você não vai mais precisar me acompanhar até a escola e depois me buscar todas as tardes. Eu teria alguém para me fazer companhia e nosso motorista poderia nos levar. Você teria muito mais tempo para escrever seu livro, mãe – disse ela, de maneira tentadora. – Cuidaríamos uma da outra, não é mesmo, Izabela? – Margarida se virou para a nova amiga.

– Sim, é claro – Bel apressou-se a concordar.

– Bem, desde que a Srta. Da Silva Costa concorde, me parece algo bastante razoável – disse a mãe de Margarida.

Maria Georgiana, intimidada pela presença de uma mulher tão famosa na sociedade brasileira, assentiu.

– Se você acha apropriado, senhora, também vou consentir.

– Então – falou Margarida, beijando Bel nos dois lados do rosto, seguindo o costume francês, enquanto se levantava para ir embora – passo aqui de carro na segunda que vem e vamos juntas à escola.

– Obrigada – agradeceu Bel com um sussurro quando Margarida e a mãe seguiram para a porta.

– Juro que vai ser ótimo para mim também, Izabela – sussurrou ela em resposta. – *Ciao, chérie* – disse Margarida, misturando idiomas em sua despedida. O que, pensou Bel, só aumentava seu ar de sofisticação.

Naquela noite, Heitor chegou triunfante em casa:

– Pedi à criada que servisse champanhe na sala de visitas, pois tenho grandes novidades que gostaria de comemorar com minha família!

Quando o champanhe foi servido, Heitor se levantou, erguendo a taça.

– Depois de conversar com os senhores Levy, Oswald e Caquot, fui hoje falar com o professor Landowski. E lhe ofereci o trabalho de esculpir o Cristo. Vamos assinar o contrato na próxima semana.

– Pai, que notícia maravilhosa! – exclamou Maria Elisa. – Fico feliz que tenha finalmente se decidido.

– E eu fico feliz porque sei, do fundo do coração, que Landowski é a escolha certa. Minha querida – disse Heitor, virando-se para Maria Georgiana –, devemos convidar o professor e sua encantadora esposa para jantarem aqui em breve e, assim, você vai poder conhecê-lo. Ele será uma presença constante em minha vida durante os próximos meses.

– Parabéns, Sr. Heitor – disse Bel, desejando expressar seu apoio. – Acho que é uma excelente decisão.

– Aprecio seu entusiasmo – disse Heitor, sorrindo para ela.

20

Na segunda de manhã, às dez horas, Bel, que já estava de casaco havia mais de uma hora esperando junto à janela da sala de visitas, viu o reluzente Delage aproximar-se da entrada do prédio.

– A Srta. Margarida está aqui – anunciou ela a Maria Georgiana e aos meninos.

– Izabela, esteja de volta às quatro em ponto – gritou Maria Georgiana para Bel, que já saía rapidamente da sala, mal contendo sua ansiedade em escapar.

– Prometo que não vou me atrasar, senhora – gritou em resposta, encontrando Maria Elisa no corredor.

– Aproveite o dia e tome cuidado.

– Não se preocupe, estou com Margarida.

– Sei, e pelo que vejo será como libertar dois leões famintos de suas jaulas – falou Maria Elisa, erguendo as sobrancelhas. – Divirta-se, querida Bel.

❊ ❊ ❊

Bel pegou o elevador para o térreo e encontrou Margarida esperando por ela no saguão.

– Venha, já estamos atrasadas. Precisamos sair mais cedo amanhã. O professor Paquet nos usará como exemplo do que não se deve fazer se chegarmos depois dele – disse Margarida enquanto seguiam até o Delage e se sentavam no banco de trás.

Quando o carro se afastou, Bel observou Margarida, que usava uma saia azul-marinho e uma blusa de popeline simples, enquanto ela estava vestida como se fosse tomar chá no Ritz.

– Desculpe-me. Eu deveria tê-la avisado – explicou Margarida, percebendo a roupa que Bel usava. – A Beaux-Arts está cheia de artistas mortos de fome que não gostam de ver meninas ricas como nós nas aulas. Apesar de eu ter certeza de que estamos entre os poucos que pagam os salários dos tutores – acrescentou com um sorriso, prendendo atrás da orelha uma mecha solta de seu cabelo castanho, curto e sedoso.

– Eu entendo – disse Bel com um suspiro. – Embora seja importante dona Maria Georgiana acreditar que a turma é composta apenas por moças de boa família.

Ao ouvir isso, Margarida jogou a cabeça para trás e deu uma risada.

– Bel, preciso preveni-la, fora uma solteirona e outra… *pessoa* que acredito que seja mulher, mas tem o cabelo curto como o de um homem e, juro, também um bigode, nós somos as únicas garotas da turma!

– E sua mãe não se importa? Creio que ela saiba disso, não é?

– Talvez não *exatamente* – respondeu Margarida com sinceridade. – Mas, como você sabe, ela é uma grande defensora da igualdade feminina. E, portanto, acha que é bom que eu aprenda a lutar pelo que quero em um ambiente dominado por homens. Além disso, tenho uma bolsa paga pelo governo brasileiro. Devo frequentar a melhor escola que há – completou ela, dando de ombros.

Quando o carro entrou na Avenue Montaigne e seguiu para a Pont de l'Alma, Margarida observou Bel.

– Minha mãe me disse que você está noiva de Gustavo Aires Cabral. Estou surpresa de ele tê-la deixado solta em Paris.

– Sim, estou noiva, mas Gustavo quis que eu conhecesse a Europa antes de nos casarmos. Ele já esteve aqui há oito anos.

– Então devemos tornar o pouco tempo que você tem aqui o mais interessante possível. Izabela, confio que você não vá contar nada do que vai ver e ouvir aqui hoje a ninguém. Minha mãe acha que tenho aula na Beaux--Arts até as quatro. Bem… essa não é exatamente a verdade – admitiu.

– Entendo. Então, em vez de assistir às aulas, aonde você vai? – perguntou Bel, hesitante.

– Para Montparnasse, almoçar com meus amigos, mas você tem de jurar que nunca dirá uma palavra.

– É claro que juro – confirmou Bel, mal se contendo de tanta empolgação com a confissão de Margarida.

– E as pessoas que eu conheço… Bem – disse Margarida, suspirando –, elas são bem intensas. Você pode ficar chocada.

– Já fui alertada por alguém que conhece essas pessoas – falou Bel, olhando pela janela enquanto atravessavam o Sena.

– Com certeza não foi dona Maria Georgiana...

As duas então caíram na gargalhada.

– Não, foi um jovem escultor que conheci no ateliê do professor Landowski quando fui até lá com o Sr. Heitor.

– Qual era o nome dele?

– Laurent Brouilly.

– É mesmo? – exclamou Margarida, erguendo uma sobrancelha. – Eu o conheço, ou pelo menos já o vi algumas vezes em Montparnasse. Às vezes é ele quem nos dá aula quando o professor Landowski está ocupado. É um homem bonito.

Bel respirou fundo.

– Ele pediu para fazer uma escultura minha – revelou ela, aliviada por poder compartilhar o entusiasmo causado pelo elogio de Laurent.

– Verdade? Então você deve se sentir honrada. Ouvi falar que monsieur Brouilly é extremamente exigente na escolha de seus modelos. Foi um dos melhores alunos da Beaux-Arts, e esperam muito dele. – Margarida olhou para Bel com renovada admiração. – Izabela, você é mesmo cheia de surpresas – comentou enquanto o carro estacionava em uma rua lateral.

– Onde fica a escola? – perguntou Bel, olhando ao redor.

– A duas ruas de distância, mas não gosto que os outros alunos me vejam chegar nesse carro luxuoso, já que muitos deles tiveram de andar vários quilômetros até aqui e provavelmente nem tomaram café da manhã – explicou. – Vamos.

A entrada da École des Beaux-Arts ficava atrás dos bustos dos grandes artistas franceses Pierre Paul Puget e Nicolas Poussin e chegava-se a ela atravessando um elaborado portão de ferro forjado. As duas garotas passaram por ele e cruzaram o pátio simétrico cercado por elegantes prédios claros de pedra. As altas janelas em arco que havia em todo o térreo eram remanescentes dos claustros sagrados que diziam haver ali originalmente.

Após cruzarem a porta principal, elas atravessaram o saguão de entrada, que ressoava com a conversa dos jovens. Uma moça magra e elegante passou por elas.

– Margarida, ela está usando calças! – exclamou Bel.

– Sim, muitas das alunas aqui usam – disse Margarida. – Você pode imaginar uma de nós duas chegando para tomar chá no Copacabana Palace *dans notre pantalon*! Pois bem, é aqui que estamos hoje.

As duas entraram em uma sala de aula arejada, as enormes janelas lançando feixes de luz sobre fileiras de bancos de madeira. Outros alunos chegavam e se sentavam, carregando cadernos e lápis.

Bel estava confusa.

– Onde nós esculpimos? E por que ninguém está de avental?

– Esta não é uma aula de escultura, é sobre – Margarida abriu o caderno e verificou o horário – a técnica de esculpir em pedra. Em outras palavras, vamos aprender a teoria, mas no futuro teremos a chance de colocá-la em prática.

Um homem de meia-idade – que, pelo cabelo bagunçado, pelos olhos vermelhos e pela barba por fazer, parecia ter simplesmente saído da cama e ido direto para a sala de aula – caminhou até a frente da sala.

– *Bon matin, mesdames et messieurs*. Hoje vou lhes apresentar as ferramentas necessárias para esculpir em pedra – anunciou à classe. – Assim… – O homem abriu uma caixa de madeira e começou a colocar em cima da mesa o que, para Bel, pareciam instrumentos de tortura. – Isto é um ponteiro, que é usado para desbastar a pedra, arrancando grandes pedaços. Quando estiver satisfeito com a forma geral, você vai usar algo assim, um gradim, espécie de cinzel denteado. Vocês podem notar as várias endentações que entalham sulcos. Fazemos isso para dar textura à pedra…

Bel ouvia atentamente o professor discorrer sobre cada ferramenta e sua função, mas, embora seu francês fosse excelente, ele falava tão rápido que ela teve dificuldade em acompanhá-lo. Além disso, muitas palavras eram expressões técnicas que ela se esforçava para entender.

Acabou desistindo e passou a se divertir observando seus colegas de turma. Nunca vira antes um grupo tão excêntrico de rapazes, com suas roupas estranhas, bigodes enormes e o que devia ser uma tendência entre os artistas: barbas e cabelos compridos e desgrenhados. Bel arriscou olhar para o rapaz ao lado e percebeu que, por baixo dos pelos faciais, ele provavelmente não era muito mais velho do que ela. Um cheiro rançoso de corpos e roupas não lavados emanava da sala, e Bel sentia que chamava a atenção com suas roupas elegantes.

Pensou na ironia de que, no Rio, se considerava uma rebelde por apoiar, discreta mas fervorosamente, os direitos das mulheres e por seu desinteresse pelos bens materiais. E, acima de tudo, por sua completa aversão a pescar um bom marido.

Mas ali... Bel percebeu que se sentia como uma princesa puritana de épocas passadas, transplantada para um mundo que abandonara havia muito as regras da sociedade. Era óbvio que naquela sala ninguém se importava nem um pouco com as convenções. Na verdade, pensou, talvez se sentissem na obrigação de fazer tudo que pudessem para lutar contra elas.

Quando o professor anunciou o fim da aula e os alunos começaram a recolher seus cadernos e a deixar a sala, Bel se sentiu um peixe fora d'água.

– Você está pálida – comentou Margarida, olhando para ela. – Está se sentindo bem, Izabela?

– A sala está abafada – mentiu, enquanto as duas saíam.

– E malcheirosa, não é? – Margarida riu. – Não se preocupe, você vai se acostumar. Desculpe-me se essa aula não foi uma boa introdução para você. Juro que as aulas práticas são muito mais interessantes. Agora, vamos dar um passeio e almoçar?

Bel estava feliz em andar pelas ruas. Enquanto caminhavam pela Rue Bonaparte em direção a Montparnasse, ouviu Margarida contar sobre sua estadia na Europa.

– Só estou aqui em Paris há seis meses, mas já me sinto em casa. Morei na Itália por três anos e vou ficar aqui mais dois. Acho que vai ser difícil voltar ao Brasil após mais de cinco anos na Europa.

– Tenho certeza – concordou Bel com sinceridade.

As ruas começaram a ficar mais estreitas, e elas passavam por cafés cheios de clientes em pequenas mesas de madeira na rua, protegidos do sol de meio-dia por guarda-sóis coloridos. Dava para sentir no ar o cheiro forte de tabaco, café e álcool.

– O que tem naqueles pequenos copos que todo mundo parece estar tomando? – perguntou Margarida.

– Ah, se chama absinto. Todos os artistas bebem porque é barato e muito forte. Já eu acho que tem um gosto horrível.

Embora alguns homens olhassem em sua direção para admirá-las, ali o fato de serem duas damas desacompanhadas de alguém mais velho não despertava nenhum tipo de reprovação. *Ninguém se importa*, pensou Bel, animada com a inebriante experiência de estar em Montparnasse pela primeira vez.

– Vamos ao La Closerie des Lilas – anunciou Margarida – e, se tivermos sorte, você poderá ver alguns rostos conhecidos por lá.

Margarida indicou um café parecido com os outros pelos quais tinham acabado de passar e, depois de contornar as mesas ao ar livre que ocupavam quase toda a ampla calçada em frente, levou Bel para dentro. Conversou rapidamente em francês com um garçom, que indicou uma mesa no canto perto da janela.

– Este é o melhor lugar para observar os moradores de Montparnasse – disse ela enquanto se sentavam no tamborete de couro. – E vamos ver quanto tempo eles levarão para notá-la – acrescentou Margarida.

– Por que eu? – perguntou Bel.

– Porque, *chérie*, você é belíssima. E, como mulher, não há moeda melhor para negociar em Montparnasse. Dou dez minutos para que venham aqui, ansiosos para saber quem você é.

– Você conhece muitos deles? – perguntou Bel, admirada.

– Ah, sim. É uma comunidade surpreendentemente pequena e todo mundo se conhece.

A atenção delas foi atraída por um homem com cabelos grisalhos penteados para trás que se movia em direção a um piano de cauda, aplaudido pelas pessoas da mesa de onde se levantara. Ele se sentou e começou a tocar. Todo o café ficou em silêncio. Bel ouvia fascinada aquela música maravilhosa, que sedutora e lentamente atingia um crescendo. Quando a nota final pairou no ar, todos vibraram e o homem foi aplaudido enquanto voltava para sua mesa.

– Nunca ouvi nada assim antes – disse Bel, com a respiração entrecortada de emoção. – E quem era o pianista? Ele é incrivelmente talentoso.

– Querida, aquele era o próprio Ravel, e a música que estava tocando chama-se *Bolero*. Ainda nem sequer teve sua estreia oficial, então foi uma honra ouvi-la aqui. O que devemos pedir para comer?

Margarida estava certa em presumir que não ficariam sozinhas por muito tempo. Uma enxurrada de homens de todas as idades aproximou-se da mesa e cumprimentou Margarida, para logo em seguida perguntar quem era sua bela acompanhante.

– Ah, outra mulher de olhos escuros e sangue quente vinda de sua terra exótica – comentou um cavalheiro, que Bel tinha certeza de que estava usando batom.

Os homens paravam ali e encaravam seu rosto até ela ficar tão vermelha quanto os rabanetes em sua intocada salada. Ela estava animada demais para comer.

– Se quiser, posso pintar você – diziam alguns languidamente – e imortalizar sua beleza para sempre. Margarida sabe onde fica meu ateliê.

Em seguida, o artista se despedia com um gesto sutil e deixava a mesa. De poucos em poucos minutos, um garçom aparecia trazendo um copo com um líquido de cor estranha e anunciava: "Com os cumprimentos do cavalheiro da mesa seis."

– É claro que você não vai posar para nenhum deles – disse Margarida de maneira pragmática. – São todos surrealistas, o que significa que só vão capturar sua *essência* e não sua forma física. É bem provável que a retratassem como uma chama vermelha da paixão, com seu seio em um canto e o olho no outro! – Ela riu. – Experimente este, é granadina. Eu gosto. – Margarida lhe ofereceu um copo cheio de um líquido escarlate. De repente, exclamou: – Izabela, rápido! Dê uma olhada lá na porta.

Bel afastou o olhar indeciso do copo à sua frente e espiou a entrada do café.

– Você sabe quem é? – perguntou Margarida.

– Sim – disse Bel em voz baixa enquanto observava a figura esguia de cabelo escuro ondulado que Margarida indicava. – É Jean Cocteau.

– De fato, o príncipe da vanguarda. Ele é um homem fascinante, ainda que reservado.

– Você o *conhece*? – perguntou Bel.

– Um pouco, eu acho – respondeu Margarida, dando de ombros. – Às vezes ele me pede que toque piano aqui.

Como observava atentamente monsieur Cocteau, Bel não notou um jovem se destacar da confusão do café e caminhar até a mesa delas.

– Mademoiselle Margarida, senti sua falta. E, se estou lembrado, você é mademoiselle Izabela, não é?

Bel desviou sua atenção da mesa de Cocteau e olhou diretamente nos olhos de Laurent Brouilly. Na mesma hora, seu coração começou a bater com força.

– Sim. Queira me desculpar, monsieur Brouilly, eu estava distraída.

– Mademoiselle Izabela, você estava admirando alguém muito mais fascinante do que eu – disse ele, sorrindo para ela. – Eu não sabia que vocês duas se conheciam.

– Nós nos conhecemos há pouco tempo – explicou Margarida. – Estou ajudando Izabela a conhecer as maravilhas de Montparnasse.

– As quais, tenho certeza, muito lhe agradam.

O olhar de Laurent ao encarar Bel dizia que ele se lembrava claramente de cada palavra de sua última conversa.

– Como pode imaginar, cada artista no café implorou para pintá-la – continuou Margarida. – Mas, é claro, eu lhe disse para tomar cuidado.

– Bem, devo lhe agradecer por isso. Porque, como mademoiselle Izabela sabe, ela foi prometida a mim primeiro. Fico feliz que tenha preservado a pureza artística dela para mim – disse Laurent com um sorriso.

Talvez fosse o álcool, ou a emoção de simplesmente fazer parte daquele incrível mundo novo, mas Bel estremeceu de prazer com as palavras de Laurent.

Um rapaz muito bronzeado, que chegara ao mesmo tempo que Laurent, agora se aproximava para fazer um pedido.

– Mademoiselle Margarida, nós, da mesa de monsieur Cocteau, gostaríamos de lhe pedir que nos entretivesse com sua esplêndida habilidade no piano. Ele está pedindo sua música favorita. Você sabe qual é?

– Sei. – Com um rápido olhar para o relógio que ficava acima do bar central, Margarida concordou. – Fico honrada, mas nunca poderia me igualar à técnica magnífica de monsieur Ravel – anunciou enquanto se levantava e acenava a cabeça em direção à mesa do compositor.

Bel viu Margarida passar entre as pessoas e se sentar no banco do qual Ravel se levantara havia pouco. Aplausos correram pela sala.

– Posso me sentar para apreciar a música? – perguntou Laurent a Bel.

– Claro – respondeu, e o escultor se sentou ao seu lado no estreito banco, encostando seu quadril no dela enquanto procurava se ajeitar. Bel mais uma vez ficou espantada com a trivialidade com que aquelas pessoas pareciam lidar com a intimidade física.

Quando os acordes de abertura de "Rhapsody in Blue", de Gershwin, ressoaram pelo café, os clientes ficaram em silêncio. Bel observou Laurent avaliar os diversos copos na mesa, quase todos ainda intocados, e pegar um deles com seus dedos finos e fortes.

Sob a mesa, viu Laurent pousar a outra mão casualmente sobre a coxa, como qualquer homem faria. Mas, à medida que os minutos passavam, sua mão foi se movendo até o ponto em que suas pernas se tocaram. Bel prendeu a respiração, meio convencida de que o toque seria acidental, mas tinha certeza de que podia sentir os dedos dele acariciando delicadamente sua pele por cima do vestido...

Um arrepio percorreu seu corpo inteiro e o sangue começou a correr descontrolado por suas veias enquanto a música atingia o clímax.

– Mademoiselle Margarida é realmente talentosa, não é? – Bel sentiu o hálito quente de Laurent em seu ouvido e balançou a cabeça, concordando.

– Eu não tinha ideia de seu talento musical – disse Bel enquanto a sala mais uma vez irrompia em aplausos. – Ela parece ter muitos dons. – Sua voz soava estranha a seus próprios ouvidos, abafada, como se estivesse debaixo d'água.

– Acredito firmemente que, quando alguém nasce criativo – comentou Laurent –, é como se sua alma fosse um céu cheio de estrelas cadentes, ou um globo que gira constantemente em direção a qualquer musa que capture sua imaginação. Muitas das pessoas nesta sala não só desenham e esculpem, mas também escrevem poesia, tiram belos sons de seus instrumentos, fazem o público chorar com suas habilidades dramáticas e cantam como os pássaros nas árvores. Ah, mademoiselle... – Laurent ficou de pé e se curvou para Margarida quando ela retornou à mesa. – Você é um prodígio.

– É muito gentil, monsieur – disse Margarida, modesta, enquanto se sentava.

– E acredito que vamos compartilhar um ateliê em breve. O professor Landowski me contou que você vai fazer um estágio conosco nas próximas semanas.

– Ele sugeriu isso, mas eu não queria contar a ninguém até que estivesse confirmado – disse Margarida, fazendo sinal para o garçom trazer a conta. – Ficarei honrada se puder trabalhar com ele.

– Ele acha que você tem muita habilidade. Para uma mulher, quer dizer – brincou Laurent.

– Vou tomar isso como um elogio. – Margarida deu um sorriso. Ela colocou algumas notas em cima da conta, que havia chegado.

– E talvez, quando estiver lá no estúdio, você possa servir de dama de companhia enquanto faço minha escultura de mademoiselle Izabela? – sugeriu Laurent.

– Talvez seja possível, mas temos que ver – disse Margarida, os olhos alternando entre Laurent, Bel e o relógio atrás do bar. – Agora temos que ir embora. *À bientôt*, monsieur Brouilly. – Ela beijou os dois lados de seu rosto enquanto Bel também se levantava.

– E, mademoiselle Izabela, parece que o destino conspirou para nos reunir. Espero que da próxima vez possa ser por mais tempo.

Laurent beijou a mão de Bel, observando-a sob os cílios semicerrados. Apesar de ingênua, ela imediatamente entendeu o que aquele olhar representava.

❊ ❊ ❊

Felizmente, quando Bel chegou ao apartamento, Maria Georgiana tirava seu cochilo da tarde. Maria Elisa, no entanto, lia um livro na sala de visitas.

– Como foi? – perguntou quando Bel entrou.

– Foi maravilhoso! – Bel se jogou em uma cadeira, exausta com toda aquela excitação nervosa, mas ainda exultante após seu encontro com Laurent.

– Que bom. Então, o que você aprendeu?

– Ah, tudo sobre as ferramentas necessárias para se esculpir em pedra – disse ela um pouco aérea, o cérebro entorpecido pelo álcool impedindo que seus lábios se movessem da maneira usual.

– Você ficou seis horas aprendendo sobre as ferramentas necessárias para esculpir? – indagou Maria Elisa, olhando desconfiada para Bel.

– Sim, a maior parte do tempo, e então fomos almoçar e... – Bel se levantou abruptamente. – Estou esgotada. Vou tirar um cochilo antes do jantar.

– Bel?

– Sim?

– Você andou bebendo?

– Não... Bem, apenas uma taça de vinho durante o almoço. Afinal, todos em Paris fazem isso.

Bel caminhou em direção à porta, prometendo a si mesma que, no futuro, evitaria beber o que quer que lhe oferecessem nas mesas rústicas do La Closerie des Lilas.

21

Apartamento 4
Avenue de Marigny, 48
Paris
França

27 de junho de 1928
Queridos pai e mãe,
Mal posso acreditar que estou longe do Rio há quatro meses. O tempo
passou tão rápido. Ainda estou adorando as aulas que faço com Margarida
de Lopes Almeida na École des Beaux-Arts. Embora saiba que nunca serei
uma grande artista como alguns dos meus colegas, as aulas me ensinaram
a apreciar melhor a pintura e a escultura, e sinto que isso irá me beneficiar
muito em minha futura vida como esposa de Gustavo.

O verão realmente chegou a Paris agora e a cidade ganhou ainda mais
vida com a virada da estação. Estou começando a me sentir como uma
verdadeira parisienne!

Espero que um dia vocês possam apreciar pessoalmente essa magia que
tenho a sorte de ver todos os dias.

Amo muito vocês,
Izabela

Bel dobrou a folha com cuidado e colocou-a no envelope para ser enviada. Então se recostou na cadeira, desejando poder compartilhar com os pais seus verdadeiros sentimentos com relação à cidade que amava cada vez mais, à nova liberdade de que desfrutava e às pessoas que conhecia. Mas ela sabia que eles não entenderiam. Mais do que isso, pensariam ter tomado a decisão errada ao deixá-la ir.

A única pessoa em que sentia que podia realmente confiar era Loen.

Pegou uma folha e escreveu uma carta muito diferente, revelando suas verdadeiras emoções, falando sobre Montparnasse e, é claro, Laurent Brouilly, o jovem aprendiz que queria fazer uma escultura sua...

Graças a Margarida, Bel acordava todas as manhãs sentindo uma grande expectativa. As aulas a que assistia eram bastante instrutivas, mas aquilo por que mais ansiava eram os almoços no La Closerie des Lilas.

Cada dia lá era diferente, uma festa para os sentidos criativos, já que suas mesas estavam sempre ocupadas por artistas plásticos, músicos e escritores. Na semana anterior, vira o romancista James Joyce sentado a uma mesa do lado de fora, tomando vinho, bastante pensativo diante de uma pilha enorme de páginas datilografadas.

– Olhei por cima do ombro dele – disse Arnaud, um aspirante a escritor conhecido de Margarida, tão agitado que mal conseguia respirar. – O manuscrito chamava *Finnegans Wake*. É o livro que ele vem escrevendo há seis anos!

Mesmo Bel sabendo que deveria estar contente por esbarrar nesses grandes artistas todos os dias, por respirar o mesmo ar que eles, Margarida e ela ainda passavam a maior parte de sua caminhada da escola até Montparnasse tramando planos inúteis para escapar durante a noite, que era quando a margem esquerda realmente ganhava vida.

– É claro que é impossível, mas não custa sonhar – observava Bel.

– Bem, acho que devemos ser gratas pela liberdade que temos durante o dia, ao menos – respondia Margarida, suspirando.

Bel olhou para o relógio e viu que o carro de Margarida chegaria para buscá-la a qualquer momento. Usando um vestido azul-marinho de gabardine, que passara a usar frequentemente por ser a peça de roupa mais simples que possuía, ela penteou o cabelo, passou um pouco de batom e gritou um adeus do corredor enquanto fechava a porta.

– Como você está hoje? – perguntou Margarida enquanto ela entrava no carro.

– Muito bem, obrigada.

– Izabela, infelizmente tenho uma notícia ruim para lhe dar. O professor Landowski confirmou que vai me oferecer um estágio em seu ateliê em Boulogne-Billancourt. Então não vou mais assistir às aulas na École des Beaux-Arts.

– Parabéns, você deve estar muito feliz. – Bel fez o possível para abrir um sorriso.

– Sim, estou muito feliz, é claro – disse Margarida. – Mas entendo que isso a deixa em uma situação difícil. Não sei se dona Maria Georgiana permitirá que você continue a frequentar as aulas sozinha.

– Não vai. É simples assim. – Bel não conseguiu evitar que seus olhos se enchessem de lágrimas.

– Bel, não se desespere. – Margarida acariciou sua mão para acalmá-la. – Nós vamos encontrar uma solução, eu prometo.

※ ※ ※

Ironicamente, o professor delas naquela manhã era o próprio Landowski, que fascinava Bel nas poucas aulas que ministrava, nas quais desenvolvia sua teoria de linhas simples e discutia a dificuldade técnica em se alcançar a perfeição. Mas naquele dia Bel não o escutava.

O pior era que, desde seu primeiro almoço no La Closerie des Lilas havia mais de um mês, nunca mais vira Laurent Brouilly. Perguntara a Margarida, tentando transparecer o máximo de indiferença de que foi capaz, por onde ele andava, e ela respondera que ele estava muito ocupado ajudando Landowski a produzir o primeiro protótipo para o Cristo de Heitor.

– Acredito que monsieur Brouilly esteja dormindo no ateliê todas as noites. O Sr. Heitor está ansioso para receber algo com que possa começar a fazer os cálculos estruturais.

Depois da aula, Landowski chamou Margarida.

– Então, mademoiselle, você vai se juntar a nós em meu ateliê semana que vem?

– Sim, professor Landowski, estou honrada com a oportunidade.

– Vejo que você está com sua compatriota, a garota das mãos bonitas – disse Landowski, acenando para Bel. – Brouilly ainda fala em fazer uma escultura sua. Quando esta semana terminar e seu guardião receber minha primeira escultura, talvez você possa acompanhar mademoiselle Lopes de Almeida ao meu ateliê e realizar o desejo de Brouilly. Sua presença será um prêmio pelas longas horas que ele dedicou ao Cristo nas últimas três semanas. Será saudável para ele estudar uma forma feminina depois de olhar por tanto tempo para o Nosso Senhor.

– Tenho certeza de que Izabela adoraria – respondeu Margarida rapidamente pela amiga. Landowski despediu-se das duas e deixou a sala de aula.

– Está vendo, Izabela? – disse Margarida enquanto faziam sua caminhada diária da escola até Montparnasse. – Deus, ou na verdade Cristo, parece estar do seu lado!

– Sim – concordou Bel, seu coração se enchendo de renovada esperança. – Parece que Ele está.

✸ ✸ ✸

– Bel, queria falar com você sobre uma coisa – disse Maria Elisa de repente naquela noite, enquanto se preparavam para dormir. – Quero saber sua opinião.

– Claro. – Bel se sentou, feliz com a oportunidade de ajudar a amiga, com quem sentia que vinha passando menos tempo do que deveria. – O que foi?

– Decidi que quero estudar para ser enfermeira.

– Ora, que notícia maravilhosa – disse Bel com um sorriso satisfeito.

– Você acha? Estou com medo de minha mãe não concordar. Nenhuma mulher da nossa família teve uma carreira antes. Mas é algo em que venho pensando há um bom tempo e preciso arrumar coragem para dizer a ela. – Maria Elisa mordeu o lábio. – O que você acha que ela vai dizer?

– Espero que ela diga como está orgulhosa de ver a filha fazendo algo útil com sua vida. E tenho certeza de que seu pai vai ficar muito feliz com a sua decisão.

– Bem, espero que você esteja certa – falou Maria Elisa animada. – E andei pensando que, enquanto estou aqui em Paris, em vez de desperdiçar meu tempo, eu poderia trabalhar como voluntária em um hospital. Há um a poucos minutos a pé do apartamento.

Bel pegou as mãos de Maria Elisa e apertou-as firmemente.

– Você é uma pessoa tão boa, Maria Elisa, sempre pensando nos outros. Acho que você tem as qualidades perfeitas para ser uma enfermeira. O mundo está mudando para as mulheres e não há razão para não fazermos algo de nossas vidas.

– Bem, como não penso em me casar por enquanto, por que não? É claro, Bel, que as coisas são muito diferentes para você. Quando voltar para o Brasil daqui a seis semanas, você vai se casar com Gustavo, cuidar da casa, e em pouco tempo será mãe dos filhos dele. Quanto a mim, preciso de algum outro propósito na vida. Obrigada pelo seu apoio. Vou falar com minha mãe amanhã.

Depois que se deitaram e Maria Elisa apagou a luz, Bel mais uma vez não conseguia dormir.

Seis semanas. Era todo o tempo que ainda tinha em Paris antes de voltar à vida que sua amiga descrevera de forma tão sucinta.

Por mais que tentasse pensar em algum aspecto positivo de seu futuro, nada vinha à sua mente.

❀ ❀ ❀

Margarida prometera entrar em contato com Bel depois de alguns dias de adaptação no ateliê de Landowski, para lhe dizer quando o professor achava apropriado que Bel se juntasse a ela. Mas até então não recebera notícias.

Mais uma vez, estava confinada sozinha no apartamento, já que agora era Maria Elisa quem saía de casa todos os dias, às nove da manhã, após conquistar a relutante permissão de sua mãe e conseguir uma vaga como voluntária no hospital mais próximo. Maria Georgiana passava a maior parte da manhã cuidando da administração da casa ou escrevendo cartas.

– Minha mãe faz aniversário mês que vem, e eu gostaria muito de comprar algo de Paris e mandar para ela. Posso dar uma volta, senhora? – perguntou Bel a Maria Georgiana uma manhã, durante o café.

– Não, Izabela, tenho certeza de que seus pais não aprovariam que andasse por Paris desacompanhada. E tenho muito que fazer hoje.

– Bem, então – interveio Heitor ao ouvir a conversa –, por que Izabela não me acompanha enquanto ando pela Champs-Élysées até meu escritório? Ela pode escolher algo nas galerias pelo caminho. Tenho certeza de que não há mal nenhum em ela andar as poucas centenas de metros de volta, minha querida.

– Como quiser – disse Maria Georgiana, e soltou um suspiro de irritação por ter sido contrariada.

* * *

– Até mesmo um brasileiro diria que o tempo está quente – comentou Heitor quando os dois saíram do apartamento vinte minutos depois e caminharam em direção à Champs-Élysées. – Então, está gostando de Paris? – perguntou.

– Estou adorando – respondeu Bel, empolgada.

– Ouvi dizer que você andou investigando, digamos, os redutos mais boêmios da cidade.

Bel olhou para Heitor com ar culpado.

– Eu...

– Vi sua amiga Margarida no ateliê de Landowski ontem e a ouvi conversar com o jovem assistente dele sobre seus almoços no La Closerie des Lilas.

Bel se encolheu diante do comentário, mas Heitor percebeu e deu-lhe um tapinha reconfortante no braço.

– Não se preocupe, seu segredo está seguro comigo. E, além disso, Margarida é uma jovem muito sensata. E conhece bem Paris. Ela também me pediu que lhe dissesse que vai buscá-la amanhã, às dez horas, a caminho do ateliê. Como você sabe, monsieur Brouilly deseja fazer uma escultura sua. Pelo menos isso a manterá longe de problemas e todos saberemos onde você está.

Bel viu Heitor erguer uma sobrancelha, mas sabia que era apenas por provocação.

– Obrigada por me dar o recado – respondeu ela timidamente, evitando demonstrar toda a sua alegria, e rapidamente mudou de assunto. – Está satisfeito com o trabalho do professor Landowski no Cristo?

– Até agora, estou absolutamente certo de que tomei a melhor decisão. A visão de Landowski parece ser igual à minha. No entanto, tenho um longo caminho a percorrer antes de poder afirmar com segurança que chegamos ao projeto final. E tenho agora que resolver uma série de problemas. O primeiro e maior deles é o material com o qual vamos revestir o nosso Cristo. Pensei em várias opções, mas nenhuma delas por enquanto me satisfaz estética ou praticamente. Agora, que tal tentarmos encontrar o presente da sua mãe nesta galeria? Comprei uma linda echarpe de seda para Maria Georgiana em uma boutique aqui.

Os dois entraram em uma galeria elegante, e Heitor apontou para a boutique de que falara.

– Espero você aqui – disse enquanto ela entrava.

Bel escolheu uma echarpe cor de pêssego e um lenço combinando que sabia que ficariam bem com a pele de sua mãe. Depois de pagar as compras, saiu da loja e encontrou Heitor curvado sobre uma pequena fonte no meio da galeria. Ele olhava atentamente para o fundo.

Ela parou ao seu lado e, ao sentir sua presença, Heitor apontou para os mosaicos que decoravam o fundo da fonte.

– Que tal isso? – perguntou ele.

– Perdoe-me, senhor, mas o que quer dizer?

– Que tal revestir o Cristo com um mosaico? Assim a parte externa não estará sujeita a rachaduras, já que cada pedaço será independente. Eu teria de pesquisar que pedra usar, algo poroso, resistente... sim, como a pedra-sabão de Minas Gerais, talvez. É clara e pode funcionar bem. Preciso trazer o Sr. Levy aqui para ver isto imediatamente. Ele parte para o Rio amanhã, e temos de tomar uma decisão.

Bel olhou para o rosto exultante de Heitor e o seguiu, saindo apressadamente da galeria.

– Tudo bem você voltar daqui sozinha para casa, Izabela?

– Claro – respondeu ela.

Heitor despediu-se com um aceno de cabeça e se afastou em um passo rápido.

22

— *ienvenue*, mademoiselle Izabela. – Laurent caminhou em direção a Bel e a cumprimentou com dois beijos no rosto quando ela entrou no ateliê com Margarida. – Primeiro vamos preparar um café. Mademoiselle Margarida – acrescentou quando ela passou por eles para vestir o avental –, o professor falou que o cotovelo esquerdo da sua escultura precisa ser melhorado, mas que, no geral, foi uma boa tentativa.

– Obrigada – respondeu Margarida. – Vindo do professor, é um verdadeiro elogio.

– Agora, Izabela – disse Laurent –, venha comigo e me mostre como você faz café em seu país. Puro e forte, tenho certeza – disse ele enquanto segurava a mão de Bel e a levava até a pequena cozinha. Então pegou um saco de papel pardo de uma das prateleiras, abriu e cheirou o que havia dentro. – Grãos brasileiros moídos na hora em uma loja que conheço em Montparnasse. Comprei especialmente para ajudá-la a relaxar e se lembrar de casa.

Bel inalou o aroma, que a fez viajar mais de oito mil quilômetros através do oceano.

– Então, me mostre como você gosta do seu café – insistiu ele, entregando-lhe uma colher de chá e se afastando para que ela pudesse continuar.

Bel esperou a água ferver no pequeno fogão, sem querer admitir que nunca tinha feito uma xícara de café na vida. As criadas faziam isso por ela em casa.

– Você tem xícaras? – arriscou Bel.

– É claro – respondeu ele, abrindo um armário e pegando duas canecas esmaltadas. – Peço desculpas por não serem de boa porcelana. Mas o café terá o mesmo gosto.

– Sim – concordou ela nervosamente enquanto colocava algumas colheres de café nas canecas.

– Na verdade, mademoiselle – disse ele com um sorriso gentil, pegando em uma prateleira um pequeno bule de prata –, aqui nós usamos isto para fazer café.

Bel corou de vergonha por sua gafe enquanto ele transferia o pó das canecas para o bule e acrescentava água quente.

– Então, quando estiver pronto, vamos nos sentar juntos e conversar.

Poucos minutos depois, Laurent a levou de volta para o estúdio, onde Margarida já estava sentada em um banco, trabalhando em sua escultura. Pegou um bloco de desenho e a guiou até a mesa rústica onde tinham almoçado no outro dia, puxando a cortina atrás deles.

– Por favor, sente-se aí. – E indicou que ela deveria se sentar de frente para ele. Então – continuou, levantando a caneca –, me fale sobre sua vida no Brasil.

Bel encarou-o, surpresa.

– Por que você quer que eu fale sobre o Brasil?

– Porque agora, mademoiselle, você está sentada olhando para mim como uma viga de madeira, tensa pelo esforço de sustentar um telhado há cem anos. Quero que você relaxe, para que eu possa ver as linhas de seu rosto se suavizarem, seus lábios perderem a tensão e seus olhos se iluminarem. Se eu não conseguir, a escultura não ficará boa, entende?

– Eu... acho que sim – respondeu Bel.

– Você não parece convencida. Então vou tentar explicar. Muitas pessoas pensam que a arte da escultura se resume à parte exterior, física, de um ser humano. E de fato, em um nível técnico, estariam certos. Mas qualquer bom escultor sabe que a arte de criar uma boa representação depende de se interpretar a essência do objeto que se está retratando.

Bel olhou para ele hesitante.

– Entendo.

– Para dar um exemplo simples – continuou ele –, se eu estivesse esculpindo uma garotinha e visse nos olhos dela que tinha um coração bom, que sofria pelos outros, talvez eu colocasse um animal, como uma pomba, em suas mãos. Eu a retrataria segurando-a ternamente. No entanto, se notasse a ganância de uma mulher, talvez colocasse uma pulseira chamativa em seu pulso, ou um grande anel em seu dedo. Então – Laurent abriu o bloco de desenho, o lápis pronto para trabalhar –, você conversa comigo e eu a desenho enquanto isso. Diga-me, onde você cresceu?

– Passei a maior parte da minha infância em uma fazenda nas montanhas – respondeu Bel, e a imagem da fazenda que amava imediatamente trouxe um sorriso aos seus lábios. – Criávamos cavalos e, pelas manhãs, eu cavalgava pelas colinas, ou então nadava no lago.

– Parece idílico – interveio Laurent enquanto seu lápis dançava pelo papel.

– E era – concordou Bel. – Mas depois nos mudamos para o Rio, para uma casa na base do morro do Corcovado. O Cristo vai ser erguido no topo dele. Embora seja bonita, e muito mais luxuosa do que a sede da fazenda, a casa acaba ficando muito escura por causa da montanha atrás dela. Às vezes, quando estou lá, sinto – ela fez uma pausa, tentando encontrar as palavras certas – como se eu não pudesse respirar.

– E como você se sente aqui em Paris? – perguntou ele. – Também é uma cidade grande. Você se sente presa, como no Rio?

– Ah, não! – Bel balançou a cabeça, o franzido em sua testa desaparecendo imediatamente. – Eu amo esta cidade, principalmente as ruas de Montparnasse.

– Humm, então eu poderia supor que não é o lugar que afeta você, mas seu estado de espírito. Paris também pode ser muito claustrofóbica, ainda assim você diz que ama a cidade.

– Você está certo, é claro – admitiu ela. – Tem mais a ver com a vida que eu levo no Rio do que com a própria cidade.

Laurent continuou trabalhando em seu esboço, observando a expressão dela.

– E o que há de errado com essa vida?

– Nada. Quer dizer... – Bel lutava para encontrar as palavras para explicar. – Tenho muita sorte. Levo uma vida extremamente privilegiada. Ano que vem, nessa mesma época, estarei casada. Vou morar em uma bela casa e ter tudo que uma mulher pode desejar.

– Então por que vejo infelicidade em seus olhos quando você fala sobre o futuro? Poderia ser, como você sugeriu na primeira vez que nos vimos, porque seu casamento é um acordo que segue a cabeça e não o coração?

Bel ficou em silêncio, sentindo o calor subir ao seu rosto, revelando a verdade do que Laurent tinha acabado de falar.

– Monsieur Brouilly, você não entende – disse ela por fim. – As coisas são diferentes no Rio. Meu pai deseja que eu faça um bom casamento. Meu noivo é de uma das famílias mais influentes do Brasil. E, além disso – acrescentou desanimada –, não tenho nenhum talento como o seu com o qual ganhar a vida. Dependo completamente do meu pai para tudo que tenho, e em breve dependerei do meu marido.

– Sim, mademoiselle, entendo e me solidarizo com sua situação. Mas, infelizmente – falou, suspirando –, só você pode fazer algo para mudar isso.

Laurent baixou o lápis e contemplou seus traços durante vários minutos enquanto Bel esperava, tensa, inquieta e frustrada com a conversa.

Finalmente, Laurent ergueu o olhar.

– Bem, ao ver isso, posso lhe garantir que você poderia ganhar a vida como modelo de artistas em Montparnasse. Não tem apenas um rosto bonito, como, por baixo das camadas que cobrem seu corpo, tenho certeza de que você é a própria personificação da feminilidade.

Seus olhos percorreram o corpo de Bel, e ela sentiu mais uma vez um estranho calor subindo pelo seu peito até o rosto.

– Por que está tão envergonhada? – perguntou ele. – Aqui em Paris, nós celebramos a beleza das formas femininas. Afinal de contas, todos nós nascemos nus, e é a sociedade que dita que precisamos de roupas. E, é claro, o clima em Paris no inverno. – Ele deu uma risada, olhando para o relógio. – E não se preocupe – acrescentou, estudando-a mais uma vez –, vou esculpi-la exatamente com o que está vestindo hoje. Está perfeito.

Bel assentiu em silêncio e aliviada.

– Então, agora que a forcei a revelar sua alma interior e já é meio-dia, vou trazer pão e queijo e servir um pouco de vinho como recompensa.

Laurent recolheu as canecas de café e atravessou o estúdio em direção à cozinha, fazendo uma pausa para perguntar a Margarida se ela se juntaria a eles para o almoço.

– Obrigada – respondeu ela, e deixou sua escultura para limpar a argila das mãos.

Bel permaneceu sozinha, olhando pela janela para o campo de lavanda, sentindo-se abalada e vulnerável. De alguma forma, Laurent a persuadira a revelar seus verdadeiros sentimentos com relação ao futuro.

– Você está bem, Izabela? – Margarida veio se sentar ao seu lado e, com um ar preocupado, colocou a mão no ombro de Bel. – Ouvi parte de sua conversa. Espero que monsieur Brouilly não a tenha pressionado demais tentando retratá-la fielmente. E espero – completou, baixando a voz – que tenha sido realmente por motivos profissionais.

– O que você quer dizer?

Mas Margarida não teve tempo de responder porque Laurent chegou com a bandeja.

Bel ficou em silêncio durante o almoço, ouvindo Margarida e Laurent conversarem sobre seus conhecidos em comum e fofocarem sobre as últimas extravagâncias do grupo pitoresco com o qual conviviam.

– Cocteau montou um espaço nos fundos de um prédio na Rue de Châteaudun e está convidando seus amigos para ir até lá beber coquetéis que ele mesmo cria e batiza. Ouvi dizer que são letais – disse Laurent, tomando um grande gole de vinho. – Dizem que sua nova mania é fazer sessões espíritas.

– O que é isso? – perguntou Bel, fascinada.

– É quando você tenta entrar em contato com os mortos – esclareceu Margarida. – Algo que não me atrai nem um pouco – completou ela, estremecendo.

– Ele também participa de sessões de hipnose em grupo, para ver se é possível alcançar a mente subconsciente. Isso me interessaria. A psique do homem me fascina quase tanto quanto a sua forma física. – Laurent olhou para Bel. – Como você deve ter percebido esta manhã, mademoiselle. Agora é hora de voltar ao trabalho. Enquanto eu arrumo uma cadeira no canto do ateliê onde a iluminação é melhor, sugiro que dê uma volta rápida pelo jardim. Quando eu começar, insistirei para que fique imóvel como a pedra em que vou trabalhar.

– Vou acompanhá-la, monsieur Brouilly. Também preciso de um pouco de ar fresco – disse Margarida. – Venha, Izabela.

As duas mulheres se levantaram e saíram para o jardim, caminhando junto aos canteiros de lavanda, com seu perfume voluptuoso.

– O único som que ouço é o zumbido das abelhas que estão roubando o néctar. – Margarida suspirou de prazer, passando o braço de Bel pelo seu. – Tem certeza de que está bem, Izabela? – perguntou.

– Sim – confirmou Bel, menos tensa depois do vinho do almoço.

– Bem, só me prometa que não vai permitir que ele a deixe desconfortável.

– Prometo – tranquilizou-a. – Não é estranho? – perguntou ela enquanto caminhavam lentamente pelo jardim, rodeado por uma bem-cuidada cerca viva de cipreste. – Apesar da riqueza da flora e da fauna no Brasil, e mesmo que lá seja tão bonito quanto aqui, a energia e o clima da França são tão diferentes. Em casa, acho difícil ser contemplativa, me sentir em paz comigo mesma. Mas aqui, mesmo no coração de Montparnasse, de alguma forma consigo isso. Consigo me ver claramente.

Margarida encolheu os ombros.

– Agora temos de voltar ao ateliê para que monsieur Brouilly possa começar a sua obra-prima.

❂ ❂ ❂

Três horas mais tarde, no carro a caminho de casa, Bel descobriu que estava exausta. Pelo que parecera uma eternidade, ela ficara sentada em uma cadeira, as mãos nos joelhos, os dedos exatamente na posição em que Laurent os colocara.

Em vez de sensual, sentia-se como uma tia solteirona, cuja imagem seria capturada em tons de sépia por uma câmera. Agora, suas costas doíam por ter ficado muito tempo sentada e seu pescoço estava duro. Quando ousava mover pelo menos um pouco os dedos para uma posição mais confortável, Laurent notava. Então ele se levantava de trás do bloco de pedra em que estava trabalhando e andava até ela para recolocar a mão exatamente na posição que queria.

– Izabela, acorde, querida. Nós já chegamos ao seu apartamento.

Ela deu um pulo, envergonhada por Margarida tê-la flagrado cochilando.

– Sinto muito – disse Bel, ajeitando-se enquanto o motorista abria a porta do carro. – Eu não sabia que seria tão cansativo.

– Foi um dia longo e difícil para você, em todos os sentidos. Tudo é novo, e só isso já é desgastante. Está disposta a ir ao ateliê amanhã?

– Claro – disse Bel, decidida, ao sair do carro. – Boa noite, Margarida. Vejo você às dez.

Naquela noite, quando pediu licença para não participar do costumeiro jogo de cartas após o jantar e deitou a cabeça, agradecida, no travesseiro, Bel concluiu que a sugestão de Laurent de se sustentar trabalhando como modelo não seria uma opção tão fácil quanto presumira.

23

as três semanas seguintes, Bel acompanhou Margarida todas as manhãs ao ateliê de Landowski em Boulogne-Billancourt. Em algumas ocasiões, Heitor da Silva Costa também as acompanhou, levando novos projetos e desenhos para o seu Cristo.

– Landowski está fazendo mais um modelo para mim enquanto tentamos refinar a ideia – dizia ele, e então saía correndo do carro assim que chegavam, ansioso por ver se Landowski tinha concluído a nova versão.

Sempre que recebia uma lista de pequenas alterações que exigiam que fizesse um novo modelo, o escultor sentava-se resmungando baixinho em sua bancada.

– Aquele brasileiro maluco. Como eu gostaria de nunca ter concordado em fazer parte desse sonho impossível.

Mas isso era dito de forma carinhosa, com uma admiração implícita pela escala do projeto.

Lentamente, o projeto de Bel também progredia, e sua imagem tomava forma sob os dedos sensíveis de Laurent. Ela acabou se acostumando a se perder em seus pensamentos enquanto ficava ali sentada, imóvel. E a maioria deles era sobre Laurent, a quem observava constantemente pelo canto do olho, sempre muito concentrado entalhando a pedra com um martelo de unha e um cinzel curvo.

Numa manhã particularmente quente de julho, Landowski colocou a mão no ombro de Laurent enquanto ele trabalhava.

– Acabei de entregar uma nova versão do Cristo no escritório do Sr. Da Silva Costa em Paris – rosnou Landowski. – E agora o brasileiro maluco me pediu que fizesse um modelo em escala de 4 metros e deseja que eu comece imediatamente. Vou precisar da sua ajuda, Brouilly, então nada mais de brincar na escultura da linda dama. Você tem mais um dia para terminá-la.

– Sim, professor, é claro – respondeu Laurent, lançando a Bel um olhar resignado.

Bel tentou não mostrar o profundo desespero que a tomou ao ouvir aquelas palavras. Então Landowski foi até onde Bel estava, e ela sentiu que estava sendo avaliada.

– Você pode começar fazendo um molde dos longos e lindos dedos da mademoiselle. Vou precisar de alguém que sirva de modelo para as mãos do Cristo, que devem ser tão delicadas e elegantes quanto as dela. As mãos Dele irão abraçar e proteger todos os Seus filhos lá embaixo e não podem ser as mãos calejadas e desajeitadas de um homem.

– Sim, professor – respondeu Laurent, obediente.

Landowski pegou a mão de Bel, ajudando-a a se levantar da cadeira. Depois a levou até a bancada, onde apoiou a mão dela de lado, com seu dedo mínimo tocando a mesa. Então esticou os dedos dela e apertou para uni--los, deixando o polegar encostado à extremidade da palma da mão.

– Você vai fazer um molde das mãos de mademoiselle assim. Você conhece o modelo, Brouilly. Deixe o mais parecido que puder. E faça também um molde das mãos de mademoiselle Margarida. Os dedos dela também são elegantes. Assim, posso comparar como ficarão em nosso Cristo.

– Claro – disse Laurent. – Mas podemos começar amanhã de manhã? Mademoiselle Izabela deve estar cansada depois de um longo dia posando para mim.

– Se a mademoiselle aguentar, eu preferiria que fosse feito agora. Assim os moldes estarão secos amanhã de manhã e terei com o que trabalhar. Tenho certeza de que não se importa, não é mesmo, mademoiselle? Landowski olhou para ela como se a resposta fosse irrelevante.

Ela balançou a cabeça.

– Eu ficaria honrada, professor.

– Agora – disse Laurent, depois de cobrir as mãos de Bel com gesso – você tem de me prometer que não vai mover nem mesmo uma cutícula até que esteja pronto. Caso contrário, teremos que começar tudo de novo.

Bel ficou sentada, tentando ignorar uma coceira irritante na palma da mão esquerda, e observou Laurent fazer o mesmo processo com Margarida. Quando terminou, verificou o relógio e bateu delicadamente no gesso que secava em torno das mãos de Bel.

– Mais quinze minutos serão o suficiente – disse ele, e então riu. – Queria ter uma câmera para tirar uma foto de vocês duas aí sentadas com as mãos cobertas de gesso branco. É uma imagem realmente estranha. Agora, por favor, me deem licença que vou buscar um copo d'água. Não se preocupem, mesdemoiselles, eu vou voltar... antes do anoitecer. – Então piscou para elas e caminhou na direção da cozinha.

As duas garotas se entreolharam, Deviam estar ridículas, e os lábios se contraíam num riso contido, mas procuravam se controlar de todas as formas, pois sabiam que qualquer movimento poderia reverberar até as mãos.

– Talvez, um dia, a gente olhe para o Corcovado e se lembre deste momento – comentou Margarida com um sorriso.

– Eu vou, com certeza – respondeu Bel, melancólica.

Foram necessários apenas alguns minutos de trabalho delicado e, como Bel pensou depois, perigoso para Laurent fazer pequenos cortes ao longo de suas mãos com uma faca afiada e em seguida soltar delicadamente o gesso de seus dedos previamente untados. Quando terminou, ele olhou satisfeito para os moldes em cima da mesa.

– Perfeito – disse Laurent. – O professor ficará contente. O que você acha de suas mãos em gesso? – perguntou enquanto começava o mesmo processo de remoção em Margarida.

– Nem um pouco parecidas com as minhas – respondeu Bel, observando as formas brancas. – Posso ir lavá-las agora?

– Sim. O sabão e a escova estão ao lado da pia – explicou ele.

Quando Bel voltou, sentindo-se melhor agora que tinha tirado a gordura e o pó de gesso das mãos, Laurent observava chateado um dedo que havia se quebrado quando removia o gesso de Margarida.

– Tenho certeza de que é possível recuperá-lo – disse ele. – Ficará com uma linha bem fina na junta, mas deve servir.

Foi a vez de Margarida sair para lavar as mãos, então Laurent começou a limpar o ateliê para encerrar o trabalho da tarde.

– É uma pena o professor precisar da minha ajuda com urgência. Ainda falta muito para terminar sua escultura, mas pelo menos tenho seus dedos agora – acrescentou com ironia.

– Precisamos ir embora – disse Margarida quando voltou. – Meu motorista está esperando há horas, e a responsável de mademoiselle Bel vai se perguntar aonde ela foi.

– Diga a ela que sequestrei sua protegida e não vou devolvê-la até terminar minha escultura – brincou Laurent enquanto as garotas recolhiam seus chapéus e seguiam para a porta. – Izabela, você não está esquecendo nada? – chamou assim que Bel pisou do lado de fora. Ele agitava a aliança de noivado dela na ponta do dedo mínimo. – Talvez seja melhor devolver isto ao seu lugar para que ninguém pense que você a tirou de propósito – continuou, enquanto ela caminhava de volta ao ateliê. – Venha, deixe que eu coloque em você.

Laurent segurou a mão de Bel e deslizou a aliança pelo dedo, olhando fixamente nos olhos dela.

– Pronto, está de volta. *À bientôt,* mademoiselle. E não se preocupe, vou encontrar uma maneira de continuarmos com a escultura.

As garotas deixaram o ateliê, entraram no carro e seguiram viagem de volta ao centro de Paris. Bel olhava pela janela, sentindo-se infeliz.

– Izabela?

Ela virou e viu que Margarida a observava, pensativa.

– Posso lhe fazer uma pergunta pessoal?

– Acho que sim – respondeu, cautelosa.

– Bem, a pergunta tem duas partes, na verdade. Lembra que ouvi sua conversa com Laurent enquanto ele fazia um esboço seu e que você expressava seus medos com relação a voltar para o Rio e casar com seu noivo?

– Sim. Por favor, Margarida, isso não pode chegar aos ouvidos de mais ninguém além de Laurent e você – acrescentou apressadamente, temendo que algum rumor chegasse ao Brasil.

– Entendo o que você quis dizer. Mas, claro, não pude deixar de me perguntar se sua relutância em se casar com seu noivo aumentou nas últimas semanas.

Bel esticou o dedo e distraidamente examinou a aliança de noivado enquanto pensava na pergunta de Margarida.

– Quando deixei o Rio, me sentia grata por Gustavo permitir que eu viesse à Europa com a família Da Silva Costa antes de nos casarmos. Não esperava que ele fosse me deixar vir e sentia que havia sido um presente. Mas, agora que o presente está quase no fim e devo voltar para casa em menos de três semanas, a verdade é que... meu sentimento por ele não é o mesmo. Sim, Paris mudou a minha perspectiva de muitas coisas – disse ela, suspirando.

– Vejo que você ama a liberdade que Paris lhe oferece – respondeu Margarida. – Assim como eu.

– Sim – disse Bel, tomada de emoção e com a voz embargada. – E a pior coisa é que, agora que experimentei uma vida diferente, pensar sobre o futuro ficou ainda mais difícil. Parte de mim gostaria de nunca ter vindo aqui e experimentado algo que poderia ser meu e nunca será.

– E, então, eu chego à segunda parte da minha pergunta – continuou Margarida gentilmente. – Tenho observado você e Laurent juntos enquanto ele a esculpe. Vou ser sincera e dizer que, no começo, achava que os elogios e as insinuações dele não eram diferentes do que faria com qualquer mulher bonita que escolhesse como modelo. Mas, nos últimos dias, tenho notado a maneira como ele às vezes olha para você, o jeito carinhoso de tocar a pedra enquanto trabalha, como se estivesse sonhando que, na verdade, está acariciando você. Perdoe-me, Izabela – desculpou-se Margarida, balançando a cabeça. – Geralmente sou pragmática quando se trata do amor. Entendo bem como os homens são, principalmente aqui em Paris, mas sinto que devo alertá-la. Temo que, por causa da inegável paixão que sente por você, quando perceber que o tempo de vocês juntos está se esgotando ele esqueça que você é comprometida.

– E, é claro, eu imediatamente o lembraria disso – replicou Bel, dando a Margarida a única resposta apropriada.

– Lembraria? Será mesmo? – indagou ela, pensativa. – Porque, da mesma forma que noto o que Laurent sente por você, também vejo o que sente por ele. Na verdade, percebi isso no instante em que ele se aproximou da nossa mesa no La Closerie des Lilas, em nosso primeiro almoço juntas em Montparnasse. E vou ser sincera, logo fiquei preocupada. Na época, pensei que talvez ele estivesse brincando com você, aproveitando-se de sua ingenuidade. Há muitos homens inescrupulosos em meio à fraternidade artística de Paris. Eles veem o amor como uma diversão, e para eles o coração da mulher não é mais do que um brinquedo. E quando seduzem suas presas com sua lábia, simplesmente tomam o que desejam. E depois, é claro, tendo alcançado seu objetivo, o jogo já não traz nenhuma novidade, então eles partem à procura de um novo desafio.

O rosto de Margarida exibiu uma expressão de sofrimento enquanto ela fazia o discurso e Bel notou que seus olhos estavam cheios de lágrimas.

– Sim, Izabela. – Margarida a encarou. – É isso mesmo que você está pensando. Quando morei na Itália, me apaixonei exatamente pelo tipo de homem que descrevi. E, é claro, tendo vindo direto da redoma do Rio, eu era tão ingênua quanto você. E sim, ele me seduziu. Em *todos* os sentidos da palavra. Mas depois que vim para Paris não tive mais notícias dele.

Bel processou, chocada e em silêncio, o que Margarida lhe contava.

– Bem, é isso. Compartilhei meu maior segredo com você – disse Margarida, suspirando. – E faço isso simplesmente porque espero que algo positivo possa surgir da imensa tristeza e do desespero que sofri depois. Sou um pouco mais velha do que você e, infelizmente, depois do que me aconteceu, mais esperta. E não posso deixar de ver em você o que eu era na época: uma jovem apaixonada pela primeira vez.

Bel estava a ponto de explodir de amor por Laurent. Até aquele momento, o mais sincera que conseguira ser a respeito fora ao escrever sobre isso nas cartas que enviava a Loen. Mas decidiu confiar em Margarida, uma vez que a amiga já havia compartilhado seu segredo.

– Sim – confessou ela. – Eu o amo. Eu o amo de todo o coração. E não posso suportar a ideia de passar o resto da vida sem ele.

Então começou a chorar, sentindo que uma barreira era rompida pelo alívio de compartilhar seus verdadeiros sentimentos em voz alta com Margarida.

– Bel, eu sinto muito, não quis angustiá-la. Ouça – Margarida olhou pela janela –, estamos perto de seu apartamento agora e você não pode chegar em casa assim. Vamos nos sentar em algum lugar tranquilo. Já estamos muito atrasadas mesmo, alguns minutos a mais não farão diferença.

Margarida falou com o motorista e lhe disse aonde ir. Alguns segundos depois, o carro parou na Avenue de Marigny, ao lado de um pequeno parque cercado por grades de ferro.

Elas desceram do Delage e Margarida levou Bel até um banco, onde se sentaram. Bel viu o sol se pondo com elegância atrás dos plátanos que delimitavam o parque e enfeitavam toda avenida que vira em Paris.

– Por favor, você tem que me perdoar por falar tão francamente – desculpou-se Margarida. – As questões do seu coração não são da minha conta, eu sei. Mas, ao ver vocês dois tão cheios de paixão um pelo outro, senti que devia dizer alguma coisa.

– Mas minha situação com certeza é diferente da sua na Itália, não é? – insistiu Bel. – Você mesma disse no carro que acha que Laurent nutre sentimentos por mim. Que talvez ele me ame.

– Na época, eu também tinha certeza de que Marcello *me amava*. Ou pelo menos eu queria acreditar que sim. Mas não importa o que Laurent lhe diga, Izabela, por mais que ele seja convincente, por favor lembre-se de que, embora você ache que possam ter um futuro juntos, não podem. Laurent não pode lhe oferecer nada: nem casa nem segurança, e, acredite em mim, a última coisa que ele deseja é ficar preso a uma esposa e um bando de filhos. O problema com os artistas é que se apaixonam pela ideia de estarem apaixonados. Mas isso não leva a lugar nenhum, não importa o quanto vocês dois estejam apaixonados. Você me entende?

Bel avistou uma babá com duas crianças, os únicos ocupantes dos jardins além delas, mas não prestava atenção neles.

– Entendo. Mas também vou ser sincera: embora meus ouvidos a ouçam e meu cérebro compreenda seu aviso, meu coração não se deixa convencer tão facilmente.

– Não, claro que não – admitiu Margarida. – Mas, por favor, Bel, pelo menos pense no que eu disse. Eu detestaria que você arruinasse o resto de sua vida deixando-se dominar por suas emoções por alguns poucos minutos. Como seu noivo permitiu que você viesse para cá, se ele descobrisse seu segredo seria uma traição que nunca poderia perdoar.

– Eu sei. – Bel mordeu o lábio, sentindo-se culpada. – Obrigada, Margarida. Sou grata por seus conselhos. Mas agora realmente precisamos ir, ou Maria Georgiana nunca mais me deixará sair do alcance de sua vista.

❁ ❁ ❁

Margarida subiu com Bel até o apartamento da família Da Silva Costa e, serena, explicou a uma Maria Georgiana impassível que o próprio Landowski as havia atrasado, ao pedir que seu assistente fizesse o molde das mãos delas.

– Bem, como podem imaginar, não parei de pensar em todo tipo de coisas terríveis que podiam ter acontecido a vocês. Por favor, cuidem para que isso não aconteça novamente.

– Vamos tomar cuidado, prometo – concordou Bel, depois levou Margarida até a saída. As duas se abraçaram afetuosamente.

– Boa noite, Izabela, vejo você amanhã.

Na cama, em vez de pensar no que Margarida dissera sobre o terrível destino que poderia ter se sucumbisse ao charme de Laurent, Bel só conseguia sentir alegria.

Ela acha que Laurent me ama... Ele me ama...

E, naquela noite, Bel adormeceu facilmente, com um sorriso de êxtase estampado no rosto.

24

— alei com o professor – disse Laurent quando Bel e Margarida chegaram ao ateliê na manhã seguinte – e expliquei que não conseguiria terminar a escultura em um dia. Concordamos que, a partir de agora, você pode vir aqui ao entardecer, quando terminarmos o trabalho no Cristo. Posso falar com o Sr. Da Silva Costa e explicar a situação, se ajudar.

Bel, que chegara ao ateliê tensa e apreensiva, ficou tão aliviada com suas palavras que assentiu enfaticamente.

– Mas, monsieur Brouilly – interrompeu Margarida, franzindo a testa de preocupação –, eu não poderei acompanhar mademoiselle Izabela aqui a essa hora. Devo voltar para casa toda tarde às seis para jantar com minha mãe.

– Claro, mademoiselle, mas não há nada de inapropriado nisso – explicou Laurent. – O professor estará presente, e sua esposa e seus filhos estarão em casa, a poucos passos de distância.

Naquele momento, ao lançar um olhar suplicante para Margarida, Bel viu nos olhos da amiga que ela se rendia.

– Claro, não há nada de inapropriado – disse ela abruptamente. – Com licença, preciso ir me trocar.

– Então vamos ao trabalho – concluiu Laurent, sorrindo para Bel com um ar triunfante.

❁ ❁ ❁

Naquela noite, Heitor comentou no jantar que Laurent Brouilly ligara para ele em seu escritório e explicara as circunstâncias que exigiam a presença de Bel no ateliê ao entardecer.

– Como foi a urgência do meu projeto que o forçou a deixar de lado sua estátua, sinto que devo concordar – concluiu Heitor. – Izabela, meu motorista vai levá-la ao ateliê todos os dias às cinco horas da tarde e trazê-la de volta para casa às nove.

– Com certeza deve haver algum ônibus que eu possa tomar, não é? Não quero lhe causar nenhum transtorno, senhor – explicou Bel.

– Ônibus? – Maria Georgiana parecia horrorizada. – Não creio que seus pais gostariam que você usasse o transporte público sozinha à noite em Paris. Naturalmente, nosso motorista deve levá-la e buscá-la.

– Obrigada. Posso pagar pelas despesas – disse Bel em voz baixa, disfarçando o intenso alívio e a alegria que sentia.

– Na verdade, Izabela – continuou Heitor –, será ótimo para mim tê-la no ateliê de Landowski. Você pode espionar o andamento do trabalho e me relatar como está o progresso do novo modelo de 4 metros do meu Cristo – disse ele, sorrindo.

❋ ❋ ❋

– O que você acha de eu acompanhá-la uma tarde ao ateliê para ver monsieur Brouilly trabalhando na sua escultura? – indagou Maria Elisa ao se deitarem naquela noite.

– Vou perguntar se ele se importaria – disse Bel. – Está gostando do trabalho no hospital? – perguntou ela, mudando de assunto e esperando que Maria Elisa esquecesse o pedido.

– Muito – respondeu Maria Elisa. – E há alguns dias falei com meus pais que gostaria de trabalhar como enfermeira no futuro. Mamãe não ficou feliz, como pode imaginar, mas meu pai me apoiou muito e criticou minha mãe por ser tão antiquada. – Maria Elisa sorriu. – Não é culpa dela – acrescentou logo, sempre pronta a perdoar. – Ela foi criada em uma época diferente. Então agora estou ansiosa para voltar ao Rio e embarcar na trajetória que escolhi. Infelizmente, meu pai acha que ainda vai levar mais um ano para terminar o trabalho aqui. Você tem tanta sorte de voltar para casa em duas semanas, Bel. Durma bem.

– Você também – respondeu Bel.

E ficou deitada pensando no que Maria Elisa acabara de dizer. *Se pudéssemos trocar de lugar*, pensou, sonolenta, sabendo que venderia a alma para estar no lugar da amiga e passar mais um ano em Paris.

❁ ❁ ❁

Dois dias depois, Bel posava no ateliê enquanto a noite caía. Pelo canto do olho, podia ver a estrutura de 4 metros do Cristo ganhando forma e dominando o estúdio. Margarida já tinha ido embora e, enquanto Bel chegava, Landowski estava saindo para jantar com sua família na casa ao lado. Sem o zumbido usual de vozes, Bel prestava atenção ao silêncio.

– Em que você está pensando? – perguntou Laurent de repente.

Bel viu que as mãos dele trabalhavam na parte superior de seu tronco e naquele momento estavam envolvidas em dar o contorno de seus seios por baixo da blusa de gola alta de musselina.

– Apenas em como o ateliê fica diferente à noite – respondeu ela.

– Sim, com certeza há uma serenidade maior quando o sol se põe. Costumo trabalhar aqui sozinho à noite, desfrutando esta paz. Landowski precisa dar atenção a sua família e, além disso, ele diz que não consegue esculpir depois que a luz diminui.

– Você consegue?

– Izabela, mesmo que você não estivesse mais sentada à minha frente, eu poderia esculpi-la tranquilamente. Depois de olhar para você por tanto tempo, os detalhes exatos de suas formas estão gravados na minha memória.

– Então acho que você não precisa mais de mim aqui, afinal.

– Você talvez tenha razão. – Ele deu um sorriso lânguido. – Mas é a desculpa perfeita para ter sua companhia. Você não concorda?

Era a primeira vez que Laurent fazia um comentário direto confirmando que desejava a presença dela ali não apenas por razões artísticas.

Ela baixou os olhos.

– Sim – respondeu ela.

Laurent não disse mais nada e trabalhou em silêncio durante a hora seguinte. Então se alongou e sugeriu que fizessem uma pausa.

Quando ele foi para a cozinha, Izabela se levantou e andou pelo ateliê para relaxar as costas. Olhou sua escultura inacabada e admirou as linhas simples.

– Você se reconhece? – perguntou Laurent.

Ele trazia uma jarra de vinho e uma tigela de azeitonas, e Bel o seguiu até a mesa rústica.

– Na verdade, não – respondeu sinceramente, observando a escultura enquanto ele enchia duas taças. – Talvez quando você terminar meu rosto. Pareço tão nova por enquanto, quase uma menina na posição em que você me fez posar.

– Excelente! – exclamou Laurent. – Tenho em mente a imagem de um botão de rosa fechado, pouco antes de começar a se abrir em uma flor perfeita. Aquele instante entre a infância e a maturidade, no limiar da juventude, contemplando as delícias que ela pode trazer.

– Eu não sou criança – rebateu Bel, sentindo-se diminuída pela explicação de Laurent.

– Mas também ainda não é mulher – disse ele, observando-a enquanto ela bebia o vinho.

Bel não sabia como responder. Tomou outro gole de vinho, sentindo o coração acelerar.

– Então, de volta ao trabalho – disse ele logo –, antes que a luz suma de vez.

❀ ❀ ❀

Duas horas depois, Bel se levantou para ir embora. Laurent a acompanhou até a porta do ateliê.

– Volte em segurança para casa, Izabela. E me perdoe se achou inapropriado o que eu disse. Você mal falou comigo depois.

– Eu...

– Shhh. – Laurent levou um dedo gentilmente aos lábios dela. – Eu entendo. Sei o rumo que sua vida deve tomar, mas não posso deixar de desejar que as coisas fossem diferentes. Boa noite, minha doce Bel.

Enquanto ia para casa, Bel pensava no que Laurent lhe dissera. Aquela fora sua maneira de falar que, se ela estivesse livre, desejava que ficassem juntos. Mas ele também compreendia a situação dela e, como um cavalheiro, nunca iria ultrapassar os limites.

– Mesmo querendo... – murmurou ela para si mesma em êxtase.

❀ ❀ ❀

Ao longo dos dias seguintes, Laurent não insinuou mais nada. Falava apenas sobre a escultura, ou fofocas sobre Montparnasse e seus moradores. Ironicamente, quanto mais neutra era a conversa, mais crescia a tensão emocional e física dentro de Bel. E foi *ela* quem começou a fazer alguns comentários, elogiando uma camisa nova que ficava bem nele, ou enaltecendo seu talento como escultor.

A cada dia que passava, sua frustração aumentava. Como Laurent tinha deixado completamente de flertar com ela, sentia-se perdida. Além disso, perguntava a si mesma várias e várias vezes: aonde exatamente pretendia chegar?

Mas não importava quantas vezes se questionasse e sua cabeça lhe dissesse que quanto mais cedo estivesse no navio de volta ao Brasil melhor. Ao passar horas ali sentada na presença de Laurent, tê-lo tão perto e tão longe ao mesmo tempo era uma deliciosa tortura para sua alma.

Uma noite, após dar um inocente boa-noite a Laurent, quando parou no jardim para se arrumar antes de entrar no carro à sua espera e voltar para casa, ela notou um montinho de trapos sob a cerca viva de ciprestes. Bel tinha certeza de que aquilo não estava lá antes, quando deu uma volta no jardim durante um intervalo. Dando um passo hesitante para a frente, ela estendeu um pé até o pequeno monte e o cutucou com a ponta do sapato. A pilha de trapos se mexeu e Bel deu um pulo para trás, assustada.

Ainda mantendo uma distância cautelosa, ela notou um pequeno e sujo pé humano aparecer por entre os trapos e em seguida, na outra ponta do montinho, uma cabeça com cabelos emaranhados de terra. Quando a figura começou a se revelar, Bel percebeu que era um menino, de talvez 7 ou 8 anos. E então Bel viu os olhos dele, confusos e exaustos, se abrirem por alguns segundos. Depois se fecharam novamente, e ela percebeu que a criança tinha voltado a dormir.

– Meu Deus – sussurrou para si mesma em português, os olhos cheios de lágrimas.

Indecisa sobre o que fazer, andou devagar até o menino e se ajoelhou ao lado dele sem fazer barulho, não querendo assustá-lo. Bel estendeu a mão, mas desta vez seu toque despertou o menino, que se sentou apavorado, imediatamente alerta.

– Por favor, não tenha medo, não vou machucá-lo. *Tu parles français?*

O rosto sujo do menino era um retrato do pavor. Ele levantou os braços magros à sua frente para se proteger e se afastou dela, indo para baixo da cerca viva.

– De onde você é? – tentou ela novamente, agora em inglês.

Mais uma vez, ele só olhou para ela com medo, como um animal pego em uma armadilha, e Bel notou um corte profundo na canela dele, coberto de sangue seco. Enquanto o menino se encolhia, os enormes olhos assustados trazendo ainda mais lágrimas aos dela, Bel lentamente estendeu a mão e tocou suavemente o rosto dele. Então abriu um sorriso, sabendo que não devia assustá-lo, e sim tentar ganhar sua confiança. Quando os dedos dela gentilmente se curvaram em volta do rosto dele, Bel sentiu o garoto relaxar.

– O que houve com você? – murmurou ela, estudando os olhos do garoto. – Seja lá o que você tenha visto, é muito jovem para conhecer tanta dor.

De repente, a cabeça do garoto desabou pesadamente na palma da mão de Bel, mas alguns segundos depois ele a afastou novamente, assustado. Por fim, quando percebeu que ela mantinha a mão protetora em seu rosto, ele voltou a dormir.

Então, continuando com o gesto para não perturbá-lo, Bel conseguiu se arrastar para mais perto, sussurrando palavras carinhosas nos três idiomas que conhecia, e passou o outro braço em volta dele. Finalmente, puxou-o suavemente dos arbustos. Ele choramingava, mas já não parecia ter medo, e só se contraiu um pouco de dor quando ela moveu a perna direita dele, onde havia a terrível ferida, para poder aninhar o corpo magro sobre seus joelhos.

O menino deu um suspiro e virou a cabeça para se aconchegar em seu colo. Bel fez o máximo para engolir a bile que subia à sua boca por causa do terrível cheiro do menino e se sentou, embalando-o nos braços.

– Izabela – disse uma voz vinda de trás. – O que você está fazendo sentada aí na grama?

– Shhh! – Ela silenciou Laurent enquanto acariciava o rosto adormecido do menino para acalentá-lo. – Você vai acordá-lo.

– Onde você o encontrou? – disse Laurent, também sussurrando.

– Sob a cerca viva. Ele não deve ter mais do que 7 ou 8 anos, mas é tão magro que não deve pesar mais que um bebê. O que faremos? – Ela olhou para ele com uma expressão de desespero. – Não podemos deixá-lo aqui. Ele tem um machucado grave na perna que precisa ser tratado. Pode infeccionar e ele acabar morrendo.

Laurent olhou para Bel e para a criança suja, depois balançou a cabeça.

– Izabela, com certeza você sabe que existem muitas dessas crianças pelas ruas da França. A maioria entra no país ilegalmente pelas fronteiras da Rússia ou da Polônia.

– Sim – sussurrou ela. – Isso acontece no Brasil também. Mas este menino está aqui conosco agora, e fui *eu* que o encontrei. Como eu poderia abandoná-lo, largá-lo à beira da estrada perto daqui e deixá-lo morrer? Seria um peso que eu carregaria em minha consciência pelo resto da vida.

Laurent viu as lágrimas correrem pelo rosto de Bel, os olhos brilhando de dor e paixão. Abaixou-se ao lado dela, em seguida estendeu a mão para acariciar de maneira hesitante o cabelo emaranhado do menino.

– Perdoe-me – murmurou ele. – Talvez o que vejo todos os dias nas ruas de Paris tenha me deixado imune ao sofrimento. Deus colocou esta criança em seu caminho e, é claro, você deve fazer o que puder para ajudá-lo – concordou Laurent. – É muito tarde agora para perturbar os Landowskis. Hoje ele pode dormir em um catre na cozinha. Tenho a chave da porta e posso trancá-lo lá dentro, para mantê-lo longe o suficiente do precioso Cristo de Landowski, por segurança. Infelizmente, nunca se sabe como anda a cabeça de alguém nesse estado. Vou dormir esta noite aqui no ateliê e ficar de olho. Você consegue levá-lo para dentro?

– Sim. Obrigada, Laurent – agradeceu Bel.

– Vou avisar ao motorista que você ainda vai demorar um pouco.

Laurent ajudou Bel a se levantar. O menino ainda dormia nos braços dela.

– Ele é leve como uma pena – sussurrou Bel, enquanto olhava para aquele jovem rosto inocente, confiante de que ela cuidaria dele simplesmente porque não tinha alternativa.

Laurent a observou carregar o menino até o ateliê de maneira terna e cuidadosa para não acordá-lo. E, quando foi falar com o motorista, seus olhos também se encheram de lágrimas por um momento.

Ainda com a criança nos braços, Bel o esperava na cadeira onde se sentava todos os dias para que ele a esculpisse.

– Vou preparar um lugar para ele dormir na cozinha – falou Laurent, perguntando-se o que Landowski diria quando encontrasse uma criança de rua suja em seu ateliê no dia seguinte. Mas, apesar disso, queria ajudar.

Poucos minutos depois, Bel levou o menino até a cozinha e o deitou delicadamente.

– Preciso ao menos lavar seu rosto e talvez tentar limpar a ferida. Você tem um pano e um antisséptico?

– Em algum lugar – respondeu Laurent, e começou a procurar nos armários até encontrar o remédio.

Então saiu da cozinha e voltou logo depois com uma espécie de gaze de algodão branca usada no estúdio para os moldes de gesso.

– Você tem uma atadura? – perguntou ela.

Laurent disse que não encontrou nada nos armários e viu Bel envolver suavemente a ferida com a gaze para protegê-la. O menino se encolheu, mas continuou dormindo.

– Está quente hoje, mas mesmo assim ele está tremendo. Deve ser febre. Precisa de um cobertor – pediu ela, e Laurent na mesma hora trouxe a manta que colocaria em torno de seus próprios ombros aquela noite.

– Vou ficar aqui por um tempo, molhando o corpo dele com água fria para baixar a temperatura e cuidando para que ele se sinta seguro – disse Bel a Laurent, que continuava ao lado na pequena cozinha.

Ele balançou a cabeça e saiu para preparar seu próprio catre no ateliê.

– Doce menininho – sussurrou ela, esfriando a testa dele com um pano úmido e acariciando seu cabelo. – Quando você acordar amanhã, eu não vou estar aqui, mas não tenha medo. Prometo que, quando eu voltar, cuidarei para que fique em segurança. Mas agora preciso ir embora. Durma bem.

Quando Bel começou a se levantar, uma pequena mão saiu de repente de baixo do cobertor e agarrou sua saia. Os olhos do menino estavam bem abertos e olhavam para ela fixamente.

– Nunca vou esquecer o que você fez por mim esta noite, mademoiselle – disse o garoto, em um francês perfeito. E depois, com um suspiro de contentamento, a criança rolou para o lado e mais uma vez fechou os olhos.

– Preciso ir – disse Bel a Laurent, saindo da cozinha. – Onde está a chave para trancar a cela? – acrescentou, com um tom de sarcasmo na voz.

– Izabela, você sabe que só faço isso para proteger o professor e a família dele. Esta casa é deles, e aquela é a grande obra de arte de Landowski – lembrou-lhe, apontando a escultura inacabada do Cristo.

– Claro – concordou ela. – Mas me prometa que, quando o menino acordar amanhã, dirá a ele que está seguro aqui. E eu mesma vou falar com o professor e explicar tudo, já que fui eu quem causou esta confusão. Agora tenho que ir. Só Deus sabe o que terei de enfrentar amanhã de manhã com dona Maria Georgiana.

– Izabela… Bel… – Laurent segurou seu braço quando ela se preparou para sair. Então a puxou em sua direção de repente e envolveu-a em seus braços. – Você é mesmo linda, por dentro e por fora. E não posso mais suportar essa farsa entre nós. Por favor, sinta-se à vontade para me pedir para soltá-la, mas, por Deus, ao ver sua compaixão esta noite… – Ele balançou a cabeça. – Pelo menos, quero sentir o toque dos seus lábios nos meus.

Bel olhou para ele, sabendo que estava à beira do precipício e não se importaria nem um pouco em pular.

– Eu sou sua – murmurou.

E os lábios de Laurent finalmente tocaram os dela.

Na cozinha ao lado, o menino dormia tranquilamente pela primeira vez em meses.

25

Quando Bel chegou ao ateliê às cinco da tarde do dia seguinte, estava ansiosa e agitada. Não só para saber destino do menino, mas também para descobrir se a declaração e o beijo de Laurent tinham sido apenas uma reação às fortes emoções da noite anterior.

– Ah! – disse Landowski, limpando-se após um dia de trabalho. – É a Santa Izabela em pessoa!

– Como ele está, professor? – perguntou ela, corando com o comentário do escultor.

– Seu menino de rua está sentado com meus filhos para jantar – respondeu Landowski. – Assim como você, minha esposa ficou com pena dele assim que a chamei para vê-lo dormindo como um rato magro no chão da cozinha. Insistiu para que ele tomasse banho de mangueira no jardim e esfregou-o da cabeça aos pés com sabão carbólico por medo de piolhos. Depois agasalhou-o em um cobertor e colocou-o em uma cama na nossa casa.

– Obrigada, professor. Sinto muito por dar esse trabalho à sua família.

– Bem, se fosse eu, teria simplesmente chutado o garoto de volta para as ruas de onde ele veio, mas vocês, mulheres, têm o coração mole. E nós, homens, somos gratos por isso – acrescentou gentilmente.

– Ele já disse de onde veio?

– Não, na verdade ele não disse uma única palavra desde que minha esposa começou a cuidar dele. Ela acha que ele é mudo.

– Monsieur, sei que não é. Ele falou comigo antes de eu ir embora ontem à noite.

– Falou? Que interessante. – Landowski balançou a cabeça, pensativo. – Bem, até agora ele não decidiu compartilhar seu dom da fala com mais ninguém. Ele também carrega pendurada no corpo uma bolsa de couro, que minha esposa descobriu quando tirou seus trapos imundos. Ele rosnou como um cachorro louco quando ela tentou pegar a bolsa para lhe dar banho e se recusou a se afastar dela. Bem, veremos. Meu palpite, a julgar por sua aparência, é que veio da Polônia. Um polonês reconhece outro – acrescentou, sério. – Boa noite.

Quando Landowski deixou o ateliê, Bel virou-se e viu Laurent sorrindo para ela com os braços cruzados.

– Você está feliz, agora que seu pequeno sem-teto está sendo cuidado?
– Sim, e devo lhe agradecer por tê-lo ajudado também.
– Como você está hoje, minha Bel?
– Estou bem, monsieur – sussurrou ela, desviando o olhar.
– Não lamenta o que se passou entre nós ontem à noite?

Laurent estendeu as mãos para ela, que levantou timidamente as suas para encontrar as dele.

– Não, nem por um instante.
– Graças a Deus – disse ele com um suspiro, puxando-a para a cozinha para não serem vistos pelas janelas, e beijou-a apaixonadamente de novo.

E assim começou o caso de amor dos dois, inocente exceto pelo toque de seus lábios. Ambos sabiam o risco que corriam se fossem pegos por Landowski, que agora se acostumara a voltar ao ateliê a qualquer hora para estudar seu Cristo inacabado. As mãos de Laurent trabalhavam mais rápido do que nunca na escultura, correndo para moldar o rosto de Izabela e assim conseguir mais alguns minutos junto com ela depois.

– Meu Deus, Izabela, nos resta tão pouco tempo. A esta altura na semana que vem, você estará navegando para longe da minha vida – lamentou ele uma noite enquanto ela estava em seus braços, a cabeça apoiada em seu ombro. – Como poderei suportar isso?

– Como *eu* poderei?

– Quando a vi pela primeira vez, admirei sua beleza, é claro, e admito ter flertado com você – disse Laurent, levantando o queixo de Bel para poder ver seus olhos. – Então, quando começou a posar para mim dia após dia e a revelar sua alma, me peguei pensando em você muito tempo depois de ter ido embora. E finalmente, naquela noite, quando vi sua compaixão pelo menino, percebi que a amava. – Laurent suspirou e balançou a cabeça.

– Isso nunca me aconteceu antes. Nunca achei que me sentiria assim por uma mulher. E quis o destino que fosse uma mulher prometida a outro homem e que nunca mais verei. É uma situação trágica que muitos dos meus amigos escritores colocariam em romances e poemas, mas, infelizmente, para mim é real.

– É sim – disse Bel, suspirando desconsolada.

– Então, *ma chérie*, devemos aproveitar ao máximo o tempo que nos resta.

✿ ✿ ✿

Bel passou a última semana em Paris em transe, incapaz de pensar em sua partida iminente. Quando a empregada levou seu baú para o quarto e começou a enchê-lo, foi como se pertencesse a outra pessoa. Mal se dava conta das conversas sobre os detalhes do embarque e a preocupação de Maria Georgiana com o fato de ela viajar desacompanhada.

– Bom, é claro que não há alternativa. Você precisa voltar para se preparar para o casamento, mas deve jurar que não vai desembarcar do navio em nenhum dos portos em que ele ancorar, principalmente na África.

– Claro – respondeu Bel automaticamente. – Tenho certeza de que ficarei perfeitamente segura.

– Entrei em contato com o escritório da companhia de navegação e eles disseram que o comissário vai encontrar uma mulher mais velha que possa acompanhá-la durante a viagem.

– Obrigada, senhora – respondeu Bel distraidamente, mal ouvindo dona Maria Georgiana enquanto colocava o chapéu, pronta para ir ao ateliê e pensando em Laurent.

– Heitor me disse que sua escultura está quase pronta. Esta, portanto, será sua última noite no estúdio de Landowski. Amanhã, nossa família quer oferecer um jantar de despedida para você. – E Maria Georgiana abriu um sorriso.

Bel olhou para a mãe da amiga, mal conseguindo disfarçar seu horror, então percebeu como estava sendo rude.

– Obrigada, senhora. É muito gentil de sua parte.

No carro, a caminho do ateliê, a terrível constatação de que aquela seria sua última noite com Laurent a atingiu como um choque.

Laurent, porém, parecia satisfeito e orgulhoso quando ela chegou.

– Depois que você saiu ontem à noite, fiquei acordado até de madrugada para terminar – disse ele, indicando a escultura, escondida sob um lençol. – Quer ver?

– Sim, muito – murmurou ela, sem querer deixar sua tristeza estragar a evidente alegria de Laurent.

Ele arrancou o lençol com um gesto teatral para revelar sua obra.

Bel olhou para sua imagem. Como qualquer um que é objeto de uma obra de arte, não teve logo certeza de como deveria reagir. Podia ver que ele captara sua forma perfeitamente, e o rosto que a encarava na estátua era o seu. Mas o que mais a impressionou foi a tranquilidade que evocava, como se sua imagem tivesse sido capturada em um momento de profunda contemplação.

– Eu pareço… tão só. E triste – acrescentou. – É… sóbria, não é nem um pouco rebuscada.

– Não, e, como você sabe, esse é o estilo que Landowski ensina e a razão de eu estar aqui em seu ateliê. Ele viu a escultura antes de ir para casa esta noite e disse que é a melhor obra que já fiz.

– Então estou feliz por você, Laurent – respondeu Bel.

– Bem, talvez um dia, no futuro, você a veja em uma exposição do meu trabalho e saiba que é você. E sempre a fará se lembrar de mim e do lindo interlúdio que vivemos em Paris, um dia, há muito tempo.

– Não! Por favor, não! – exclamou com um gemido, perdendo o controle e levando as mãos à cabeça. – Não posso suportar isso.

– Izabela, por favor, não chore. – Ele se aproximou dela e passou um braço pelos seus ombros, acalmando-a. – Se eu pudesse mudar as coisas, mudaria, eu juro. Lembre-se, estou livre para amar você, é *você* quem não está livre para me amar.

– Eu sei – disse ela. – E esta será nossa última noite juntos. Antes de eu vir para cá, Maria Georgiana me disse que a família Da Silva Costa dará um jantar para mim amanhã à noite. E no dia seguinte embarco no navio de volta para o Rio. Além disso, você já não precisa mais de mim.

Bel apontou a escultura com tristeza.

– Bel, posso assegurar-lhe que preciso mais do que nunca.

Ela enterrou a cabeça no ombro dele.

– O que devemos fazer? O que podemos fazer?

– Não volte para o Brasil, Izabela – disse Laurent após uma pausa. – Fique em Paris comigo.

Bel respirou fundo, sem acreditar nas palavras que ouvia.

– Escute – continuou ele, pegando-a pela mão e levando-a até o banco, onde se sentaram lado a lado. – Você sabe que não posso lhe oferecer nada em comparação com o que seu noivo rico pode lhe dar. Tenho apenas um sótão em Montparnasse, que é frio como gelo no inverno e quente como uma fornalha no verão. E tenho apenas estas mãos para mudar isso. Mas juro que posso amar você, Izabela, como nenhum outro homem seria capaz.

Aninhada junto a ele, Bel ouviu aquelas palavras como se fossem gotas d'água caindo em sua boca sedenta. E, sentada ali, com o braço dele à sua volta, vislumbrou o futuro junto a ele pela primeira vez... e era tão perfeito e tentador que, apesar de tudo o que ele dissera, ela sabia que precisava apagar aquela imagem de sua mente.

– Laurent, você sabe que eu não posso. Isso destruiria meus pais. Meu casamento com Gustavo é o ponto alto dos sonhos do meu pai, aquilo pelo que ele batalhou a vida toda. Como eu poderia fazer isso com ele e com minha querida mãe?

– Entendo que você não possa, mas preciso que entenda, antes de ir embora, o quanto eu a quero.

– Não sou como você. – Bel balançou a cabeça. – Talvez porque nossos mundos sejam tão diferentes, ou simplesmente porque você é homem e eu sou mulher, mas, no meu país, a família é tudo.

– Eu respeito isso – disse ele –, embora acredite que deva haver um momento em que a pessoa precisa parar de pensar nos outros e começar a pensar em si mesma. Casar com um homem que você não ama e ser atirada em uma vida que não deseja, ou seja, sacrificar sua própria felicidade, me parece um pouco demais, mesmo para a mais devotada das filhas.

– Eu não tenho escolha – respondeu Bel, desconsolada.

– Entendo por que acha isso, mas, como sabe, todos os seres humanos têm livre-arbítrio; é o que nos diferencia dos animais. E... – Laurent fez uma pausa enquanto pensava em sua próxima frase – ... e quanto ao seu noivo? Você me disse que ele está apaixonado por você?

– Sim, acredito que sim.

– Então como ele vai aguentar estar casado com uma mulher que nunca corresponderá aos sentimentos dele? Viver com alguém que lhe é indiferente, sabendo que essa pessoa se casou por obrigação, não vai acabar consumindo a alma dele?

– Minha mãe diz que vou aprender a amá-lo, e preciso acreditar nela.

– Bem, então... – Laurent largou os ombros dela – ... só posso lhe desejar boa sorte e uma vida feliz. Acho que terminamos por aqui. – Então se levantou abruptamente e se afastou, voltando para o centro do ateliê.

– Por favor, Laurent, não faça isso. Estes são os últimos momentos que passaremos juntos – implorou ela.

– Izabela, já disse tudo o que posso. Declarei meu amor e minha devoção a você. Pedi que não voltasse para casa e ficasse aqui comigo. – Ele deu de ombros com tristeza. – Não posso fazer mais nada. Perdoe-me se não suporto ouvir você dizer que um dia talvez ame seu marido.

A mente de Bel estava atordoada por pensamentos contraditórios. Seu coração batia acelerado e ela se sentia tonta. Observou Laurent cobrir sua escultura com o lençol, escondendo-a como alguém cobriria a imagem de um parente amado que tivesse acabado de falecer. Não sabia se o gesto era simbólico ou prático, mas aquilo fez com que ela se levantasse do banco e caminhasse em direção a ele.

– Laurent, por favor, você precisa me dar tempo para pensar... Eu preciso pensar – disse ela, chorando e levando os dedos às têmporas.

Laurent fez uma pausa, hesitando por um segundo antes de falar.

– Sei que você não pode voltar mais ao ateliê, mas, por favor, este é o último pedido que lhe faço, você se encontraria comigo amanhã à tarde em Paris?

– Para quê?

– Eu lhe imploro, Izabela. Só me diga onde e quando.

Ela olhou em seus olhos e soube que não conseguiria resistir.

– Junto à entrada sul do parque na esquina da Avenue de Marigny com a Avenue Gabriel. Encontre-me lá às três.

Ele a observou por um momento e concordou, balançando a cabeça.

– Estarei lá. Boa noite, minha Bel.

Bel saiu do ateliê. Não havia mais o que pudesse dizer naquele momento. Ao caminhar pelos jardins, viu o garoto ali, sozinho, olhando para as estrelas. Ela andou até ele, que abriu um sorriso quando a viu.

– Olá – disse ela. – Você parece muito melhor. Como está se sentindo?

Ele assentiu com a cabeça, e ela soube que ele tinha entendido.

– Vou embora da França depois de amanhã, preciso voltar para minha casa no Brasil. – Bel pegou uma caderneta e um lápis de sua a bolsa e escreveu algumas palavras. – Se você precisar de qualquer coisa, por favor entre em contato comigo. Aqui está meu nome e o endereço dos meus pais.

Ela arrancou a folha do caderninho e entregou ao garoto, que leu, movendo os lábios devagar. Bel enfiou a mão outra vez na bolsa e pegou uma nota de 20 francos. Então a colocou nas pequenas mãos do menino e se inclinou para beijá-lo no alto da cabeça.

– Adeus, querido, e boa sorte.

Mais tarde, quando Bel se recordava da temporada em Paris, uma das coisas de que se lembrava vividamente eram as longas noites insones. Enquanto Maria Elisa dormia contente em sua cama, Bel abria um pouquinho as cortinas e sentava à beira da janela, observando as ruas de Paris e sonhando com as maravilhas que havia do lado de fora.

Aquela noite em especial, sentada com a testa quente colada ao vidro frio, foi a mais longa de todas. E as perguntas que se fez determinariam seu futuro.

Quando a noite escura terminou e ela tomou sua decisão, arrastou-se desolada de volta para a cama enquanto um amanhecer cinzento entrava pela fresta das cortinas, refletindo seu estado de espírito.

– Vim para dizer adeus – disse ela, vendo o olhar de esperança de Laurent se desintegrar e cair como pó no chão de pedras. – Não posso trair meus pais. Você deve entender.

Ele olhou para os pés.

– Eu entendo – conseguiu responder com algum esforço.

– E agora é melhor eu ir. Obrigada por ter vindo me encontrar. Eu lhe desejo toda a felicidade que a vida possa lhe oferecer. Tenho certeza de que um dia ainda ouvirei falar de você e de suas esculturas novamente. E sei que falarão delas com admiração.

Bel se levantou, tensionando cada músculo de seu corpo ao tentar manter as emoções sob controle, e estendeu-se para beijar o rosto dele.

– Adeus, Laurent, e que Deus o abençoe.

Então começou a se afastar.

Alguns segundos depois, ela sentiu o toque da mão dele em seu ombro.

– Bel, por favor, se um dia você mudar de ideia, saiba que estou à sua espera. *Au revoir*, meu amor. – E então ele se virou e correu rapidamente pela grama na direção oposta.

26

Apesar de tudo, Bel conseguiu atravessar as 24 horas que se seguiram, assim como o jantar feito em sua homenagem pela família Da Silva Costa.

– Infelizmente, não estaremos lá para comemorar seu casamento – disse Heitor, enquanto a família brindava com champanhe. – Mas queremos desejar a você e seu noivo toda a felicidade no mundo.

Depois do jantar, eles a presentearam com um belo aparelho de chá de porcelana Limoges, para lembrá-la do tempo que passara na França. Quando a família se dispersou da mesa, Heitor sorriu para Bel.

– Você está feliz em voltar para casa, Izabela?

– Estou ansiosa para ver minha família. E meu noivo, é claro – acrescentou rapidamente. – Mas vou sentir muita falta de Paris.

– Talvez um dia, quando vir o Cristo no alto do Corcovado, você possa contar aos seus filhos que esteve presente durante sua criação.

– Sim, e sinto-me honrada por isso – concordou Bel. – Como está progredindo o trabalho?

– Como você sabe, Landowski praticamente terminou o modelo de 4 metros, e agora preciso encontrar um lugar para que eu e meus projetistas possamos ampliar a escala para 30 metros. Landowski vai começar a trabalhar semana que vem na cabeça e nas mãos em tamanho real. Quando nos vimos pela última vez, ele me contou que pediu ao Sr. Brouilly que fizesse moldes das mãos da Srta. Lopes de Almeida e das suas como possíveis modelos. Quem sabe um dia seus dedos elegantes acabem abençoando todo o Rio do alto do Corcovado?

✻ ✻ ✻

Maria Georgiana insistiu em acompanhar Maria Elisa para ter certeza de que Bel embarcaria com segurança no navio que a levaria para casa. Felizmente, assim que Bel foi instalada em sua cabine, ela deixou as duas garotas a sós por alguns minutos e foi correndo acertar detalhes com o comissário.

– Seja feliz, querida Izabela – disse Maria Elisa, dando um beijo de despedida em Bel.

– Vou tentar – falou, enquanto a amiga estudava atentamente seu rosto.

– Algum problema?

– Não, eu… acho que estou só bastante nervosa com meu casamento – respondeu.

– Bem, escreva para mim e me conte tudo. Vejo você quando eu também estiver de volta ao Rio. Bel, eu…

– O que foi?

O apito do navio tocou para avisar que faltavam trinta minutos para a partida.

– Lembre-se do tempo que passou em Paris, mas, por favor, tente aceitar seu futuro com Gustavo também.

Bel olhou para Maria Elisa. Sabia instintivamente o que ela estava lhe dizendo.

– Vou tentar, eu prometo.

Maria Georgiana reapareceu na cabine.

– O comissário estava muito ocupado atendendo vários passageiros, então não consegui falar com ele pessoalmente, mas não deixe de se apresentar. Ele já sabe que você é uma moça viajando sozinha e tenho certeza de que vai lhe arrumar uma acompanhante adequada.

– Pode deixar, vou falar com ele. Adeus, dona Maria Georgiana. Obrigada por toda a gentileza.

– E você tem de me jurar que não colocará os pés para fora deste navio até desembarcar em segurança no píer Mauá – acrescentou. – Assim que estiver segura com seus pais, eu lhe agradeceria se me mandasse um telegrama.

– Prometo que farei isso assim que chegar em casa.

Bel as acompanhou até o convés para as últimas despedidas. Assim que deixaram o navio, ela se debruçou na amurada e olhou para o porto de Le Havre, sabendo que era a derradeira imagem que veria da França.

Um pouco mais ao sul ficava Paris, onde em algum lugar estava Laurent. O navio começou a se afastar lentamente do porto e Bel continuou olhando para a costa até a terra firme finalmente se fundir com o horizonte.

– Adeus, meu amor, adeus – sussurrou. E, consumida pela mais absoluta tristeza, caminhou até sua cabine.

❀ ❀ ❀

Bel jantou no quarto naquela noite, incapaz de enfrentar a atmosfera alegre do restaurante, cheio de passageiros felizes, ansiosos com a viagem. Deitou em sua cama, sentindo o suave balanço do navio, e, quando a noite caiu, viu a escotilha ficar tão sombria quanto seu coração.

Ela se perguntava se a terrível dor que sentia começaria a diminuir quando se distanciasse da terra firme e o navio e sua vida rumassem de volta para casa. Afinal de contas, veria seus pais, que tanto amava, e retornaria à familiaridade de seu país.

Os planos para o casamento já estavam bem encaminhados, e seu pai lhe escrevera exultante para falar que a cerimônia de seu casamento seria na linda catedral do Rio, uma honra raramente concedida.

Mas, por mais que tentasse, enquanto o navio se afastava lentamente de Laurent, seu coração parecia tão pesado quanto as pedras atrás do ateliê de Landowski.

– Nossa Senhora – orou, as lágrimas rolando pelo seu rosto e caindo no travesseiro. – Dai-me forças para viver sem ele, pois neste momento não sei como vou suportar.

Maia

Junho de 2007
Lua cheia
13; 49; 44

27

Quando terminei de ler a última carta, vi que já passava da meia-
-noite. Izabela Bonifácio estava a bordo do navio, voltando para
um homem que não amava e deixando Laurent Brouilly para trás.
L a u...

Sentindo ondas de empolgação correndo pelo meu corpo, percebi que
agora sabia a origem das três primeiras letras na parte de trás do ladrilho
de pedra-sabão: Laurent, o amor secreto de Bel. E a escultura da mulher
na cadeira, que estava no jardim da Casa das Orquídeas, devia ser aquela
para a qual Bel posara durante os dias inebriantes em Paris. Embora eu não
fizesse ideia de como a escultura havia cruzado o oceano até o Brasil.

No dia seguinte, releria as cartas – estava tão ansiosa para saber a história que não tinha prestado atenção aos detalhes – e pesquisaria sobre
monsieur Laurent Brouilly na internet. Seu nome certamente não me era
estranho. Mas estava exausta, então tirei a roupa, puxei o lençol sobre mim
e adormeci descansando a mão sobre a minha história.

❖ ❖ ❖

Fui acordada por um barulho estridente. Desorientada, levei alguns segundos para perceber que a fonte do ruído desagradável era o telefone ao
lado da cama. Estendi a mão até a mesa de cabeceira e levei o aparelho ao
ouvido.

– Alô? – murmurei.

– Maia, é o Floriano. Como você está se sentindo?

– Estou... melhor – falei, sentindo-me imediatamente culpada pela
mentira que contara na noite anterior.

– Que bom. Podemos nos encontrar hoje? Tenho muita coisa para lhe
contar.

E eu para contar a você, pensei, mas não disse.

– Claro que sim.

– O tempo está bonito, então vamos dar uma volta na praia. Vejo você no saguão às onze?

– Sim, mas por favor, Floriano, se você tiver outras coisas para fazer, eu…

– Maia, sou um escritor, e qualquer distração que me dê uma desculpa para não ficar sentado escrevendo é sempre bem-vinda. Vejo você em uma hora.

Pedi meu café da manhã ao serviço de quarto e reli as primeiras cartas para ter as informações mais claras em minha mente. Então, percebendo a hora, tomei um banho rápido e fui para o saguão pontualmente às onze.

Sentado no saguão, Floriano já esperava por mim, lendo uma folha retirada de uma enorme pasta plástica em seu colo.

– Bom dia – cumprimentei-o.

– Bom dia – respondeu ele, olhando para mim. – Você parece bem.

– Sim, estou bem – falei, sentando-me ao lado dele e resolvendo lhe contar logo a verdade. – Floriano, não foi só meu estômago que me impediu de sair do quarto ontem à noite. Yara, a empregada, me entregou um pacote pouco antes de sairmos da Casa das Orquídeas ontem – confessei. – E me fez jurar segredo.

– Entendo. – Floriano ergueu uma sobrancelha, curioso com a novidade. – E o que havia nesse pacote?

– Cartas, escritas por Izabela Bonifácio para sua criada na época. Uma mulher chamada Loen Fagundes, a mãe de Yara.

– Certo.

– Desculpe-me por não ter lhe contado sobre as cartas ontem. Só queria lê-las com calma primeiro. E você tem que me jurar que não vai falar nada sobre elas com ninguém. Yara parecia estar com muito medo de que dona Beatriz descobrisse que ela me deu as cartas.

– Claro. Sem problemas. Eu entendo – disse ele, balançando a cabeça. – Afinal de contas, é a história da sua família, não da minha. E acho que você tem dificuldade em confiar nas pessoas. Tenho certeza de que há muitos outros segredos que guarda só para você. Então, você quer compartilhar comigo o que dizem as cartas ou não? A decisão é sua, e não ficarei nem um pouco ofendido se disser que não.

– Sim, é claro que quero lhe contar o que li – confirmei, perplexa com a avaliação incisiva de minha falta de confiança, que espelhava a essência do que Pa escrevera em sua carta.

– Então vamos caminhar e conversar.

Saí do saguão com Floriano e juntos atravessamos a rua até o calçadão em frente à praia. Havia muitos quiosques espalhados por ali, vendendo água de coco, cerveja e lanches para os frequentadores da praia, e já estavam quase todos cheios de clientes.

– Vamos caminhar até Copacabana e eu lhe mostro onde foi o grande casamento da sua bisavó.

– E sua festa de aniversário de 18 anos – acrescentei.

– Sim, tenho também algumas fotos da festa, que consegui na biblioteca, buscando nos arquivos dos jornais da época. Então, se você se sentir à vontade, Maia, me conte tudo o que descobriu – sugeriu ele.

Enquanto caminhávamos pela praia de Ipanema, eu lhe relatei com o máximo de detalhes possível o que havia descoberto nas cartas.

Floriano me interrompeu para avisar que havíamos chegado à praia de Copacabana. Fomos andando até o famoso Copacabana Palace. Recentemente restaurado, era uma atração imperdível. Sua cor clara resplandecia sob a luz do sol. Era uma das joias mais emblemáticas da arquitetura do Rio.

– É mesmo impressionante – eu disse, observando a fachada. – Agora entendo por que foi a escolha óbvia para o casamento de Bel e Gustavo. Posso imaginá-la ali, em seu lindo vestido de casamento, sendo homenageada pelas figuras importantes do Rio.

O sol da manhã já estava muito forte, então nos sentamos em duas cadeiras sob um guarda-sol em um dos quiosques do calçadão. Floriano pediu uma cerveja para ele e uma água de coco para mim.

– A primeira novidade é que meu amigo no departamento de imagem UV do Museu da República confirmou os dois nomes na parte de trás do ladrilho de pedra-sabão. Ele ainda está trabalhando na data e na inscrição, mas os nomes são definitivamente "Izabela Aires Cabral" e "Laurent Brouilly". Claro que, graças às cartas, nós dois sabemos agora, sem sombra de dúvidas, quem era o *amour* de Bel em Paris. Ele acabou se tornando um escultor muito conhecido na França. Veja. – Floriano tirou algumas folhas de sua pasta e me entregou. – Essas são algumas das suas obras.

Olhei para as imagens granuladas das esculturas de Laurent Brouilly.

Eram quase todas formas humanas simples, como a que eu tinha visto no jardim da Casa das Orquídeas. Havia também um grande número de homens em uniformes antigos de soldados.

– Ele ficou conhecido como escultor durante a Segunda Guerra Mundial, quando também lutou pela Resistência – esclareceu Floriano. – Sua página na Wikipédia diz que foi homenageado por bravura. Definitivamente um homem muito interessante. Aqui tem uma fotografia dele. Você pode notar que ele tinha seu charme – acrescentou.

Estudei o belo rosto de Laurent. Com seus traços fortes, mandíbula bem-definida e maçãs do rosto salientes, ele parecia muito francês.

– E aqui estão Gustavo e Izabela no dia do casamento.

Olhei para a fotografia, ignorando Izabela para observar Gustavo primeiro. O contraste com Laurent não poderia ser mais acentuado. Seu físico nada substancial, aliado ao rosto magro e pequeno, me fez entender por que Bel e Maria Elisa o haviam comparado a uma fuinha. Mas eu podia ver que havia bondade em seus olhos.

Então olhei para Izabela, cujas feições eram tão parecidas com as minhas. E já ia devolver a foto quando notei o colar que ela usava.

– Meu Deus!

– O que foi?

– Olhe. – Enquanto indicava a Floriano o que devia olhar na fotografia, com a outra mão envolvi instintivamente a pedra da lua no meu pescoço.

Ele observou a imagem e o meu colar com cuidado.

– Sim, Maia. Parece que são o mesmo.

– Foi por isso que Yara me deu as cartas. Ela disse que reconheceu o colar.

– Então agora você finalmente acredita que é parente da família Aires Cabral? – perguntou ele, sorrindo para mim.

– Sim, acredito – respondi, genuinamente convencida pela primeira vez.

– É uma prova irrefutável – concordei.

– Você deve estar feliz.

– Estou, mas... – Baixei as páginas e suspirei. Floriano acendeu um cigarro e olhou para mim.

– O que foi?

– Ela deixou o homem que amava na França para se casar com Gustavo Aires Cabral, a quem não amava. É muito triste.

243

– Você é romântica, Maia?

– Não, mas, se você tivesse lido as cartas que Izabela escreveu para a criada falando sobre o amor que sentia por Laurent Brouilly, também ficaria tocado com a história.

– Bem, espero que você me deixe ler as cartas em breve.

– Claro – falei. – Embora os sentimentos de Izabela por Laurent talvez fossem só uma paixão passageira e nada mais.

– Verdade – concordou ele. – Mas, se fosse assim, por que seu pai lhe daria aquele ladrilho de pedra-sabão como uma pista para a sua história? Teria sido muito mais simples ter deixado para você uma fotografia de Izabela com o marido.

– Eu não sei – falei, suspirando. – E talvez nunca venha a saber. Quer dizer, não tenho mais nenhuma carta depois de outubro de 1928, quando ela deixou Paris e voltou ao Rio. Então devo presumir que ela se casou com Gustavo e passou a morar com ele aqui.

– Na verdade, eu não acho que essa tenha sido *toda* a história – disse Floriano, entregando-me outra imagem fotocopiada. – Essa foi tirada em janeiro de 1929. Mostra o molde de gesso da cabeça do Cristo logo que foi tirado do navio que o trouxe da França. Esse objeto de aparência estranha ao lado é, na verdade, uma gigantesca palma de mão. Há dois homens nesta imagem. Um deles eu reconheço como Heitor Levy, o mestre de obras da construção do Cristo. Agora olhe atentamente o outro homem. – Floriano indicou a imagem com o dedo.

Estudei o rosto do homem apoiado na mão do Cristo. Então comparei com a imagem que Floriano me entregara alguns minutos antes.

– Meu Deus, é Laurent Brouilly!

– Sim.

– Então ele esteve aqui no Rio?

– É o que parece. Acho que não é preciso ser um gênio para calcular que ele veio da França por causa da construção do Cristo.

– E talvez para ver Izabela? – perguntei.

– Como historiador, não devemos nunca fazer esse tipo de suposição, principalmente porque você só leu cartas sobre os sentimentos de Izabela por Laurent. Não temos certeza do que ele sentia por ela – lembrou Floriano.

– Verdade. Mas, nas cartas, ela conta que posou no estúdio de Paul

Landowski para a escultura que agora está no jardim da Casa das Orquídeas. Também diz a Loen, sua criada, que Laurent implorou para ela ficar na França e não voltar ao Brasil. Eu me pergunto se ele veio atrás dela... Mas como podemos descobrir se eles se encontraram *mesmo* depois que ele chegou ao Rio?

– Perguntaremos a sua amiga Yara, a empregada – respondeu Floriano, encolhendo os ombros. – Se ela lhe deu essas cartas, acho que é seguro dizer que, por algum motivo, quer que você saiba a verdade.

– Mas ela morre de medo da patroa. Me dar as cartas é uma coisa, contar o que ela sabe sobre meus antepassados já é outra.

– Maia – disse Floriano com firmeza –, pare de ser tão derrotista. Ela já confiou o bastante em você para lhe entregar as cartas. Agora que tal voltarmos ao hotel para você mostrá-las para mim?

– Está bem – concordei.

❊ ❊ ❊

Deixei Floriano na minha suíte lendo as cartas de Bel e atravessei a rua até a praia de Ipanema para dar um mergulho revigorante nas ondas agitadas do oceano Atlântico. Depois, enquanto me secava ao sol, concluí que Floriano estava certo. Eu não devia ter medo de investigar a história que atravessara meio mundo para descobrir.

Deitada na areia quente, eu me perguntava se minha relutância tinha a ver com o fato de cada passo me levar mais perto da verdade sobre meus verdadeiros pais. Eu não tinha ideia se eles estavam vivos ou mortos, ou, na verdade, por que Pa Salt me dera uma pista que me levara tão mais distante no passado do que logicamente eu precisaria ir.

E por que a Sra. Beatriz Carvalho se recusava a admitir que sua filha *tivera* uma filha? Uma jovem que definitivamente tinha a idade certa para ser minha mãe...

Mais uma vez, lembrei-me das palavras de Pa Salt gravadas na esfera armilar.

Eu não podia e nem devia fugir.

– Você iria de novo à Casa das Orquídeas comigo para ver se Yara nos conta mais alguma coisa? – perguntei a Floriano quando voltei para a suíte do hotel.

– Claro – disse ele, sem tirar os olhos da carta. – Só tenho mais algumas cartas para ler.

– Vou tomar um banho enquanto você termina.

– Tudo bem.

Fechei a porta do banheiro, tirei a roupa e entrei no chuveiro, sem conseguir deixar de pensar que Floriano estava no cômodo ao lado. Apesar de ser um completo estranho para mim até dois dias atrás, seu jeito tranquilo e descontraído fazia eu me sentir como se o conhecesse havia muito mais tempo.

E, no entanto, o livro dele que eu traduzira era filosófico, tocante e repleto da angústia humana. Por isso, eu a princípio esperava que ele fosse alguém que se levasse muito mais a sério do que o homem que estava a poucos metros de mim. Ao sair do banheiro, vi que Floriano arrumara as cartas em uma pilha e olhava pela janela em direção à praia.

– Você quer guardá-las no cofre? – perguntou ele.

– Sim.

Ele me entregou as cartas e fui abrir o cofre.

– Obrigado, Maia – disse ele de repente.

– Pelo quê? – perguntei, enquanto digitava a senha.

– Por me permitir ler essas cartas. Tenho certeza de que muitos dos meus colegas adorariam ter esse privilégio. É realmente impressionante que sua bisavó estivesse mesmo lá na época em que nosso Cristo foi construído, morando sob o mesmo teto de Heitor da Silva Costa e sua família e frequentando o ateliê de Landowski enquanto ele fazia os moldes. Me sinto mesmo honrado – disse ele, fazendo uma reverência brincalhona.

– É você quem merece agradecimentos. Você me ajudou muito a montar algumas das peças do quebra-cabeça.

– Bem, vamos até a Casa das Orquídeas para ver se conseguimos montar outras.

– Você teria de esperar do lado de fora, Floriano. Prometi a Yara que não contaria a ninguém sobre as cartas. Não quero perder a confiança dela.

– Então serei simplesmente o motorista da senhorita. – Ele sorriu para mim. – Vamos?

Saímos para o corredor e Floriano apertou o botão para chamar o elevador. Quando a porta se abriu e nós entramos, percebi que ele observava meu reflexo na parede espelhada.

– Você está bronzeada. Fica bem assim. Agora, para o alto e avante – acrescentou quando as portas se abriram no saguão, e então saiu decidido.

❀ ❀ ❀

Vinte minutos depois, estacionamos em frente à Casa das Orquídeas, do outro lado da rua. Quando passamos pelos portões enferrujados, notamos que tinham sido fechados com pesados cadeados depois da nossa visita no dia anterior.

– O que será que aconteceu? – indaguei quando saímos do carro. – Será que dona Beatriz achou que voltaríamos?

– Seu palpite é tão bom quanto o meu – respondeu Floriano, afastando-se de mim enquanto caminhava junto à cerca viva malcuidada. – Vou investigar se há outra forma de entrarmos, de maneira legal ou ilegal.

Olhei para a casa atrás da grade de ferro, sentindo-me tomada pela decepção e pela frustração. Talvez fosse uma simples coincidência a casa estar trancada no dia seguinte à nossa visita. Quem sabe a senhora e Yara já tivessem planos de deixar a casa... para visitar parentes talvez? Foi nesse momento que percebi o quanto queria conhecer o passado que, agora, eu estava convencida de que era o meu.

Floriano apareceu ao meu lado.

– O lugar é como uma fortaleza. Dei a volta em todo o perímetro e, a não ser cortando a cerca viva com uma motosserra, não há nenhuma maneira de entrar. Quando espiei os fundos da casa através da cerca viva, vi que até mesmo as venezianas de trás estão fechadas. Parece que o lugar foi completamente fechado e não há ninguém em casa.

– E se elas não voltarem? – perguntei, percebendo a frustração em minha voz.

– Nada indica que elas não vão voltar, Maia. Talvez apenas tenhamos vindo na hora errada. Olha, pelo menos tem uma caixa de correio, então sugiro que você deixe um bilhete para Yara com o endereço do hotel e um número de contato.

– Mas e se a senhora encontrar?

– Posso lhe garantir que dona Beatriz Carvalho não vai dar uma olhada no que tem na caixa de correio quando chegar de volta. Ela é de uma época diferente, em que isso era considerado função dos empregados. As correspondências provavelmente são levadas para ela em uma bandeja de prata – disse ele, com um sorriso.

– Tudo bem – concordei com relutância, pegando meu caderninho e uma caneta na bolsa e escrevendo um bilhete para Yara como Floriano tinha sugerido.

– Não há mais nada que possamos fazer aqui. Vamos embora – disse ele depois que abri a tampa de metal enferrujado e coloquei o bilhete lá dentro.

Quando começamos o trajeto de vinte minutos de volta ao hotel, permaneci em silêncio, pensando desanimada nesse novo obstáculo, agora que havia experimentado a emoção de ler as cartas e querer saber mais.

– Espero que você não esteja pensando em desistir – comentou Floriano, parecendo ler meus pensamentos, enquanto seguíamos de carro pela praia de Ipanema.

– É claro que não. Mas realmente não sei o que fazer agora.

– Paciência é a chave, Maia. Temos simplesmente que esperar para ver se Yara vai responder ao seu bilhete. E, claro, devemos continuar dando uma olhada na Casa das Orquídeas de vez em quando para descobrir se elas voltaram. Normalmente, nessas circunstâncias, não há nenhum grande mistério, apenas um motivo perfeitamente racional. Então, nesse meio-tempo, sugiro que a gente pense qual poderia ser a explicação.

– Será que foram visitar algum parente? – disse a única ideia que me havia aparecido.

– Uma possibilidade, mas, levando em conta como aquela senhora parecia frágil, duvido que esteja disposta a fazer longas viagens. Ou a jogar conversa fora com alguém.

– Então talvez tenham ido embora porque estavam com medo de que voltássemos...

– Mais uma vez, uma possibilidade, mas improvável. Dona Beatriz Carvalho morou naquela casa a vida inteira e, mesmo que não estivesse disposta a discutir seu possível parentesco com ela, não chegamos lá armados – ponderou ele. – Particularmente, acho que só haveria uma razão para que nem patroa nem empregada estivessem em casa.

– E qual é?

– Dona Beatriz piorou e precisou ser levada ao médico. Acho que vou ligar para os hospitais mais próximos para ver se minha querida "tia-avó" foi internada em algum deles nas últimas 24 horas.

Olhei para Floriano, admirada.

– Você pode ter razão.

– Vamos ao meu apartamento, eu vou procurar os telefones dos hospitais – disse ele, pegando uma rua à direita na avenida Vieira Souto em vez de continuar pela orla até o meu hotel.

– Por favor, Floriano, não quero incomodá-lo. Posso fazer isso em meu laptop.

– Maia, quer parar com isso, por favor? As cartas que li hoje de manhã são uma das coisas mais interessantes em que já coloquei os olhos como historiador. Há também outra coisa nelas que não lhe contei ainda e que as tornam ainda mais fascinantes. E que talvez resolva um mistério muito antigo sobre o Cristo. Então, por favor, acredite em mim, estamos ajudando um ao outro. Mas devo avisar que minha casa não é exatamente o Copacabana Palace – advertiu ele enquanto continuávamos a nos afastar da praia de Ipanema.

Pouco tempo depois, Floriano fez uma curva acentuada à direita e parou o carro em frente a um prédio caindo aos pedaços. Seria uma caminhada de uns cinco ou dez minutos do hotel, mas ainda assim parecia outro mundo.

– Então – disse ele, enquanto descíamos do carro e subíamos os degraus até a porta da frente. – Bem-vinda ao *chez moi*. Sinto muito, mas não tem elevador. – Ele abriu a porta da frente e começou a subir a escada estreita de dois em dois degraus.

Fui subindo atrás de Floriano até chegarmos a um pequeno patamar e ele abrir uma porta.

– Não sou o melhor dono de casa do mundo, mas este aqui é o meu lar – alertou novamente. – Por favor, entre.

Floriano caminhou para dentro e eu fiquei parada, preocupada por alguns instantes com a ideia de entrar no apartamento de um homem que era praticamente um estranho. Afastei aquele pensamento, lembrando-me da noite em que nos conhecemos, quando ele precisou voltar para casa e abrir a porta para a garota com quem morava, e dei alguns passos.

A sala de estar era como Floriano descrevera: uma confusão de objetos usados e nunca devolvidos ao seu lugar. Havia um sofá de couro surrado e, ao lado, uma poltrona, além de uma mesinha de centro coberta de livros, papéis, uma tigela suja de comida e um cinzeiro cheio até a borda.

– Vamos lá em cima. É bem mais agradável, eu juro – disse ele, seguindo por um corredor.

Subimos outro lance de escadas e chegamos a um pequeno patamar com duas portas. Floriano abriu uma delas, que dava para um terraço, quase todo coberto por um telhado inclinado. Ali havia um sofá, uma mesa com algumas cadeiras e, num canto, uma escrivaninha com um laptop, acima da qual ficava uma prateleira cheia de livros. A parte da frente do terraço era descoberta e, ao longo de todo o parapeito, vasos de flores davam um toque de vida e cor ao lugar.

– É aqui que eu moro e trabalho. Fique à vontade – disse ele, então caminhou até a escrivaninha, sentou e abriu seu laptop.

Fui até a beirada do terraço e logo senti o sol queimando meu rosto. Apoiei-me nos cotovelos e olhei para o alto, onde várias construções cobriam desordenadamente o morro a algumas centenas de metros de distância. Eu podia ver pipas voando com a brisa do alto das casas e ouvir o som abafado do que pareciam ser tambores.

Após a esterilidade do meu quarto de hotel, de repente senti que estava mais próxima da vida real e pulsante da cidade.

– É tão bonito aqui – falei, suspirando. – Aquilo ali é uma favela? – Apontei para as casas na encosta do morro à nossa frente.

– Sim e, até alguns anos atrás, das mais perigosas. Tráfico e assassinatos faziam parte da rotina e ninguém queria morar nas ruas mais próximas, mesmo ficando tão perto de Ipanema, uma das áreas mais exclusivas do Rio – explicou Floriano. – Mas agora a polícia ocupou o lugar e o governo até fez um elevador para os moradores. Algumas pessoas argumentaram que seria melhor usar o dinheiro para algum tipo de atendimento de saúde ou para o saneamento básico, mas pelo menos é um começo.

– Mas o Brasil tem prosperado muito, não é mesmo? – indaguei.

– Sim, mas, como em qualquer economia em rápido crescimento, apenas uma pequena parcela da população lucra com a riqueza, enquanto os mais pobres demoram a ver alguma mudança. O mesmo acontece na Índia e na Rússia atualmente. Enfim – Floriano suspirou –, é melhor não começarmos a falar sobre a injustiça social brasileira. É um dos meus assuntos preferidos, mas temos outras coisas para discutir. – Ele voltou a atenção para o computador. – Suponho que dona Beatriz Carvalho seja uma das poucas afortunadas que podem se dar ao luxo de evitar os terríveis hospitais públicos aqui do Rio. Então estou procurando os números dos hospitais particulares. Aqui está. – Andei de volta até ele e me curvei por cima do seu ombro para examinar a tela. – São cerca de dez hospitais. Vou imprimir os números de telefone.

– Por que não dividimos a lista? – sugeri.

– Está bem – concordou. – Mas diga à recepção que é uma parente próxima, quem sabe sua avó – Floriano me lançou um olhar irônico –, ou não lhe darão nenhuma informação.

Durante os quinze minutos seguintes, Floriano desapareceu no andar de baixo com seu celular e fiquei no terraço com o meu, ligando para os telefones da lista. Mas não consegui nada. Todos com quem falei diziam que nenhuma Sra. Beatriz Carvalho tinha sido internada nas últimas 24 horas. Quando Floriano finalmente voltou, carregando uma bandeja, seu rosto me disse que ele também não tinha conseguido nada.

– Não fique tão desanimada, Maia – falou enquanto colocava um prato com diferentes tipos de queijos, salames e uma baguete quentinha na mesa. – Vamos comer e pensar um pouco.

Enquanto comia avidamente, me dei conta de que já passavam das seis da tarde e eu não havia colocado nada no estômago desde o café da manhã.

– Que mistério você acha que pode ser resolvido por algo que leu nas cartas da Bel? – perguntei quando ele terminou de comer e foi até a parte descoberta do terraço para acender um cigarro.

– Bem – disse ele, apoiando-se no parapeito e olhando para o entardecer. – Sempre se acreditou que a moça que Bel menciona nas cartas, Margarida Lopes de Almeida, foi a modelo que Landowski usou para as mãos do Cristo. Nas cartas, Bel confirma que Margarida esteve mesmo no ateliê de Landowski e também que era uma pianista talentosa. Durante sua vida inteira, Margarida nunca negou os rumores de que suas mãos teriam sido usadas como modelo para a escultura. E então, há alguns anos, em seu leito de morte, ela confessou que não eram suas as mãos que Landowski usou.

Floriano olhou para mim para conferir se eu o acompanhava.

– Bel escreve que Landowski também fez o molde de suas mãos – completei.

– Exatamente. Claro que também é possível que nenhum desses dois moldes tenha sido usado por Landowski na escultura final, mas talvez Margarida soubesse que havia dúvidas. Quem sabe? Talvez as mãos fossem de Izabela, a jovem que estava com ela no ateliê na ocasião.

– Meu Deus – suspirei, sem conseguir calcular a enormidade do que Floriano sugeria. Na verdade, podiam ser as mãos da minha bisavó que se estendiam no ar, protetoras e amorosas, como o grande ícone da cidade.

– Para ser sincero, duvido que um dia a gente descubra a verdade, mas você pode entender por que as cartas me deixaram tão empolgado – continuou Floriano. – E deixariam muitas outras pessoas empolgadas também, se Yara um dia concordar que você as compartilhe com o mundo. Então, Maia, não devemos desistir de tentar descobrir o que veio depois das cartas, não só para você saber quem foram seus antepassados, mas também para conhecermos mais sobre parte da história do Brasil.

– Não, não devemos – concordei. – Mas agora chegamos a um beco sem saída.

– De onde temos simplesmente que sair de ré para pensar em outro caminho.

– Bem, eu pensei numa coisa antes – falei.

– O quê? – encorajou Floriano.

– Yara deixou muito claro que a patroa estava gravemente doente. Que dona Beatriz estava morrendo. Na hora, achei que Yara estivesse usando isso como desculpa para se livrar de nós. Mas a saúde de dona Beatriz parecia realmente frágil, e a mesa ao lado dela estava cheia de frascos de comprimidos. O que estou tentando dizer é que na Suíça, se alguém está chegando ao fim da vida e sofrendo muito, é levado para uma clínica de repouso. Vocês têm isso aqui no Brasil?

– Para os ricos, sim, temos. Aliás, existe uma aqui perto do Rio, administrada por freiras. E com certeza a família Aires Cabral é católica. Quer saber, Maia, você pode estar certa. – Floriano se levantou e andava em direção ao computador quando a porta se abriu. Uma menina pequena de olhos escuros, usando uma camisa da Hello Kitty e short rosa, correu pelo terraço e se jogou nos braços dele.

– Papai!

– Oi, princesa. Como foi seu dia? – perguntou, sorrindo para ela.

– Foi bom, mas senti sua falta.

Vi então uma jovem esbelta, que estava parada na porta. Ela olhou para mim por um instante e sorriu, me cumprimentando, depois se virou para a criança.

– Venha, Valentina, seu pai está ocupado e você precisa tomar banho. Fomos à praia depois da aula e estava tão quente – acrescentou a mulher para nenhum de nós dois em particular.

– Não posso ficar aqui um pouco com você, papai? – perguntou Valentina, com a cara contrariada, quando o pai a colocou de volta no chão.

– Vá lá tomar banho e, quando estiver pronta para dormir, traga seu livro que eu leio mais um capítulo para você.

Ele a beijou com carinho no alto da cabeça antes de empurrá-la delicadamente para a mulher.

– Vejo você mais tarde, querida.

– Preciso ir também – falei, me levantando quando a porta se fechou. – Já tomei muito do seu tempo.

– Não antes de entrarmos em contato com a clínica de repouso das freiras em que estou pensando – disse Floriano, sentando-se em frente ao laptop.

– Sua filha é linda. Ela se parece com você – comentei. – Quantos anos ela tem?

– Seis – respondeu enquanto digitava. – Certo, aqui está. Encontrei um número de telefone, embora eu duvide que tenha alguém na recepção a essa hora. Mas vou tentar.

Floriano ligou para o número que estava na tela e levou o celular ao ouvido. Alguns segundos depois, ele desligou.

– Como eu pensava, tem um número de emergência, mas acho que levantaria muita suspeita se ligássemos para ele. Um parente preocupado ligar para um hospital quando não consegue localizar um ente querido é uma coisa, mas é bastante improvável que os familiares mais próximos não ficassem sabendo que um parente foi internado em uma clínica de repouso. Então sugiro que a gente vá direto até lá amanhã.

– Pode muito bem ser outro beco sem saída.

– Sim, pode ser, mas meu instinto me diz que é a única coisa que faz sentido. Parabéns, Maia – disse ele, abrindo um sorriso de aprovação. – Vou transformar você em pesquisadora histórica.

– Vamos ver amanhã. Por enquanto, vou deixá-lo em paz – falei, me levantando.

– Eu lhe dou uma carona de volta ao hotel – disse Floriano, levantando-se também.

– Eu posso ir andando – falei com firmeza.

– Está bem. Amanhã ao meio-dia? Tenho uma reunião na escola às nove e meia. Eles acham que Valentina pode ter dislexia – disse ele com um suspiro.

– Claro. E sinto muito por ouvir isso. Embora uma de minhas irmãs seja disléxica. E parece que ela lida com isso muito bem – falei para reconfortá-lo. – Boa noite, Floriano.

28

Quando acordei na manhã seguinte, tirei do cofre as cartas que Yara me entregara e reli as que Bel tinha enviado para Loen de Paris. Então, em vez de procurar desesperadamente pistas sobre minha origem, analisei-as com um olhar de historiador, como Floriano fizera. E entendi por que ele havia ficado tão animado com as cartas. Em seguida abandonei-as e deitei a cabeça nos travesseiros, pensando nele e em sua linda filha, e na mãe dela, que, a meu ver, parecia ter no máximo 20 e poucos anos.

Por alguma razão, eu estava surpresa por Floriano ter decidido viver com uma mulher tão jovem. E, para ser sincera, sentira uma pontinha de ciúme quando mãe e filha apareceram no apartamento na noite anterior. Às vezes parecia que todos no mundo estavam apaixonados menos eu.

Tomei banho, me vesti e desci para o saguão para me encontrar com Floriano. Pela primeira vez, ele não estava lá, então me sentei para esperá-lo. Ele chegou quinze minutos depois, parecendo perturbado como eu nunca vira antes.

– Desculpe, Maia. A reunião na escola demorou mais do que eu tinha imaginado.

– Sem problemas – assegurei-lhe enquanto entrávamos no Fiat. – Foi tudo bem?

– Se é que alguma coisa pode ficar "bem" depois de ouvir que sua filha tem um problema – disse ele com um suspiro. – Pelo menos a dislexia foi identificada numa fase inicial, então espero que Valentina possa receber a ajuda e o apoio de que precisa. Mas obviamente, como sou escritor, é triste e irônico saber que minha filha travará uma luta com as palavras a vida inteira.

– Posso imaginar como deve ser difícil. Sinto muito – falei, sem saber direito o que mais dizer.

– Ela é uma menina tão boa e não teve uma vida nada fácil.

– Bem, pelo que vi ontem à noite, ao menos ela tem dois pais bastante amorosos.

– *Um* pai amoroso – corrigiu Floriano. – Infelizmente minha mulher morreu quando Valentina era bebê. Ela foi internada para uma cirurgia simples, voltou para casa dois dias depois e a ferida acabou infeccionando. É claro que procuramos logo atendimento médico, e na época nos disseram que cicatrizaria com o tempo. Duas semanas depois, Andrea estava morta por septicemia. Então você pode entender por que acredito tão pouco no serviço de saúde brasileiro.

– Sinto muito, Floriano. Pensei na noite passada que...

– Que Petra era mãe dela? – Floriano abriu um sorriso e suas feições se suavizaram um pouco. – Maia, ela não tem nem 20 anos, mas estou lisonjeado por você pensar que um velho como eu poderia atrair uma mulher jovem e bonita como ela.

– Ah – falei, corando. – Me desculpe.

– Petra é universitária e ocupa um quarto no meu apartamento em troca de cuidar de vez em quando da minha filha, sobretudo durante as férias escolares. Felizmente, os avós de Valentina não moram longe, e ela costuma ficar na casa deles, principalmente quando estou escrevendo. Quando minha esposa faleceu, chegaram a falar que ela podia morar com eles, mas eu recusei. Às vezes as coisas ficam complicadas, mas a gente dá um jeito. E ajuda muito ela ser uma criança tão tranquila.

Mais uma vez, olhava para Floriano com novos olhos, e percebi que aquele homem nunca deixava de me surpreender. Aquilo também me fez pensar em como minha vida parecia vazia em comparação à complexidade da dele.

– Você tem filhos, Maia? – perguntou.

– Não – respondi abruptamente.

– Planos de ter algum no futuro?

– Eu duvido. Não tenho ninguém especial com quem pense em ter um.

– E você já se apaixonou?

– Uma vez, mas não deu certo.

– Tenho certeza de que vai aparecer alguém. É difícil ficar sozinho. Mesmo tendo a Valentina, sofro com isso às vezes.

– Pelo menos é seguro – murmurei antes que pudesse me controlar.

– Seguro? – disse ele, me lançando um olhar de estranhamento. – Meu

Deus, Maia! Já enfrentei alguns momentos de dor profunda, principalmente quando minha esposa morreu. Mas "segurança" é algo que nunca desejei.

– Não foi bem o que eu quis dizer – procurei me corrigir rapidamente, corando de vergonha.

– Quer saber, acho que você quis *sim*, e isso é muito triste. Além disso, esconder-se do mundo nunca funciona, porque você ainda tem de se encarar no espelho todos os dias. Você seria uma péssima jogadora. – Ele sorriu de repente, notando minha tensão e querendo aliviar o clima. – Qual é o plano quando chegarmos ao convento?

– O que você sugere? – perguntei, ainda abalada com a conversa.

– Perguntamos se sua avó foi internada, eu acho. E então vemos o que fazer depois.

– Tudo bem.

O resto da viagem se passou em silêncio. Eu ainda lamentava o comentário que deixara escapar e a reação de Floriano ainda me feria. Olhava a vista pela janela enquanto nos afastávamos da cidade e começávamos a subir a serra.

Depois de algum tempo, viramos em uma pista de cascalho sinuosa e paramos em frente a uma grande e austera construção de pedra. O convento de São Sebastião, padroeiro do Rio de Janeiro, tinha sido construído havia duzentos anos e, a julgar pela aparência, não sofrera nenhuma modernização.

– Vamos? – perguntou ele, e apertou minha mão para me tranquilizar.

– Sim – respondi. Então saímos do carro e caminhamos até o convento.

Entramos e nos vimos em um longo corredor que ecoava nossos passos. O lugar estava completamente deserto, e olhei desconfiada para Floriano.

– Como se trata de um convento em funcionamento, e não apenas de uma casa de repouso, é provável que tenha uma ala ao lado para os doentes. Ah, aqui está – disse ele ao pararmos em frente a uma campainha antiga, de baquelita, na parede perto da porta. Floriano a apertou e ouvimos um ruído alto vindo de algum lugar do edifício. Alguns segundos depois, uma freira apareceu no saguão de entrada e caminhou em nossa direção.

– Posso ajudar?

– Sim, achamos que a avó da minha esposa internou-se no convento – mentiu Floriano. – Não esperávamos que ela viesse para cá tão cedo e estamos obviamente preocupados com seu estado de saúde.

– Qual é o nome da paciente?

– Beatriz Carvalho – respondeu Floriano. – Ela pode ter vindo com sua empregada, Yara.

A freira nos observou, então finalmente assentiu.

– Sim, ela e a empregada estão aqui. Mas não estamos no horário de visitas e a Sra. Beatriz pediu para não ser incomodada. Vocês com certeza sabem como ela está doente.

– Claro – concordou Floriano calmamente. – Não queremos perturbar dona Beatriz, mas talvez seja possível falarmos com Yara e perguntar se ela precisa de alguma coisa de casa. Ficaríamos felizes em ir buscar para ela.

– Esperem aqui, vou ver se consigo encontrar a Sra. Canterino.

A freira virou e se afastou de nós. Olhei para Floriano, admirada.

– Muito bem – falei.

– Tomara que Yara queira falar com a gente, porque, vou lhe dizer, eu prefiro enfrentar uma gangue de bandidos armados a encarar um grupo de freiras defendendo uma ovelha de seu rebanho em seus últimos dias na Terra.

– Pelo menos agora sabemos onde ela está.

– Sim. Está vendo, Maia? – disse ele. – Parece que, quando você confia em seus instintos, eles costumam estar corretos.

Para me distrair enquanto esperávamos, saí do prédio e me sentei em um banco de onde se tinha uma linda vista do Rio lá embaixo. Suas ruas agitadas pareciam um sonho distante dali de cima, e então ouvi o toque do Ângelus ao meio-dia, chamando as freiras para a oração. Aquele ambiente tranquilo me acalmava, e pensei que eu também ficaria feliz em passar meus últimos dias ali. Era como se o convento ficasse suspenso em algum lugar entre a terra embaixo de nossos pés e o céu sobre nossas cabeças.

Senti alguém tocar meu ombro e dei um pulo, despertando do meu devaneio. Virei-me e vi Floriano com Yara ao seu lado, parecendo claramente nervosa.

– Vou deixar vocês duas sozinhas por um tempo – disse Floriano diplomaticamente, e saiu em direção ao jardim.

Eu me levantei.

– Olá. Obrigada por vir me ver.

– Como você nos encontrou? – sussurrou Yara, como se sua patroa, de dentro das grossas paredes do convento, pudesse ouvir. – Dona Beatriz ficaria muito perturbada se soubesse que você está aqui.

– Você não quer sentar? – Apontei para o banco.

– Só posso ficar por alguns minutos. Se dona Beatriz descobrir que eu estou falando com você...

– Prometo que as deixarei em paz assim que possível. Mas Yara, depois de ler as cartas que me deu, com certeza entende por que eu estava desesperada para falar com você novamente.

Finalmente, ela se sentou no banco.

– Sim – respondeu ela com um suspiro. – Eu me arrependi assim que entreguei as cartas a você.

– Mas por que você me deu?

– Porque... – Yara encolheu os ombros ossudos. – Alguma coisa me disse que eu deveria. O que você precisa entender é que dona Beatriz sabe muito pouco sobre o passado da mãe dela. O pai dela a protegeu disso depois... – Ela alisou nervosamente a saia com as mãos magras.

– Depois do quê? – insisti.

Ela balançou a cabeça.

– Não posso falar disso aqui. Por favor, a senhorita não entende. Dona Beatriz veio aqui para morrer. Ela está muito doente e só lhe resta pouco tempo de vida. Ela deve ser deixada em paz.

– Eu entendo. Mas, senhora, por favor me diga se sabe o que aconteceu quando Izabela Bonifácio voltou de Paris.

– Ela se casou com seu bisavô, Gustavo Aires Cabral.

– Isso eu sei, mas e quanto a Laurent Brouilly? Tenho certeza de que esteve aqui no Brasil. Vi uma fotografia dele no Rio com o Cristo. Eu...

– Shhh! – disse Yara, lançando um olhar angustiado para Bel. – Por favor! Não devemos falar disso aqui.

– Então onde e quando? – insisti, percebendo que ela estava dividida entre a lealdade à patroa e o desejo de falar mais. – Por favor, Yara, juro que não estou aqui para criar problemas, só quero saber de onde eu vim. Com certeza é um direito de todo ser humano, não é? Se você souber de alguma coisa, imploro que me conte. Então prometo que vou embora.

Acompanhei seu olhar, que se perdia na distância e acabou encontrando o Cristo, com as mãos e a cabeça escondidas atrás de uma nuvem.

– Está bem. Mas não aqui. Amanhã devo voltar à Casa das Orquídeas para buscar algumas coisas que dona Beatriz me pediu. Encontro você lá às duas da tarde. Agora, por favor, vá embora!

Yara já estava se levantando, então eu fiz o mesmo.

– Obrigada – falei, e ela se afastou rapidamente e desapareceu dentro do convento. Vi Floriano encostado no carro e caminhei até ele.

– Conseguiu alguma coisa? – perguntou.

– Ela vai me encontrar na Casa das Orquídeas amanhã à tarde – respondi enquanto ele abria a porta do passageiro para mim e entrei no carro.

– Que notícia maravilhosa, Maia – disse ele, dando a partida no carro.

Ao nos aproximarmos da cidade, percebi que estava à beira das lágrimas.

– Você está bem? – perguntou Floriano quando paramos em frente ao hotel.

– Sim, obrigada. – Dei uma resposta curta, temendo ouvir o tremor em minha própria voz se falasse mais.

– Você gostaria de ir lá em casa hoje à noite? Aparentemente, Valentina vai fazer o jantar para mim. Seria ótimo ter você conosco.

– Não, eu não quero me intrometer.

– Não vai, sério. Na verdade, hoje é meu aniversário – explicou ele, dando de ombros. – Enfim, como eu falei, você é muito bem-vinda.

– Feliz aniversário – eu disse, sentindo algo que talvez fosse uma culpa irracional por não saber ou mágoa por ele não ter me contado antes. Eu ainda não tinha certeza de qual das duas coisas.

– Obrigado. Bem, se você não vai se juntar a nós esta noite, busco você amanhã para levá-la à Casa das Orquídeas?

– Floriano, você já fez muito. Posso pegar um táxi.

– Maia, por favor, seria um prazer – garantiu ele. – Vejo que você está chateada. Quer falar sobre isso?

– Não. Estarei bem amanhã, depois de uma boa noite de sono. – Estendi o braço para abrir a porta do passageiro, mas ele então colocou a mão suavemente sobre a minha.

– Lembre que você está de luto. Seu pai faleceu há algumas semanas apenas, e toda esta… odisseia de volta ao seu passado deve ser emocionalmente desgastante. Tente ser gentil consigo mesma, Maia – acrescentou carinhosamente. – Se precisar de mim, sabe onde me encontrar.

– Obrigada. – Saí do carro, atravessei rapidamente o saguão do hotel e peguei o elevador para o meu andar. No refúgio do meu quarto, deixei as lágrimas caírem, embora não soubesse bem *por que* estava chorando.

❋ ❋ ❋

Acabei caindo no sono e acordei me sentindo mais calma. Já passava das quatro horas, e fui à praia para dar um mergulho nas estimulantes águas do Atlântico. Enquanto voltava para o hotel, pensei em Floriano e em seu aniversário. Ele tinha sido tão gentil comigo. O mínimo que eu poderia fazer era levar uma garrafa de vinho de presente.

Enquanto tomava banho para tirar a areia da praia, pensei em Valentina, sua filha de 6 anos, fazendo o jantar de aniversário. A imagem era tão comovente que quase não pude suportar. Floriano a criara praticamente sozinho, apesar de ter tido a oportunidade de deixá-la com os avós.

Eu sabia que ver pai e filha juntos e testemunhar o amor evidente que havia entre os dois era o que tinha me desestabilizado mais cedo. Sem falar nos comentários incisivos de Floriano a meu respeito na subida para o convento.

Maia, você tem que parar com isso, disse resoluta a mim mesma. Sabia que tudo o que acontecera e estava acontecendo comigo me fazia sentir como se minha camada externa de proteção estivesse sendo lentamente descascada, revelando meu eu interior vulnerável. E eu *precisava* começar a lidar com isso.

Depois de me vestir, ouvi as mensagens do celular pela primeira vez em três dias. Previsivelmente, Ma contara a Tiggy e Ally sobre minha partida repentina, e elas queriam que eu retornasse dizendo onde tinha me metido. Decidi entrar em contato com elas depois que falasse com Yara no dia seguinte e talvez, então, eu pudesse lhes dizer exatamente por que estava ali.

Mandei uma mensagem para as duas dizendo que estava bem e que mandaria um e-mail em breve contando as novidades. Depois, mantendo o que planejara antes, deixei o hotel e caminhei em direção ao coração de Ipanema. Achei um supermercado e comprei duas garrafas do melhor vinho tinto que eles tinham e alguns chocolates para Valentina. Atravessei a praça movimentada, que atraía os moradores com uma feira noturna, e segui para a rua onde Floriano morava.

Subi os degraus da entrada e dei de cara com cinco campainhas. Apertei a primeira e ninguém atendeu, depois a segunda e a terceira. Apertei a quarta e ainda assim não fui atendida por ninguém. Já estava prestes a virar e voltar para o hotel quando ouvi um grito vindo do alto.

– Ei, Maia! Aperte a campainha de cima que eu libero a sua entrada.

– Certo! – gritei para ele. E, alguns segundos depois, eu estava diante da porta já aberta do seu apartamento.

– Estamos na cozinha – gritou ele quando entrei. – Vá para o terraço que eu encontro você lá.

Fiz o que ele disse, sentindo o cheiro de comida queimada no andar de baixo. Fiquei assistindo ao sol se pôr atrás do morro que abrigava a favela. Finalmente, Floriano apareceu, um pouco suado.

– Me desculpe. Valentina insistiu que não queria ajuda para esquentar a massa que Petra a ajudou a preparar mais cedo para o jantar. Infelizmente, ela ligou o forno no máximo e receio que meu jantar de aniversário esteja queimado. Ela ficou lá na cozinha servindo o prato, mas perguntou se você quer um pouco também. Acho que seria ótimo ter uma ajuda para dar conta do banquete – admitiu.

– Se você tem certeza de que tem comida suficiente, então sim, será um prazer.

– Ah, sim, tem muita – disse ele, notando as garrafas de vinho e os chocolates que eu havia trazido.

– Para lhe desejar um feliz aniversário – falei. – E também para agradecer por toda a ajuda que tem me dado.

– Que gentil, Maia, muito obrigado. Vou buscar mais uma taça de vinho para pôr na mesa e ver como a cozinheira está se saindo lá embaixo. E dizer que temos uma convidada para o jantar. Por favor, sente-se.

Ao sair, ele apontou para a mesa, que estava coberta com uma toalha de renda branca e cuidadosamente arrumada para dois. No centro, em lugar de destaque, havia um grande cartão de aniversário feito à mão, com o desenho de um homem com braços e pernas de palitinho e a frase: "Feliz aniversário, papai!"

Floriano voltou depois de algum tempo, trazendo uma bandeja com uma taça de vinho, talheres extras e dois pratos de comida.

– Valentina falou para começarmos a comer – disse ele, colocando o conteúdo da bandeja na mesa. Depois abriu uma das garrafas de vinho que eu levara.

– Obrigada – falei, enquanto Floriano levava mais uma cadeira para a mesa e arrumava outro lugar para ele. – Realmente espero não estar incomodando. E que Valentina não se importe de eu entrar de penetra no jantar especial que ela preparou para o pai.

– Muito pelo contrário, ela está adorando. Porém devo avisá-la que ela fica dizendo que você é minha namorada. Só a ignore. Ela vive tentando arrumar alguém para seu pobre e velho pai! Saúde! – disse ele, erguendo a taça em direção à minha.

– Saúde. E feliz aniversário. – Então brindamos.

Nesse momento, Valentina entrou, trazendo outro prato para a mesa e colocando-o timidamente à minha frente.

– Olá – disse ela. – Papai me disse que seu nome é Maia. É um nome bonito. E você é bonita também, não acha, papai? – acrescentou ela, enquanto se sentava entre nós dois.

– Acho que Maia é muito bonita mesmo – concordou Floriano. – E este jantar parece delicioso. Obrigado, querida.

– Papai, nós dois sabemos que a comida queimou e o gosto deve estar horrível, e não me importo nem um pouco se vocês quiserem jogar no lixo e a gente comer chocolate em vez disso – respondeu Valentina de maneira pragmática, de olho no presente que eu levara. – Ainda não cozinho muito bem – disse ela, dando de ombros e voltando os olhos escuros para mim. – Você é casada? – perguntou, enquanto levantávamos os garfos temerosos para começar a comer.

– Não, não sou, Valentina. – Procurei conter o sorriso diante daquele interrogatório ostensivo.

– Você tem namorado? – continuou ela.

– Não, não no momento.

– Então talvez papai possa ser seu namorado – sugeriu, levando uma garfada de comida à boca. Ela mastigou por alguns segundos, depois, sem a menor cerimônia, devolveu ao prato.

– Valentina! Isso foi nojento! – repreendeu-a severamente Floriano.

– Isso aqui também está. – Ela apontou para o prato.

– Bem, eu gostei. Sempre adorei churrasco – falei, piscando para ela.

– Eu sinto muito. Você não precisa comer isso, nenhum de vocês dois. Mas pelo menos temos uma sobremesa gostosa. Por que você está aqui, Maia? – perguntou ela, mudando de assunto sem nem parar para respirar. – Você está ajudando o papai com o trabalho?

– Sim. Eu traduzi o livro do seu pai para o francês.

– Você não fala como uma francesa e parece brasileira, não é, papai?

– Sim, ela parece – concordou Floriano.

– Então você mora em Paris? – perguntou Valentina.

– Não, eu moro na Suíça, à margem de um lago muito grande.

Valentina apoiou o queixo nas palmas das mãos.

– Eu nunca saí do Brasil. Você pode me falar sobre o lugar onde mora?

Descrevi da melhor maneira possível a Suíça para ela. Quando falei que nevava muito no inverno, os olhos de Valentina se iluminaram.

– Eu nunca vi neve, a não ser em fotos. Quem sabe eu posso ficar na sua casa um dia e fazer anjos de neve como você disse que fazia com suas irmãs quando era pequena?

– Valentina, é muito mal-educado se convidar para a casa dos outros. Agora acho que está na hora de limparmos tudo – disse Floriano, indicando os pratos ainda com comida.

– Sim, papai. Não se preocupe, eu faço isso. Você fica aqui conversando com a sua namorada.

Ela piscou descaradamente para nós dois, depois recolheu os três pratos e desceu sacolejando tudo perigosamente na bandeja.

– Desculpe – falou Floriano, afastando-se da mesa e se apoiando na parede para acender um cigarro. – Ela é meio precoce. Talvez por ser filha única.

– Não precisa pedir desculpas. Ela faz perguntas porque é inteligente e está interessada no mundo que a cerca. Além disso, sei por experiência própria que não são só os filhos "únicos" que são precoces. Tenho cinco irmãs, e a mais nova certamente se encaixa nessa descrição. Acho sua filha um amor.

– Sempre me preocupo de estar mimando minha filha, exagerando na atenção que dou a ela para compensar o fato de ela não ter mãe – disse ele, suspirando. – E seja qual for o éthos moderno com relação a essas coisas, os homens simplesmente não nascem com o mesmo instinto maternal que as mulheres. Embora eu tenha feito o máximo para aprender – acrescentou.

– Pessoalmente, acho que não importa se quem cria é homem ou mulher, pai biológico ou adotivo, desde que a criança seja amada. Mas acho que eu não diria outra coisa, não é mesmo? – Encolhi os ombros.

– Sim, acho que sim. Você com certeza teve uma criação bastante incomum, Maia, pelo que estava contando a Valentina agora. Devia ter alguns problemas, assim como algumas vantagens.

– É verdade – falei, sorrindo melancólica.

– Gostaria que você me contasse mais depois. Principalmente sobre seu pai. Ele parece ter sido um homem muito interessante.

– Ele era.

– Agora, me diga, você está um pouco mais calma do que parecia hoje de manhã? – perguntou gentilmente.

– Estou, sim. Você está certo, é claro. Acho que finalmente está caindo a ficha de que perdi a pessoa que eu mais amava no mundo. É mais fácil estar aqui porque ainda posso imaginar Pa em casa. Mas, para ser sincera, imaginar que, quando voltar do Rio, não vou encontrá-lo lá revira meu estômago.

– Então fique um pouco mais – sugeriu.

– Bem, vou ver o que acontece amanhã quando me encontrar com Yara – respondi, ignorando seu comentário. – Mas, se isso não levar a lugar nenhum, resolvi que não vou mais ficar lutando para descobrir a verdade. Afinal, dona Beatriz Carvalho deixou bem claro que não quer me conhecer, seja eu sua neta ou não.

– Entendo que você encare as coisas desse jeito. Mas, Maia, você ainda não sabe o que aconteceu no passado para ela reagir assim ao ver você – disse Floriano. – Ou como foi a infância *dela*.

– Maia – disse Valentina, colocando a cabeça na abertura da porta –, você pode vir me ajudar, por favor? – pediu em um sussurro alto.

– Claro – respondi, levantando-me da mesa e descendo atrás dela até a cozinha, onde, em meio ao caos de panelas queimadas, havia um bolo com algumas velas em cima.

Valentina o pegou com cuidado.

– Você pode acender para mim? Papai não me deixa usar fósforos. Coloquei 22 velas porque não sei bem quantos anos ele tem.

– Acho que 22 servem – falei, sorrindo. – Vamos acendê-las no alto da escada para não apagarem no meio do caminho.

No último degrau, nos agachamos em frente à porta do terraço e eu acendi as velas com cuidado, sentindo o olhar de Valentina em mim. Seus olhos eram tão observadores quanto os do pai.

– Obrigada, Maia – disse ela quando acendi a última vela. Enquanto se preparava para entrar no terraço carregando o bolo, ela sorriu para mim. – Estou feliz que esteja aqui.

– Eu também – falei. E percebi que era verdade.

❋ ❋ ❋

Fui embora meia hora depois, quando notei que Valentina estava boce-jando e queria que Floriano lhe contasse uma história.

– Então, levo você amanhã ou você prefere ir sozinha à Casa das Orquí-deas? – perguntou ele ao abrir a porta do apartamento.

– Gostaria muito que você fosse – admiti sinceramente. – Acho que pre-ciso de apoio.

– Está bem. Então vejo você amanhã, à uma hora. – Floriano se despediu com dois beijos formais. – Boa noite, Maia.

29

Dormi tranquila naquela noite, com o corpo finalmente adaptado ao novo fuso horário. Acordei às nove e atravessei a rua até a praia de Ipanema para meu mergulho diário, que estava se tornando um hábito. Então voltei à suíte para reler as cartas e anotar tudo o que eu queria perguntar a Yara. No terraço do hotel, almocei tomando uma taça de vinho, para me acalmar. Eu sabia que, se Yara se recusasse a colaborar, ou não soubesse como eu tinha acabado sendo adotada por Pa Salt, eu não teria mais onde pesquisar.

❀ ❀ ❀

– Está confiante? – perguntou Floriano quando entrei no Fiat.

– Sim. Ou, pelo menos, estou tentando ficar.

– Boa menina. Você precisa acreditar que Yara pode ajudá-la até que lhe provem o contrário.

– O problema é que de repente percebi quanto isso é importante para mim.

– Eu sei – concordou ele. – Posso ver isso.

Quando chegamos em frente à Casa das Orquídeas, constatamos aliviados que, embora os portões ainda estivessem fechados, o cadeado não estava mais lá.

– Até agora tudo bem – disse Floriano. – Vou esperar aqui até você terminar.

– Tem certeza? Não me importo que você venha comigo.

– Certeza absoluta. Sinto que esta deve ser uma conversa de mulher para mulher. Boa sorte – disse ele, apertando minha mão quando saí do carro.

– Obrigada.

Respirando fundo, atravessei a estrada e cheguei em frente aos altos portões. Empurrei, e o portão se abriu com um gemido de abandono. Depois que entrei, olhei para Floriano, que me observava de dentro de seu carro. Acenei para ele, então me virei, segui em direção à casa e subi os degraus até a porta da frente.

Yara, que obviamente esperava ali perto, abriu imediatamente. Ela me levou para dentro, depois fechou a porta e passou o trinco.

– Não tenho muito tempo – disse ela, tensa, enquanto me levava pelo corredor escuro até o mesmo aposento em que Floriano e eu tínhamos nos encontrado com a Sra. Beatriz Carvalho.

Desta vez, porém, as venezianas continuaram fechadas e havia apenas uma fraca lâmpada comum iluminando o lugar com uma luz fantasmagórica.

– Por favor, sente-se – disse ela.

– Obrigada. – Fiz o que ela sugeriu, então olhei para Yara, que se sentara nervosamente em uma cadeira de frente para mim. – Sinto muito se minha presença repentina causou algum transtorno a você e a dona Beatriz – comecei. – Mas tenho que acreditar que você me deu aquelas cartas por algum motivo. E você devia saber que, quando eu as lesse, iria querer saber mais.

– Sim, sim... – Yara passou a mão na testa. – Senhorita, você deve saber que sua avó está morrendo. Quando ela se for, não sei o que será de mim. Nem se ela irá me deixar alguma coisa para eu me manter.

Logo me perguntei se Yara estava me oferecendo informações em troca de pagamento. E, em caso afirmativo, se essa informação seria confiável. Yara deve ter notado minha preocupação e se apressou em me tranquilizar.

– Não, não estou pedindo dinheiro. O que estou dizendo é que, se ela descobrir que andei falando com a senhorita, pode resolver suspender qualquer pensão que esteja pensando em me deixar.

– Mas por quê? O que ela não quer que eu saiba?

– Srta. Maia, tem a ver com sua mãe, Cristina. Ela deixou esta casa há mais de 34 anos. Não quero que dona Beatriz se aborreça em seus últimos dias na Terra, você entende?

– Não, na verdade, não – respondi, sentindo um arrepio percorrer meu corpo àquela primeira menção do nome da minha mãe... – Então por que você me deu aquelas cartas? Elas foram escritas há oitenta anos pela minha bisavó, três gerações antes de eu nascer!

– Porque, para entender o que aconteceu com você, precisa saber o que houve antes – explicou Yara. – Embora eu só possa repetir o que minha mãe, Loen, me contou, já que eu era recém-nascida quando dona Izabela deu à luz dona Beatriz.

– Por favor, eu lhe imploro, Yara, conte-me tudo o que sabe – insisti, intuindo que cada segundo era precioso antes que a coragem de Yara a deixasse. – Juro que nunca iria colocá-la em risco dizendo a dona Beatriz que você falou comigo.

– Nem mesmo se soubesse que pode herdar esta casa? – Yara me observou.

– Eu lhe asseguro que fui adotada por um homem extremamente rico e não me falta nada em termos financeiros. Por favor, Yara.

Ela olhou para mim por alguns segundos, em seguida deu um pequeno suspiro, rendendo-se.

– As cartas que você leu, escritas para minha mãe, terminam quando dona Izabela voltou ao Rio, não é?

– Sim. A última foi enviada do navio, quando ele aportou na África em seu caminho de volta da França – confirmei. – Sei que Bel voltou para casa, aqui no Rio. Vi as fotos de seu casamento com Gustavo Aires Cabral nos arquivos.

– Sim. Então, vou lhe contar o que minha mãe disse que aconteceu com Izabela nos dezoito meses que se seguiram...

Izabela

Rio de Janeiro
Outubro de 1928

30

— *I*zabela! Minha querida filha, você voltou em segurança para nós! – gritou Antônio quando Bel desceu da prancha e seguiu em direção aos seus braços abertos. Ele a abraçou com força, depois se afastou para olhar para ela. – Ora, mas o que é isso? Você está fraquinha como um pardal. Não andou comendo? E está tão pálida, princesa, mas suponho que seja culpa do clima do Norte da Europa. Você precisa do sol quente do seu país para colocar um pouco de cor no seu rosto. Venha, já estão guardando seu baú no carro, que está parado aqui perto do cais.

– Onde está a mamãe? – perguntou Bel, enquanto caminhava ao lado do pai.

O céu estava estranhamente cinzento e sombrio para o mês de outubro. Se pelo menos o sol tivesse aparecido, sentia que teria melhorado seu humor.

– Ela está descansando em casa – respondeu o pai. – Sua mãe não tem estado bem.

– O senhor não falou nada nas cartas que me mandou – disse Bel com uma expressão preocupada.

– Tenho certeza de que sua presença irá acelerar a recuperação dela.

Antônio parou ao lado de um impressionante carro prateado e o motorista abriu a porta de trás para Bel entrar.

– O que você acha? – perguntou Antônio quando se juntou a ela no banco cinza-claro de couro de bezerro. – Mandei vir dos Estados Unidos. É um Rolls-Royce, um "Phantom", acho que o primeiro do Rio. Vai ser um orgulho levar minha princesa nele até a catedral no dia do casamento.

– É lindo – respondeu Bel de modo automático, ainda pensando na mãe.

– Vamos pegar o caminho pela praia para lembrar minha filha do que ela estava afastada – Antônio instruiu o motorista. – Temos tanto para dizer um ao outro, vai ser difícil saber por onde começar – disse ele à filha. – Mas, com relação aos negócios, está tudo muito bem. O preço do café aumenta diariamente graças à demanda dos Estados Unidos, e eu comprei mais duas fazendas. Meu nome também foi lembrado como possível candidato para o Senado Federal – continuou, vaidoso. – Foi o pai de Gustavo, Maurício, quem sugeriu. Concluíram agora um edifício novo e maravilhoso na rua Moncorvo Filho, em que até mesmo o chão e as cornijas são decorados com grãos de café. É o poder do nosso grão aqui no Brasil.

– Estou feliz pelo senhor, pai – disse Bel com indiferença enquanto seguiam pelas ruas conhecidas.

– E eu não tenho nenhuma dúvida de que seu casamento será o maior que o Rio já viu. Andei conversando com Gustavo e Maurício sobre a necessidade de restaurar a casa da família deles, já que você também vai morar lá quando se casar. Como você sabe, é um prédio antigo e bonito, mas tanto a estrutura quanto o interior sofreram com a ação do tempo. Concordamos que, como parte de seu dote, vou financiar a restauração, e as reformas já começaram. Minha princesa, quando as obras acabarem, você vai morar em um palácio!

– Obrigada, pai – respondeu Bel com um sorriso, querendo convencer o pai, e, mais importante, a si mesma de que se sentia grata.

– Estamos planejando o casamento para depois do ano-novo, logo antes do Carnaval. Você e sua nova casa terão três meses para estarem prontas. Então você terá muito que fazer, querida.

Como Bel esperava ser conduzida ao altar praticamente assim que voltasse ao Rio, pensou que um pequeno adiamento já era alguma coisa. Passaram pelo Copacabana Palace e ela viu o mar cinzento furioso, as ondas quebrando na areia.

– Quando tiver se recuperado da viagem, vamos dar um jantar para você compartilhar conosco tudo sobre os lugares maravilhosos que conheceu e a cultura com que teve contato no Velho Mundo e impressionar nossos amigos com seu conhecimento.

– Amei Paris – arriscou ela. – É uma cidade tão bonita, e o professor Landowski, que está fazendo a parte externa do Cristo para o Sr. Heitor da Silva Costa, tinha um assistente que também fez uma escultura minha.

– Bem, se for boa, devemos entrar em contato com ele. Vou comprá-la e trazê-la para o Brasil – comentou Antônio.

– Duvido que esteja à venda – disse ela, melancólica.

– Querida, tudo está à venda por um preço – afirmou Antônio categoricamente. – Estamos quase em casa. Tenho certeza de que sua mãe deve ter se levantado da cama para cumprimentá-la.

Se Antônio expressara preocupação com a aparência pálida e frágil da filha, isso não foi nada comparado ao choque que Bel teve quando sua mãe veio vê-la. Carla, sempre exuberante, parecia ter perdido metade de seu peso nos oito meses e meio que se passaram desde que Bel a vira pela última vez.

– Mãe! – exclamou Bel enquanto corria até ela e a abraçava. – O que aconteceu com a senhora? Deve estar fazendo dieta!

Carla se esforçou para sorrir, e Bel viu como os olhos castanhos da mãe pareciam grandes no rosto macilento.

– Eu queria parecer elegante no casamento da minha filha – brincou. – Você não acha que fiquei bem assim, mais magra?

Acostumada aos seios fartos e reconfortantes da mãe, em que se aninhara muitas vezes quando criança, Bel olhou para Carla e pensou em como ela envelhecera.

– Sim, mãe, é claro que sim – mentiu Bel.

– Que bom. Agora – começou ela, passando o braço pelo da filha enquanto entravam em casa – tenho tanto para lhe contar, mas tenho certeza de que você prefere descansar primeiro.

Bel acabara de passar vários dias a bordo do navio com pouco a fazer além de repousar, então não se sentia nem um pouco cansada. Mas, quando a mãe de repente franziu o rosto de dor, Bel percebeu que era a necessidade dela, e não a da filha, que a fizera sugerir isso.

– Claro, podemos dormir um pouco e conversar mais tarde – concordou ela, vendo o alívio no rosto da mãe. – É a senhora quem me parece cansada, mãe – disse Bel ao chegarem à porta do quarto dos pais. – Devo ajudá-la a voltar para cama?

– Não – respondeu Carla com firmeza. – Gabriela já está lá dentro e vai cuidar de mim. Vejo você mais tarde. – Despediu-se enquanto abria a porta do quarto e logo depois a fechou.

Bel procurou seu pai imediatamente e o encontrou no escritório.

– Pai, por favor, me diga, mamãe está muito doente?

Antônio levantou os olhos dos papéis e tirou os óculos, que começara a usar depois da partida da filha.

– Querida, sua mãe não queria que você se preocupasse enquanto estivesse longe, mas ela passou por uma operação há um mês para remover um nódulo no seio. A operação foi um sucesso e os cirurgiões acreditam que ela irá se recuperar completamente. Mas o procedimento a deixou abatida, é só. Assim que recuperar a força, ela ficará bem novamente.

– Pai, ela parece estar muito mal! Por favor, me diga a verdade. Não esconda de mim a gravidade da doença.

– Eu juro, Izabela, que não estou escondendo nada. Pergunte aos médicos dela se você não acredita em mim. Tudo de que ela precisa é descanso e uma boa alimentação. Ela não tem tido muito apetite desde a cirurgia.

– O senhor tem certeza de que ela vai se recuperar?

– Tenho.

– Então, agora que estou em casa, eu vou cuidar dela.

❖ ❖ ❖

Ironicamente, ter que se preocupar com o bem-estar de sua mãe ajudou muito Bel nos dias seguintes. Isso lhe deu foco, algo em que se concentrar que não fosse sua própria tristeza. Ela mesma supervisionava a preparação da comida de Carla, cuidando para que os empregados fizessem pratos nutritivos que fossem fáceis de engolir e digerir. Sentava-se com ela todas as manhãs, falando animadamente sobre o que tinha visto no Velho Mundo, sobre Landowski e a École des Beaux-Arts e sobre o incrível projeto do Cristo de Heitor da Silva Costa.

– Eles começaram a cavar as fundações no alto do Corcovado – observou Carla um dia. – Eu adoraria ir lá em cima para ver qualquer hora dessas.

– Vou levá-la até lá – respondeu Bel, desejando que a mãe se recuperasse para que isso fosse mesmo possível.

– E devemos, naturalmente, conversar sobre os preparativos para o seu casamento – disse Carla, após afirmar que estava bem o suficiente para se sentar em uma cadeira na varanda do quarto. – Há muito que decidir.

– Tudo a seu tempo, mãe, quando a senhora estiver mais forte – insistira Bel de maneira inflexível.

Durante o jantar, três noites depois da chegada de Bel, Antônio lhe disse que tinha acabado de receber uma ligação de Gustavo.

– Ele quer saber quando pode vir vê-la.

– Talvez quando mamãe estiver um pouco melhor – sugeriu.

– Izabela, você ficou longe dele por nove meses. Sugeri que ele apareça amanhã à tarde. Gabriela pode ficar com sua mãe enquanto você conversa com Gustavo. Não gostaria que ele pensasse que você não quer vê-lo.

– Sim, pai – concordou Bel, obediente.

– E com certeza você também deve estar ansiosa para vê-lo, não é?

– Claro.

❀ ❀ ❀

Gustavo chegou pontualmente às três da tarde do dia seguinte. Carla insistira para que Bel colocasse um dos vestidos que trouxera de Paris.

– Você precisa estar ainda mais bonita do que ele se lembra – enfatizara Carla. – Depois de tanto tempo afastados, não gostaríamos que ele mudasse de ideia. Principalmente porque você está tão magra quanto eu – provocara.

Loen a ajudara a se vestir e, em seguida, fizera um elegante coque em seu cabelo.

– Como você se sente agora que vai ver Gustavo de novo? – perguntara Loen, hesitante.

– Eu não sei – respondera Bel sinceramente. – Nervosa, eu acho.

– E... o outro homem sobre o qual você escreveu para mim de Paris? É capaz de esquecê-lo?

Bel olhara para seu reflexo no espelho.

– Nunca, Loen, nunca.

Depois de arrumada, esperara Gustavo na sala de visitas, até finalmente ouvir, com receio, a campainha soar. Gabriela seguira pelo corredor para atender à porta. Durante os poucos segundos em que aguardou Gustavo entrar, após ouvir a voz dele, Bel pediu ajuda aos céus, rezando para que o noivo nunca notasse o conflito em seu coração.

– Izabela – disse ele ao entrar na sala, caminhando até ela com os braços estendidos.

– Gustavo. – Ela levantou as mãos, e ele as segurou, examinando a noiva.

– Meu Deus, acho que a Europa lhe fez muito bem, já que está ainda mais radiante do que me lembro. Você se tornou uma bela mulher – disse ele, e Bel sentiu que ele absorvia cada centímetro dela. – Foi maravilhoso?

– Sem dúvida – respondeu ela, sinalizando para Gabriela trazer um jarro de suco de manga e indicando que Gustavo devia se sentar. – Paris, principalmente.

– Ah, sim, a cidade do amor – comentou ele. – E fico tão triste por não ter estado lá com você. Talvez um dia, se Deus permitir, possamos ir juntos. Então, me conte sobre suas viagens.

Enquanto lhe contava tudo o que tinha visto nos últimos meses, Bel chegou à conclusão de que Gustavo parecia ainda mais frágil do que se lembrava. Mas fez um esforço para se concentrar em seus carinhosos olhos castanhos e na bondade que havia dentro deles.

– Bem – disse ele, tomando um gole de suco –, parece mesmo que você aproveitou bastante. Você contava tão poucos detalhes em suas cartas que eu não tinha certeza se a viagem havia sido um sucesso ou não. Por exemplo, você não mencionou que um escultor lhe pediu para posar para ele enquanto estava em Paris.

– Quem lhe contou? – perguntou Bel, abalada por ele saber disso.

– Seu pai, é claro, quando falei com ele ao telefone ontem. Deve ter sido uma experiência interessante.

– Foi sim – concordou Bel, sentindo suas forças lhe abandonarem.

– Sabe – continuou ele, sorrindo para ela –, há seis semanas mais ou menos, quando você se preparava para deixar Paris, tive a estranha sensação de que não voltaria para mim. Na verdade, cheguei a entrar em contato com seu pai para ter certeza de que você havia embarcado no navio como planejado. Mas, é claro, era só o medo falando mais alto. Porque aqui está você, Izabela. – Ele estendeu a mão para pegar a dela. – Você sentiu minha falta como senti a sua?

– Sim, muito.

– É uma pena não podermos nos casar logo, mas é claro que devemos dar à sua mãe tempo para se recuperar. Como ela está?

– Fraca, mas melhorando aos poucos – disse Bel. – Ainda estou muito irritada por meus pais não terem me falado sobre a doença quando eu estava fora. Com certeza eu teria voltado mais cedo.

– Bem, Izabela, talvez haja algumas coisas que não devam ser compartilhadas por carta, você não concorda?

Bel sentiu seu rosto corar sob o olhar de Gustavo. Era como se cada palavra que saía de sua boca sugerisse que ele sabia o segredo que ela escondia dele.

– Mesmo que tivessem boas intenções e quisessem me proteger, eles deviam ter me contado – respondeu ela bruscamente.

– Bem. – Gustavo soltou a mão dela. – Você está segura em casa comigo, e sua mãe está se recuperando. E isso é tudo o que importa, não é? Minha mãe está ansiosa para encontrar você para conversarem sobre os preparativos do casamento. É claro, ela não quis perturbar a dona Carla, mas alguns detalhes precisam ser decididos logo. Por exemplo, a data. Você prefere algum dia de janeiro?

– Eu gostaria que fosse mais para o final do mês, para dar à minha mãe o máximo de tempo possível para se recuperar.

– Claro. Talvez nos próximos dias você possa visitar minha mãe lá em casa para acertar os planos do casamento. E também dar uma olhada no que seu pai e eu decidimos com relação à reforma da casa. O trabalho estrutural já está em andamento e seu pai encontrou um arquiteto que tem algumas ideias bem modernas. Ele sugeriu que remodelássemos os andares superiores para acrescentar banheiros aos quartos principais. E tenho certeza de que você gostaria de opinar sobre a decoração de nossos aposentos. Vocês, mulheres, têm ideias muito melhores para isso do que nós, homens.

A simples ideia de dividir em breve um quarto – e a *cama* – com Gustavo fez Bel sentir um arrepio de medo.

– Ficaria feliz em ir à sua casa quando for melhor para sua mãe – respondeu ela.

– Bem, posso sugerir a próxima quarta?

– Por mim, está tudo bem.

– Que bom. E espero que você me permita desfrutar sua companhia até lá. Posso visitá-la amanhã à tarde?

– Eu estarei aqui – disse Bel.

Os dois se levantaram.

– Até amanhã, Izabela – murmurou ele, beijando sua mão. – Anseio pelo dia em que já não terei mais de marcar um encontro para vê-la.

Quando Gustavo deixou a casa, Bel subiu até seu quarto para se recompor antes de ver como a mãe estava. De pé junto à janela, repreendeu-se seriamente. Gustavo era doce e gentil, e devia se lembrar de que não era culpa dele ela nunca poder amá-lo como ele a amava. Ou o fato de ela já amar outro...

Então, lembrando-se do aviso de Laurent – de que um dia seus verdadeiros sentimentos iriam se revelar –, Bel lavou o rosto com água fria antes de ir ao quarto da mãe.

❅ ❅ ❅

Uma semana depois, Bel pôde constatar, satisfeita, que Carla, embora ainda fraca e magra, com certeza estava melhorando.

– Ah – suspirou Carla uma tarde, ao ouvir Bel ler *Madame Bovary*, de Gustave Flaubert, traduzindo o texto do francês para o português para que sua mãe entendesse. – Minha filha é tão inteligente! Quem poderia imaginar? – Carla lançou um olhar amoroso para Bel e fez um carinho em seu rosto. – Você me deixa muito orgulhosa.

– E a senhora vai me deixar orgulhosa se comer todo o seu jantar – replicou Bel.

Carla olhou a tarde ensolarada pela janela, vendo dançarem as sombras da flora e da fauna exuberantes dos jardins.

– Essa luz me dá saudades de estar na minha amada fazenda – disse ela. – Sempre achei o ar da montanha de lá tão restaurador e o ambiente tão tranquilo.

– Gostaria de ir para lá, mãe?

– Você sabe como eu adoro a fazenda, Izabela. Mas seu pai anda tão ocupado no escritório que não quer sair do Rio.

– O que importa é a sua saúde. Deixe comigo – respondeu Bel, resoluta.

Durante o jantar com o pai, Bel falou sobre a ideia de acompanhar Carla até a fazenda.

– Acho que isso a animaria e, com certeza, faria um bem enorme à saúde dela. O senhor nos deixaria ir, pai, só por algumas semanas? Está tão quente aqui no Rio.

– Izabela – disse Antônio, franzindo a testa –, você acabou de chegar e já está falando em ir embora de novo. Qualquer um pensaria que você não gosta de estar aqui.

– Sabe que não é verdade, pai. Mas, até percebermos que mamãe está melhor, não me sinto confortável em marcar a data do casamento. E o senhor sabe como estou ansiosa para resolver isso. Então, se uma temporada na fazenda pode acelerar sua recuperação, eu ficaria feliz em acompanhá-la.

– E as duas me deixariam aqui sozinho, sem mulher ou filha para quem voltar? – reclamou Antônio.

– Tenho certeza de que o senhor poderia nos visitar nos fins de semana quando não estivesse trabalhando, pai.

– Talvez. Mas não sou eu quem você tem de convencer, e sim seu noivo, que pode não querer que você desapareça da vista dele de novo.

– Vou falar com Gustavo – concordou Bel.

❖ ❖ ❖

– É claro – assentiu Gustavo quando Bel lhe explicou seus planos na tarde seguinte. – Sou a favor de qualquer coisa que possa acelerar nosso caminho para o altar. E – apressou-se a acrescentar – será ótimo para a saúde da sua mãe. No entanto, antes de você ir, temos de tomar algumas decisões.

Carla ficou imensamente feliz quando Bel contou que partiriam para a fazenda na semana seguinte. Ela não era o único membro da casa a ficar contente com a notícia. O rosto de Loen se iluminou quando Bel lhe pediu que acompanhasse as duas ao campo. Embora sua presença não fosse tecnicamente necessária, já que Fabiana e Sandro, que eram responsáveis pela fazenda, podiam atender suas necessidades, Bel sabia que isso daria a Loen uma oportunidade de passar algum tempo com o rapaz de quem gostava.

– Ah, Srta. Bel – exclamou Loen, os olhos brilhando de alegria. – Não posso acreditar que vou vê-lo novamente! Como ele não sabe ler nem escrever, não nos falamos desde que nos vimos pela última vez. Obrigada! Obrigada!

Num ímpeto, Loen deu um abraço em sua patroa e praticamente saiu pulando do quarto. E Bel decidiu que, mesmo que ela nunca mais pudesse ver aquele que amava, seria feliz através de Loen.

No dia seguinte, como haviam combinado, Bel foi se encontrar com Gustavo e a mãe dele para conversarem sobre os preparativos do casamento.

– É uma pena que a saúde de sua mãe a impeça de participar da organização neste momento crucial – disse Luiza Aires Cabral. – Mas devemos fazer o possível para planejar o evento enquanto isso.

Bel sentiu vontade de dar um tapa no rosto arrogante de Luiza, mas conseguiu se conter.

– Tenho certeza de que ela estará melhor em breve, ainda mais podendo desfrutar o ar fresco da montanha – disse apenas.

– Bem, se pudermos pelo menos definir a data, a sociedade carioca não vai achar que continuaremos procrastinando, tendo em vista que você já passou tanto tempo no exterior. Vamos ver... – Luiza colocou os óculos e estudou seu diário. – O arcebispo já me disse as datas que estão disponíveis. Como pode imaginar, a agenda é montada com meses de antecedência. Gustavo me falou que você prefere marcar o casamento para o final de janeiro. Em uma sexta, é claro. Casamentos no fim de semana são vulgares demais.

– O que achar melhor – concordou Bel, timidamente.

– Quanto à recepção, seu pai acha que devemos fazê-la no Copacabana Palace. Particularmente, acho que o lugar deslumbra as pessoas mais simples e preferiria algo mais íntimo e selecionado aqui em casa, seguindo a tradição da família. Mas, como seu pai decidiu reformar nossas instalações, que eu já achava mais do que adequadas, isso não é possível. A casa está cheia de trabalhadores e não posso correr o risco de não estar tudo pronto até janeiro. Então precisamos escolher outro local.

– Fico feliz com o que decidir – repetiu Bel.

– Para damas de honra e pajens, sua mãe sugeriu alguns primos seus de São Paulo. Oito no total – esclareceu Luiza. – Nós também temos no mínimo doze de nosso lado que preciso considerar, já que são afilhados e, naturalmente, esperam ter um papel importante na cerimônia. Oito é o número máximo sem parecer ostensivo. Tem alguém em especial que você gostaria de incluir na lista?

Bel indicou duas filhas pequenas da prima de sua mãe e um menino do lado do seu pai.

– Por mim está tudo bem que os outros sejam da família de Gustavo.

Ela olhou para o noivo, que abriu um sorriso doce e solidário.

Durante as duas horas seguintes, Luiza interrogou Bel sobre cada pequeno detalhe do casamento. Mas, toda vez que Bel arriscava uma sugestão, suas ideias eram rapidamente rejeitadas pela futura sogra, determinada em fazer as coisas de seu jeito.

No entanto, havia um ponto em que Bel estava obstinada a não ceder: após o casamento, Loen deveria acompanhá-la ao novo lar como sua criada pessoal.

Quando ousou levantar o assunto, Luiza a encarou com frieza antes de acenar com desdém.

– Isso é ridículo – disse ela. – Nossos empregados são mais do que capazes de atender suas necessidades.

– Mas...

– Mãe – interrompeu Gustavo, finalmente saindo em defesa de Bel. – Não vejo por que seria um problema Izabela trazer a empregada, que a conhece desde criança.

Luiza o encarou irritada, erguendo as sobrancelhas.

– Entendo. Bem, então, que assim seja – e acenou para o filho brevemente antes de virar para Bel e continuar. – Pelo menos o que acertamos hoje me dá algo com que trabalhar enquanto você estiver no campo semana que vem. Considerando que já ficou tanto tempo longe do meu filho, qualquer um pensaria que não deseja a companhia de seu noivo.

Mais uma vez, Gustavo interveio.

– Mãe, isso não é justo. Izabela só quer que a mãe melhore logo.

– Claro, e pedirei por ela em minhas orações quando for à missa amanhã. Enquanto isso, vou cumprir meu dever e assumir o controle dos preparativos até você e sua mãe voltarem para dividir o trabalho. Agora – Luiza olhou para o relógio sobre a lareira –, se me derem licença, tenho uma reunião do comitê do orfanato das Irmãs da Divina Misericórdia em menos de meia hora. Gustavo, tenho certeza de que você pode acompanhar Izabela pelo jardim para tomar um pouco de ar e lhe mostrar as reformas em andamento. Bom dia.

Bel viu Luiza sair da sala, sentindo-se como uma chaleira deixada muito tempo no fogão e prestes a transbordar.

– Não se preocupe com ela. – Gustavo aproximou-se de Bel e, percebendo sua irritação, colocou a mão de maneira reconfortante em seu ombro. – Minha mãe pode reclamar, mas está adorando cada segundo disto. Ela não tem falado sobre outra coisa nos últimos nove meses. Agora, permita-me acompanhá-la até o jardim.

– Gustavo – perguntou Bel quando deixaram a casa –, onde seus pais vão morar depois que nos casarmos e eu vier viver aqui com você?

Ele ergueu uma sobrancelha, surpreso.

– Bem, é claro que eles vão continuar a morar aqui conosco. Para onde mais iriam?

❀ ❀ ❀

Na manhã seguinte, Bel ajudou Carla a se instalar confortavelmente no banco de trás do Rolls-Royce e sentou ao lado dela. Loen ficou na frente com o motorista, e deram início à viagem de cinco horas até o ar fresco da montanhosa região de Paty do Alferes. Por duzentos anos, a Fazenda Santa Tereza pertencera à família do barão de Paty do Alferes, um nobre português que, como Antônio ressaltara antes de partirem naquela manhã, era um primo distante da família Aires Cabral.

As estradas até a região eram surpreendentemente boas, uma vez que os ricos proprietários de terras tiveram no passado que transportar seus grãos de café indo e voltando do Rio e por isso financiaram a obra. Assim, Carla pôde dormir tranquilamente a maior parte do caminho.

Bel olhava pela janela enquanto subiam as montanhas, vendo as encostas suaves descerem até os vales lá embaixo, cortados pelas fendas estreitas dos riachos de água pura e fresca.

– Mãe, chegamos – avisou Bel enquanto o carro seguia aos solavancos pela estrada de terra que levava à casa principal.

Carla se espreguiçou quando o carro parou, e Bel desceu para respirar o maravilhoso ar puro pelo qual a região era conhecida. Como era quase noite, as cigarras cantavam com todo o vigor, enquanto Vanila e Donna – as duas vira-latas que Bel implorara aos pais que deixassem ficar quando, havia sete anos, apareceram ainda filhotes e famintas na porta da cozinha – latiam animadas em volta das pernas de sua dona.

– Lar – disse Bel, suspirando de prazer quando viu os caseiros, Fabiana e Sandro, chegarem atrás das cadelas.

– Dona Izabela! – Fabiana a envolveu em um abraço afetuoso. – Minha nossa, acho que você ficou ainda mais bonita desde a última vez que a vi. A senhorita está bem?

– Sim, estou, obrigada. Mas – disse ela, baixando a voz – acho que vai se espantar quando vir minha mãe. Tente não demonstrar – advertiu.

Fabiana assentiu e viu o motorista ajudar Carla a descer do carro. Ela deu um tapinha no braço de Bel e andou até o carro para cumprimentar a patroa. Se alguém podia restaurar a saúde de sua mãe, essa pessoa era Fabiana, pensou Bel. Não só rezaria na pequena capela que ficava em um nicho perto da sala de estar como também daria a Carla todos os tipos de remédios caseiros: misturas das diferentes plantas e flores que cresciam em abundância na região e eram famosas por suas qualidades medicinais.

Pelo canto do olho, ela viu ali perto Bruno, o filho de Fabiana e Sandro. Todos caminharam para a entrada da casa e Bel notou quando Loen abriu um sorriso tímido para Bruno, que retribuiu.

Bel entrou em casa atrás de Fabiana e Carla, observando como a empregada passara o braço de maneira maternal em torno do ombro de sua mãe, e deu um suspiro de alívio. Até ali, cuidara da mãe sozinha, mas agora sabia que Fabiana assumiria a responsabilidade. Enquanto Fabiana levava Carla para o quarto para desfazer as malas e acomodá-la, Bel atravessou o piso de tábuas largas da sala de estar, repleta de móveis pesados de mogno e jacarandá, e abriu a porta do seu quarto de infância.

Os vidros das janelas tinham sido levantados, e as venezianas externas, abertas. Uma maravilhosa brisa fresca soprou quando ela apoiou os cotovelos no peitoril para admirar sua vista favorita. Lá embaixo podia ver Loty, seu pônei, e Luppa, o garanhão de seu pai, pastando tranquilamente. Mais adiante havia uma colina suave, ainda salpicada por antigos arbustos de café que tinham conseguido sobreviver, apesar de anos sem cuidados. Um rebanho de bois brancos pontilhava a encosta, e o solo vermelho se revelava sob o capim seco em trechos mais áridos.

Ela atravessou de volta a sala de estar e parou junto à entrada da casa, ladeada por duas das majestosas palmeiras – patis, na língua indígena – que davam nome ao lugar. Sentou-se no banco de pedra na varanda, sentindo o doce cheiro dos hibiscos que cresciam em abundância por ali, e olhou além dos jardins em direção ao lago em que nadava todos os dias quando era criança. Enquanto escutava o zumbido constante de libélulas que voavam sobre os canteiros de flores e via duas borboletas amarelas dançarem alegremente em frente aos seus olhos, Bel sentiu sua tensão desaparecer.

Laurent adoraria isto aqui, pensou melancolicamente, e, apesar de sua determinação em não pensar nele, lágrimas brotaram em seus olhos. Embora ela soubesse que isso significava o fim quando tomou a decisão de ir embora, uma parte infantil dela se perguntava se ele tentaria fazer contato. Todas as manhãs, quando ela via a correspondência na bandeja de prata na mesa do café, imaginava receber uma carta dele, implorando que ela voltasse e dizendo que não podia viver sem ela.

Mas, é claro, isso não tinha acontecido. E, à medida que as semanas passavam, ela começou a ponderar se as declarações de amor tinham sido o que Margarida sugerira: simplesmente parte de um plano para seduzi-la. Perguntava-se se Laurent ainda pensava nela, ou se o pouco tempo que ficaram juntos foram para ele algo sem importância, agora já esquecido.

Qualquer que fosse a verdadeira resposta, o que importava? Fora ela quem traçara um limite ao decidir voltar para o Brasil e seu futuro casamento. O ambiente do La Closerie des Lilas e a sensação da boca de Laurent na sua agora não passavam de lembranças, uma breve dança com outro universo que ela optara por encerrar. E, por mais que desejasse, nada poderia mudar o curso da vida que ela mesma havia escolhido.

31

Paris
novembro de 1928

– ntão, por fim, a estátua está terminada. – O professor Landowski bateu em sua bancada, aliviado. – Mas agora o brasileiro maluco precisa que eu faça um modelo em escala da cabeça e das mãos do Cristo. A cabeça terá quase 4 metros de altura, então mal vai caber no estúdio. Os dedos também vão quase chegar às vigas. Nós aqui no ateliê vamos sentir literalmente as mãos de Cristo sobre nós – brincou. – Então, pelo que Heitor me disse, quando eu terminar, ele vai cortar minhas criações como pedaços de carne para mandá-las ao Rio de Janeiro. Eu nunca trabalhei assim antes, mas talvez deva confiar em sua loucura – disse, suspirando.

– Talvez o senhor não tenha escolha – afirmou Laurent.

– Bem, isso paga as contas, Brouilly, embora eu não possa aceitar mais nenhuma encomenda até a cabeça e as mãos do Nosso Senhor saírem do meu ateliê. Simplesmente não haverá espaço. Então, vamos começar. Traga os moldes que você fez das mãos das duas damas. Preciso de algo com que trabalhar.

Laurent foi buscar os moldes no depósito e colocou-os em frente a Landowski. Os dois os observaram atentamente.

– As duas têm dedos belos, delicados, mas devo pensar como ficarão quando cada mão tiver mais de 3 metros – comentou Landowski. – Agora, Brouilly, você não tem que ir para casa?

Esse era o sinal de que Landowski queria ficar sozinho.

– Claro, professor. Até amanhã.

Ao sair do ateliê, Laurent viu o menino sentado no banco de pedra da varanda. A noite estava fria, mas clara, e as estrelas formavam um dossel perfeito acima deles. Laurent sentou ao lado do garoto, observando-o olhar para o céu.

– Você gosta das estrelas? – arriscou Laurent, embora já tivesse aceitado havia muito tempo que nunca receberia uma resposta.

O menino abriu um breve sorriso e assentiu.

– Aquele é o cinturão de Órion – disse Laurent, apontando. – E ao lado está a constelação das Sete Irmãs. E ali estão seus pais, Atlas e Pleione, tomando conta delas.

Laurent percebeu que o menino seguia seu dedo e ouvia atentamente.

– Meu pai gostava de astronomia e tinha um telescópio no sótão do nosso castelo. Às vezes, nas noites claras, ele o levava para o telhado e me ensinava sobre as estrelas. Uma vez eu vi uma estrela cadente e achei que era a coisa mais mágica que já tinha visto. – Ele olhou para o menino. – Você tem pais?

O garoto fingiu não ouvi-lo e simplesmente continuou olhando para cima.

– Ah, bem, eu preciso ir – disse ele, dando um tapinha na cabeça do menino. – Boa noite.

Laurent conseguiu pegar carona em uma motocicleta durante parte da viagem de volta a Montparnasse. Quando chegou ao sótão, viu uma forma encolhida em sua cama. Outro corpo dormia em um colchão no chão. Aquilo não era incomum, principalmente nos últimos dias, já que andava dormindo com frequência no ateliê de Landowski.

Normalmente, ele deixaria o ocupante dormir em paz por mais algumas horas, enquanto se juntaria aos amigos nos bares de Montparnasse, voltando mais tarde para expulsar o corpo da cama e se deitar. Mas naquela noite sentia-se atipicamente cansado e sem disposição para socializar.

Na verdade, sua *joie de vivre* parecia tê-lo abandonado completamente desde o momento em que Izabela Bonifácio embarcara de volta ao Brasil.

Até mesmo Landowski tinha comentado que ele andava mais silencioso do que de costume.

– Você está doente, Brouilly? Ou sofrendo por algum motivo? – perguntara com um brilho perspicaz nos olhos.

– Nenhum dos dois – respondera Laurent na defensiva.

– Bem, independentemente do tipo de doença que seja, lembre-se de que essas coisas sempre passam.

Laurent se sentira melhor com as palavras sábias e solidárias de Landowski. Muitas vezes, achava que o professor vivia tão imerso em seu próprio mundo que nem percebia a presença do assistente, muito menos seu humor. Nos últimos tempos, Laurent sentia como se alguém tivesse arrancado seu coração e depois o pisoteado.

Foi até sua cama e balançou a pessoa que estava lá, mas o homem simplesmente gemeu e abriu a boca, deixando escapar um bafo de álcool, antes de virar de lado. Laurent sabia que não conseguiria acordá-lo. Com um suspiro pesado, decidiu lhe dar mais algumas horas para curar a bebedeira enquanto saía em busca de algo para jantar.

As ruas estreitas de Montparnasse pareciam tão agitadas como de costume, repletas do som das conversas animadas de pessoas felizes por estarem vivas. Mesmo sendo uma noite fria, as mesas das calçadas estavam cheias, e uma cacofonia de músicas diferentes que vinham do interior dos bares agredia os sentidos de Laurent. Montparnasse e sua vivacidade costumavam animá-lo, mas ultimamente só o deixavam irritado. Como todos podiam ser tão felizes enquanto ele não conseguia escapar do torpor e da infelicidade de sua aflição?

Evitou o La Closerie des Lilas, onde encontraria muitos conhecidos que o arrastariam para conversas fúteis, e foi até um estabelecimento mais silencioso. Sentou-se em um banco no bar e pediu uma taça de absinto, virando tudo de uma vez. Deu uma olhada em volta nas mesas e logo notou uma morena que o fez lembrar-se de Izabela. É claro que, quando viu mais de perto, notou que as feições não eram tão delicadas, e que seu olhar era duro, mas naqueles dias ele a via aonde quer que fosse.

Laurent pediu outra taça de absinto e pensou em sua situação. No passado, fora conhecido como um casanova, um homem charmoso e atraente invejado por seus amigos, que parecia conseguir levar para a cama em um piscar de olhos qualquer mulher que escolhesse. E sim, ele aproveitara ao máximo, pois gostava de mulheres. Não só pelos seus corpos, mas por suas mentes.

Quanto ao amor... Por duas vezes, chegara a pensar que talvez estivesse sentindo o que todos os grandes escritores e artistas passavam suas vidas descrevendo. Mas, em ambas as ocasiões, a sensação passara rapidamente, e Laurent tinha começado a se convencer de que nunca saberia de fato o que era o amor.

Até conhecer Izabela...

Quando a vira pela primeira vez, ele usara todos os seus truques habituais para seduzi-la, e se divertira vendo-a corar enquanto ela caía lentamente sob seu feitiço. Com certeza, era um jogo em que se destacara bastante no passado. Mas normalmente, depois que o peixe era fisgado e ficava preso na linha à espera de que fizesse o que bem desejasse, a novidade evaporava, ele ficava entediado e seguia em frente.

Mas então, quando ele percebera que Izabela ia embora, e que, quem sabe pela primeira vez, o que ele sentia por ela era verdadeiro, Laurent fez sua única declaração sincera de amor e lhe pediu que ficasse em Paris.

No entanto, ela o rejeitara.

Naqueles primeiros dias depois que ela deixou a França, ele atribuíra seu sofrimento ao fato de aquela ter sido a primeira mulher que não sucumbira ao seu charme. Talvez a ideia de Izabela ser inatingível apenas tornasse a conquista ainda mais interessante, e pensar que ela estava cruzando o oceano para se unir pelo resto da vida a um homem que não amava só aumentava o drama da situação.

Mas não... Agora sabia que não tinha sido nenhuma dessas coisas. Porque oito semanas depois, apesar de ter levado outras mulheres para a cama para ver se isso ajudava – o que não ajudara – e ficado tão bêbado que dormira durante o dia seguinte inteiro – o que despertara a ira de Landowski –, ele não se sentia diferente.

Ainda pensava em Izabela a cada hora do dia. No ateliê, pegava-se olhando para o nada, lembrando-se de quando ela se sentara serenamente à sua frente e seus olhos podiam se deleitar com a imagem dela, dia após dia, durante horas seguidas... *Por que* ele não aproveitara mais? Ela era diferente de qualquer mulher que já conhecera, tão inocente, tão boa... Ainda assim, como ficara sabendo enquanto fazia o esboço dela naquele primeiro dia no ateliê, Izabela também era cheia de paixão e ansiedade por descobrir tudo o que a vida poderia lhe dar. E sua bondade naquela noite, quando carregara tão ternamente o menino nos braços, sem tolerar nenhuma discussão sobre qual seria a atitude correta...

Enquanto Laurent esvaziava sua taça e pedia outra, concluiu que ela era uma verdadeira deusa.

À noite, na cama, ele muitas vezes relembrava suas conversas, repreendendo-se por brincar com as emoções dela, desejando poder voltar atrás nas insinuações ofensivas com que a constrangera no começo. Ela não merecia.

E agora ela tinha ido embora para sempre. E era tarde demais.

Além disso, pensou com melancolia, o que ele tinha para oferecer a uma mulher como ela? Um sótão sujo e compartilhado, onde até a cama era alugada por hora, nenhuma renda fixa e uma reputação com as mulheres da qual ela certamente ficara sabendo em uma das vezes que fora a Montparnasse. Ele vira Margarida Lopes de Almeida observá-lo com perspicácia, e Laurent tinha certeza de que ela teria comentado com Izabela o que pensava dele.

Laurent pediu uma sopa, antes que o absinto dominasse seus neurônios e ele caísse do banco do bar, e ponderou pela milésima vez se devia mandar a carta que escrevera em sua mente todos os dias desde que ela fora embora. Mas ele sabia, é claro, que, se fizesse mesmo isso, a carta poderia cair em mãos erradas e comprometê-la.

Ele se torturava constantemente pensando se ela já havia se casado e tudo estava perdido. Queria perguntar a Margarida, mas ela já não estava mais no ateliê, agora que seu estágio de dois meses chegara ao fim. Ele ouvira falar em Montparnasse que ela e sua mãe tinham ido para Saint-Paul de Vence em busca de um clima mais quente.

– Brouilly.

Ele sentiu um toque em seu ombro e virou os olhos injetados na direção da voz.

– Como você está?

– Estou bem, Marius – respondeu ele. – E você?

– O mesmo de sempre: pobre, bêbado e precisando de uma mulher. Mas, em vez disso, terei que me contentar com você. Uma bebida?

Laurent viu Marius puxar um banquinho para o lado dele. Só mais um artista desconhecido em Montparnasse, vivendo a vida de álcool barato, sexo e o sonho de um futuro brilhante. Pensou em sua cama ocupada no sótão sujo e decidiu deixar-se ficar no bar até o amanhecer e dormir na rua, onde caísse.

– Sim – concordou ele. – Outro absinto.

Aquela noite foi o início de um fim de semana em que Laurent afogou suas mágoas. E do qual, quando ele entrou cambaleante e com os olhos turvos no ateliê de Landowski, ele pouco se lembrava.

– Olhe o que o gato trouxe – comentou Landowski com o menino, que estava sentado em um banquinho, assistindo avidamente ao professor trabalhar.

– *Mon Dieu*, professor, já fez tudo isso! – Laurent olhou para a enorme mão do Cristo e calculou que Landowski devia ter passado as últimas 48 horas trabalhando de maneira ininterrupta na escultura.

– Bem, você sumiu durante cinco dias, então alguém tinha que continuar o trabalho. Eu e o menino estávamos quase mandando um grupo de busca atrás de você nas sarjetas de Montparnasse – acrescentou.

– Está dizendo que é quarta-feira? – perguntou Laurent em estado de choque.

– Correto – disse Landowski, voltando sua atenção para a grande forma branca e usando um escapelo no gesso ainda úmido. – Agora vou moldar as unhas do Nosso Senhor – explicou, dirigindo-se ao menino e ignorando ostensivamente Laurent.

Quando Laurent voltou da cozinha, depois de ter lavado o rosto e tomado dois copos d'água na tentativa de aliviar a dor de cabeça, Landowski olhou para ele.

– Como você pode ver, encontrei um novo assistente. – Ele piscou para o menino. – Pelo menos *ele* não desaparece durante cinco dias e volta ainda bêbado da noite anterior.

– Desculpe, professor, eu…

– Chega! Entenda que não vou mais tolerar outro comportamento como este, Brouilly. Eu precisava da sua ajuda neste trabalho e você não estava aqui. Agora, antes de se atrever a tocar nas mãos do meu Cristo, vá até minha casa e diga a Amélie para deixá-lo dormir lá até curar a ressaca.

– Sim, professor.

Com o rosto ardendo de vergonha, Laurent deixou o ateliê, censurando-se por permitir que aquilo acontecesse. Sempre compreensiva, a esposa de Landowski preparou uma cama para ele dormir.

Laurent acordou quatro horas mais tarde, tomou um banho frio e uma tigela de sopa que Amélie lhe ofereceu e voltou ao ateliê recuperado.

– Assim é melhor – assentiu o professor, olhando para Laurent. – Agora você está pronto para trabalhar.

A mão gigante agora tinha um dedo indicador, e o menino ainda estava sentado no banquinho onde Laurent o vira pela última vez, observando atentamente Landowski trabalhar.

– Então, agora vamos para o dedo anelar. Este é o modelo a partir do qual estou trabalhando.

Landowski apontou para um dos moldes que Laurent fizera das mãos de Izabela e Margarida.

– E que mãos o senhor escolheu no final? – perguntou Laurent enquanto se dirigia para o trabalho.

– Eu não tenho ideia. Estavam sem nome. E talvez deva ser assim mesmo. Afinal de contas, são as mãos do Cristo, e só Dele.

Laurent estudou o molde, procurando a discreta fissura no dedo mínimo que ele colara com cuidado depois de remover o molde da mão de mademoiselle Margarida. Não a encontrou.

Com um tremor de emoção, Laurent teve certeza de que Landowski escolhera as mãos de Izabela para serem as do Cristo.

32

Paty do Alferes, Brasil
novembro de 1928

As duas semanas que passaram na fazenda, Bel viu sua mãe começar a recuperar as forças. Se era em razão do ar puro das montanhas, da beleza e da serenidade do lugar ou dos cuidados de Fabiana, Bel não sabia. Mas Carla ganhara um pouco de peso e tinha energia para fazer algumas breves caminhadas sozinha pelo esplêndido jardim da casa.

Tudo o que eles comiam era cultivado na própria fazenda ou vinha ali de perto: carne do gado deles, queijo e leite das cabras das terras mais baixas, e legumes e frutas das fazendas locais. A região era famosa pela produção de tomates, e Fabiana, que acreditava em suas propriedades curativas, acrescentava-os de todas as formas nas refeições.

E Bel começou a sentir que ela também estava se curando. Acordar todas as manhãs, vestir sua roupa de banho e dar um mergulho refrescante no lago, antes de sentar para o café da manhã e comer o delicioso bolo de libra de Fabiana, era terapêutico. Havia na fazenda uma cascata formada pela queda da água fresca que descia a montanha. Bel muitas vezes sentava-se sob ela, olhando para as montanhas e sentindo os jatos gelados massagearem suas costas.

Durante o dia, se sua mãe estivesse descansando, ela se deitava na varanda arejada e lia, de preferência livros de filosofia e sobre a arte de estar em paz consigo mesma, em vez das histórias românticas de que gostava quando era mais nova. Ela agora entendia que eram apenas ficção e que na vida real o amor nem sempre tinha um final feliz.

Na maioria das tardes, ela selava Loty e cavalgava pelas trilhas irregulares nas encostas, parando para descansar no alto de uma colina, de onde ela e o cavalo apreciavam a maravilhosa vista.

E Bel passava as noites jogando cartas com a mãe, até se retirar para seu quarto tranquila e sonolenta. Antes de fechar os olhos, fazia suas orações, pedindo a Deus que restaurasse a saúde de sua mãe, ajudasse seu pai a ter sucesso nos negócios e permitisse que Laurent – tão longe dela fisicamente, mas ainda presente em seu coração – encontrasse a felicidade no futuro.

Era a única coisa que poderia dar a ele. E tentava fazer isso de coração aberto e sem remorso.

Mas não ajudava muito encontrar sempre Loen e Bruno passeando à noite juntos, enroscados em um abraço. Um dia vira os dois trocando um beijo escondido junto ao lago e seu coração ardera de inveja.

Dali da fazenda, a vida lá fora parecia muito distante, pensou Bel uma noite deitada na cama, lembrando-se novamente do toque de Laurent. Era a mesma sensação que experimentara em Paris, quando seu casamento com Gustavo e a vida que teria no Rio pareciam tão remotos quanto o labirinto de becos de Montparnasse naquele momento – por onde tantas vezes imaginava Laurent andando...

Quando já fazia três semanas que estavam na fazenda, Antônio foi passar o fim de semana com elas. Imediatamente, o clima mudou por completo. Fabiana começou a limpar sem parar e fez o marido cortar a grama já bem-cuidada e polir os enfeites de cobre sempre reluzentes pendurados na parede da sala de jantar.

– Como ela está? – perguntou Antônio quando chegou no meio da tarde, enquanto Carla repousava.

– Ela está muito melhor, pai. Acho que, com mais algumas semanas, estará forte o suficiente para voltar ao Rio. Fabiana está cuidando muito bem dela.

– Bem, vejo isso quando ela acordar – disse Antônio, depois mudando de assunto: – Izabela, já estamos quase em dezembro. Você vai se casar no final de janeiro e ainda há muito que fazer. Se, como você disse, sua mãe está se recuperando bem sob os cuidados de Fabiana, então acredito que você deva deixá-la aqui e voltar ao Rio comigo.

– Mas, pai, tenho certeza de que mamãe iria preferir ter a filha por perto.

– E tenho certeza de que sua mãe vai entender que a noiva precisa estar no Rio para organizar seu casamento – rebateu ele. – Isso sem falar que deve estar perto do seu noivo. Gustavo tem sido extremamente paciente diante dessas circunstâncias. Ele deve estar pensando que sua noiva foge dele sempre que tem alguma oportunidade. E sei que os pais dele estão muito ansiosos com os preparativos. Assim como eu. Então, você volta comigo para o Rio e ponto final.

Quando seu pai deixou a sala para ver a esposa, Bel sabia que tinha sido derrotada.

❀ ❀ ❀

– Mãe – disse ela ao se despedir de Carla com um beijo dois dias depois –, por favor, se a senhora precisar de mim, saiba que ficarei feliz em voltar. Fabiana vai me ligar da vila para me manter informada sobre seu estado de saúde.

– Não se preocupe comigo, *piccolina* – disse Carla, acariciando o rosto da filha com ternura. – Sei que estou me recuperando. Envie minhas desculpas a dona Luiza e diga a ela que espero estar de volta ao Rio muito em breve. Venha, me dê um abraço.

Bel fez o que a mãe pediu, e Carla acenou da entrada da casa para o marido e a filha. Antônio jogou um beijo para a esposa e o carro seguiu pelo caminho de pedra.

– Estou muito aliviado em vê-la se recuperando – disse ele de repente. – Porque realmente não sei o que faria sem ela.

Bel ficou surpresa em ver um raro traço de vulnerabilidade nos olhos do pai. Durante a maior parte do tempo, tinha a impressão de que Antônio mal notava a esposa.

❀ ❀ ❀

Durante o mês seguinte, Bel fez intermináveis visitas à Casa das Orquídeas para acertar com Luiza os detalhes do casamento. Mesmo determinada a não deixar a mulher irritá-la, teve que se controlar diversas vezes diante do ar condescendente e arrogante da futura sogra.

No princípio, chegara a sugerir seus hinos preferidos, o estilo da roupa das damas de honra para complementar seu próprio vestido magnífico e um possível menu para a recepção. Mas, toda vez que opinava, Luiza encontrava uma razão para dizer que as ideias de Bel eram inadequadas. Então, por fim, vendo que era de longe o caminho menos doloroso, passara a simplesmente concordar com tudo que Luiza sugeria.

Gustavo, que às vezes se juntava a elas na sala de visitas, apertava sua mão quando ela ia embora.

– Obrigado por ser tão boa com a minha mãe – dizia. – Entendo que ela às vezes possa ser meio dominadora.

Bel chegava em casa exausta, a cabeça doendo pela tensão de ter que concordar com tudo o que Luiza falava, e se perguntava como conseguiria se controlar quando tivessem que morar sob o mesmo teto.

Quando o alto verão chegou ao Rio, Bel descobriu que, sem a mãe em casa e com o pai no escritório o dia inteiro, tinha muito mais liberdade do que de costume. Loen, que se afundara em um poço de desânimo desde que deixara Bruno para voltar à cidade, acompanhava Bel até a pequena estação de trem do Corcovado, de onde subiam para ver como o projeto do Cristo estava indo. Podiam notar que o local fervilhava cada vez mais de trabalho. Grandes barras de ferro estavam sendo içadas até lá e agora já era possível distinguir a forma de uma cruz.

Observar o progresso da obra confortava Bel. Desde o tempo que passara na fazenda, ela se sentia mais em paz com a certeza de que, independentemente do que Laurent pensava dela, ou se a amava, ela sempre o amaria. Entendera que tentar lutar era simplesmente impossível. Então se rendera e aceitara, sabendo que pelo resto de sua vida guardaria o amor secreto por ele em seu coração.

33

Paris
dezembro de 1928

ntão está tudo pronto e acabado para ser cortado em pedaços e enviado ao outro lado do oceano, para aquele imenso
país que mais parece uma fábrica de café – declarou Landowski enquanto analisava a cabeça e as mãos do Cristo, que agora ocupavam cada centímetro do ateliê.

Landowski caminhava em volta da cabeça, examinando-a, pensativo.

– O queixo ainda me preocupa. Visto desta distância, parece que se pro-
jeta do rosto como um escorrega gigante, mas o brasileiro maluco me diz
que é assim mesmo que ele quer.

– Lembre-se, professor, de que será visto de uma grande distância – comentou Laurent.

– Só o Pai da minha obra-prima sabe se ela chegará sã e salva ao Rio
de Janeiro – resmungou Landowski. – O brasileiro está providenciando
o transporte em um navio cargueiro. Vamos torcer para que o mar esteja
calmo e nenhum contêiner esmague minha obra. Eu iria com ela se pudesse, para supervisionar o transporte e acompanhar as fases iniciais da
construção, mas simplesmente não tenho como. Este projeto já tomou o
dobro do tempo previsto, e eu ainda tenho a encomenda de Sun Yat-sen
para terminar, que já está consideravelmente atrasada. Bem – concluiu, suspirando –, fiz tudo o que podia e agora está fora do meu controle.

Enquanto Laurent ouvia Landowski, uma ideia brotava em sua mente.
Ele a guardou para si, querendo pensar melhor antes de sugerir qualquer
coisa.

No dia seguinte, Heitor da Silva Costa foi ao ateliê, e os dois homens decidiram onde e como a cabeça devia ser cortada. Laurent ouviu Landowski expressar novamente sua preocupação com a segurança dos moldes da escultura durante a viagem.

– Você tem razão – concordou Heitor. – Devíamos ter alguém para checá-los regularmente no porão, mas não posso pedir a ninguém da minha equipe. Os meus projetistas ainda não terminaram o trabalho.

– Eu poderia ir – disse Laurent de repente, expressando a ideia que vinha elaborando em sua mente desde o dia anterior.

Os dois homens viraram para ele, surpresos.

– Você, Brouilly? Mas pensei que você fosse casado com as ruas de Montparnasse e a agitação de sua vida social – comentou Landowski.

– Infelizmente, nunca tive a oportunidade de viajar para fora da França antes, professor. Talvez alguns meses no exterior, em um país tão exótico, possam expandir meus horizontes artísticos e me inspirar.

– Você vai voltar e fazer uma grande escultura de um grão de café, sem dúvida – brincou Landowski.

– Sr. Brouilly – disse Heitor –, se estiver falando sério, acho que seria uma excelente ideia. Você esteve presente desde o começo do projeto. Na verdade, suas próprias mãos contribuíram com partes do trabalho. Se o professor puder dispensá-lo por um tempo, você poderia ser seus olhos no Rio enquanto construímos sua obra.

– E garantir que um dedo não acabe enfiado no nariz do Nosso Senhor quando encaixarem as peças – murmurou Landowski.

– Ficarei feliz em ir se quiser, professor – reiterou Laurent. – Quando partiríamos, monsieur Da Silva Costa?

– Tenho uma passagem marcada para semana que vem, o que nos daria tempo para cortar e depois embalar os moldes com segurança nas caixas. Quanto mais cedo chegarem ao Rio e tivermos todas as peças entregues com segurança, mais feliz eu vou ficar. Você é capaz de se preparar para viajar em tão pouco tempo, monsieur Brouilly? – perguntou Heitor.

– Com certeza ele terá que consultar sua agenda para ver se pode adiar alguma de suas próximas encomendas – disse Landowski, lançando a Laurent um olhar que lhe dizia para ficar quieto. – Provavelmente haverá alguma recompensa financeira pela viagem e pelo tempo investido. Por exemplo, comida e um lugar para ficar?

– Claro – concordou Heitor rapidamente. – E, na verdade, isso me faz lembrar que alguns dias atrás recebi um telefonema de Gustavo Aires Cabral, o noivo de Izabela Bonifácio. Ele ficou sabendo sobre a escultura que você, Sr. Brouilly, fez dela, e gostaria de dá-la à futura esposa como presente de casamento. Eu disse que iria lhe perguntar se estava à venda.

– Eu...

Laurent estava prestes a dizer que sob nenhuma circunstância venderia a escultura de sua preciosa Izabela para o noivo quando Landowski o interrompeu.

– Que pena, bem quando você encontrou um rico comprador aqui, Brouilly. Você já aceitou a oferta?

Confuso, Laurent respondeu:

– Não, eu...

– Então, talvez o noivo de mademoiselle Bonifácio queira fazer uma oferta melhor, e então você pode decidir. Você disse que lhe ofereceram 2 mil francos, estou certo?

Landowski lançou outro olhar a Laurent, incentivando-o a colaborar.

– Isso mesmo.

– Então, Heitor, diga ao monsieur Aires Cabral que, se ele estiver disposto a oferecer mais e cobrir os custos de transporte para o Rio, a escultura será dele.

– Vou dizer – confirmou Heitor, seu rosto mostrando que não estava nem um pouco interessado em negociar o preço da escultura de outra pessoa quando tinha que se preocupar com a sua própria. – Tenho certeza de que não será problema. Então, amanhã venho ver como anda nosso quebra-cabeça gigante. Bom dia aos dois.

Heitor acenou e deixou o ateliê.

– Professor, o que foi aquilo? – perguntou Laurent. – Não tenho nenhum comprador para a escultura de mademoiselle Izabela. E, na verdade, nem pensava em vendê-la.

– Brouilly, não vê que lhe fiz um favor, atuando como seu agente? – repreendeu-o Landowski. – Você deveria me agradecer por isso. Não pense que não notei o verdadeiro motivo de seu súbito interesse em viajar meio mundo com os pedaços do Cristo. E, se depois decidir ficar no Brasil, vai precisar de dinheiro para se manter. Uma vez lá, que necessidade você terá da sua preciosa escultura, se estará perto da pessoa que a inspirou? Deixe o noivo possuí-la imortalizada em pedra e adorar sua beleza exterior. Meu palpite é de que ele nunca tocará a alma dela, como você obviamente tocou. Particularmente, acho que será uma ótima troca – disse Landowski, dando uma risada. – Agora vamos ao trabalho.

Naquela noite, quando se deitou em seu catre no ateliê, encaixado entre a cabeça e um enorme dedo do Senhor, Laurent se perguntou que diabos estava fazendo.

Izabela havia deixado claro qual era seu futuro. O casamento dela era iminente, e muito provavelmente já teria ocorrido quando ele chegasse ao Rio. O que exatamente esperava alcançar viajando até lá ele não sabia.

Mas Laurent, como todos os apaixonados, acreditava muito no destino. E, ao olhar para a palma gigante antes de fechar os olhos, ele só esperava que Ele desse uma mãozinha.

34

*Rio de Janeiro
janeiro de 1929*

O dia do casamento de Gustavo Maurício Aires Cabral com Izabela Rosa Bonifácio amanheceu quente e claro, sem quase nenhuma nuvem no céu. Relutante, Bel se levantou de sua cama de solteira pela última vez. Era cedo e, ao sair do quarto, o único som que ouviu foi o barulho distante de panelas na cozinha.

Desceu descalça, ainda meio cambaleante, foi até a sala de visitas e depois ao pequeno nicho que abrigava a capela. Acendeu uma vela no altar, ajoelhou-se no veludo vermelho do genuflexório, fechou os olhos e juntou as mãos.

– Por favor, Virgem Santa, neste dia do meu casamento, dai-me força e coragem para entrar na vida matrimonial de coração aberto e ser uma esposa boa e amorosa para o meu marido. E uma nora paciente e carinhosa para seus pais – acrescentou com emoção verdadeira. – Dai-me filhos saudáveis e que eu tenha bênçãos para agradecer, e não problemas para lamentar. Traga sempre prosperidade para o meu pai e saúde para minha querida mãe. Amém.

Então Bel abriu os olhos e, vendo o rosto desbotado de Nossa Senhora, piscou para se livrar das lágrimas.

– A senhora é mulher, então espero que possa perdoar os sentimentos que ainda trago em meu coração – sussurrou ela.

Poucos minutos depois, Bel se levantou e, respirando fundo, deixou a capela para iniciar o que devia ser o dia mais feliz de sua vida.

❃ ❃ ❃

Tecnicamente, nada poderia ter sido melhor naquele dia. Multidões foram às ruas para ver Izabela e seu pai chegarem à catedral e aplaudiram quando ela saiu do Rolls-Royce no deslumbrante vestido de renda francesa que Jeanne Lanvin desenhara em Paris. A magnífica catedral estava lotada e, enquanto seu pai a conduzia orgulhoso em direção ao altar, ela olhou discretamente por trás do véu e viu os rostos conhecidos de muitas das pessoas mais importantes do país.

Uma hora depois, os sinos soaram quando Gustavo deixou a nave com sua noiva, descendo os degraus da catedral. A multidão aplaudiu novamente quando ele a ajudou a entrar em uma carruagem para desfilarem pelas ruas até o Copacabana Palace. Ao lado de seu marido, Bel recebeu os trezentos convidados que chegavam ao enorme salão.

Depois dos muitos pratos da recepção, Bel e Gustavo retiraram-se para a suíte a fim de descansar antes do grande baile mais tarde naquela noite.

Assim que a porta se fechou, Gustavo tomou-a em seus braços.

– Até que enfim – murmurou ele, enterrando o rosto no pescoço dela. – Posso beijá-la quanto quiser. Venha aqui. – Então a puxou em sua direção e beijou-a ferozmente, como um homem faminto. Suas mãos correram pela fina camada de renda que cobria os seios dela e ele os acariciou com sofreguidão.

– Ai – reclamou ela. – Você está me machucando.

– Perdoe-me, Bel – disse Gustavo, soltando-a e recuperando a compostura com visível esforço. – Mas você precisa entender como esperei por isto. Não importa – continuou, estreitando os olhos. – Só faltam mais algumas horas até que eu possa finalmente tê-la nua em meus braços. Quer beber algo? – perguntou, virando de costas, e Bel estremeceu involuntariamente.

Ela viu Gustavo andar até a garrafa no aparador e servir-se de uma grande dose de brandy.

– Não, obrigada.

– Talvez seja melhor. Não gostaria que seus sentidos estivessem embotados hoje à noite. – Ele sorriu e ergueu a taça. – Para minha esposa, minha linda esposa – acrescentou, e tomou o brandy de um só gole.

Bel tinha percebido, nas poucas vezes que acompanhara Gustavo a eventos sociais, que ele parecia gostar de bebidas alcoólicas. Em uma ocasião, notou que ele estava um pouco bêbado ao fim da noite.

– Preciso lhe dizer que comprei um presente de casamento muito especial – continuou ele. – Infelizmente, ainda não chegou, mas deve estar aqui quando voltarmos de nossa lua de mel. Então, gostaria que eu a ajudasse a tirar esse vestido para você descansar?

Bel olhou para a enorme cama de casal da suíte, desejando poder se jogar nela. Enfiados em um par de sapatos altos forrados de cetim – que, junto com a tiara e os cabelos presos no alto da cabeça, fizeram-na ficar 7 centímetros mais alta do que seu noivo no altar –, seus pés doíam muito. Isso sem falar do espartilho desconfortável, que Loen amarrara com força naquela manhã por baixo da renda. Mas a ideia de Gustavo libertá-la da roupa com seus dedos pálidos e finos não era uma opção atraente.

– Eu vou ao banheiro – anunciou, corando de vergonha.

Gustavo, que tinha acabado de se servir de outra dose de brandy, assentiu.

Bel entrou no luxuoso ambiente espelhado e sentou-se, agradecida, em uma cadeira. Fechou os olhos e pensou em como era ridículo que uma aliança no dedo e algumas frases curtas pudessem mudar sua vida tão profundamente.

O contraste entre o seu papel de solteira, que devia proteger a própria virtude a todo custo, e a mulher que agora, apenas poucas horas depois, devia entrar sozinha no quarto com um homem e realizar os atos mais íntimos beirava o ridículo. Ela olhou para seu reflexo no espelho e suspirou.

– Ele é um estranho – sussurrou, pensando na conversa que tivera com a mãe na noite anterior.

Exibindo um aspecto muito melhor após o tempo que passara na fazenda, Carla entrara no quarto da filha pouco antes de Bel apagar a luz para dormir.

– Querida – começara, segurando as mãos de Bel –, agora vou lhe falar o que vai acontecer amanhã à noite.

– Mãe – dissera Bel, tão terrivelmente constrangida quanto Carla –, acho que já sei.

Sua mãe parecera levemente aliviada, mas ainda insistira.

– Então você sabe que a primeira vez pode ser um pouco... desconfortável? E que você pode sangrar? Embora alguns digam que, se você andou muito a cavalo, o tecido delicado que marca a pureza da mulher já pode ter se rompido. E você cavalgou tanto na fazenda.

– Eu não sabia disso – disse Bel honestamente.

– Pode-se levar algum tempo para se acostumar ao... processo, mas imagino que Gustavo seja experiente e tenho certeza de que será gentil com você.

– Mãe, uma mulher pode... gostar? – perguntou Bel hesitante.

Carla soltou uma gargalhada.

– É claro, querida. Você será uma mulher casada, e não há nada que um marido deseje mais do que uma esposa que goste de explorar os prazeres da cama. É como se conserva um marido, e é como conservei o meu. – Seu rosto se ruborizou. – E lembre-se de que tem um propósito divino: gerar bebês. É um envolvimento sagrado entre marido e mulher. Boa noite, Izabela. Durma bem e não tenha medo. Será melhor do que espera, eu juro.

Enquanto Bel recordava a conversa, lembrou-se da repulsa automática que sentira só de pensar em Gustavo tocando-a da maneira como sua mãe sutilmente descrevera. Levantou-se então da cadeira para voltar ao quarto, desejando que aquilo que sentia fosse apenas o nervosismo da primeira vez e que, depois dessa noite, passasse a ser como sua mãe lhe dissera.

❀ ❀ ❀

Um silêncio reverente tomou conta do luxuoso salão de baile quando Izabela entrou em seu espetacular vestido de baile Patou branco cintilante, que acentuava suas curvas até terminar numa cauda no estilo sereia.

Quando Gustavo a abraçou, os convidados aplaudiram.

– Você está linda, minha querida, e todos os homens neste salão estão com inveja porque eu me deitarei em sua cama hoje – sussurrou ele em seu ouvido.

Fora a primeira dança, durante as três horas seguintes ela mal viu Gustavo. Cada um deu atenção à sua própria família, e Bel dançou com vários homens desconhecidos que lhe diziam como Gustavo era sortudo por tê-la fisgado. Ela bebeu muito pouco, já meio aturdida e ansiosa com relação ao que estava por vir, uma sensação que voltou com toda a força quando os convidados começaram a se reunir perto da escadaria principal a fim de se despedir dos dois, que subiam para a suíte.

– Está na hora – disse Gustavo, aparecendo ao lado dela, e os dois caminharam juntos em meio aos convidados.

Gustavo pediu silêncio.

– Caros senhores, senhoras, meus amigos. Gostaria de agradecê-los por terem vindo celebrar este grande dia conosco. Mas agora devo levar minha esposa para nosso quarto.

Seu comentário foi seguido de vários assobios maliciosos.

– Desejo a todos uma boa noite. Vamos, Izabela.

Ele lhe ofereceu o braço e subiram as escadas.

Desta vez, quando a porta da suíte se fechou, a abordagem de Gustavo não foi tão sutil. Sem a menor cerimônia, ele a empurrou para a cama e prendeu seus pulsos contra o colchão, cobrindo o rosto e o pescoço dela com beijos frenéticos e acariciando seu corpo através do lindo vestido.

– Um momento – sussurrou Bel. – Deixe-me virar para você desabotoar o vestido – disse ela, aliviada em poder se afastar do cheiro de álcool no hálito de Gustavo.

Ela sentiu a frustração de Gustavo, que tentava desajeitadamente soltar as pequenas pérolas que prendiam seu vestido, até que ele finalmente desistiu e rasgou o tecido.

Então ele arrancou seu vestido, abriu o sutiã e virou-a, os lábios mergulhando direto nos mamilos de Bel. Em seguida, uma de suas mãos correu para a parte interna da coxa dela, coberta pela meia-calça, e depois se aventurou por baixo do triângulo de seda que protegia as partes íntimas de Izabela.

Após tocá-la por alguns segundos, rasgou a seda e se ajoelhou para abrir os botões de sua calça e se libertar. Ainda completamente vestido, ele empurrou seu membro rígido para a pele macia dela, gemendo de frustração quando não conseguiu encontrar a entrada. Finalmente, usou a mão para direcioná-lo à abertura que procurava e a penetrou.

Debaixo do corpo de Gustavo, Bel mordia o lábio para segurar a dor. Parecia que tudo acima dela havia escurecido, então fechou os olhos e respirou fundo várias vezes para conter o pânico. Felizmente, depois de apenas alguns segundos, ele soltou um grito estridente, estranhamente feminino, e desabou sobre ela.

Bel ficou imóvel, escutando a respiração pesada em seu ouvido. A cabeça dele, ao lado da sua, estava enfiada na colcha, e todo o peso do seu corpo se acumulava sobre o dela, prendendo-a com os joelhos dobrados na beirada da cama. Finalmente, quando Bel fez um movimento para se soltar, ele levantou a cabeça e olhou para ela.

– Até que enfim você é minha. – Sorriu, acariciando o rosto dela. – Agora você deve ir se limpar. Você entende que a primeira vez...

– Eu sei – disse ela rapidamente, indo depressa para o banheiro antes que ele tivesse a oportunidade de continuar o assunto.

Bel estava feliz por ter tido aquela conversa com a mãe na véspera do casamento, pois, embora estivesse toda dolorida por dentro, o tecido que usou para se limpar não ficou manchado de sangue. Então soltou o cabelo e vestiu a camisola e o penhoar que uma camareira do hotel pendurara cuidadosamente atrás da porta. Quando voltou ao quarto, Gustavo já estava deitado nu na cama, com uma expressão confusa.

– Eu verifiquei, mas não havia sangue na colcha. – Ele olhou para ela. – Como é possível?

– Minha mãe explicou que, como eu andei muito a cavalo quando criança, poderia não sangrar – disse ela, envergonhada com a pergunta indelicada.

– Ah. Isso talvez explique. Mas você era virgem, não é mesmo?

– Gustavo, assim você me insulta! – Bel sentiu a raiva aumentar.

– Claro, claro. – Ele bateu no espaço ao seu lado no colchão. – Venha se deitar com seu marido.

Bel o obedeceu, ainda ressentida com a insinuação.

Gustavo passou o braço em volta dela, puxando-a para perto, e então apagou a luz.

– Acho que podemos concordar que agora estamos realmente casados.

– Sim.

– Eu amo você, Izabela. Esta é a noite mais feliz da minha vida.

– E a minha – conseguiu dizer as palavras esperadas, apesar do protesto que ecoava das profundezas de sua alma.

E, enquanto Bel estava ali deitada, insone, ao lado daquele que era seu marido havia apenas algumas horas, o navio cargueiro com a cabeça e as mãos do Cristo, e também Laurent Brouilly, ancorava no porto do Rio de Janeiro.

35

Quando Laurent acordou de sua primeira noite em terra firme dentro de seis semanas, viu que estava encharcado de suor, assim como os lençóis em que dormira. Mesmo nos dias mais quentes em Montparnasse, ele nunca enfrentara um calor tão intenso quanto o do Rio de Janeiro.

Cambaleou até a mesa sobre a qual a criada tinha deixado um jarro de água e matou sua sede, bebendo com vontade. Então foi até o minúsculo banheiro ao lado, abriu a torneira e enfiou a cabeça debaixo do jato d'água. Por fim, enrolou uma toalha em torno do corpo nu e, sentindo-se um pouco melhor, voltou para o quarto e foi abrir as venezianas.

Na noite anterior, quando chegara ao hotel em que Heitor sugerira que ficasse até encontrar uma acomodação permanente, já passava da meia-noite e estava escuro demais para enxergar direito onde estava. Mas, deitado na cama, ouvira o som das ondas quebrando na praia e pensou que devia estar em algum lugar perto do mar.

E então, naquela manhã... que visão ele teve! Até onde sua vista alcançava, por toda a extensão do outro lado da rua, estava a mais magnífica praia que já vira. Quilômetros de pura areia branca, ainda deserta naquela hora da manhã, em que ondas que deviam ter 2 metros de altura quebravam sem parar, em um clímax dramático de espuma clara.

Só de ver aquilo tudo já sentia o corpo refrescar. Laurent sempre adorara nadar no Mediterrâneo quando sua família ia para a casa de veraneio que tinham perto de Saint-Raphaël, e ansiava por sair correndo do hotel, atravessar a rua e se jogar na água. Mas primeiro devia perguntar se o mar ali era seguro, afinal não sabia se havia tubarões ou outros peixes devoradores. Antes de deixar Paris, ele tinha sido avisado que todo cuidado era pouco nos trópicos.

Até os aromas eram novos e exóticos. Como acontecia com muitos de seus compatriotas franceses, por seu país já lhes oferecer todos os tipos de clima

– desde as encostas nevadas dos Alpes até o glorioso sul, com suas belas paisagens e seu clima agradável –, Laurent nunca se sentira tentado a viajar para o exterior antes.

Mas agora, de frente para aquela paisagem, sentia-se envergonhado por ter pensado que nenhum outro país teria algo mais a lhe oferecer.

Ele queria explorar o Rio, mas antes tinha um encontro com o mestre de obras do Sr. Da Silva Costa, Heitor Levy, que deixara um bilhete no hotel dizendo que o buscaria às onze da manhã. A cabeça e as mãos do Cristo tinham sido retiradas do navio no dia anterior, antes que atracasse no píer principal, e depositadas em um terreno aberto perto do porto, onde monsieur Levy possuía uma pequena fazenda. Laurent só esperava que os delicados moldes tivessem chegado intactos da viagem. Ele conferira quatro vezes por dia enquanto estavam no porão, e agora só podia rezar para terem resistido ao descarregamento.

Começou a se vestir, notando que suas pernas estavam cobertas de pequenas marcas circulares. Algum mosquito faminto fizera a festa sugando seu sangue no meio da noite. Laurent coçou as picadas e vestiu a calça.

Desceu para o café da manhã e entrou na sala de jantar, em que havia uma mesa comprida repleta de frutas exóticas para os hóspedes. Ele não fazia ideia de que tipo de frutas eram, mas pegou uma de cada, determinado a conhecer aquela nova cultura. Também pegou uma fatia de bolo, ainda quente do forno, que exalava um cheiro delicioso. Uma garçonete lhe serviu um café bem quente e forte, e ele bebeu aliviado, sentindo-se reconfortado em perceber que nem tudo ali era diferente de seu país.

Às onze horas, foi até a recepção e viu um homem de pé ao lado do balcão, conferindo o relógio. Então, supondo corretamente se tratar de monsieur Levy, caminhou até ele e se apresentou.

– Bem-vindo ao Rio de Janeiro, Sr. Brouilly. Como foi a viagem? – perguntou o homem em um francês razoável.

– Extremamente confortável, obrigado. Aprendi todos os tipos de jogos de cartas e piadas indecentes com meus colegas marinheiros – disse Laurent com um sorriso.

– Que bom. Meu carro está lá fora. Vamos até minha fazenda?

Enquanto seguiam pelas ruas da cidade, Laurent observou surpreso como era moderna. Landowski obviamente estava brincando quando dissera que os moradores eram todos nativos, que corriam nus pelas ruas, atirando lanças e comendo bebês, já que aquela cidade parecia tão civilizada e ocidental quanto muitas da própria França.

No entanto, ele não deixou de estranhar a pele bronzeada dos moradores, que se vestiam com réplicas do que usavam em seu país. Enquanto seguiam pelas ruas, Laurent viu um grande agrupamento de casas pobres aparecer à sua direita.

– Nós chamamos de favela – explicou Levy quando notou que Laurent observava o local. – E, infelizmente, tem muita gente morando nelas.

Laurent pensou em Paris, onde os pobres eram quase invisíveis. No Brasil, a riqueza e a pobreza pareciam ter se separado completamente uma da outra.

– Sim, Sr. Brouilly – disse Levy, ecoando os pensamentos do escultor. – Aqui no Brasil, os ricos são muito ricos e os pobres... morrem de fome – completou, encolhendo os ombros.

– Você é português, monsieur?

– Não. Minha mãe é italiana e meu pai, alemão. E eu sou judeu. Aqui no Brasil, você vai encontrar uma grande mistura de nacionalidades, embora os portugueses se considerem os verdadeiros brasileiros. Temos imigrantes da Itália, da Espanha e, é claro, os africanos, que foram trazidos como escravos pelos portugueses para trabalhar nas fazendas de café. E, hoje em dia, o Rio tem recebido uma grande quantidade de japoneses. Todos vêm para cá em busca de seu pote de ouro. Alguns o encontram, mas outros infelizmente, não, e acabam nas favelas.

– Na França, a realidade é muito diferente. A maioria dos moradores nasceu e foi criada lá – comentou Laurent.

– Mas este é o Novo Mundo, Sr. Brouilly – disse Levy –, e todos nós o faremos assim, novo, independentemente de nosso lugar de origem.

❁ ❁ ❁

Durante toda a sua vida, Laurent jamais esqueceria o bizarro espetáculo que foi encontrar a enorme cabeça do Cristo no meio de um campo, enquanto galinhas ciscavam o solo à sua volta e um enorme frango limpava as penas em cima do nariz Dele.

– O Sr. Heitor da Silva Costa me ligou às cinco da manhã, ansioso para saber se seu precioso Cristo tinha chegado em segurança. Então decidi remontar as peças aqui para me certificar de que não houve danos. Até agora, está tudo bem – confirmou Levy.

Contemplar novamente a cabeça do Cristo, vista pela última vez inteira no ateliê de Landowski, ali no Rio, a milhares de quilômetros de distância, fez Laurent sentir um nó na garganta.

– Parece que Ele viajou em segurança. Talvez vigiado lá do céu – disse Levy, também comovido. – Não vou me atrever a montar as mãos ainda, mas dei uma olhada e elas também parecem não ter sequer um arranhão. Um dos meus funcionários vai tirar uma fotografia para marcar a ocasião. Vou mandar uma cópia para o Sr. Heitor da Silva Costa e outra, é claro, para Landowski.

Após a fotografia ter sido tirada, Laurent examinou atentamente a cabeça e as mãos para escrever a Landowski, tranquilizando-o. Só esperava que a escultura de Bel, que agora se encontrava em uma caixa em algum lugar do cais, tivesse tido a mesma sorte.

Laurent sofrera com a venda, mas acabara seguindo o conselho de Landowski e decidira aceitar a oferta de 2,5 mil francos do Sr. Aires Cabral. Landowski estava certo: ele sempre podia esculpir outra, e aquela era uma sorte inesperada que não podia recusar, independentemente do que o futuro lhe reservasse.

– Então sua missão inicial foi concluída com sucesso, embora eu tenha certeza de que você está ansioso para ver o local da construção no Corcovado – continuou Levy. – É realmente algo que você deve ver pessoalmente. Estou morando lá em cima com os trabalhadores, já que temos um tempo relativamente curto para concluir o projeto.

– Eu adoraria ir lá – disse Laurent, ansioso para conhecer o local da obra. – Fico tentando imaginar como é possível construir um monumento como esse no alto de uma montanha.

– Assim como todos nós – concordou Levy, falando bem devagar. – Mas pode ter certeza, está acontecendo. O Sr. Heitor da Silva Costa me contou que você precisará de um lugar para ficar enquanto estiver aqui. E me perguntou se eu poderia ajudá-lo, já que imagino que você não fale uma palavra de português.

– Não, monsieur, eu não falo.

– Bem, por acaso tenho um apartamento vazio. Fica numa área chamada Ipanema, não muito longe da praia de Copacabana, onde você está hospedado no momento. Eu o comprei antes de me casar e nunca tive coragem de me desfazer dele. Ficaria feliz em cedê-lo a você pelo tempo que ficar aqui. O Sr. Heitor da Silva Costa, naturalmente, irá pagar todas as despesas, como vocês combinaram na França. Acho que você vai gostar do lugar. Tem uma vista maravilhosa e é bem iluminado. Perfeito para um escultor como você – acrescentou.

– Obrigado, monsieur Levy. É muita generosidade.

– Bem, vamos até lá para você dar uma olhada. Se agradá-lo, você pode se mudar ainda hoje.

No final da tarde, Laurent era o orgulhoso inquilino de um espaçoso e arejado apartamento de terceiro andar em um lindo quarteirão perto da praia de Ipanema. Os cômodos, de pé-direito alto, eram mobiliados de maneira elegante, e, quando abriu a porta que dava para uma sacada, pôde ver a praia a distância. O vento quente trouxe consigo o cheiro inconfundível do mar.

Levy o deixara lá para se instalar depois de buscarem sua mala no hotel. Mais tarde, voltaria para apresentá-lo à empregada que cozinharia e limparia o apartamento durante sua estadia.

Laurent andava de um cômodo para outro com os olhos arregalados. O luxo de ter todo aquele espaço só para ele depois de seu esquálido sótão em Montparnasse, além de uma empregada só para servi-lo, era quase inacreditável. Sentou-se na enorme cama de mogno e se recostou, desfrutando a brisa do ventilador de teto que roçava seu rosto como minúsculas asas. Com um suspiro de satisfação, caiu no sono imediatamente.

Naquela noite, como prometido, Levy levou Mônica, uma mulher negra de meia-idade, para que a conhecesse.

– Já expliquei que você não fala português, mas, se concordar, monsieur Brouilly, ela vai limpar o apartamento, comprar mantimentos no mercado aqui perto e preparar seu jantar. Se precisar de qualquer outra coisa, há um telefone na sala de estar. Por favor, me ligue a qualquer hora.

– Realmente não tenho como agradecer toda a sua gentileza, monsieur Levy – respondeu Laurent com gratidão.

– Você é nosso convidado de honra aqui no Brasil e não podemos deixar que diga ao Sr. Landowski e ao resto de Paris que vivemos como selvagens – disse Levy, sorrindo e erguendo a sobrancelha.

– Não mesmo, monsieur. Pelo que vi até agora, acho que vocês são mais civilizados do que nós em Paris.

– A propósito, sua escultura chegou em segurança? – perguntou Levy.

– Sim, está no cais, e as autoridades disseram que vão notificar o comprador e cuidar para seja entregue a ele.

– O casal Aires Cabral sem dúvida está em lua de mel no momento. As bodas deles foram realizadas ontem.

Laurent olhou para Levy em estado de choque.

– Mademoiselle Izabela se casou ontem?

– Sim. A fotografia dos dois está na primeira página de todos os jornais hoje. Ela estava linda. Foi uma festa da alta sociedade. Parece que a mulher que você esculpiu fez um casamento e tanto.

Laurent sentiu um grande mal-estar com aquela notícia. A ironia de chegar ao Rio no dia exato em que Izabela tinha se casado era difícil de suportar.

– Bem, tenho que ir. Boa noite, Sr. Brouilly.

Antes de sair, Levy o lembrou de que iria buscá-lo às duas horas da tarde na segunda para irem ao topo do Corcovado. Da cozinha, Laurent ouvia o barulho de Mônica mexendo nas panelas, e podia sentir o cheiro maravilhoso que vinha de lá.

Laurent precisava de uma bebida. Pegou uma garrafa de vinho francês de sua mala, tirou a rolha e levou-a para a varanda. Com os pés em cima da mesa, serviu o vinho e bebeu um gole, o sabor fazendo-o lembrar-se imediatamente de casa. Então viu o sol se pôr atrás das montanhas, sentindo o coração pesado.

– Izabela – sussurrou para si mesmo –, estou aqui, em seu lindo país. Vim de tão longe para encontrá-la, mas parece que cheguei tarde demais.

36

Uma semana depois do casamento, Bel voltou de sua lua de mel tensa e exausta. Os dois tinham ido para uma casa antiga em Minas Gerais, pertencente aos tios-avós de Gustavo, que já havia sido bonita no passado. O tempo ficara abafado e, sem a brisa do mar ou a altitude para refrescar, o ar estava tão quente que parecia queimar suas narinas quando ela respirava.

Izabela tivera de aturar jantares intermináveis em que fora apresentada aos membros mais velhos da família de Gustavo que não tinham comparecido ao casamento em razão da frágil saúde. Seria mais fácil suportar todas essas coisas se não houvesse as noites.

Uma coisa que sua mãe não lhe dissera era com que frequência seu marido a procuraria para fazer amor. Ela pensara que talvez fosse uma vez por semana, mas o apetite de Gustavo parecia insaciável. Embora se esforçasse ao máximo para relaxar e tentasse desfrutar de algumas das intimidades de que ele gostava – coisas que ninguém lhe explicara e que ainda a faziam corar só de pensar nelas –, ela nunca conseguia.

Toda noite, quando a porta do quarto se fechava, ele se atirava sobre ela, quase rasgando suas roupas na tentativa de tirá-las – e, algumas vezes, sem nem se preocupar com isso. Ela ficava deitada, só esperando que tudo terminasse enquanto ele investia contra seu corpo já machucado e dolorido.

Pelo menos, quando acabava, Gustavo adormecia imediatamente, mas às vezes ela acordava de manhã e percebia que ele já a procurava de novo. Então, em questão de segundos, o peso do corpo dele estava novamente sobre o dela.

Na noite anterior, ele tentara enfiar o membro na boca de Bel, contra sua vontade. Bel engasgara, o que o fizera rir, dizendo que ela devia se acostumar com isso, que era algo que todas as esposas faziam para dar prazer aos maridos e ela não devia sentir vergonha.

Bel estava desesperada para pedir conselhos, falar com alguém que pudesse lhe dizer se aquilo era *mesmo* normal, se era algo que simplesmente teria de suportar pelo resto da vida. Onde estavam a ternura e os carinhos de que sua mãe falara?, perguntara a si mesma ao entrar em seu quarto na Casa das Orquídeas, que fora redecorado para receber os recém-casados. Deixando-se cair em uma cadeira, pensou que se sentia como uma boneca de pano, jogada de um lado para o outro de acordo com a vontade do marido.

Em sua casa, o pai tinha um quartinho com uma cama, e muitas vezes dormia ali, separado de sua mãe. Não havia tal luxo em sua nova residência, pensou ela em desespero ao entrar no reformado banheiro da suíte. Talvez se engravidasse ele finalmente a deixasse em paz.

Bel tentou se reconfortar lembrando que, durante o dia, Gustavo não podia ser mais amoroso. Ele sempre pegava a mão dela, passava o braço sobre seu ombro enquanto caminhavam juntos e dizia como estava feliz a todos que pudessem ouvir. Se pelo menos aquele sofrimento noturno terminasse, ela sentia que poderia suportar sua nova vida. Mas até esse dia chegar, sabia que acordaria todas as manhãs com medo em seu coração.

– Você está pálida, minha querida – disse Luiza durante o jantar naquela noite. – Talvez uma criança já esteja a caminho? – Ela olhou orgulhosa para Gustavo.

– Talvez, mãe. Vamos ver – disse ele.

– Eu gostaria de visitar minha mãe amanhã – arriscou Bel. – Queria ver como ela está.

– É claro, Izabela – concordou Gustavo. – Eu estava pensando em ir ao clube, então posso deixá-la por lá e buscá-la mais tarde.

– Obrigada – agradeceu Bel, enquanto iam para a sala de estar tomar café. Enquanto conversava com Maurício, ela viu o marido se servir de uma grande dose de brandy.

– Amanhã de manhã, Izabela – interrompeu Luiza –, eu gostaria que você me procurasse na biblioteca para falarmos sobre as despesas da casa. Tenho certeza de que vocês não precisavam controlar o orçamento na casa de seus pais, mas aqui não gostamos de desperdício.

– Sim, senhora.

Bel se controlou para não falar que seu pai estava pagando pela reforma da casa. E que, como ela sabia, dera a Gustavo uma quantia generosa quando se casaram para cobrir coisas como as despesas pessoais dos dois e o guarda-roupa dela.

– Hora de dormir, meu amor – disse Gustavo, e o coração de Bel começou a bater desconfortavelmente rápido.

A refeição salgada e pesada que a velha cozinheira havia preparado revirou em seu estômago quando Gustavo fez um gesto para que subissem.

– Boa noite, mãe e pai – disse ele, curvando-se ligeiramente para se despedir. – Vemos vocês amanhã.

Bel, então, subiu as escadas de mãos dadas com Gustavo e respirou fundo ao entrar no quarto com o marido.

❀ ❀ ❀

– Querida – disse Carla, cumprimentando Bel à porta de casa. – Senti sua falta. Entre e me conte tudo sobre sua lua de mel. Foi maravilhosa?

Reencontrar a presença reconfortante de Carla fez Bel querer atirar-se nos braços da mãe e chorar em seu ombro.

– Sim – concordou em voz baixa, entrando na sala de estar. – Os parentes de Gustavo foram muito gentis comigo.

– Que bom – disse a mãe enquanto Gabriela lhes trazia café. – E Gustavo? Ele está bem e feliz?

– Sim. Ele foi ao clube. Para ser bastante sincera, não tenho ideia do que ele faz lá.

– Assuntos de cavalheiros – respondeu Carla. – Provavelmente verificando as cotações do café. Que, se estiverem como as do seu pai, estão muito bem. O mercado do café continua a crescer. Semana passada seu pai comprou mais duas fazendas. Que você e, consequentemente, Gustavo herdarão um dia. Então, me diga, como anda a vida de casada?

– Estou… me adaptando.

– Adaptando…? – Carla franziu a testa. – Izabela, o que você quer dizer com isso? Não está feliz com sua nova vida?

– Mamãe – disse Bel, voltando a tratar Carla como na infância. – Eu…

– Por favor, Izabela, fale o que quer dizer.

– Eu… preciso saber se, bem, Gustavo sempre irá querer… fazer coisas… na cama todas as noites?

Carla observou a filha, então riu.

– Agora eu entendo. Você tem um marido ardente que quer desfrutar de sua bela esposa. Izabela, isso é bom. Significa que ele a ama e a deseja. Com certeza você entende isso, não é?

Bel estava desesperada para lhe perguntar sobre as outras coisas que Gustavo fazia ou que queria que ela fizesse, mas não tinha coragem de falar.

– Mas, mãe, estou muito cansada.

– Você não tem dormido muito, isso é de se esperar – disse Carla, que parecia se recusar por teimosia a perceber a angústia da filha ou estava genuinamente cega aos fatos. – Lembro que seu pai e eu éramos assim no início do casamento. É natural, querida, e sim, depois de um tempo, é claro que isso vai diminuir. Talvez quando você estiver grávida, o que, a julgar pelo que me conta, acontecerá em breve – acrescentou com um sorriso. – Sempre quis ser avó.

– E eu sempre quis ser mãe.

– Como é viver em sua bela casa nova? Sua sogra tem sido gentil com você?

– Ela tem sido acolhedora – respondeu Bel sem estender o assunto. – Mas esta manhã conversamos sobre as despesas da casa. Eles vivem de maneira muito mais frugal do que nós.

– Com certeza, agora que seu pai deu a Gustavo uma soma tão considerável, isso vai mudar. E, na verdade, temos algo para lhe contar. Mas vou esperar seu pai chegar primeiro – disse Carla, soando misteriosa.

– A senhora está bem, mãe? – perguntou Bel, decidindo mudar de assunto ao perceber que Carla não queria ouvir sobre quaisquer problemas da filha. E também por ainda achar a mãe muito magra e pálida.

– Estou me sentindo realmente muito bem – respondeu a mãe, animada. – Embora seja muito estranho não ter você por aqui. Quando você estava na Europa, eu sabia que iria voltar. Mas sei agora que isso não vai mais acontecer. Ainda assim, você não está longe, e espero que possamos nos ver sempre.

– Claro que vamos. – A estranha sensação de distanciamento que parecia ter surgido de repente entre elas a entristeceu. Era como se Carla tivesse aceitado que a filha já não pertencia a ela, mas ao marido e à família *dele*.

– Ah, seu pai chegou. Eu lhe falei que você viria nos visitar e ele prometeu que voltaria mais cedo do escritório para encontrá-la.

Antônio chegou com sua cordialidade habitual. Depois de abraçar a filha, ele se sentou ao lado dela e pegou suas mãos.

– Eu preferi esperar você voltar de lua de mel para lhe contar sobre nosso presente de casamento. Ontem, Izabela, passei a escritura da Fazenda Santa Tereza para você.

– Pai! – Bel olhava para ele com sincera alegria. – Está me dizendo que a fazenda é minha? Só minha?

– Sim, Izabela. No entanto – continuou o pai –, há uma pequena complicação que preciso explicar. – Antônio fez uma pausa e coçou o queixo. – Você pode não saber que atualmente, no Brasil, um marido geralmente adquire os direitos legais de qualquer propriedade que sua esposa possua. Assim, como sua mãe insistiu que a fazenda deveria ser somente sua, eu tive que ser um pouco… criativo. Criei um fundo em seu nome, que será administrado pelo meu advogado, incluindo a fazenda e qualquer renda que provenha dela. Além do direito de morar nela até sua morte. Esperamos que, antes que isso aconteça, nossas leis ultrapassadas já tenham mudado e você seja proprietária direta da fazenda. Há também uma cláusula que permite que o fundo seja repassado automaticamente para qualquer filho que você tiver.

– Entendi. Muito obrigada aos dois – sussurrou Bel, tão comovida que mal conseguia falar. – Nada me deixaria tão feliz.

Bel levantou para abraçar a mãe, que ela agora sabia ser a principal responsável por aquele maravilhoso presente.

– Acho que seu pai foi mais do que generoso com a família de seu marido – disse Carla. – Mesmo que Gustavo soubesse disso, e ele não sabe, não poderia reclamar por Antônio ser igualmente generoso com a filha. Principalmente porque trabalhou tão duro a vida toda para dar o melhor a ela.

Bel notou o ar de reprovação nos olhos da mãe, que se ressentia um pouco de todos os gastos de Antônio com uma família que não trabalhara um único dia em suas vidas.

– Agora… – Antônio pegou um maço de documentos de um envelope que trouxera com ele – … vamos assinar os papéis. Sua mãe e Gabriela serão as testemunhas.

Bel assinou os documentos embaixo do nome do pai e, em seguida, Carla e Gabriela subscreveram como testemunhas. Seu estado de espírito era outro, agora que tinha uma casa realmente dela. Dado o receio que sentia com relação ao seu casamento, aquilo lhe dava uma segurança tranquilizadora.

– Pronto – disse Antônio, sorrindo, com a felicidade que sempre experimentava quando se sentia generoso. – Levarei isso ao meu advogado assim que possível – completou, guardando os documentos na gaveta de sua mesa.

✿ ✿ ✿

Gustavo chegou uma hora depois para levá-la para casa. Após os cumprimentos formais aos novos sogros, avisou que deviam ir embora logo para chegarem a tempo de jantar com seus pais.

– Voltarei assim que puder, mãe. E quem sabe fazemos aquele passeio até o alto do Corcovado para ver como está ficando a estátua do Cristo? – sugeriu Bel.

– Eu adoraria, Izabela – concordou Carla. – Que tal na quinta?

– Claro, até quinta, então – disse ela e seguiu Gustavo até o carro.

Enquanto o motorista os levava de volta para casa, Bel decidiu não contar ao marido sobre o presente que seus pais tinham acabado de lhe dar. Era um lindo segredo, que queria guardar só para si. Ao passarem pela Estação do Corcovado, viu os passageiros desembarcarem na pequena plataforma. E lá, andando em sua direção pelo caminho estreito, estava… O coração de Bel pareceu parar quando o viu, mas ele se afastou rápido demais para que ela pudesse ter certeza.

Bel fechou os olhos e balançou a cabeça. Claro que não era Laurent, mas alguém que se parecia muito com ele. Afinal, o que ele estaria fazendo no Brasil?

– Meu presente de casamento será entregue em casa amanhã – disse Gustavo, despertando Bel de seu devaneio e colocando a mão sobre a dela. – Eu já vi e é lindo. Espero que você também goste.

– Mal posso esperar – disse ela, com todo o entusiasmo que conseguiu reunir.

Mais tarde naquela noite, depois do jantar, Bel sentia-se exausta. A visão do fantasma de Laurent a perturbara profundamente e seu estômago doía. Quando ela e Gustavo subiram para o quarto, ela correu para o banheiro e se trancou. Vestiu sua camisola, depois escovou os dentes e penteou os cabelos. Então abriu a porta e foi para a cama, sobre a qual Gustavo já estava despido, à sua espera. Quando ele estendeu a mão para tocá-la, Bel se afastou e balançou a cabeça.

– Sinto muito, mas não podemos hoje. Estou naqueles dias.

Gustavo assentiu, saiu da cama e vestiu seu roupão.

– Então vou dormir no meu antigo quarto e deixar você descansar. Boa noite, minha querida.

Quando a porta se fechou, Bel sentou na cama e riu da saída rápida de Gustavo. Pelo menos teria alguns dias por mês para dormir sozinha e em paz.

❀ ❀ ❀

Dois dias depois, como tinham combinado, Bel chegou à sua antiga casa para buscar a mãe e levá-la de trem ao alto do Corcovado. Quando começaram a subir, Carla, morrendo de medo, agarrou o braço da filha.

– Isto é seguro? É tão íngreme, como ele consegue chegar ao topo?

– Não tenha medo, mãe. Valerá a pena quando chegarmos lá e a senhora conhecer a linda vista do Rio.

Quando chegaram ao topo, subiram os degraus juntas lentamente, parando algumas vezes para Carla recuperar o fôlego. Bel guiou sua mãe até o mirante.

– Não é lindo? – perguntou ela, sorrindo. – E, claro, é ali que estão construindo a estrutura do Cristo. É tão estranho pensar que vi a escultura sendo projetada e trabalhada no ateliê do professor Landowski. Ele chegou a fazer o molde das minhas mãos para talvez usar como modelo para as do Cristo...

Bel desviou a atenção da cidade lá embaixo para a estrutura do Cristo e viu dois homens que vinham de lá, profundamente concentrados numa conversa. Ela os encarou incrédula, o coração quase parando quando ele levantou os olhos e a viu.

Eles se olharam por alguns segundos, então ele sorriu para ela e voltou sua atenção para os degraus. E, seguindo seu colega escada abaixo, desapareceu de vista.

– Quem era aquele?

Carla observava a filha com interesse.

– Eu... era o Sr. Levy, o mestre de obras de Heitor da Silva Costa.

– Sim, eu o reconheci da fotografia no jornal. Mas e o outro homem?

– Ah, não tenho certeza, mas acho que era um assistente do professor Landowski.

– Entendo. Bem, ele com certeza parecia saber quem você era.

– Ah, é verdade, nós nos conhecemos em Paris – disse Bel, tentando desesperadamente se recompor. Cada nervo de seu corpo lhe dizia para deixar o mirante, descer correndo a escada e se atirar nos braços de Laurent. E precisou de toda a sua força para se controlar.

Quinze minutos depois, quando Carla disse que bastava do calor escaldante e então mãe e filha desceram lentamente os degraus para esperar o trem na plataforma, não havia mais sinal dos dois homens.

De volta em casa, Carla perguntou a Bel se queria entrar para comer alguma coisa, mas ela disse que não podia e pediu ao motorista para levá-la direto para casa. Precisava de um tempo sozinha para se recompor. Sabia que, se ficasse mais com a mãe, podia acabar se entregando.

Como ele pode estar aqui? Por que veio?

Como Laurent estava com o Sr. Levy, ela só podia presumir que ele tinha sido enviado por Landowski para supervisionar o projeto do Cristo em seu lugar.

Sim, devia ser isso, pensou Bel, descendo do carro e subindo relutante os degraus da sua nova casa. A presença de Laurent no Rio não tinha nada de misteriosa. Foi então para o quarto, sabendo que Gustavo não voltaria do clube em menos de duas horas, o que a deixava um pouco aliviada.

Deitada na cama, Bel respirou fundo e tentou pensar racionalmente. Ela não devia encontrá-lo de novo. Era improvável que seus caminhos se cruzassem no Rio, já que o Sr. Levy, o engenheiro, não fazia parte de seu círculo social e Heitor da Silva Costa ainda estava em Paris. Dar de cara com ele naquele dia fora uma simples jogada cruel do destino. Ao se lembrar do sorriso doce que ele abrira durante a fração de segundo em que os dois se entreolharam, fez com que desejasse, do fundo do coração, que aquele encontro não tivesse acontecido.

❂ ❂ ❂

Na noite seguinte, Gustavo chegou mais cedo do clube e falou para ela não entrar na sala de estar até ele dizer que podia. Gustavo estava radiante com o presente de casamento que lhe comprara. E Bel se preparou para aparentar a mesma felicidade, seja lá o que fosse o tal presente.

– Seus pais vêm jantar conosco, assim como outro convidado surpresa, então coloque seu vestido mais bonito – sugeriu o marido.

✿ ✿ ✿

Laurent também ficara abalado após ver Izabela no mirante. Quando ele erguera o olhar, o sol por trás dela a fizera parecer quase angelical, como se todo o seu ser estivesse iluminado. Desde que ficara sabendo por Levy do casamento, a emoção que sentira ao chegar ao Rio havia sido contaminada pela tristeza. E concluíra que o melhor a fazer era inspecionar logo o projeto da construção, para pelo menos poder garantir a Landowski que estava tudo indo bem com a escultura. Depois veria um pouco mais da terra que ele viera de tão longe para conhecer, e então voltaria para a França. Agora que sabia que Izabela nunca poderia ser sua, não havia nada ali para ele. E, para começo de conversa, se repreendia por sua decisão intempestiva de embarcar para o Brasil. No entanto, passara o último mês motivado tanto pela certeza de que, em algum momento, Izabela voltaria ao Rio de sua lua de mel quanto por uma crença cega de que se encontrariam por acaso.

E então, no dia anterior, monsieur Levy lhe dissera que monsieur Da Silva Costa o contatara, pedindo o telefone de Laurent.

– Parece que Gustavo Aires Cabral gostaria de conhecer pessoalmente o homem que fez a escultura de sua esposa. Ele o convidou para jantar em sua linda residência amanhã à noite. E acredito que vá aproveitar para lhe pagar – acrescentara Levy. – Ele vai ligar para combinarem tudo.

– Obrigado.

Laurent a princípio pensara, é claro, em recusar a oferta do jantar e combinar de se encontrar com Gustavo no clube que ele frequentava para receber o pagamento pela escultura. O marido de Izabela não era alguém que gostaria de conhecer melhor.

Mas então Laurent a vira na tarde anterior...

Depois de intermináveis debates consigo mesmo, decidira que – com ou sem o marido dela lá – se permitiria ver o lindo rosto de Izabela por mais uma noite. Então, quando monsieur Aires Cabral ligou, ele aceitou o convite para jantar.

Enquanto o táxi seguia pelas ruas de Ipanema, deixando a agitação da cidade, Laurent se perguntava o que tinha acontecido com ele. Certamente, passar horas ao lado dela seria um suicídio emocional. Isso apenas reacenderia ainda mais sua paixão. No entanto, pensou enquanto o carro cruzava os portões de uma elegante casa em estilo colonial, agora que estava ali, teria que se esforçar ao máximo para se controlar.

Laurent saiu do táxi, pagou o motorista e ficou olhando admirado para a fachada da construção, certamente uma das mais impressionantes que havia visto no Rio. Subiu os largos degraus de mármore até a elegante porta da frente e tocou a campainha.

Uma empregada veio recebê-lo, e Laurent foi levado a uma sala de estar, já ocupada por dois casais de meia-idade. No canto da sala, coberta por uma toalha de mesa para que ninguém visse, estava o que, pelo formato, ele reconhecera como sua escultura.

– Ah, você chegou! – disse um homem magro, com feições que o lembraram um roedor, que logo entrou na sala atrás dele. – O escultor em pessoa! – Ele sorriu e estendeu a mão pálida. – Gustavo Aires Cabral. E você deve ser o Sr. Laurent Brouilly.

– Sim. Prazer em conhecê-lo, senhor – respondeu, recebendo o fraco aperto de mão do homem, que era pelo menos 10 centímetros mais baixo do que ele. Com certeza aquele homem magro e sem um traço de beleza não podia ser o marido de Izabela, pensou enquanto Gustavo o apresentava às outras pessoas na sala.

– Champanhe, senhor? – perguntou uma empregada, oferecendo-lhe uma taça de uma bandeja.

– *Merci* – disse ele enquanto cumprimentava os pais de Gustavo, antes de ser apresentado aos de Izabela.

Antônio Bonifácio, um homem alto e atraente, com alguns fios grisalhos despontando no cabelo preto, apertou sua mão cordialmente, e Carla abriu um sorriso caloroso. Ela era uma mulher bonita, e Laurent podia ver de onde Izabela tinha herdado a pele morena e a sensualidade. Nenhum dos dois falava francês, então Gustavo traduzia o que era dito.

– Sr. Bonifácio disse que Izabela falou muito sobre o professor Landowski e o tempo que passou em seu ateliê enquanto você a esculpia. Ele quer ver se você capturou bem a beleza dela – traduziu Gustavo.

– Só desejo que o senhor conclua que fiz justiça à sua filha – replicou Laurent, sentindo que os olhos da mãe de Bel o examinavam enquanto ele falava. Laurent a reconheceu como a mulher que tinha visto com Izabela no alto do Corcovado no dia anterior.

– A dona Carla diz que, é claro, Izabela não faz ideia sobre a escultura ou sobre sua presença aqui – disse Gustavo – e que será uma grande surpresa para ela quando se juntar a nós.

– Com certeza – respondeu Laurent, de coração.

❀ ❀ ❀

– Está pronta? – perguntou Gustavo ao entrar no quarto e encontrar Bel sentada na cama, com olhar pensativo.

Ela se virou e sorriu para ele.

– Sim.

Gustavo examinou a esposa, que usava um lindo vestido de seda verde e, nas orelhas e no pescoço, as esmeraldas que seu pai lhe dera no 18º aniversário.

– Você está linda, querida – disse ele, oferecendo-lhe o braço. – Podemos ir?

– Não consigo imaginar o motivo de tanto suspense – falou Bel enquanto descia as escadas com ele.

– Bem, você verá em breve. – Gustavo coçou o nariz e, em seguida, abriu a porta da sala. – Aqui está ela – disse ao grupo reunido, e Bel sorriu quando a mãe e o pai se aproximaram para cumprimentá-la.

Gustavo desviou Bel deles em direção a seus próprios pais, que conversavam com o outro convidado.

– Esta é a primeira parte da surpresa, que pode ajudá-la a adivinhar qual é o seu presente. Eis aqui o Sr. Laurent Brouilly, diretamente de Paris.

Bel viu Laurent se virar para ela, enquanto Gustavo sorria alegremente entre os dois, contente com a surpresa que planejara.

Ela olhou para Laurent atordoada, sabendo que todos os olhares da sala tinham se voltado para eles, curiosos com a reação dela. Tamanho foi seu choque que Bel não conseguiu pensar em nada para dizer. E sentiu o silêncio se estendendo, interminável, enquanto os segundos se passavam.

– Madame Aires Cabral – disse Laurent, pegando sua mão e salvando as aparências. – É um prazer vê-la de novo. – Ele beijou sua mão e então a observou. – Seu pai perguntava há poucos minutos se eu lhe fizera justiça, mas, ao vê-la novamente, receio que não tenha conseguido.

– Eu… – Bel forçou o cérebro a abrir sua boca e falar com Laurent em francês. – Sr. Brouilly, que agradável surpresa. Eu não esperava vê-lo no Rio.

– Bem – disse Gustavo –, foi uma feliz coincidência o Sr. Brouilly estar aqui no Brasil por causa do Cristo. Com certeza, você agora já imagina qual é o meu presente.

A mente de Bel estava tão ocupada com Laurent que nem sequer tinha pensado na relação entre a presença dele e o presente do marido. Felizmente, antes que pudesse responder, Gustavo a levou até um objeto coberto por uma toalha de mesa, enquanto todos se reuniam em volta.

– Devo tirar? – perguntou Gustavo a ela.

– Sim – respondeu Bel, engolindo em seco, ao finalmente entender qual era o presente.

Todos exclamaram admirados quando a escultura foi revelada. Bel só podia agradecer a Deus por Laurent tê-la retratado como uma jovem casta. Ninguém que olhasse para sua imagem poderia sugerir qualquer coisa inadequada.

– Então?

Os olhos de Gustavo correram pela sala, buscando a opinião dos presentes.

Antônio foi o primeiro a falar.

– Minha nossa, a semelhança é incrível. Você capturou a imagem dela muito bem, Sr. Brouilly.

– Sim, de fato, é a minha filha – disse Carla, com aprovação.

Gustavo traduziu os elogios para Laurent, que se curvou em agradecimento.

– Não tenho certeza se você reproduziu bem os lábios dela – comentou Luiza em francês, sempre ansiosa por encontrar algo negativo para dizer. – Não ficaram tão grossos quanto deveriam.

– Bem, senhora – respondeu Laurent –, observando sua nora após o casamento, vejo que ela definitivamente desabrochou desde a última vez que a vi. Os prazeres da vida de esposa com certeza lhe fizeram bem.

Bel quase engasgou com a resposta de Laurent, aparentemente amável, mas tão cheia de insinuações que ninguém na sala poderia deixar de notar. Luiza teve a decência de corar.

– E o que você achou do meu presente, Izabela? – perguntou Gustavo, passando o braço de maneira possessiva ao redor da cintura da esposa.

– Não creio que eu possa julgar os méritos de uma escultura para a qual servi de modelo sem soar arrogante, mas é um presente de casamento muito atencioso, Gustavo. E você me fez muito feliz.

Tão automaticamente quanto dissera essas palavras, Bel deu um beijo no rosto do marido. E, durante cada segundo, sentiu – ou imaginou sentir – os olhos de Laurent fixos nela.

O velho mordomo entrou na sala e anunciou que o jantar estava servido. Na mesa, Bel ficou grata por Laurent ter sido colocado entre Luiza e Carla. Ela se sentou entre o pai e o sogro, e Gustavo na cabeceira da mesa. Infelizmente, Laurent estava bem à sua frente, e toda vez que levantava os olhos lá estava ele. Pensou como a disposição da mesa era uma terrível paródia das horas que haviam passado de frente um para o outro no ateliê em Paris.

Para se acalmar, Bel tomou um grande gole do vinho que o mordomo lhe servira, então se virou para a direita e começou a conversar com Maurício sobre qualquer coisa que viesse à sua mente. Ao perceber que discutiam os preços do café, Antônio logo juntou-se a eles, e os dois homens disseram-se preocupados de que o excedente de produção no Brasil estivesse provocando a baixa nos preços.

– Meus amigos no Senado sugerem a estocagem – comentou Maurício.

– Sim, e planejo fazer o mesmo nas minhas fazendas – confirmou Antônio. – O preço já caiu bastante dentro de um mês, e os lucros não são tão grandes quanto antes.

Como fora deixada de lado na conversa, Bel não teve escolha a não ser sentar-se ligeiramente para trás em sua cadeira enquanto os dois debatiam, o que significava que muitas vezes acabava olhando direto para Laurent.

E, quando seus olhos se encontravam por alguns segundos, eles sabiam que nada havia mudado.

Durante o café na sala de estar, Bel se viu numa conversa com Gustavo e Laurent.

– Quando você vai voltar a Paris? – Gustavo perguntou a ele.

– Ainda não me decidi – respondeu Laurent. – Depende do andar das coisas, e das oportunidades que encontrarei aqui – continuou, olhando para Bel. – Sua mãe, monsieur, gentilmente prometeu me apresentar a alguns possíveis clientes que talvez queiram esculturas dos membros de suas famílias. Quem sabe? – indagou, com um sorriso. – Posso me apaixonar por seu lindo país e decidir ficar aqui para sempre.

– Bem, se você conquistou minha mãe como benfeitora e incentivadora, isso pode ser mesmo uma opção – disse Gustavo. – Mais brandy? – perguntou, levantando-se do sofá em que estava sentado ao lado de Bel.

– Não, obrigado, senhor – respondeu Laurent.

Gustavo se afastou, e os dois foram deixados a sós pela primeira vez.

– Como você está, Izabela? – perguntou Laurent.

Os olhos de Bel vagavam pela mesa, pelas tábuas do piso, por qualquer lugar em que não precisassem encontrar os de Laurent. Tinha tanto para lhe dizer, mas não podia.

– Estou... casada – falou, por fim.

Ela levantou os olhos para observar a reação dele e notou que Laurent checava furtivamente a sala para ver se alguém olhava para os dois.

– Bel – sussurrou ele, curvando-se em direção a ela o máximo que ousava da cadeira em que estava sentado. – Você precisa saber que vim aqui para encontrá-la. *Precisa* saber disso – reiterou. – Se quiser que eu desista e pegue o próximo navio de volta para a França, eu vou. Mas quero ouvir isso de seus lábios. Agora – continuou, observando Gustavo encher o copo de brandy –, me diga, você está feliz com seu marido?

Ela não conseguia encontrar as palavras para responder. Viu Gustavo colocar a tampa de cristal de volta na garrafa.

– Eu não posso – finalmente respondeu, sabendo que seu tempo estava acabando.

– Então você ainda me ama?

– Sim.

Ela viu Gustavo se curvar em direção à mãe e sussurrar algo em seu ouvido.

– Então me encontre amanhã à tarde. Estou hospedado na rua Visconde de Pirajá, número 17. É um prédio em Ipanema, e o meu apartamento é o número 6, no último andar.

Bel gravou o endereço na memória enquanto Gustavo voltava cambaleando até os dois. Pôde notar que Laurent percebia como o marido estava bêbado e estremeceu quando Gustavo se sentou ao seu lado, passou o braço firmemente em volta dela e puxou-a para beijá-la.

– Minha esposa não é linda? – perguntou a Laurent.

– É sim, monsieur.

– Às vezes, penso que não a mereço – continuou Gustavo, tomando outro gole. – Como pode imaginar, estou desfrutando as primeiras semanas de minha vida de casado.

– Ah, sim, posso imaginar – disse Laurent. – Agora, queira me perdoar, mas preciso ir embora. – Então se levantou abruptamente e se afastou para se despedir dos demais.

– Você já está bem de novo? – sussurrou Gustavo no ouvido de Bel enquanto ela via Laurent beijar a mão de Carla.

– Infelizmente, não, mas quem sabe amanhã.

– Uma pena – comentou Gustavo. – Eu queria fazer amor com minha linda esposa esta noite.

Laurent voltou e parou diante deles.

– Boa noite, e muito obrigado a vocês dois.

Eles se levantaram, Laurent apertou a mão de Gustavo e depois beijou brevemente a de Bel.

– *À bientôt*, madame Aires Cabral.

– *Bonne nuit*, Sr. Brouilly.

Quando Laurent foi embora, o restante do grupo começou a se dispersar.

– Boa noite, querida – despediu-se Carla à porta. – Venha me visitar em breve – completou, lançando à filha um olhar indagador antes de descer atrás de Antônio.

Em frente ao quarto do casal, no andar de cima, Gustavo deu um beijo apaixonado em Bel.

– Mal posso esperar até amanhã à noite – disse ele.

Bel fechou a porta, tirou a roupa e se deitou, agradecendo a Deus por passar aquela noite sozinha.

37

Na manhã seguinte, Bel acordou com a certeza de que tinha bebido demais na noite anterior. Ou pelo menos tinha sofrido um afluxo de sangue para a cabeça. Por que outra razão teria concordado em se encontrar com Laurent naquela tarde em seu apartamento?

Ela rolou na cama e soltou um gemido. Passara a noite deitada, revivendo alegremente cada olhar ardente e cada palavra que tinham trocado, mas agora só pesava as terríveis consequências da presença de Laurent no Rio.

Estava casada com Gustavo havia menos de um mês. Apesar disso, não só havia confessado a Laurent que era infeliz no casamento, mas também que ainda o amava...

Que loucura a havia possuído?

A loucura do amor...

Qualquer que fosse a reação de Gustavo, as consequências de ele descobrir o relacionamento que tiveram na França seriam terríveis demais para imaginar, que dirá se continuassem agora.

Bel se levantou e foi ao banheiro. Olhou para seu reflexo no espelho, perguntando-lhe o que devia fazer. A opção mais segura era simplesmente não se encontrar com Laurent no apartamento naquela tarde. Se ela se mantivesse afastada, com certeza ele acabaria aceitando e não a incomodaria mais.

Os olhos de Laurent logo tomaram o lugar dos seus no espelho, cheios de amor e promessas de alegria, e, apesar de tudo, ela estremeceu de prazer.

❂ ❂ ❂

Loen estava em seu quarto quando ela saiu do banheiro.

– Como está, dona Bel? – perguntou Loen enquanto pendurava o deslumbrante vestido de seda que Bel deixara no chão na noite anterior.

– Estou... um pouco cansada – admitiu.

– Ele esteve aqui ontem à noite, não foi? Seu escultor? – perguntou Loen, arrumando o quarto.

– Esteve. Eu... Ah, Loen. – Bel afundou na cama, colocou a cabeça entre as mãos e caiu em prantos. Loen veio sentar-se ao lado dela e abraçou a patroa.

– Por favor, não chore. Com certeza, deve estar pelo menos um pouco feliz por ele ter vindo ao Brasil, não é?

– Sim... não... – Bel olhou para Loen. – Eu fiz algo muito idiota – admitiu. – Disse a ele que iria encontrá-lo em seu apartamento em Ipanema hoje à tarde.

– Entendo. – Loen balançou a cabeça devagar. – E você vai?

– Como posso? Sou casada e concordei em me encontrar com outro homem! O que você faria, Loen? Por favor, me diga.

– Eu não sei – respondeu Loen, dando um suspiro. – É claro, queria lhe dizer que seria errado se encontrar com ele. Mas, se fosse Bruno, duvido que conseguiria me controlar. Principalmente se eu soubesse que ele pode ir embora a qualquer momento.

– Você está me encorajando, Loen – disse Bel, olhando para a empregada –, quando eu precisava que alguém me falasse que isso é loucura.

– É loucura – concordou Loen –, mas já sabe disso. Talvez deva vê-lo só desta vez e lhe falar que não podem se encontrar novamente. E dizer um último adeus.

– E como eu faria isso? Minha sogra vive observando cada movimento meu.

– A senhora marcou de ir a Ipanema hoje às duas da tarde para definir com madame Duchaine seu guarda-roupa para a próxima estação – respondeu Loen. – Podemos ir até lá, você diz que está se sentindo mal e saímos. Daria tempo suficiente para se encontrar com o escultor. Vocês teriam pelo menos algumas horas juntos.

– Loen, o que você está fazendo comigo? – perguntou Bel, angustiada, sabendo que aquele era um bom plano.

– Estou sendo sua amiga, Bel, assim como tem sido para mim. Vejo a tristeza em seus olhos todos os dias desde que se casou. Quero que seja feliz. A vida é muito curta, curta demais para viver com alguém que não se ama. Então – concluiu Loen, levantando-se da cama –, decida o que quer e eu farei o que for preciso para ajudá-la.

– Obrigada. Vou pensar – concordou Bel.

❀ ❀ ❀

– Bom dia – cumprimentou Luiza quando Bel chegou à mesa. – Você dormiu bem, minha querida?

– Dormi sim, obrigada.

– Recebi um bilhete esta manhã de uma amiga minha. Estão à procura de jovens senhoras para se reunirem na Igreja de Nossa Senhora da Glória do Outeiro. O Sr. Heitor da Silva Costa, o engenheiro responsável pelo projeto do Cristo, resolveu revestir a estátua com um mosaico de pedra-sabão e está à procura de um grande número de voluntárias para prender a pedra-sabão a um papel especial, triângulo por triângulo. O trabalho será demorado, mas, pelo que minha amiga me contou, será realizado por mulheres das melhores famílias. Notei que você não parece ter muitas amizades adequadas no Rio. Seria a oportunidade perfeita de fazer mais amigas.

– Sim, claro, eu ficaria feliz em ajudar – concordou Bel. – Principalmente por se tratar de uma causa tão nobre e um projeto pelo qual tenho muito carinho.

– Então responderei a ela dizendo que você será voluntária. Talvez possa começar logo amanhã.

– Sim – disse Bel, enquanto a empregada servia o café.

Depois do café da manhã, Bel deu uma volta pelo jardim, perdida em seus pensamentos. Agora que trabalharia no mosaico, pelo menos teria algo positivo com que ocupar seu tempo, porque era óbvio que nunca mandaria em sua casa. Embora Luiza tenha dado um sinal de que cederia terreno ao lhe falar sobre a administração das despesas da casa, ela mesma continuava organizando tudo. Se Bel fazia uma sugestão para o cardápio do jantar, era logo rejeitada, e no dia anterior, quando perguntara se podiam usar o aparelho de jantar Limoges em vez do Wedgwood, Luiza respondera que aquele só era usado em comemorações, como aniversários e datas especiais.

Todos os dias, Gustavo ia para o clube logo depois do almoço, o que significava que ela passava horas intermináveis sozinha à tarde. Sentiu o estômago revirar de repente – o que ia fazer *naquela* tarde?

Na hora do almoço, Bel estava num frenesi. À uma e meia, pediu o carro.

– Dona Luiza – disse à sogra, que estava na sala de estar escrevendo cartas –, vou ao ateliê de madame Duchaine. Loen irá me acompanhar. Posso demorar um pouco, já que vou tirar as medidas para meu guarda-roupa de inverno.

– Bem, ouvi dizer que ela é muito careira e que seu acabamento às vezes não fica muito bom. Posso lhe dar o nome de outra costureira que cobra bem menos e é muito confiável.

– Para falar a verdade, madame Duchaine sempre fez um excelente trabalho para mim – respondeu Bel. – Vejo a senhora no jantar.

Sem esperar que a sogra lhe dirigisse um olhar de surpresa por ter ousado questionar seu julgamento, Bel caminhou em direção à porta e colocou o chapéu. Loen já estava à sua espera.

– E então? – sussurrou Loen enquanto andavam até o carro.

– Eu não sei – respondeu Bel com um murmúrio.

– Então vamos até a madame Duchaine e, se você fingir uma dor de cabeça, eu sigo a deixa – disse Loen enquanto entravam no carro.

O motorista deu a partida. Bel olhava pela janela sem prestar atenção, o coração batendo tão forte no peito que parecia que ia explodir.

Quando chegaram ao ateliê de madame Duchaine, as duas saíram do carro.

– Não precisa esperar, Jorge – disse Bel ao motorista. – Vou levar algum tempo. Por favor, volte para me buscar às seis.

– Sim, senhora.

Ela o viu se afastar do meio-fio, em seguida entrou no ateliê com Loen.

Dez minutos depois, Bel encarava com o olhar perdido e a mente tumultuada seu reflexo no espelho de corpo inteiro, enquanto madame Duchaine andava sem parar ao seu redor, fazendo marcações com uma fita métrica e alfinetes. Na angústia de sua indecisão, Bel sentia o estômago revirar. Se não se decidisse logo, acabaria sendo tarde demais.

Madame Duchaine se levantou e postou-se atrás de Bel, examinando seu trabalho no espelho sobre o ombro dela. Quando seus olhos pequenos e atentos alcançaram o rosto de Bel, ela franziu a testa.

– Não me parece nada bem, senhora. Está muito pálida. Talvez esteja adoecendo?

– Estou um pouco zonza – concordou Bel.

– Bem, quem sabe continuamos outro dia? Acho que seria melhor você descansar um pouco – disse madame Duchaine, olhando discretamente para a barriga de sua cliente no espelho.

Nessa fração de segundo, Bel captou o olhar de Loen e entendeu que, involuntariamente, a decisão tinha sido tomada.

– Sim, talvez tenha razão. Ligo amanhã para marcar outro horário. Venha, Loen – acrescentou, dirigindo-se à empregada. – Vamos embora.

Quando as duas saíram do ateliê e chegaram à rua, Bel virou para Loen.

– Bem, é isso. Devo estar fora de mim, mas vou me encontrar com ele. Deseje-me sorte.

– Claro. Só não se esqueça de me encontrar aqui a tempo de esperarmos o motorista vir nos buscar. E, dona Bel – acrescentou em voz baixa –, mesmo que resolva nunca mais se encontrar com ele depois de hoje, acho que está tomando a decisão certa.

– Obrigada.

Bel caminhou rapidamente pelas ruas de Ipanema em direção à Visconde de Pirajá. Por duas vezes, deu meia-volta, incerta do que fazia, mas depois refez seus passos, até chegar em frente ao prédio de Laurent.

Sim, disse a si mesma. *Vou entrar e dizer pessoalmente que nunca mais posso vê-lo, assim como fiz em Paris. E depois vou embora.*

Entrou depressa e subiu as escadas, observando os números nas portas dos apartamentos.

Quando chegou em frente ao número 6, hesitou, depois fechou os olhos e, fazendo uma oração silenciosa, bateu na porta.

Ouviu passos no piso de madeira e a porta se abriu, revelando Laurent diante dela.

– *Bonjour*, madame Aires Cabral. Por favor, entre.

Ele sorriu para ela, segurando a porta aberta para que pudesse entrar. Então fechou a porta à chave e passou o trinco, para o caso de Mônica, a empregada, aparecer inesperadamente. Agora que finalmente estava sozinho com Bel, não queria ser perturbado.

– Que vista maravilhosa – disse ela, nervosa, olhando o mar da janela da sala.

– É sim, não é mesmo?

– Laurent…

– Izabela…

Falaram seus nomes ao mesmo tempo, o que os fez abrir um sorriso.

– Vamos sentar? – perguntou ela, andando até uma cadeira e se sentando enquanto tentava, em vão, acalmar sua respiração ofegante.

Laurent puxou outra cadeira para ficar de frente para ela e se sentou.

– Então, sobre o que você gostaria de conversar?

– Eu... – Ela balançou a cabeça e suspirou. – Isto não é certo. Eu não devia estar aqui.

– Nem eu – concordou ele. – Mas parece que, apesar de nossa determinação, aqui estamos.

– Sim. – Bel respirou fundo. – Vim para lhe dizer que não podemos nos encontrar novamente.

– Isso foi o que você disse no parque em Paris. E veja aonde isso nos levou.

– Eu não pedi que você viesse ao Rio.

– Não, não pediu. Mas lamenta que eu tenha vindo?

– Sim... Não... – Bel suspirou em desespero.

– Você está casada – disse ele de maneira direta.

– Sim. Eu sei que isto é impossível.

– Bel... – Ele se levantou da cadeira e num instante estava ajoelhado em frente a ela, pegando suas mãos. – Na noite passada, eu lhe perguntei se estava feliz e você respondeu que não.

– Mas...

– E então perguntei se você ainda me amava, e me disse que sim.

– Eu...

– Shhh, deixe-me falar. Entendo sua situação e como minha chegada foi inapropriada e inoportuna. E prometo a você que, se me disser agora para ir embora, como fez em Paris, deixo o Rio assim que conseguir uma passagem. Mas você tem que me dizer o que quer. Porque acredito que já deixei bem claro o que eu quero.

– Ser meu amante? – Ela olhou para ele. – Porque é o máximo que posso lhe oferecer. E não é o que você merece – acrescentou.

– O que eu mereço não importa. O destino decretou que você é a mulher que eu quero. E, por mais que eu tente, não consigo viver sem você. Em um mundo ideal, sim, eu a raptaria neste instante, colocaria você na minha mala e a levaria para a França, para vivermos juntos pelo resto de nossas vidas. Mas estou disposto a pensar em um meio-termo. Você está? – Seus olhos intensos corriam inebriados pelo rosto dela à procura de pistas.

Bel olhou para Laurent, perguntando como pôde ter duvidado dos sentimentos dele. Ele deixara para trás sua vida na França e cruzara o oceano para vir procurá-la no Rio, mesmo sem nenhuma garantia de que a encontraria. E, involuntariamente, seu pobre marido acabara reunindo os dois. Pensar em Gustavo fez com que recobrasse o juízo.

– O que passou passou – disse ela, soando tão firme quanto conseguiu. – E não é justo você simplesmente chegar aqui e me fazer relembrar essas coisas, depois que fiz tudo o que podia para lhe dizer adeus, para tentar esquecê-lo. Eu... – Seus olhos se encheram de lágrimas e sua voz falhou.

– *Ma chérie*, me perdoe, a última coisa que eu quero é fazer você chorar. E sim, você está certa – concordou ele. – Você me disse para desistir e eu não lhe dei ouvidos. Então a culpa é toda minha, não sua.

– Mas me diga como posso encontrar forças para lhe dizer adeus novamente? – Ela chorava desesperada, então ele a abraçou. – Você não sabe quanto sofri da última vez. E ter que passar por isso de novo...

– Então *não* passe. Só me diga que quer que eu fique e é o que farei.

– Eu...

Laurent lentamente baixou a cabeça e começou a beijar o pescoço de Bel, tão suavemente que parecia uma asa de borboleta acariciando sua pele. Ela deixou escapar um gemido.

– Por favor, por favor, não torne as coisas ainda mais difíceis.

– Bel, pare de se torturar. Vamos ficar juntos enquanto podemos. Amo tanto você, *chérie* – murmurou ele, enquanto seus dedos secavam as lágrimas do rosto dela.

Bel então segurou a mão dele.

– Você não tem ideia de quanto senti sua falta – disse ela, chorando.

– Eu também.

Ele se inclinou e encostou os lábios nos dela.

Ao contato do corpo de Laurent, Bel sentiu o seu ceder, sua determinação desmoronando ao perceber que já não podia mais lutar.

– *Chérie* – disse ele quando seus lábios finalmente se separaram –, deixe-me levá-la para a cama. Vou aceitar se você simplesmente quiser ficar deitada ao meu lado, mas quero apenas poder abraçá-la.

Sem esperar resposta, Laurent pegou Bel da cadeira e levou-a para o quarto, deitando-a suavemente no colchão.

Bel se preparou para um ataque desvairado, como Gustavo costumava agir, mas não foi o que aconteceu. Em vez disso, Laurent se deitou ao lado dela e a envolveu em seus braços. Quando a beijou novamente, as pontas de seus dedos traçaram ternamente os contornos dos seios e da cintura dela por cima das roupas, até ela não conseguir pensar em mais nada além da promessa de seu corpo nu contra o dela.

– Quer que eu tire suas roupas ou você prefere fazer isso? – sussurrou ele no ouvido dela.

Bel rolou de lado para permitir que ele desabotoasse seu vestido. Laurent a despia lentamente, beijando cada centímetro de pele que os botões revelavam, então deslizou as mangas do vestido pelos seus braços. Depois abriu o sutiã, que deixou cair no chão, e gentilmente virou-a em sua direção e a encarou.

– Você é tão, tão bonita – sussurrou, enquanto ela se arqueava em direção a ele, o corpo ansiando por seu toque.

Quando os lábios de Laurent procuraram seus mamilos, Bel deixou escapar um gemido.

A mão dele percorreu lentamente a barriga perfeita dela, e então Laurent deixou de tocar seu seio e olhou para ela, os olhos pedindo permissão para ir além. Ela autorizou também com um olhar, e ele cuidadosamente soltou a liga e tirou suas meias, cada toque de seus dedos enviando correntes elétricas de desejo pela pele. Por fim, ela estava completamente nua à sua frente.

Laurent arfava e parou por um momento, observando o corpo da amada.

– Perdoe-me, mas quero esculpir você agora.

– Não, eu...

Ele a silenciou com um beijo.

– Eu estou brincando com você, minha linda Bel. Tudo o que desejo é fazer amor com você.

Em pouco tempo, ele também estava nu e, quando arriscou um olhar tímido em direção a ele, Bel viu como Laurent também era lindo. O corpo dele a cobriu e, finalmente, após se certificar de que ela estava pronta, ele a penetrou. Quando o corpo dela o aceitou, com prazer e êxtase, de repente ela entendeu o que sua mãe descrevera.

Depois, enquanto estavam deitados languidamente nos braços um do outro, ela cedeu ao impulso de tocá-lo, de acariciar cada centímetro do corpo dele, para descobrir seu ser físico. E estava ansiosa para que ele fizesse o mesmo com ela.

Mais tarde, enquanto Laurent cochilava ao seu lado, Bel não pôde evitar, por mais que tentasse, pensar no contraste entre o que acabara de viver e o que tivera de suportar com Gustavo. Como o mesmo ato podia provocar respostas tão surpreendentemente diferentes de sua mente e seu corpo?

Ela então entendeu, com súbita clareza, que Laurent estava certo quando lhe dissera que não deveria se casar com Gustavo. Afinal, nada poderia mudar o fato de que ela não amava e nunca amaria seu marido do jeito que ele a amava.

A repulsa que sentia fisicamente por Gustavo não era culpa dele – ele não era um homem ruim, um tirano que não se importava com ela. Na verdade, ele se importava muito e queria demonstrar isso da única maneira que conhecia.

– O que foi?

Laurent tinha acordado e olhava fixamente em sua direção.

– Eu estava pensando em Gustavo.

– Tente evitar, Bel. Nada de bom pode vir disso.

– Não, você não entende – disse ela, suspirando, e se afastou um pouco.

Ela sentiu a mão dele acariciar o contorno suave de seu quadril, depois deslizar para o vale de sua cintura. Laurent a puxou em sua direção, de modo que seus corpos ficaram colados um ao outro, como um só.

– Eu sei, *ma chérie*, eu sei. É uma confusão terrível. E devemos fazer todo o possível para proteger seu marido.

A mão dele se moveu até envolver seu seio, e ela suspirou de prazer e se contorceu lascivamente contra ele. Todos os pensamentos sobre Gustavo foram esquecidos enquanto Laurent fazia amor com ela de novo, transportando-a para um mundo de prazer até então desconhecido.

Depois, Bel também acabou cochilando, satisfeita, até acordar assustada e olhar a hora.

– Meu Deus! Preciso ir embora. Meu motorista vai esperar por mim no ateliê de madame Duchaine – disse ela, em pânico, saindo depressa da cama.

Recolheu suas roupas, que estavam enroladas nos lençóis ou espalhadas pelo chão, e se vestiu o mais rápido que pôde. Durante todo esse tempo, deitado na cama, Laurent a observava em silêncio.

– Quando vou vê-la de novo? – perguntou.

– Amanhã não vou poder, porque preciso ir à igreja. Vou ajudar na confecção do mosaico para o revestimento do Cristo. Talvez na segunda? – sugeriu, enquanto arrumava rapidamente o cabelo, depois colocava o chapéu e seguia para a porta.

Num pulo, Laurent estava ao lado dela, envolvendo-a em seus braços.

– Vou sentir sua falta, a cada segundo.

Bel estremeceu quando sentiu a nudez dele contra seu corpo.

– E eu, a sua.

– Até lá, *ma chérie*. Eu amo você.

Bel olhou para ele uma última vez antes de sair pela porta.

38

o longo dos meses seguintes, Bel viveu um turbilhão de intensas emoções. Era como se, antes daquela tarde de fevereiro no apartamento de Laurent, sua vida não tivesse passado de uma existência tediosa, sem graça e sem sentido. Agora, quando acordava de manhã, ainda deitada, pensava em Laurent, e então cada parte de seu corpo tremia de adrenalina. O azul do céu que via pela janela de seu quarto tinha um brilho quase ofuscante, e as flores no jardim explodiam diante de seus olhos em um caleidoscópio exótico de cores.

Quando, todos os dias, descia para o café da manhã e se sentava de frente para o rosto fechado e reprovador de Luiza, pensava em Laurent e permitia que um sorriso secreto se formasse em seus lábios. Nada podia atingi-la, ninguém poderia machucá-la. Ela se sentia protegida pelo amor que os dois compartilhavam.

No entanto, quando ficava alguns dias sem conseguir visitá-lo em seu apartamento, Bel se afundava em desespero, torturava-se imaginando onde Laurent estaria, o que fazia e com quem. Um medo avassalador tomava conta dela, congelando o sangue em suas veias e fazendo-a tremer, mesmo que sua testa suasse sob o sol ardente. A verdade era que ele estava livre para amar quem quisesse. E ela, não.

– *Mon Dieu, chérie* – dissera Laurent certo dia, suspirando, quando estavam deitados em sua grande cama de mogno –, preciso confessar que está cada vez mais difícil dividir você. Só de imaginar que *ele* a toca, sinto arrepios. Não consigo nem pensar que ele a toca da maneira como acabei de fazer – acrescentara, enquanto seus dedos roçavam suavemente seus seios nus. – Fuja comigo, Bel. Vamos voltar para Paris. Nada mais de nos escondermos, apenas horas intermináveis com um bom vinho, uma boa comida, conversando, fazendo amor... – Sua voz foi diminuindo até um sussurro quando seus lábios cobriram os dela.

Felizmente, sua sogra desempenhara de maneira involuntária um papel importante em manter seu amante por perto. Como prometera, Luiza apresentara Laurent a muitas de suas amigas ricas do Rio, que, depois de verem a escultura de Bel, desejavam imortalizar os membros de suas famílias no mesmo estilo. Laurent estava trabalhando na escultura de um chihuahua, amado por seus ricos donos. Em essência, Luiza se tornara uma espécie de mecenas de Laurent, e Bel não deixara de notar a ironia dessa situação.

– Não é exatamente o tipo de trabalho que eu quero fazer – admitira ele –, mas ao menos me mantém longe de problemas enquanto você não está aqui.

Assim, nas tardes em que Bel não conseguia fugir, Laurent trabalhava no bloco de pedra-sabão que Luiza comprara para ele de um parente, dono de uma pedreira. O trabalho como voluntária sugerido por Luiza, ajudando a criar uma malha com milhares de pedaços de pedra-sabão na Igreja da Glória, fornecera a Bel um álibi perfeito para se ausentar da casa. E, quando suas mãos se fechavam em torno dos triângulos do mesmo material que Laurent usava para esculpir, o toque na pedra fria e suave a reconfortava.

Apenas Luiza notava suas idas e vindas, já que Gustavo passava cada vez mais tempo no clube e chegava em casa na hora do jantar, fedendo a álcool. O marido de Bel raramente perguntava sobre sua rotina diária.

Na verdade, pensou Bel enquanto colocava o chapéu e Loen ia chamar Jorge, o motorista da família, nos últimos tempos Gustavo mal a notava. Nos quatro meses desde que começara a ter um caso com Laurent, a atenção que dedicara a ela no início do casamento desaparecera por completo. Embora à noite, quando se deitava temerosa na cama que dividiam, Gustavo ainda tentasse fazer amor, ele com frequência não conseguia ir até o fim. Bel concluíra que isso provavelmente ocorria porque, na maior parte do tempo, ele mal conseguia se manter de pé antes de deitar na cama. E, em mais de uma ocasião, ele caíra em um sono profundo enquanto tentava penetrá-la. Bel então o tirava de cima dela e ficava deitada ao seu lado, ouvindo seus roncos de bêbado e sentindo o cheiro azedo do álcool, que parecia tomar conta do quarto. Quase todas as manhãs, ela se levantava, se vestia e tomava café da manhã antes mesmo de Gustavo acordar.

Se os pais de Gustavo notavam seu problema com a bebida, não falavam nada a respeito. As únicas vezes que Luiza sondava a nora sobre a vida conjugal deles era para perguntar se seu neto estava a caminho. Então torcia o nariz, descontente, quando Bel garantia que não.

Dada sua relação física apaixonada com Laurent, Bel sentia-se continuamente apreensiva de que seu corpo – que não respondera às tentativas frenéticas de Gustavo de produzir um herdeiro logo após o casamento – pudesse sucumbir ao toque suave de Laurent. Certo dia, seu amante notara a preocupação vincando sua testa uma tarde e explicara a Bel como ela podia tentar evitar conceber um filho. Ele lhe descrevera o funcionamento do corpo feminino de uma maneira que sua mãe nunca fizera e lhe ensinara a ficar atenta à época em que havia mais chance de engravidar.

– Não é infalível, *chérie*, e é por isso que tantos de nós, católicos, continuamos a ter famílias grandes. – Laurent dera um sorriso pesaroso. – Mas eu também posso fazer minha parte quando você estiver no período mais arriscado.

Bel olhara para ele espantada.

– Como você sabe tudo isso?

– Há muitos artistas como eu, em Montparnasse, que querem ter um pouco de diversão, mas sem acabar sendo perseguidos por uma mulher que diz estar esperando um filho deles. – Notando a mágoa no rosto de Bel, Laurent a abraçara, trazendo-a para junto de seu peito. – *Chérie*, infelizmente as coisas são como são no momento, e eu não gostaria de vê-la em apuros. *Ou* um filho meu criado por aquele arremedo de homem que é seu marido – acrescentara. – Então, por ora, temos que tomar cuidado.

Bel deixou a Casa das Orquídeas e entrou no carro, olhando pela janela enquanto Jorge fazia o curto percurso até a casa dos pais dela, no Cosme Velho. Como passava com Laurent todas as horas que podia quando estava fora de casa, Bel não via os pais havia mais de um mês. E, no dia anterior, Loen lhe perguntara quando visitaria a mãe.

– Logo, logo – respondera Bel, sentindo-se culpada.

– Sei que você anda… ocupada, mas acho que deve ir vê-la – dissera Loen incisivamente enquanto ajudava Bel a se vestir. – Minha mãe está preocupada com ela.

– Ela está doente?

– Eu não sei… – respondera Loen com cautela.

– Bem, então irei amanhã até lá para descobrir.

Quando o carro chegou à Mansão da Princesa, Bel pediu a Jorge que a buscasse no Copacabana Palace às seis e meia da tarde.

Mais cedo, dissera a Luiza que, depois de visitar a mãe, ela tomaria chá no Copacabana Palace com sua nova amiga Heloise, que costumava se sentar ao seu lado na Igreja da Glória quando faziam o trabalho voluntário. Bel sabia que Luiza aprovaria, já que encorajara a nora a fazer amizade com jovens de seu novo nível social, e Heloise vinha de uma família antiga e aristocrática. Além disso, como Luiza achava o esplendor luxuoso do hotel de mau gosto, Bel deduzira corretamente que ela não iria querer acompanhá-las.

Enquanto caminhava em direção à entrada de sua antiga casa, Bel sentiu o estômago revirar por medo de ser flagrada em sua mentira, mas sabia que não tinha muita escolha. Infelizmente, nos últimos dois meses, ela havia se tornado uma mentirosa competente, ainda que relutante.

Gabriela abriu a porta e seu rosto se iluminou ao ver Bel.

– Senhora, é um prazer tê-la aqui. Sua mãe está descansando, mas me pediu para acordá-la quando chegasse.

– Ela está doente? – Bel franziu a testa enquanto seguia Gabriela até a sala de estar. – Loen disse que você estava preocupada com ela.

– Eu... – Gabriela hesitou. – Não sei se ela está doente, mas com certeza anda muito cansada.

– Você não acha... – Bel respirou fundo para dizer o que estava pensando – ... que o problema dela voltou, não é?

– Eu não sei. Talvez a senhora mesma deva perguntar a ela. E convencê-la a procurar um médico. Bem, quer beber algo?

Gabriela saiu para buscar suco de laranja e acordar Carla, e Bel se levantou e começou a perambular ansiosa pela sala familiar. Depois de um tempo, Carla chegou e Bel percebeu não só que a mãe parecia pálida e cansada, mas também que sua pele adquirira uma estranha coloração amarelada desde a última vez que a vira.

– Mãe, me perdoe por ter demorado tanto tempo para vir vê-la. Como a senhora está? – perguntou, tentando sufocar o medo e a culpa por não ter visitado a mãe antes, enquanto caminhava em direção a Carla para cumprimentá-la com um beijo.

– Eu estou bem. E você?

– Estou bem também, mãe...

– Vamos sentar? – disse Carla, desabando pesadamente em uma cadeira, como se suas pernas não pudessem mais sustentá-la.

– Mãe, é óbvio que a senhora não está bem. Está sentindo dor?

– Só um pouco, tenho certeza de que não é nada. Eu…

– Por favor, sabe que é *alguma coisa*. Com certeza papai deve ter notado que a senhora não anda bem.

– Seu pai tem outras coisas com que se preocupar no momento – disse Carla, soltando um suspiro. – As fazendas de café não estão dando tanto lucro como antes, e o plano de estocagem que o governo sugeriu não parece estar ajudando.

– Duvido que as preocupações do meu pai com os negócios sejam mais importantes do que a saúde da esposa – rebateu Bel.

– Querida, seu pai anda tão tenso que não quero deixá-lo ainda mais preocupado.

Os olhos de Bel se encheram de lágrimas.

– Pode não ser a melhor hora, mas a senhora não vê que nada é tão importante quanto sua saúde? Além disso, pode estar temendo o pior sem necessidade.

– Este é o meu corpo e sou eu que vivo nele, e entendo e posso sentir o que está acontecendo – interrompeu Carla de maneira decidida. – Não quero fazer você, seu pai, nem eu mesma passarem por um processo angustiante que não mudará o fim.

– Mãe – disse Bel, sentindo um nó na garganta. – Por favor, pelo menos me deixe marcar uma consulta com o médico que a tratou da última vez. A senhora confia nele, não é?

– Sim, acho que ele é o melhor que temos no Rio. Mas posso lhe garantir, Bel, que não há nada que ele possa fazer.

– Não diga isso! Eu preciso da senhora aqui, e papai também.

– Talvez – concordou Carla com um sorriso triste. – Infelizmente, Izabela, não sou um grão de café ou uma nota de réis, e tenho certeza de que esses são os verdadeiros amores de seu pai.

– A senhora está errada, mãe! Por favor, mesmo que não acredite, eu, que sou filha, posso ver. A senhora é tudo para ele, e sem a esposa a vida dele não faria sentido.

As duas mulheres ficaram em silêncio por alguns minutos.

– Se isso a faz feliz, Izabela, você pode marcar um horário com meu médico e me acompanhar na consulta. Estou certa de que vai descobrir que cada palavra que falei é verdade. Só tenho um pedido a fazer, se eu concordar em ver o médico.

– E qual é?

– Por enquanto, não diga nada a seu pai. Não suportaria fazê-lo sofrer por mais tempo do que o necessário.

❂ ❂ ❂

Meia hora mais tarde, Carla admitiu que precisava se deitar, então Bel deixou a casa dos pais e pediu ao motorista que a levasse para Ipanema. Ainda estava se recuperando do choque. Com certeza, por medo, sua mãe exagerava, pensou.

Bel saiu do carro a dois quarteirões do apartamento de Laurent e começou a andar cada vez mais rápido, a mente e o corpo correndo em direção à única pessoa que acreditava que poderia reconfortá-la.

– *Chérie!* Achei que você não viesse me encontrar hoje. *Mon Dieu!* Qual é o problema? O que houve? – perguntou Laurent ao abrir a porta, e então a abraçou de imediato.

– Minha mãe – conseguiu dizer Bel entre soluços. – Ela acha que está morrendo! – continuou, chorando no ombro de Laurent.

– Mas como? Foi um médico que disse isso a ela?

– Não, mas ela teve câncer há um ano e está certa de que a doença voltou. Está convencida de que não vai resistir por muito tempo, mas não quer preocupar meu pai, que está enfrentando problemas nos negócios. Eu disse a ela, é claro, que deve procurar um médico, mas... desde a última vez que a vi, no mês passado, ela piorou tanto. E – Bel olhou nos olhos de Laurent – estou com tanto medo de que seus instintos estejam certos.

– Bel – disse Laurent, pegando suas mãos trêmulas e gentilmente levando-a ao sofá e sentando-se ao seu lado –, é claro que você e ela devem procurar uma opinião profissional. Se ela já sofreu com uma doença dessas antes, é fácil imaginar que ela voltou, mas pode não ser o que parece. Sua *maman* lhe disse que seu pai está enfrentando problemas nos negócios? – perguntou Laurent. – Achava que ele fosse tão rico quanto um rei.

– Ele é, e tenho certeza de que pode até estar preocupado, mas está supervalorizando os problemas – disse Bel. – E você está bem, Laurent? – perguntou ela, esforçando-se para se recompor.

– Sim, *chérie*, estou bem, mas acho que já deixamos para trás essas formalidades. Senti muito sua falta nos últimos dias – admitiu ele.

– E eu, a sua – respondeu ela, colando a cabeça em seu peito como se quisesse bloquear a dor das últimas duas horas.

Laurent acariciou o cabelo de Bel suavemente e tentou pensar em algo que a distraísse um pouco de seu sofrimento.

– Estava aqui, hoje de manhã, me perguntando o que faria daqui a alguns dias, quando terminasse a tal escultura do cachorro, e de repente apareceram aqui madame Silveira e sua filha, Alessandra. A mãe quer que eu faça uma escultura de Alessandra como um presente pelo seu 21º aniversário.

– Alessandra Silveira? Eu a conheço – disse Bel, sentindo-se inquieta. – As duas são primas distantes da família Aires Cabral, e Alessandra foi ao meu casamento. Lembro que é muito bonita.

– Bem, ela é certamente mais atraente do que o chihuahua – concordou Laurent. – E, com certeza, as conversas serão melhores. Ela falou hoje comigo em um ótimo francês – acrescentou.

– E ela é solteira, eu acho – comentou Bel, tentando não demonstrar o medo que assombrava seu coração.

– É, sim. – Laurent continuava acariciando o cabelo de Bel. – Talvez os pais dela esperem que minha escultura faça propaganda da beleza e da sofisticação dela para um marido adequado.

– Ou talvez eles vejam um jovem e talentoso escultor francês como um bom pretendente – disparou Bel, afastando-se dele e cruzando instintivamente os braços para se proteger.

– Izabela! – repreendeu-a Laurent, olhando-a fixamente. – Por favor, não me diga que está com ciúmes!

– Não, é claro que não.

Bel mordeu o lábio. A ideia de outra mulher posando para Laurent dia após dia, da mesma forma que *ela* fizera em Boulogne-Billancourt, a fez ter um surto de inveja.

– Mas você não pode negar que foi convidado para vários eventos recentemente e tem feito bastante sucesso na cidade.

– Sim, mas não acho que me vejam como um pretendente adequado para nenhuma dessas jovens. Sou apenas uma novidade.

– Laurent, posso lhe garantir que só o fato de você ser francês e ter vindo do Velho Mundo para uma cidade como o Rio de Janeiro, ainda mais com minha sogra promovendo suas esculturas, faz de você muito mais do que uma novidade – rebateu Bel com firmeza.

Laurent jogou a cabeça para trás e riu.

– Bem, se você tem certeza, me sinto lisonjeado – respondeu ele por fim.

– Pois, como você sabe, na França eu e meus colegas somos a ralé. Como eu disse a você uma vez, as mães francesas iriam preferir ver suas filhas mortas a vê-las ligadas a um artista pobre.

– Bem, você precisa entender que é visto de forma diferente aqui. – Bel sabia que estava sendo rude, mas não se conteve.

Laurent inclinou a cabeça de lado e observou-a.

– Entendo que você esteja chateada, *chérie*, principalmente depois das notícias ruins sobre sua mãe. Mas com certeza percebe que está sendo ridícula, não é? Não sou *eu* quem tem que correr de volta para o marido depois de cada encontro que conseguimos com tanta dificuldade. Não sou *eu* quem ainda compartilha a cama todas as noites com outro. E não sou *eu* quem se recusa a ao menos cogitar mudar a situação em que nos encontramos. Não, mas sou *eu* que preciso suportar essas coisas. *Eu*, que sinto o estômago revirar toda vez que penso em você fazendo amor com seu marido. *Eu*, que tenho de estar disponível sempre que você, num estalar de dedos, diz que pode vir me visitar. E sou *eu* que preciso encontrar algo para preencher as horas solitárias que passo pensando em você e não perder a cabeça!

Bel apoiou a cabeça nos joelhos dele. Era a primeira vez que Laurent falava da situação que viviam com tanta franqueza e raiva, e ela queria poder impedir que aquelas palavras chegassem ao seu coração e à sua mente, pois sabia que era tudo verdade.

Os dois ficaram em silêncio por um tempo até que, por fim, Bel sentiu Laurent tocar seu ombro.

– *Chérie*, entendo que agora não seja o momento para discutirmos esse assunto. Mas, por favor, compreenda que ainda estou aqui no Brasil vendo o tempo passar por uma única razão. E essa razão é você.

– Me perdoe, Laurent – murmurou ela, ainda escondendo o rosto nos joelhos dele. – Como você disse, estou muito triste hoje. O que devemos fazer?

– Agora não é hora de discutir isso. Você deve se concentrar em sua mãe e na saúde dela. E, embora eu odeie dizer isso, você precisa pegar logo um táxi até o Copacabana Palace, para poder sair de lá como se estivesse tomando chá com sua amiga – lembrou ele. – Já passa das seis.

– Meu Deus! – Bel se levantou e começou a andar imediatamente para a porta. Laurent pegou seu braço e puxou-a de volta para si.

– Bel – disse ele, acariciando seu rosto –, por favor, lembre-se de que é você que eu amo e é você que eu quero. – Ele a beijou com ternura e os olhos de Bel se encheram de lágrimas. – Agora ande logo antes que eu prenda você aqui só para mim.

39

ois dias depois, Bel saiu do hospital sozinha. O médico insistira para que Carla fosse internada imediatamente para fazer alguns exames, e Bel voltaria para buscá-la às seis da tarde.

Embora Luiza e Gustavo acreditassem que ela ficaria no hospital e, assim, ela pudesse passar a tarde nos braços de Laurent enquanto esperava Carla, Bel simplesmente não conseguiu. A culpa por ter sido egoísta e negligenciado a mãe para ficar com Laurent a consumia. Enquanto Carla realizava os exames necessários, Bel ficou sentada, entorpecida, assistindo à sucessão de tragédias humanas que entravam e saíam pelas portas do hospital.

Às seis horas, voltou à enfermaria para a qual sua mãe havia sido levada.

– O médico pediu para vê-la quando a senhora chegasse – disse a enfermeira. – Venha comigo.

– Como ela está? – perguntou Bel enquanto seguia a enfermeira por um corredor.

– Sentada em uma cadeira, tomando chá – respondeu a enfermeira secamente, batendo na porta de um consultório.

Bel entrou e o médico pediu que se sentasse em uma cadeira em frente à sua mesa.

❀ ❀ ❀

Quinze minutos depois, Bel saiu do consultório e caminhou trêmula pelo corredor para buscar a mãe. O médico confirmara que o câncer havia se espalhado para o fígado de Carla e quase certamente para outros órgãos. Os instintos de sua mãe estavam certos. Não havia esperanças.

No carro a caminho de casa, Carla parecia simplesmente aliviada por deixar o hospital. Ela fez piadas que Bel não conseguiu responder e falou que esperava que a cozinheira tivesse lembrado que Antônio pedira para comer peixe no jantar. Quando chegaram em casa, Carla virou para a filha e segurou suas mãos.

– Não precisa entrar, querida. Sei que você conversou com o médico e sei também o que ele lhe disse, porque ele já havia conversado comigo antes de chamá-la. Só fui até lá com você hoje porque precisava convencê-la. E, agora que consegui, não vamos mais falar sobre isso com ninguém. Principalmente com seu pai.

Bel sentiu o calor do olhar de sua mãe e o desespero que havia nele.

– Mas com certeza...

– Quando for necessário, nós lhe contaremos – disse Carla, e Bel sabia que era sua palavra final sobre o assunto.

Quando chegou em casa naquela noite, Bel sentia que seu mundo havia saído do eixo. Pela primeira vez, estava sendo confrontada com a mortalidade da mãe. E, consequentemente, a sua própria. Sentou-se para jantar e olhou para Gustavo ao seu lado, depois para Maurício, do outro lado da mesa, e para Luiza. Tanto o marido quanto a sogra sabiam onde estivera naquela tarde. E, no entanto, nenhum deles se dignou a perguntar pela saúde de Carla e sobre o que acontecera no hospital. Gustavo já estava embriagado, incapaz de manter uma conversa lúcida, enquanto Luiza provavelmente pensava que tocar em um assunto tão desgastante iria atrapalhar a digestão da carne, cuja textura seria um desafio para os incisivos de qualquer carnívoro.

Após o jantar e as intermináveis rodadas de jogos de cartas, correspondentes em número à quantidade de doses de brandy que seu marido tomava, Bel subiu para o quarto com ele.

– Você vem para a cama, querida? – perguntou Gustavo enquanto tirava a roupa e caía no colchão.

– Sim – respondeu ela, caminhando em direção ao banheiro. – Estarei aí em alguns minutos.

Bel fechou a porta, sentou na beirada da banheira e colocou a cabeça entre as mãos, esperando que, quando saísse, Gustavo já estivesse dormindo e roncando. Enquanto estava ali, desolada, lembrou-se da conversa que tivera com a mãe antes do casamento, em que ela contara que precisara se acostumar com Antônio e aprender a amá-lo.

Por mais que, no fundo, Bel tivesse sempre achado ridícula aquela subserviência da mãe em relação ao pai no passado e se perguntasse como ela podia tolerar a arrogância e o interminável anseio por aceitação social de Antônio, pela primeira vez ela compreendeu a força do amor que Carla tinha pelo marido.

E Bel nunca a havia admirado tanto.

❀ ❀ ❀

– Como ela está?

Laurent tinha o rosto preocupado quando abriu a porta de seu apartamento alguns dias depois, antes de acompanhar Bel para dentro.

– Ela está morrendo, como me disse que estava.

– Eu sinto muito, *chérie*. E agora? – perguntou Laurent, levando-a para a sala.

– Eu... Eu não sei. Minha mãe ainda se recusa a contar para meu pai – murmurou ela, deixando-se cair em uma cadeira.

– Minha querida, como as coisas devem estar difíceis para você. Você ainda é tão jovem... Nem completou 20 anos e já carrega o peso do mundo em seus ombros. Essa notícia com certeza a fez pensar também em sua vida.

Bel não sabia se estava sendo tratada com condescendência ou se era reconfortada.

– Fez sim – admitiu.

– Imagino que esteja se sentindo culpada e diante de um dilema. Não sabe se deve me esquecer e assim cumprir seu dever como filha e esposa fiel. Ou se, agora que de repente percebeu como a vida é curta, deve aproveitar o tempo que tem e viver a vida seguindo o coração.

Bel encarou-o surpresa.

– Como você sabe exatamente o que eu estava pensando?

– Porque sou humano também. – Laurent encolheu os ombros. – E acredito que os poderes superiores muitas vezes nos lançam nesses dilemas para enxergarmos as coisas mais claramente. Mas apenas *nós* podemos decidir o que devemos fazer.

– Você sabe tanta coisa – comentou Bel em voz baixa.

– Como eu disse, sou apenas humano. Também sou um pouco mais velho do que você e fui forçado a tomar decisões no passado que exigiram de mim essas mesmas respostas. Eu entendo, e não quero influenciá-la a tomar nenhuma decisão. E quero lhe assegurar que, se você me quiser, fico com você aqui no Brasil durante esse período difícil. Porque eu a amo e quero estar ao seu lado. E também porque acho que meu amor por você fez de mim uma pessoa melhor. Está vendo? Eu também aprendi! – Laurent abriu um sorriso, fazendo graça. – Mas... ainda não sou *completamente* altruísta. Então, se eu ficar, você tem que me prometer que, quando a situação da sua mãe... se resolver, nós vamos decidir nosso futuro. Mas não agora. Venha, deixe-me abraçá-la. – Laurent abriu os braços e ela se levantou devagar e se aconchegou entre eles.

– Eu amo você, Bel – disse ele, acariciando ternamente seus cabelos. – E estarei aqui se precisar de mim.

– Obrigada – respondeu, colando o corpo no dele. – Obrigada.

❁ ❁ ❁

Certa tarde, quando julho já havia despontado no calendário, Bel voltou para casa, depois de trabalhar no mosaico de pedra-sabão na Igreja da Glória, e Loen lhe disse que seu pai esperava por ela na sala de visitas.

– Como ele está? – perguntou, tirando o chapéu e entregando-o à empregada.

– Ele parece ter perdido um pouco de peso – respondeu Loen com cautela. – Mas é melhor a senhora mesma ver.

Bel, então, respirou fundo, abriu a porta da sala de visitas e viu seu pai andando de um lado para o outro. Ele se virou e Bel notou que Antônio tinha mesmo perdido alguns quilos. Mais do que isso, seu belo rosto estava abatido e linhas finas marcavam sua pele. Seu cabelo ondulado, que antes tinha apenas alguns fios prateados em torno das têmporas, agora parecia quase todo grisalho. Bel sentiu que ele envelhecera uns dez anos desde a última vez que o vira.

– Princesa – disse ele, andando em direção a ela e abraçando-a. – Parece que faz tanto tempo que não nos vemos.

– Sim, deve fazer uns três meses – concordou Bel.

– É claro, você é uma mulher casada, com sua própria vida agora, e não tem tempo para seu velho pai – brincou ele sem jeito.

– Fui visitar a mamãe várias vezes nas últimas semanas – rebateu Bel. – Mas o senhor nunca estava em casa. Parece que é o senhor quem anda muito ocupado, pai.

– Sim, eu concordo, tenho andado mesmo ocupado. Tenho certeza de que seu sogro lhe disse que o negócio do café está passando por um péssimo momento.

– Bem, estou feliz em vê-lo hoje, pelo menos. Por favor – Bel apontou para uma cadeira –, sente-se que vou pedir algo para comer.

– Não, não quero nada – disse Antônio, sentando-se onde a filha indicara. – Izabela, o que há de errado com sua mãe? No domingo, ela passou a maior parte do dia na cama. Ela disse que estava com enxaqueca, o que tem acontecido com frequência nos últimos meses.

– Pai, eu...

– Ela está doente de novo, não é? Notei hoje no café da manhã que a pele dela está com uma cor horrível e que ela não comeu nada.

Bel olhou para o pai por um tempo.

– Pai, está dizendo que não notou esses sinais antes?

– Tenho andado tão ocupado no escritório que muitas vezes saio antes de sua mãe se levantar e, quando volto, ela já está na cama. Mas sim... – Antônio baixou a cabeça, tomando consciência da gravidade do problema. – Talvez eu *tenha* visto, mas não queria acreditar que fosse verdade. Então – deu um suspiro de resignação –, você sabe como ela está?

– Sei, sim, pai.

– E é...? É...? – Antônio não conseguia dizer as palavras.

– É, sim – confirmou Bel.

Antônio levantou-se e bateu a mão na testa, em desespero.

– Meu Deus! É claro que eu devia ter notado! Que tipo de homem eu sou? Que tipo de marido sou para minha esposa?

– Pai, entendo que se sinta culpado, mas tentei convencer mamãe a lhe contar o que estava acontecendo, e ela estava determinada a não preocupá--lo, sabendo dos problemas que o senhor está enfrentando no escritório. Ela também teve responsabilidade nisso.

– Como se o trabalho importasse mais para mim do que a saúde da minha esposa! Ela deve achar mesmo que sou um monstro para esconder isso de mim! Por que você não me disse nada antes, Izabela? – gritou ele, voltando sua raiva para a filha.

– Porque prometi à mamãe que não diria – respondeu Bel com firmeza. – Ela foi categórica em afirmar que não queria que o senhor soubesse até não haver outro jeito.

– Bem, pelo menos agora eu sei – disse Antônio, recompondo-se um pouco. – Podemos encontrar os melhores médicos, cirurgiões, o que for necessário para que ela se recupere.

– Como falei, eu a acompanhei ao médico. Ele me disse que não há esperança. Sinto muito, pai, mas é preciso encarar a verdade.

Quando Antônio olhou para a filha, uma mistura de emoções – descrença, raiva, devastação – cruzou seu rosto.

– Quer dizer que ela está morrendo? – conseguiu por fim murmurar.

– Sim. Eu sinto muito.

Antônio desabou em uma cadeira, colocou a cabeça entre as mãos e começou a chorar ruidosamente.

– Não, não... não a minha Carla, *por favor*, não a minha Carla.

Bel se levantou e foi reconfortá-lo. Passou um braço pelos ombros curvados do pai, que tremiam com os soluços.

– E pensar que ela tem carregado esse fardo sozinha esse tempo todo e não confiou em mim o bastante para contar.

– Pai, eu juro que, mesmo que ela tivesse contado, nada poderia ter sido feito – repetiu Bel. – Mamãe não quer passar por mais nenhum tratamento. Ela diz que está em paz, que aceitou o que está acontecendo, e eu acredito nela. Por favor – suplicou –, pelo bem dela, o senhor precisa respeitar seu desejo. O senhor já viu como mamãe está doente. Agora ela só precisa do nosso amor e do nosso apoio.

De repente, os ombros de Antônio caíram, como se toda a sua energia o tivesse deixado. Apesar do choque de descobrir quanto tempo o pai levara para notar a deterioração da saúde de sua mãe, Bel foi tomada de compaixão por ele.

Antônio olhou para a filha, a dor evidente em seus olhos.

– Independentemente do que você ou ela possam pensar, sua mãe é tudo para mim, e eu simplesmente não consigo imaginar minha vida sem ela.

Bel assistiu impotente ao pai se levantar, virar-se e deixar a sala.

40

— *O* que há de errado com você ultimamente? – perguntou Gustavo com voz arrastada quando Bel saiu do banheiro de camisola. – Você mal diz uma palavra durante o jantar. E quase nunca fala comigo quando estamos sozinhos. – Ele olhava para Bel enquanto ela se deitava ao seu lado.

Fazia uma semana que Antônio aparecera na Casa das Orquídeas e saíra devastado com a terrível notícia. Bel visitara a mãe no dia seguinte e encontrara Antônio sentado em uma cadeira junto à cabeceira dela, segurando a mão da esposa e chorando silenciosamente.

Carla lançara à filha um sorriso fraco e apontara para o marido.

– Eu lhe disse para ir ao escritório. Não há nada que ele faça por mim que Gabriela não possa fazer. Mas ele se recusa e continua a andar à minha volta como uma galinha atrás dos pintinhos.

Bel percebera que, apesar de suas palavras, Carla sentia-se extremamente reconfortada e grata pela presença do marido. E pela aparência horrível de sua mãe naquela tarde, Bel sabia que aquilo vinha bem a tempo. Depois que finalmente convenceram Antônio a deixá-las sozinhas por um tempo e ir para o escritório por algumas horas, Carla conversara em voz baixa com a filha.

– Agora que ele sabe, eu gostaria de lhe dizer o que eu quero fazer no tempo que me resta…

Desde então, Bel vinha reunindo coragem para contar a Gustavo onde sua mãe gostaria de passar seus últimos dias. Afinal, estava claro que Bel deveria lhe fazer companhia, e ela sabia que sua ausência não agradaria nada, nada ao marido.

Ela se sentou lentamente na beira da cama e olhou para ele, notando seus olhos vermelhos e as pupilas dilatadas pela bebida.

– Gustavo – começou ela –, minha mãe está morrendo.

– O quê? – Ele inclinou a cabeça na direção dela. – Esta é a primeira vez que ouço falar nisso. Há quanto tempo você sabe?

– Há algumas semanas, mas minha mãe insistiu para que eu não contasse a ninguém.

– Nem mesmo ao seu marido.

– Não até que contasse ao dela.

– Entendo. O câncer voltou, imagino.

– Sim.

– Quanto tempo ela ainda tem? – perguntou ele.

– Não muito… – disse Bel, a voz trêmula diante da frieza do marido. Então se preparou para pedir a Gustavo o que precisava. – Ela pediu que a levassem até o interior para passar os últimos dias em sua amada fazenda. Gustavo, você me deixaria acompanhá-la?

Ele olhou para ela com os olhos vidrados.

– Por quanto tempo?

– Eu não sei. Podem ser semanas, ou talvez, se Deus permitir, um ou dois meses.

– Você estaria de volta no início da primavera?

– Eu… – Bel não podia estabelecer um prazo para os últimos dias que passaria com a mãe só para agradar ao marido. – Creio que sim – conseguiu dizer.

– Bem, acho que eu não posso dizer não, não é mesmo? Mas é claro que eu iria preferir ter você aqui do meu lado. Principalmente porque não parece haver nenhum herdeiro a caminho por enquanto, e isso vai atrasar ainda mais uma possível gravidez. Minha mãe está ficando com medo de que você seja infértil – disse ele cruelmente.

– Peço desculpas.

Bel baixou os olhos, querendo rebater que aquilo dificilmente era culpa dela. Fazia pelo menos dois meses que Gustavo não conseguia fazer amor com ela, embora, acreditava, ele provavelmente nem se lembrasse da própria incompetência.

– Vamos tentar esta noite – disse ele, agarrando-a de repente e jogando-a de volta na cama.

Com um único movimento, ele estava em cima dela, levantando desajeitadamente sua camisola. Então Bel sentiu seu membro rígido tentando encontrar o caminho, sem conseguir acertar o alvo. Enquanto Gustavo a beijava, Bel sentiu a movimentação dele, como se achasse que estava dentro de seu corpo. Como de costume, todo o peso de Gustavo desabou em cima dela quando ele finalmente gemeu de alívio antes de rolar para o lado. Bel sentiu o líquido viscoso começar a grudar em suas coxas e olhou para ele com uma mistura de repulsa e piedade.

– Talvez esta noite tenhamos finalmente feito um filho – disse ele antes de começar a roncar embriagado.

Bel se levantou e foi ao banheiro para limpar Gustavo de sua pele. Como ele podia acreditar que aquele arremedo de sexo poderia resultar no milagre de um bebê, Bel não se atrevia a perguntar. Qualquer ligeira aptidão que ele um dia tivera como amante havia se perdido – junto com sua lembrança de tais eventos – em meio à embriaguez.

No entanto, pensou ela enquanto voltava ao quarto, se o que havia acabado de suportar era o preço para sair do Rio e passar os últimos dias de sua mãe ao lado dela, então estava feliz em ter pagado.

✿ ✿ ✿

Na manhã seguinte, Bel deixou Gustavo dormindo e desceu para tomar café da manhã. Luiza e Maurício estavam à mesa.

– Bom dia, Izabela – cumprimentou Luiza.

– Bom dia, dona Luiza – respondeu Bel educadamente ao sentar.

– Gustavo não vai se juntar a nós?

– Ele descerá em breve, tenho certeza – disse Bel, perguntando-se por que precisava proteger seu marido da mãe.

– Você dormiu bem?

– Muito bem, obrigada.

Todas as manhãs, este era o início e o fim da conversa, o resto do café pontuado apenas pelos estranhos grunhidos de prazer ou reprovação que vinham de trás do jornal que Maurício lia.

– Preciso contar à senhora que minha mãe está muito doente – falou Bel enquanto mexia o café. – Na verdade, é muito difícil que ela viva para ver outro verão.

– Sinto muito por ouvir isso, Izabela – respondeu Luiza, e, como única reação física à notícia, levantou sutilmente a sobrancelha. – Isso é tão repentino. Tem certeza?

– Infelizmente, sim. Eu já sei há algum tempo, mas minha mãe me pediu que não contasse a ninguém até que fosse realmente necessário. Sua hora chegou, e ela quer passar os últimos dias em nossa fazenda. Que, como a senhora sabe, fica a cinco horas de viagem daqui. Ela me pediu que a acompanhasse e ajudasse a cuidar dela até... o fim. Falei com Gustavo na noite passada e ele concordou que eu vá.

– Sério? – Os lábios finos de Luiza se contraíram em desagrado. – Isso é muito generoso da parte dele. Por quanto tempo exatamente você vai ficar fora? – perguntou, expressando a mesma dúvida de seu filho.

– Eu... – Bel podia sentir as lágrimas encherem seus olhos.

– Certamente, minha querida, pelo tempo que for preciso – disse subitamente uma voz por cima do jornal. Maurício acenou a cabeça num gesto solidário. – Por favor, envie meus votos de melhoras para sua querida mãe.

– Obrigada – murmurou Bel, sentindo-se tocada pela repentina demonstração de compaixão e apoio de seu sogro.

Então pegou um lenço e enxugou discretamente os olhos.

– Talvez você possa ao menos dizer quando irá partir? – perguntou Luiza.

– No final desta semana – respondeu Bel. – Meu pai vai nos acompanhar e ficará lá por alguns dias, mas em seguida, é claro, precisará voltar para o escritório no Rio.

– Sim – comentou Maurício com uma expressão preocupada. – Entendo que as coisas devam estar difíceis para ele no momento. Estão difíceis para todos nós.

Duas tardes depois, quando estava sentada à mesa com as outras mulheres na Igreja da Glória prendendo os pequenos triângulos de pedra-sabão no papel especial, Bel pensou como as horas que passava na igreja fria lhe proporcionavam momentos tão necessários de contemplação silenciosa. Ali as mulheres – mesmo tendo bastante prática na arte de conversar – não falavam mais do que o necessário, concentradas apenas naquela tarefa coletiva. Era como se compartilhassem aquela sensação de harmonia e paz.

Heloise, a amiga que uma vez usara como álibi para visitar Laurent, estava sentada ao seu lado na mesa rústica. Bel notou que ela escrevia algo na parte de trás de um triângulo de pedra-sabão. Então se curvou e observou a amiga.

– O que você está fazendo? – perguntou.

– Estou escrevendo os nomes dos meus parentes. E também o do meu amado. Assim eles estarão lá no alto do Corcovado e farão parte do Cristo para sempre. Muitas das mulheres estão fazendo isso, Izabela.

– Que ótima ideia – disse Bel com um suspiro, olhando com tristeza para os nomes da mãe de Heloise, de seu pai, de seus irmãos... e o nome do seu amado. Bel olhou para seu próprio ladrilho – prestes a ser coberto de cola – e lembrou que um membro precioso de sua família não estaria nesta terra por muito mais tempo e nunca veria o Cristo terminado. Seus olhos se encheram involuntariamente de lágrimas.

– Quando terminar, pode me emprestar a caneta? – perguntou à Heloise.

– Claro.

Quando Heloise lhe entregou a caneta, Bel escreveu o nome de sua amada mãe, depois de seu pai e então o dela. Hesitou com a caneta sobre o ladrilho, mas, por mais que tentasse, não conseguia escrever o nome do marido.

Bel testou a tinta para ver se estava seca, passou a espessa cola no ladrilho e colocou-o sobre o papel. Nesse momento, a supervisora avisou que estava na hora do intervalo, e ela viu as outras voluntárias se levantarem dos bancos. Instintivamente, pegou um triângulo de pedra-sabão da pilha no centro da mesa e o escondeu em sua pequena bolsa, que estava a seus pés embaixo da cadeira. Depois se levantou e se juntou ao grupo de mulheres que tomavam café nos fundos da igreja.

Recusou a xícara de café oferecida por uma empregada e foi falar com a supervisora.

– Senhora, me perdoe, mas preciso ir embora agora.

– Claro. A comissão é grata por qualquer ajuda que você possa oferecer, Sra. Aires Cabral. Por favor, escreva seu nome na escala, como de costume, para nos dizer quando poderá voltar.

– Senhora, receio que isso não será possível por algum tempo. Minha mãe está gravemente doente e preciso estar ao lado dela em seus últimos dias – explicou Bel.

– Eu entendo. Sinto muito.

A mulher estendeu a mão para tocar seu ombro.

– Obrigada.

Bel deixou a igreja e correu até Jorge, que estava à sua espera do lado de fora do carro. Sentou no banco de trás e pediu que ele a levasse até madame Duchaine, em Ipanema.

Chegaram em quinze minutos, e ela lhe disse para voltar às seis da tarde para buscá-la. Então foi até a porta do ateliê e fingiu tocar a campainha, até que, com a cabeça discretamente inclinada para a esquerda, viu Jorge partir com o carro. Esperou junto à porta por dois ou três minutos antes de sair, andando o mais rápido que podia até o apartamento de Laurent.

Naquele dia, talvez a última vez que o veria em dois meses, ela não queria perder tempo discutindo vestidos para a nova estação com sua costureira. Ela sabia que isso significava que não teria nenhum álibi para suas horas perdidas, mas, enquanto subia os degraus até o apartamento de Laurent, pela primeira vez Bel não se importava.

– *Chérie*, você está tão pálida! Entre logo e me deixe preparar algo para você beber – disse Laurent quando ela chegou à sua porta, ofegante pela corrida e com os nervos abalados.

Ela deixou que ele a levasse para dentro e se sentou.

– Água, por favor – murmurou ela, sentindo-se subitamente fraca.

Enquanto Laurent ia à cozinha, Bel baixou a cabeça até os joelhos para tentar aliviar a tontura.

– Você está doente?

– Não... Eu vou ficar bem – disse ela, pegando o copo d'água e bebendo rapidamente.

– Bel, o que aconteceu?

Laurent sentou-se ao lado dela e pegou suas mãos.

– Eu... tenho algo para lhe dizer.

– O que foi?

– Minha mãe pediu para passar seus últimos dias em nossa fazenda, e eu devo ir com ela – disparou. Então, toda a tensão das últimas semanas pareceu explodir dentro dela, e começou a soluçar. – Sinto muito, Laurent, mas não tenho escolha. Minha mãe precisa de mim. Espero que você possa me perdoar e entender que preciso deixar o Rio por um tempo.

– Bel, o que você pensa de mim? É *claro* que você deve ir com sua mãe. Por que você achou que eu ficaria com raiva? – perguntou ele com gentileza.

– Porque... porque você me disse que só está no Rio por minha causa e agora eu vou embora. – Ela lançou para ele um olhar desamparado.

– Bem, não é o ideal, eu concordo. Mas, se quer saber a verdade, prefiro que você não esteja mais dividindo a cama com seu marido, mesmo que *eu* não possa vê-la por um tempo – consolou-a. – Enquanto isso posso fingir que você é só minha. Poderemos nos escrever? Posso enviar cartas para a fazenda, talvez endereçadas à sua empregada?

– Sim – concordou Bel, assoando o nariz em um lenço que ele lhe entregou. – Perdoe-me, Laurent, mas Gustavo e Luiza foram tão frios quando eu lhes contei que achei que você também seria – confessou.

– Vou evitar falar sobre seu marido e sua sogra, mas posso lhe garantir que só tenho compaixão por você em meu coração. Além disso – seus olhos brilharam de repente e um sorriso se abriu em seus lábios –, tenho a linda Alessandra Silveira para me fazer companhia até você voltar.

– Laurent...

– Izabela, você sabe que só estou brincando com você. Ela pode ser atraente por fora, mas tem a personalidade da pedra que estou esculpindo – disse ele, rindo.

– Vi sua fotografia no jornal outro dia, em um evento de caridade no Parque Lage organizado pela famosa Gabriella Besanzoni – comentou Bel, ressentida.

– Sim, parece que sou a sensação do Rio atualmente. Mas você sabe que isso não significa nada sem você, *chérie*. Assim como espero que sua vida seja igualmente vazia sem mim.

– Claro que é – respondeu ela com veemência.

– E seu pai? Como ele está?

– Arrasado – disse Bel com tristeza, encolhendo os ombros em um longo suspiro. – Parte do motivo para minha mãe querer ir para a fazenda é poupá-lo da dor de vê-la morrer lentamente. Ele irá visitá-la quando puder. Se eu estivesse no lugar dela, com certeza faria o mesmo. Os homens não são bons em lidar com doenças.

– A maioria dos homens, sim. Mas, por favor, não coloque todos nós no mesmo saco – repreendeu Laurent. – Se você estivesse morrendo, eu iria querer estar ao seu lado. Verei você novamente antes de partir?

– Não, me perdoe, mas eu não posso, Laurent. Tenho muitas coisas para resolver, entre elas uma consulta com o médico da minha mãe para ele me dar os remédios necessários e um pouco de morfina para quando a hora dela chegar.

– Então não vamos perder mais tempo se podemos passar essas últimas horas só pensando um no outro. – Laurent se levantou, puxou-a para si e a levou para o quarto.

41

Ao ver Antônio ajudar uma enfraquecida Carla a se sentar no banco traseiro do Rolls-Royce, Bel sentiu o terrível peso da finitude. Antônio se sentou no banco do motorista e ao seu lado Loen, enquanto Bel ajudava a mãe a se acomodar, colocando travesseiros para apoiar o corpo frágil. Quando Antônio deu a partida, Bel viu a mãe esticar o pescoço para olhar sua casa, e compreendeu que Carla sabia que aquela era a última vez que veria o lugar.

Na fazenda, Fabiana teve que se esforçar para abrir um sorriso ao receber a debilitada patroa. Exausta da viagem, Carla saiu com dificuldade do carro, mesmo com a ajuda de Antônio. Ele pegou a esposa nos braços e carregou-a para dentro.

Durante os dias seguintes, Bel sentiu que sua presença era desnecessária, já que Antônio, sabendo que deveria partir em breve para cuidar de seus negócios no Rio, não saía do lado de Carla. Sua devoção trazia lágrimas aos olhos de Fabiana e de Bel, que se sentavam juntas na cozinha, por ora dispensadas tanto pela paciente quanto por seu improvável enfermeiro.

– Eu não poderia imaginar que seu pai seria capaz de algo assim – disse Fabiana pela centésima vez, enxugando os olhos. – Tanto amor por uma mulher… isso parte meu coração.

– Sim – disse Bel com um suspiro. – O meu também.

O único membro da casa que estava feliz – mas, dadas as circunstâncias, fazia o possível para disfarçar – era Loen, que estava novamente perto de Bruno. Bel dera à criada alguns dias de folga, já que não havia muito que pudesse fazer enquanto Antônio estivesse tão dedicado a cuidar da esposa. E também porque ela seria cada vez mais necessária à medida que o tempo de Carla fosse chegando ao fim.

Bel observava novamente com inveja Loen e Bruno passarem cada hora de seu tempo livre juntos, e aquele amor a fazia pensar quanta coisa havia mudado desde a última vez que estivera na fazenda. Pelo menos o tempo que tinha lhe dava chance de escrever longas cartas de amor para Laurent, que ela entregava de maneira furtiva para Loen enviar quando ela e Bruno fossem passear no vilarejo vizinho. Laurent respondia regularmente, endereçando as cartas a Loen, como tinham combinado. Bel lia e relia as cartas, sentindo saudades dele como nunca.

Quanto a seu marido, Bel pensava nele o mínimo possível. Apesar das terríveis circunstâncias, ela se sentia aliviada por estar longe do clima infeliz e claustrofóbico da Casa das Orquídeas e poder esquecer um pouco que estava casada com um homem por quem agora sentia apenas desprezo.

Dez dias depois de chegarem à fazenda, Antônio se despediu, pálido e abatido. Abraçou Bel à beira das lágrimas e se despediu com dois beijos em seu rosto.

– Volto na sexta à noite, mas pelo amor de Deus, Izabela, por favor me ligue todos os dias para dizer como ela está. E me avise se eu precisar voltar mais cedo. Nada mais de segredos, está bem?

– Farei o que está me pedindo, pai, mas o quadro da mamãe parece estável por enquanto.

Antônio balançou a cabeça com um ar de profunda tristeza, entrou no Rolls-Royce e foi embora, levantando uma nuvem de poeira e cascalho no ar.

❈ ❈ ❈

Sentado no clube, lendo jornal, Gustavo notou que a biblioteca estava vazia naquela tarde. Aparentemente, o presidente Washington Luís tinha convocado os maiores produtores de café para uma reunião de emergência sobre a queda no preço dos grãos, e o restaurante continuava deserto na hora do almoço.

Enquanto tomava seu terceiro uísque, Gustavo pensou na esposa e em seu rosto pálido e triste quando se despediram havia três semanas. Desde que ela viajara, ele sentia muito a sua falta. A casa parecia ter encolhido sem sua presença, voltando a ser como era antes de Izabela se casar com ele.

Sem a esposa do seu lado, ficava ainda mais óbvio que sua mãe continuava a tratá-lo de maneira condescendente, como um menino travesso. E seu pai ainda o considerava incapaz de tratar de questões financeiras, ignorando suas perguntas sobre a administração dos bens da família como se ele fosse um inseto irritante.

Gustavo pediu outro uísque e seu rosto se contorceu ao lembrar a frieza inicial de sua reação quando Bel lhe contara sobre o estado de saúde da mãe.

Ele sempre havia se orgulhado de sua natureza sensível, que sua mãe tanto desprezava quando ele era criança e chorava ao encontrar um pássaro morto no jardim ou apanhava do pai. "Você é delicado demais", dizia Luiza. "Lembre-se de que é um menino, Gustavo, e não deve demonstrar suas emoções."

E com certeza, confessou a si mesmo, quando bebia, achava muito mais fácil *não* ser tão sensível. Desde seu casamento com Izabela – uma mudança que ele acreditava que o faria se sentir muito mais digno –, sua autoestima, na verdade, havia diminuído muito, e não aumentado. O que o levava a beber ainda mais.

Gustavo suspirou profundamente. Mesmo sabendo que Izabela não retribuía seu amor da mesma forma, ele esperava que a afeição dela aflorasse depois que estivessem casados. Mas desde o início sentira que ela mantinha reservas em relação a ele, principalmente quando faziam amor. E, nos últimos tempos, toda vez que ela olhava para ele, Gustavo notava algo semelhante a pena em seus olhos, quando não uma aversão evidente. Pensar que era uma decepção para sua esposa, assim como também para seus pais, aumentava o desprezo que sentia por si mesmo.

Além disso, o fato de Izabela ainda não ter concebido um filho potencializava a sensação de fracasso. O olhar de sua mãe deixava claro que ela pensava que Gustavo não tinha sido sequer capaz de cumprir seus deveres como homem. E mesmo que, desde o casamento, *ele* fosse oficialmente o senhor da casa, e Izabela, a senhora, Gustavo sabia que fizera muito pouco para reafirmar sua autoridade ou refrear a necessidade de sua mãe de controlar tudo.

O garçom passou com uma bandeja e pegou seu copo vazio.

– Mais um, senhor? – perguntou de maneira automática e, esperando a confirmação de costume, já estava quase saindo quando Gustavo conseguiu dizer:

– Não, obrigado. Você pode me trazer um café?

– Claro, senhor.

Enquanto bebia o líquido quente e amargo, Gustavo pensou sobre o curto tempo que se passou desde que ele e Izabela se casaram e, pela primeira vez, reconheceu como seu relacionamento tinha se deteriorado a tal ponto que, apenas seis meses depois, eles pareciam levar vidas separadas. Gustavo admitiu para si mesmo que em grande parte isso se devia ao tempo que ele passava ali no clube, afogando seu sentimento de inadequação no álcool.

De repente, conseguiu ver com clareza que falhara com sua esposa.

Não era de admirar que ela parecesse tão infeliz. Enfrentando a frieza da mãe dele e vendo o marido se afogar na bebida e em autopiedade, Izabela devia achar que tinha cometido um erro terrível.

– Mas eu a amo – sussurrou Gustavo desesperadamente para o fundo da xícara de café.

Ainda não era tarde demais para consertar o relacionamento deles. Talvez pudessem retomar o grau de afeto e comunicação que compartilhavam antes de se casarem. Gustavo lembrava que Izabela pelo menos parecia gostar dele naquela época.

Vou assumir o controle, prometeu a si mesmo, enquanto assinava a conta e saía em direção ao carro que o esperava, determinado a conversar com os pais assim que chegasse em casa. Sabia que, se não fizesse isso, acabaria perdendo a esposa para sempre.

❉ ❉ ❉

Nas duas últimas semanas de vida de Carla, Fabiana, Bel e Loen se revezavam para não deixá-la nunca sozinha. Uma noite, em um raro momento de lucidez, Carla estendeu a mão, sem forças, e segurou a da filha.

– Querida, preciso lhe falar algo enquanto ainda posso – disse ela, a voz pouco mais que um sussurro, e Bel teve que se curvar para ouvi-la. – Percebo que a vida de casada não tem sido fácil para você até agora e sinto que é meu dever lhe dar alguma orientação...

– Mãe, por favor – interrompeu Bel, angustiada. – Gustavo e eu temos nossos problemas, como todos os casais, mas não é nada com que a senhora precise se preocupar agora.

– Talvez não – continuou Carla, resoluta. – Mas você é minha filha e eu a conheço melhor do que pensa. Não pude deixar de notar que você pode ter desenvolvido uma... ligação com determinada pessoa que não é seu marido. Percebi isso naquela noite na Casa das Orquídeas, quando ele veio revelar sua escultura.

– Mãe, eu juro, não é nada. Ele é... era só um amigo – disse Bel, completamente chocada.

– Eu duvido – replicou Carla com um sorriso triste. – Lembre-se de que eu também vi o olhar que vocês trocaram naquele dia no Corcovado. Você fingiu que não o conhecia, mas percebi que não era verdade, que você o conhecia e muito bem. E devo avisá-la que seguir esse caminho só pode resultar em sofrimento para todos os envolvidos. Eu lhe peço, Izabela, você está casada há tão pouco tempo. Dê a Gustavo uma chance de fazê-la feliz.

Sem querer perturbar a mãe ainda mais, Bel concordou.

– Eu darei uma chance, prometo.

❧ ❧ ❧

Dois dias depois, Fabiana foi chamar Bel em seu quarto ao nascer do sol.

– Senhora, acho que está na hora de chamar seu pai.

Antônio veio imediatamente e, durante as últimas horas de vida de sua esposa, mal saiu do lado dela. O fim chegou tranquilamente, e Antônio e Bel ficaram ao pé da cama, abraçados e chorando baixinho.

Viajaram desolados de volta ao Rio depois do funeral – Carla insistira em ser enterrada no pequeno cemitério de Paty do Alferes.

– Pai, por favor – disse Bel quando chegaram à Mansão da Princesa e ela se preparava para voltar para sua casa. – Se precisar de algo, me avise. Quer que eu venha visitá-lo aqui amanhã? Para ver como o senhor está? Tenho certeza de que Gustavo não se importaria se eu ficasse com o senhor alguns dias.

– Não, não, querida. Você tem sua própria vida. Eu, no entanto... – Antônio olhou ao redor da sala de estar onde passara tantas horas com a esposa. – Não tenho mais nada.

– Pai, por favor, não diga isso. O último desejo da mamãe foi que o senhor tentasse encontrar alguma felicidade no tempo que ainda tem aqui na Terra.

– Eu sei, minha princesa, e prometo que vou tentar. Mas me perdoe.

Neste momento, ao chegar aqui e encontrar este vazio, isso me parece realmente impossível.

Bel viu que Jorge tinha acabado de chegar para buscá-la. Foi até o pai e o abraçou com força.

– Tente se lembrar de que ainda tem a mim. Amo você, pai.

Quando saiu da sala para o corredor, Bel viu Loen e Gabriela conversando aos sussurros.

– Jorge está aqui, Loen, e precisamos ir embora – e em seguida se dirigiu a Gabriela. – Você pode ficar de olho no meu pai? – pediu, sentindo-se impotente.

– Senhora, farei o máximo para confortá-lo. E quem sabe, com a graça de Deus, ele possa se recuperar. Por favor, lembre-se de que o tempo cura tudo.

– Obrigada. Voltarei para vê-lo amanhã. Vamos, Loen.

Bel viu mãe e filha trocarem um adeus carinhoso, o que só fez aumentar a dor que sentia.

No curto caminho até sua casa, Bel se perguntou o que encontraria quando chegasse. Ela procurara ignorar ao máximo os telefonemas frequentes de Gustavo. Pedia a Fabiana que dissesse que estava com a mãe e só falava com ele quando era extremamente necessário. No entanto, para sua surpresa, quando lhe contara sobre a morte de Carla, Gustavo reagira de maneira surpreendentemente solidária. E ele parecia sóbrio. Ela lhe garantira que não havia necessidade de ele ir ao funeral, já que o último pedido de sua mãe foi que estivessem presentes apenas os familiares mais próximos, e Gustavo respondera que entendia e que estava ansioso para vê-la quando voltasse.

Naquele período estranho em que tivera de conviver com a iminência da morte, Bel passara pouco tempo contemplando seu futuro, mas, à medida que se aproximava de casa, percebeu que devia começar a enfrentá-lo. Principalmente uma parte específica dele, sobre a qual conversara na semana anterior com Loen, que lhe assegurara que aquilo podia ser uma reação de seu corpo ao estresse. Ela se sentira mais calma depois de ouvir a teoria da criada, mas continuava incapaz de contemplar a complexidade da outra explicação quando seu coração estava tão tomado pela dor.

Bel entrou em casa, notando como sempre o contraste do calor do lado de fora com o ambiente frio lá dentro. Estremeceu involuntariamente quando Loen a ajudou a tirar o chapéu, perguntando-se se deveria simplesmente subir direto para o quarto, ou procurar o marido e seus pais. Com certeza, não havia um solidário comitê de boas-vindas à sua espera.

– Vou desfazer sua mala lá no quarto e lhe preparar um banho, dona Bel – disse Loen, notando seu desconforto e tocando seu ombro de maneira compreensiva antes de seguir em direção à escada.

– Olá? – disse Bel para o corredor vazio.

Nenhuma resposta. Ela chamou mais uma vez e, como ninguém respondeu de novo, resolveu ir atrás de Loen.

De repente, uma figura saiu da sala de estar.

– Vejo que finalmente está em casa.

– Sim, dona Luiza.

– Sinto muito pela sua perda, assim como meu marido.

– Obrigada.

– O jantar será servido no horário de sempre.

– Então vou subir para me arrumar.

Luiza apenas acenou com a cabeça bruscamente em resposta, então Bel subiu a escada, os pés movendo-se automaticamente um após o outro. Ao entrar no quarto, pensou que pelo menos Loen era uma presença familiar e reconfortante. Bel deixou a criada ajudá-la a se despir, um hábito que fora esquecido na fazenda em meio à necessidade de se concentrarem completamente em Carla. Nesse momento, notou a expressão surpresa de Loen ao ficar nua na sua frente.

– O que foi?

Loen havia cravado os olhos em sua barriga.

– Nada, eu... nada, dona Bel. O banho está pronto. Por que não entra enquanto a água ainda está quente?

Bel fez como Loen sugerira e se deitou na banheira. Ali, ao olhar para si mesma, percebeu a mudança nos contornos familiares de seu corpo. Não havia banheira na fazenda, onde tomava banho com baldes de água aquecida pelo sol, e mal se olhava no espelho havia semanas.

– Meu Deus! – exclamou Bel enquanto seus dedos tocavam timidamente a forma pouco visível e arredondada de sua barriga, até então lisa, que se erguia na água. Seus seios também pareciam mais cheios e pesados.

– Estou grávida – sussurrou, o coração batendo acelerado.

Bel não teve mais tempo de contemplar o que acabara de descobrir, ou repreender-se por acreditar plenamente quando Loen lhe dissera que podia não ter menstruado por causa do estresse, pois ouviu a voz aguda de Gustavo conversando com Loen no cômodo ao lado. Terminou rapidamente o banho, vestiu o robe, amarrando-o frouxamente para o marido não notar a mudança sutil em suas formas, e foi para o quarto.

Gustavo estava lá, parecendo cauteloso e um pouco tímido.

– Obrigado, Loen. Você pode ir – disse ele.

Loen saiu do quarto, e Bel permaneceu onde estava, esperando Gustavo falar primeiro.

– Sinto muito pela sua perda, Izabela – disse ele, repetindo as palavras de Luiza.

– Obrigada. Confesso que não tem sido fácil.

– Também não tem sido fácil viver aqui sem você.

– Eu sei, sinto muito – disse ela.

– Por favor, não se desculpe – apressou-se ele a corrigir. – Estou muito feliz que esteja de volta. – Sorriu timidamente. – Senti sua falta, Izabela.

– Obrigada, Gustavo. Agora, tenho que me arrumar para o jantar, assim como você.

Ele concordou e foi para o banheiro, fechando a porta.

Bel andou até a janela e percebeu como a luz havia sutilmente mudado com a nova estação. Passava das sete da noite, mas o sol só agora começava a se pôr. Bel lembrou que estavam na metade de outubro, no auge da primavera. Quando virou para a cama, ainda atordoada pelo que descobrira no banho, viu que Loen havia separado um vestido que ela raramente usava por ser um pouco largo – Gustavo preferia que a esposa usasse roupas que ressaltassem seu corpo atraente – e seus olhos se encheram de lágrimas com a atenção da empregada. Depois que se vestiu, deixou Gustavo no quarto e desceu para a sala de estar, preferindo isso a enfrentar o marido sozinha. Quando chegou ao primeiro andar, olhou para a porta da frente, desejando de todo o coração poder sair correndo naquele momento para Laurent. Pois não tinha dúvida de que o filho que esperava era dele.

❀ ❀ ❀

Durante o jantar, Bel percebeu que pouco havia mudado desde que viajara. Luiza continuava fria e autoritária, incapaz de dizer uma palavra de solidariedade por sua perda. Maurício foi um pouco mais atencioso, mas passou a maior parte da noite discutindo os meandros financeiros de Wall Street e algo chamado de índice Dow Jones com Gustavo, que aparentemente tinha visto uma venda maciça de ações na última quinta-feira.

– Dou graças a Deus por ter decidido vender as ações que tinha mês passado. Espero que seu pai tenha feito o mesmo – disse Maurício. – Felizmente, eu não tinha muitas. Nunca confiei naqueles ianques. Estão tentando segurar o mercado no momento, esperando que se estabilize até o fim de semana, mas duvido que já tenhamos visto o pior. A longo prazo, no entanto, se o mercado realmente quebrar, vai ter um efeito devastador sobre nossa indústria cafeeira. A demanda dos Estados Unidos, que responde pela maior parte da nossa produção, vai cair como uma pedra. Principalmente diante da superprodução brasileira nos últimos anos – acrescentou com pessimismo.

– Parece uma bênção nossa família ter saído do mercado americano no momento certo – disse Luiza de maneira incisiva, lançando um olhar para Bel. – Sempre acreditei que os avarentos recebem aquilo que merecem mais cedo ou mais tarde.

Bel arriscou um olhar para o marido, que respondeu com um sorriso surpreendentemente solidário após a indireta de sua mãe.

– Podemos não ser mais ricos, minha querida, mas pelo menos nossa situação é estável – respondeu o sogro de maneira indiferente.

– A situação dos Estados Unidos é muito ruim? – Bel perguntou para Gustavo enquanto subiam para o quarto naquela noite. – Você sabe? Estou preocupada com meu pai. Como ele estava fora do Rio semana passada, pode não estar sabendo de nada disso.

– Como você deve ter notado, eu não costumava acompanhar os mercados – admitiu Gustavo ao abrir a porta do quarto. – Mas, pelo que meu pai diz, e com base nos fatos que estou começando a entender agora, é muito grave, sim.

Bel entrou no banheiro, ainda aturdida pelos acontecimentos das últimas horas. Despiu-se e, ainda esperando que, de alguma forma, tivesse se confundido anteriormente, não pôde deixar de notar o discreto mas visível volume em sua barriga. Vestiu a camisola e ficou parada, sem saber o que fazer. A única coisa de que tinha certeza era que não podia suportar que o marido a tocasse naquela noite. Levou o maior tempo possível arrumando-se para dormir, então saiu do banheiro, rezando para que Gustavo já tivesse pegado no sono. Mas ele estava deitado na cama bem acordado, olhando para ela.

– Senti sua falta, Izabela. Venha para o seu marido.

Hesitante, ela deitou na cama, com um milhão de desculpas cruzando sua mente. Mas nenhuma delas parecia boa o bastante para dar a um marido que tinha passado os últimos dois meses sem a esposa.

Ela percebeu que Gustavo ainda olhava para ela.

– Izabela, você parece apavorada. Eu a assusto tanto assim?

– Não, não... claro que não.

– Querida, sei que você está sofrendo e talvez precise de algum tempo antes de conseguir relaxar novamente. Então me deixe só abraçá-la.

As palavras de Gustavo foram uma completa surpresa para ela. Depois de descobrir que estava grávida, da dor de ver a mãe morrer e das notícias sobre a situação dos Estados Unidos durante o jantar, a compreensão dele foi o suficiente para trazer lágrimas aos seus olhos.

– Por favor, Izabela, não tenha medo de mim. Juro que só quero reconfortá-la esta noite – repetiu ele enquanto apagava a luz.

Ela deixou Gustavo puxá-la para seus braços e ficou deitada em seu peito, encarando a escuridão com os olhos arregalados. Ela sentiu a mão dele acariciando seus cabelos e, ao pensar no pequeno coração que batia dentro dela, foi tomada pela culpa.

– Enquanto você esteve fora, tive muito tempo para pensar – disse Gustavo gentilmente. – Lembrei-me de como nós éramos quando nos conhecemos, como gostávamos de conversar sobre arte e cultura e ríamos juntos. Mas, desde que nos casamos, sinto que temos nos afastado, e assumo grande parte da responsabilidade por isso. Entendo que tenho passado muito tempo no clube. Em parte, se me permite ser sincero, para me afastar desta casa. Nós dois sabemos que o clima é um tanto... austero.

Deitada no escuro, ouvindo o que ele dizia, Bel resolveu não fazer nenhum comentário até ele terminar.

– E isso também é minha culpa. Eu devia ter sido mais firme com minha mãe quando me casei com você. Dizer a ela de maneira direta que agora era você quem estaria no comando da casa e que ela deveria se afastar gentilmente e permitir que você cuidasse das coisas. Perdoe-me, Izabela, tenho sido fraco e não bati o pé por você, nem por mim, quando foi necessário.

– Gustavo, não é culpa sua que sua mãe não goste de mim.

– Duvido que ela tenha algo contra *você* – respondeu ele com amargura.

– Ela não gostaria de ninguém que ameaçasse sua posição na casa. Ela até sugeriu falar com o bispo para anular nosso casamento, alegando que não tivemos relações íntimas, já que você ainda não concebeu uma criança desde que nos casamos.

Bel não pôde conter um gemido de horror, pensando no bebê que trazia em seu ventre. Gustavo tomou sua reação como choque diante da terrível proposta de sua mãe de anular o casamento e puxou-a mais para perto.

– Claro que fiquei furioso com ela e lhe disse que, se voltasse a proferir tal blasfêmia, seria *ela* quem iria parar na rua, e não minha esposa. Depois disso – continuou Gustavo –, percebi que tinha de agir. Pedi ao meu pai que transferisse esta casa para o meu nome, algo que eu deveria ter exigido no momento em que nos casamos, já que é o costume. Ele concordou, e também vai passar a administração das finanças da família para mim assim que eu me sentir preparado para isso. Portanto, durante as próximas semanas, vou passar a maior parte do tempo aprendendo sobre os negócios com meu pai, em vez de desperdiçar os dias no clube. E, quando eu assumir as finanças, vou passar as responsabilidades das questões domésticas para você. E minha mãe não terá escolha a não ser aceitar a situação.

– Entendo. – Bel notou a determinação na voz de Gustavo e queria sentir-se reconfortada com isso.

– Então, ainda que um pouco mais tarde do que deveria, finalmente assumiremos juntos o controle de nossa casa. Também sei que estava bebendo demais recentemente, Izabela, e juro que nas últimas semanas tenho tomado só um pouco de vinho durante o jantar e nada mais. Você pode perdoar seu marido por não ter agido mais cedo? Imagino como os últimos meses devem ter sido difíceis para você. Mas, como disse, estou determinado a fazer deste momento um recomeço. Espero que você também possa, porque eu a amo muito.

– É… é claro que posso perdoá-lo – gaguejou ela, incapaz de dizer qualquer outra coisa diante da sinceridade da confissão de seu marido.

– E, a partir de agora, não haverá mais… – Gustavo procurou pelo termo apropriado – intimidades forçadas. Se você disser que não quer fazer amor comigo, eu vou aceitar. Embora espere que no futuro, quando você perceber que tenho feito tudo o que falei, comece a desejar isso. Bem, é tudo o que tenho a dizer. E agora, querida, após as semanas terríveis que você passou, espero que me deixe abraçá-la até você pegar no sono.

Alguns minutos depois, Bel ouviu Gustavo roncar baixinho e desvencilhou-se dos seus braços, rolando para o lado. Seu coração batia acelerado e ela sentia o estômago embrulhado enquanto pensava em sua situação. Havia alguma chance de o bebê ser de seu marido? Ela procurou se lembrar da última vez que conseguiram fazer amor propriamente, e concluiu que não era possível.

Enquanto as horas se arrastavam e ela virava, aflita, de um lado para o outro na cama, Bel sabia que devia tomar logo uma decisão. Afinal, Laurent podia ficar horrorizado se ela lhe contasse que estava grávida e que o bebê era dele. Um filho nunca tinha sido parte do plano dos dois, e Laurent tomara todas as precauções possíveis para evitar que isso ocorresse. Bel se lembrou do alerta de Margarida: homens como Laurent não desejavam laços permanentes.

Quando o amanhecer começou a brilhar pelas frestas das venezianas, todas as antigas inseguranças de Bel com relação a Laurent voltaram com força total. Havia apenas uma coisa que ela precisava fazer imediatamente, que era encontrá-lo.

42

*A*onde você vai hoje, meu amor? – perguntou Gustavo durante o café da manhã, sorrindo para a esposa enquanto se servia de mais café do bule de prata.

– Vou para a última prova no ateliê de costura de madame Duchaine antes que a nova estação comece – respondeu Bel, com um sorriso aberto. – Espero que as roupas fiquem prontas até o final da semana.

– Que bom – disse ele.

– E, se me permitir, gostaria de visitar meu pai na hora do almoço. Telefonei mais cedo e Gabriela me falou que ele ainda não tinha nem se vestido e não pretendia ir ao escritório hoje – continuou Bel, franzindo a testa. – Estou muito preocupada com seu estado de espírito.

– Claro – concordou Gustavo. – Vou com meu pai ao Senado. O presidente Washington Luís convocou uma reunião de emergência com todos os barões do café para discutir a crise nos Estados Unidos.

– Pensei que seu pai já não tivesse interesse no cultivo do café – disse Bel.

– Tem muito pouco, mas, como membro importante da comunidade carioca, o presidente pediu que ele comparecesse.

– Meu pai também deveria ir, não é?

– Deveria, claro. A situação está se deteriorando a cada dia. Mas, por favor, diga-lhe que ficarei feliz em lhe passar tudo o que for dito. Vejo você antes do jantar, querida. – Gustavo beijou Bel suavemente no rosto e se levantou da mesa.

Depois que Gustavo saiu com o pai para o Senado, e sabendo que Luiza estava presa na cozinha organizando os cardápios da semana seguinte, Bel correu até o quarto para buscar seu caderno de telefones. Em seguida desceu depressa a escada, pegou com as mãos trêmulas o aparelho e pediu para falar com o número que Laurent lhe dera.

– Por favor, esteja em casa – sussurrou quando ouviu o telefone chamar.

– *Ici*, Laurent Brouilly.

O som daquela voz fez o estômago de Bel se contrair de tensão e tanta expectativa.

– Aqui é Izabela Aires Cabral – disse, para o caso de Luiza voltar inesperadamente da cozinha. – Podemos marcar um horário hoje, às duas horas?

Laurent fez uma pausa antes de responder.

– Madame, tenho certeza de que posso arranjar isso. Você vai vir aqui?

– Sim.

– Espero ansioso vê-la novamente.

Ela quase podia ouvir o sorriso irônico quando ele entrou no jogo.

– Até mais então.

– *À bientôt, ma chérie* – sussurrou ele, e Bel desligou abruptamente o telefone.

Os dedos dela pairaram sobre o telefone por alguns segundos enquanto ponderava se devia marcar um horário com madame Duchaine como álibi, mas tinha consciência de que não podia arriscar que os olhos atentos da modista notassem sua barriga arredondada e aquilo virasse motivo de fofoca. Então ligou e marcou um horário para dali a dois dias. Depois Bel pegou seu chapéu e disse a Luiza que estava de saída para ver seu pai e madame Duchaine, então sentou-se no banco de trás do carro e pediu a Jorge que a levasse à Mansão da Princesa.

Com o rosto cheio de preocupação, Gabriela abriu a porta antes mesmo que Bel subisse os degraus.

– Como ele está? – perguntou Bel, entrando em casa.

– Ainda na cama, dizendo que não tem energia para se levantar. Devo dizer que está aqui, senhora?

– Não, eu mesma vou falar com ele.

Bateu à porta do quarto do pai e, como não houve resposta, Bel abriu e entrou. As venezianas estavam bem fechadas, impedindo que entrasse o sol do meio-dia, e ela mal conseguia ver a figura encolhida debaixo das cobertas.

– Pai, sou eu, Izabela. O senhor está doente?

Ouviu apenas um grunhido vindo da cama e nada mais.

– Vou abrir as venezianas para ver como o senhor está – disse ela, indo até a janela.

Ela se virou e viu que o pai fingia dormir, então andou até a cama e se sentou.

– Pai, por favor, me diga o que há de errado com o senhor.

– Não posso viver sem ela – gemeu Antônio. – Qual é o sentido de fazer qualquer coisa se ela não está aqui?

– Pai, o senhor prometeu à mamãe em seu leito de morte que iria seguir em frente. Ela provavelmente está olhando lá do céu agora, gritando para que se levante!

– Eu não acredito em céu, ou em Deus – resmungou ele mal-humorado. – Que tipo de divindade levaria da Terra minha preciosa Carla, que nunca fez nada de ruim a vida inteira?

– Bem, *ela* acreditava, e eu também – respondeu Bel com firmeza. – Nós dois sabemos que nunca há uma razão por trás dessas coisas. Vocês tiveram 22 anos maravilhosos juntos. Com certeza, é grato por eles, não é mesmo? E vai tentar cumprir o que mamãe lhe pediu e seguir em frente pela memória dela.

Antônio não respondeu, então Bel tentou outra tática.

– Pai, você sabe o que está acontecendo nos Estados Unidos? Maurício me disse ontem à noite que acham que haverá outra quebra em Wall Street a qualquer momento. O Senado está reunido agora para discutir o impacto sobre o Brasil. Todos os produtores de café importantes estão lá. O senhor não devia ir também?

– Não, Bel, é tarde demais – disse Antônio, suspirando. – Eu não vendi as ações quando devia, achando que os outros estavam em pânico à toa. Ontem, depois que você foi embora, meu corretor ligou para me dizer que a bolsa tinha caído e muitas das minhas ações já não valiam nada. E ele falou que a situação ainda deve piorar hoje. Izabela, a maior parte do nosso dinheiro estava investido em Wall Street. Eu perdi tudo.

– Pai, com certeza isso não é verdade. Mesmo que tenha perdido suas ações, o senhor tem várias fazendas, que devem valer muito dinheiro. O café pode não estar vendendo tão bem agora e continuar assim no futuro, mas o senhor ainda tem as propriedades.

– Izabela – disse Antônio, soltando um leve suspiro –, por favor não comece a tentar entender de negócios agora. Peguei dinheiro emprestado com os bancos para comprar essas fazendas. E eles estavam dispostos a me emprestar enquanto o café era um investimento lucrativo e o preço dos grãos estava em alta. Como esses preços caíram, eu tive que me virar para manter os pagamentos em dia. Os bancos queriam mais segurança, então tive que dar esta casa como garantia. Izabela, você está entendendo? Agora eles vão tirar tudo o que tenho para quitar minhas dívidas. Se minhas ações também não valem mais, isso significa que não tenho mais nada, nem mesmo um teto sobre minha cabeça.

Bel ouvia horrorizada e repreendeu-se por não entender de finanças. Se tivesse algum conhecimento, talvez pudesse dizer algo a Antônio que lhe desse a esperança de que precisava.

– Mas, pai, com certeza essa é mais uma razão para ir ao Senado hoje. O senhor não é o único nessa situação e já me disse antes que a economia brasileira é baseada na produção de café. O governo não vai permitir que tudo simplesmente entre em colapso.

– Querida, a equação é bem simples: se ninguém tiver dinheiro para comprar nossos grãos, não há nada que nenhum governo possa fazer a respeito. E posso lhe garantir que os americanos estão mais preocupados em descobrir como sobreviver do que com o luxo de desfrutar uma xícara de café. – Antônio esfregou a testa, perturbado. – É claro que o Senado quer que pareça que está fazendo algo para combater a crise. Todos eles, no entanto, sabem que já é tarde demais. Então, obrigado por me avisar da reunião, mas devo lhe adiantar que é um gesto inútil.

– Mesmo assim, vou pedir ao Maurício que lhe conte o que foi discutido – disse Bel, decidida. – Além disso, mesmo que o senhor esteja certo e não lhe sobre nada, lembre-se de que a Fazenda Santa Tereza está em meu nome. O senhor não ficará sem um teto, pai. E tenho certeza de que, tendo em vista que deu a Gustavo uma quantia tão generosa quando nos casamos, ele cuidará para que o senhor não passe necessidades.

– E o que eu faria sozinho na fazenda? – perguntou Antônio com amargura. – Sem negócios para administrar ou a companhia da minha preciosa esposa?

– Pai, chega! Como o senhor mesmo disse, muitos vão ser afetados pela crise, e alguns até vão perder tudo, então deve se considerar um homem de sorte por não ser um deles. E o senhor só tem 48 anos. Com certeza ainda há muito tempo para recomeçar.

– Izabela, minha reputação está arruinada. Mesmo que eu quisesse recomeçar, nenhum banco no Brasil me emprestaria o dinheiro de que iria precisar. Está tudo acabado para mim.

Bel viu o pai fechar os olhos mais uma vez. Ela se lembrou de quando, apenas alguns meses antes, Antônio a levara cheio de orgulho até o altar. Embora sempre tivesse odiado a maneira ostensiva como o pai gostava de exibir sua recém-adquirida riqueza, desejou de todo o coração que pudesse recuperá-la para ele. Foi só então que ela percebeu que toda a autoestima do pai tinha sido construída com base no sucesso. E, somando a isso a perda de sua amada esposa, ela conseguia entender por que ele sentia que não tinha mais nada.

– Pai, o senhor tem a mim – disse ela com a voz suave. – E eu preciso do senhor. Por favor, acredite quando digo que não me importo se tem dinheiro ou não. Eu ainda o amo e o respeito como meu pai.

Quando os olhos de Antônio se abriram, Bel notou pela primeira vez o vislumbre de um sorriso.

– Sim, você está certa, eu tenho você – concordou. – E você, princesa, é a única coisa em minha vida de que realmente me orgulho.

– Então vai me ouvir quando lhe digo, assim como mamãe diria, que ainda não acabou. Por favor, pai, anime-se. Juntos podemos pensar em uma saída. Vou ajudá-lo de todas as formas que puder. Tenho minhas joias e as que mamãe deixou para mim. Se as vendermos, conseguiremos levantar uma quantia considerável para você investir em um novo negócio.

– Se ainda houver alguém com dinheiro suficiente para comprar qualquer coisa depois deste holocausto financeiro – disse Antônio de maneira amarga. – Izabela, agradeço muito por ter vindo e estou envergonhado por ter me visto assim. E prometo que vou me levantar da cama assim que você sair. Mas, agora, eu gostaria de ficar sozinho para pensar um pouco.

– Jura, pai? Estou avisando, vou ligar mais tarde para Gabriela para saber se fez o que prometeu. E voltarei amanhã para ver como está. – Bel abaixou-se para beijá-lo e ele abriu um sorriso.

– Obrigado, princesa. Vejo você amanhã.

Bel falou rapidamente com Gabriela e disse que ligaria mais tarde. Em seguida entrou no carro que estava à sua espera e pediu a Jorge que a levasse ao ateliê de madame Duchaine em Ipanema. Quando chegaram, pediu-lhe, como sempre, que a buscasse às seis e esperou o motorista se afastar, para andar o mais rápido que pôde em direção ao apartamento de Laurent.

– *Chérie!* – exclamou ele, puxando-a para seus braços e cobrindo o rosto e o pescoço dela de beijos. – Você não faz ideia de como senti sua falta.

Aliviada, Bel sentiu o corpo desarmar junto ao dele e não protestou quando Laurent a pegou nos braços e levou-a para o quarto. E, por alguns preciosos minutos, todos os pensamentos terríveis que não saíam de sua cabeça desapareceram em meio ao êxtase de estar com ele novamente.

Depois, deitados na confusão de lençóis, Bel respondeu às perguntas de Laurent sobre as últimas semanas.

– E quanto a você, Laurent? – perguntou ela depois. – O que andou fazendo durante esse tempo?

– Infelizmente, depois da escultura de Alessandra Silveira, não consegui mais nenhuma encomenda. Todos estão preocupados com a situação do café no Brasil e do mercado de ações de Nova York. Ninguém mais quer gastar seu dinheiro em bobagens como esculturas. Então, no último mês, não fiz quase nada além de comer, beber e mergulhar no mar. Izabela – disse Laurent, com o rosto sério –, além de a situação no Brasil se agravar a cada dia, acho que já fiquei aqui o máximo que podia. Sinto falta da França e está na hora de seguir em frente. *Chérie*, perdoe-me, mas preciso voltar para casa. – Ele beijou a mão dela. – A pergunta é: você vai comigo?

Bel não conseguiu responder. Ficou deitada em seus braços, em silêncio, os olhos bem fechados, sentindo como se todos os elementos de sua vida chegassem a uma tensão insustentável.

– O Sr. Heitor da Silva Costa reservou para mim uma cabine em um navio que parte na sexta – continuou ele, com urgência na voz. – Preciso pegá-lo, já que muitas das companhias de navegação pertencem a americanos. Se a situação financeira piorar ainda mais, pode não haver nenhum outro navio saindo do porto do Rio durante meses.

Bel ouvia Laurent, finalmente percebendo como era grave a crise nos Estados Unidos.

– Você vai embora na sexta? Daqui a três dias? – conseguiu sussurrar depois de algum tempo.

– Sim. E lhe imploro, *mon amour*, que venha comigo. Acho que agora é sua vez de *me* seguir – continuou ele. – Por mais que eu a ame, não há nada para mim aqui: nenhuma vida, muito menos alguma que pudéssemos compartilhar, dada a sua situação. Sinto-me culpado por forçá-la a tomar uma decisão quando sua querida *maman* acabou de falecer. Mas espero que entenda por que preciso ir. – Seus olhos procuravam uma resposta no rosto dela.

– Sim, você já esperou o bastante. – Bel sentou e puxou o lençol sobre os seios nus. – Laurent, preciso lhe contar uma coisa...

Gustavo sentiu-se aliviado ao deixar o prédio do Senado. Lá dentro, a temperatura e a tensão atingiram níveis incontroláveis. Produtores de café desesperados exigiam saber o que o governo faria para salvá-los. Chegara até mesmo a haver algumas brigas – homens civilizados levados à violência ao verem suas fortunas se acabarem da noite para o dia.

Ele ficara lá o máximo que pudera, querendo pelo menos demonstrar seu apoio, mas sentia que pouco tinha a oferecer. Agora, mais do que qualquer coisa, ele queria uma bebida. Virou em direção ao clube, mas, depois de dar alguns passos, se conteve.

Não. Ele precisava resistir ou voltaria ao ponto de partida, e ele jurara a Izabela na noite anterior que havia mudado.

Então lembrou que ela lhe dissera no café da manhã que iria à sua costureira em Ipanema. O ateliê ficava a dez minutos a pé de onde estava e, de repente, pensou que seria uma boa ideia surpreendê-la. Talvez eles pudessem dar um passeio pelo calçadão, sentar em um dos cafés em frente à praia e simplesmente ver as pessoas passarem. Esse era o tipo de coisa que maridos e mulheres que gostavam da companhia um do outro faziam, não é mesmo?

Então virou à esquerda e seguiu em direção a Ipanema.

Quinze minutos depois, Gustavo saiu confuso do ateliê de costura. Ele podia jurar que Izabela dissera que passaria por lá depois de visitar o pai, mas madame Duchaine lhe assegurara que sua esposa não tinha marcado nenhum horário naquela tarde. Gustavo então, deu de ombros, andou mais um pouco e chamou um táxi para levá-lo para casa.

Laurent olhava para ela em estado de choque.

– E você tem certeza de que o bebê é meu?

– Repassei em minha mente se Gustavo teve alguma chance de me engravidar nesse período, mas, como você mesmo disse, a menos que de fato...

entre, é impossível se conceber um bebê. – Bel corava de vergonha por falar tão intimamente sobre seu relacionamento com o marido. – E, nos últimos dois meses antes de ir para a fazenda com minha mãe, isso não aconteceu... nenhuma vez. Não que meu marido tenha notado – acrescentou.

– Você acha que está grávida de três meses?

– Talvez mais, mas não tenho certeza. Eu não podia ir ao médico da família antes de falar com você.

– Posso ver? – perguntou ele.

– Sim, embora não dê para notar muito ainda.

Bel viu Laurent tirar o lençol de cima de seu corpo e colocar a mão levemente sobre o pequeno volume. Então os olhos dele deixaram sua barriga e subiram até encontrarem o olhar dela.

– E você tem mesmo certeza de que esse filho é meu?

– Laurent – disse Bel, sustentando o olhar –, não tenho a menor dúvida. Se eu tivesse, simplesmente não estaria aqui.

– Não. Bem... – Ele deu um suspiro. – Dadas as circunstâncias sobre as quais conversávamos antes desta notícia, é ainda mais urgente partirmos para França o mais rápido possível.

– Você está dizendo que quer o nosso filho?

– Estou dizendo que quero *você*, minha Izabela. E se o bebê – disse ele, apontando para a barriga dela – é uma parte de você e de mim, ainda que inesperada, então sim, é claro que eu quero.

Os olhos de Bel se encheram de lágrimas.

– Achei que você não iria querer. Eu estava me preparando para isso.

– Bem, se nascer parecido com uma fuinha, posso mudar de ideia depois, mas é claro que eu acredito em você, Bel. Não consigo pensar por que você iria mentir para mim, tendo em vista o que posso oferecer à criança em comparação com o que seu marido pode lhes dar. – Laurent baixou o olhar e suspirou. – Mas, como você deve saber, não tenho ideia de como sobreviveremos. Até eu posso ver que criar um bebê no meu sótão em Montparnasse não seria adequado para ele. Ou para você.

– Posso vender algumas das minhas joias – sugeriu Bel pela segunda vez naquele dia. – E tenho algum dinheiro guardado.

Laurent olhou para ela, espantado.

– *Mon Dieu!* Você já pensou sobre isso.

– A cada minuto desde que tive certeza – admitiu ela. – Mas...

– Há sempre um "mas". – Ele revirou os olhos. – E qual é o seu?

– Fui visitar meu pai antes de vir para cá. Ele não queria sair da cama, de tão deprimido. E me contou que perdeu tudo no mercado de ações americano. Ele está falido, e arrasado por conta disso e da morte de minha mãe.

– Então agora você não se sente culpada apenas em deixar seu marido, mas também seu pai?

– Claro! – disse Bel, frustrada por ele não entender a importância de sua decisão. – Se eu for com você, meu pai vai realmente achar que perdeu tudo.

– E, se não for, nosso bebê vai perder seu *papa*. E você e eu vamos perder um ao outro – rebateu Laurent. – *Chérie*, não posso ajudá-la a tomar a decisão. Tudo o que posso dizer é que viajei meio mundo para estar com você e fiquei aqui neste apartamento durante os últimos nove meses vivendo apenas pelos momentos que passamos juntos. É claro que vou entender se você decidir ficar, mas sinto que você sempre tem um motivo para não pensar na própria felicidade.

– Eu amava tanto minha mãe, assim como amo meu pai. Por favor, lembre-se de que não foi Gustavo que me fez voltar de Paris para o Rio – implorou Bel, as lágrimas brotando em seus olhos. – Eu não queria partir o coração dos meus pais.

– Izabela, acho que você precisa de mais algum tempo para pensar. – Laurent inclinou o queixo dela para ele e beijou-a suavemente nos lábios. – Uma vez que a decisão for tomada, não haverá como voltar atrás. Seja ela qual for.

– No momento, confesso que não sei bem o que fazer.

– Infelizmente, duvido que haverá um momento melhor no futuro para se tomar uma decisão como esta. Nunca há. No entanto – ele suspirou novamente –, sugiro que nos encontremos novamente daqui a dois dias. E então você me dirá o que decidiu e pensaremos no que fazer.

Bel já havia levantado da cama e estava se vestindo. Ela colocou o chapéu e em seguida balançou a cabeça, concordando.

– Aconteça o que acontecer, querida, estarei aqui às duas horas na quinta.

❁ ❁ ❁

Assim que chegou em casa, Bel ligou para a Mansão da Princesa e pediu notícias sobre o pai. Gabriela falou que ele havia realmente levantado da cama e saído de casa, dizendo que passaria a tarde no escritório. Aliviada, Bel decidiu que, em vez de subir imediatamente, pediria a Loen que lhe levasse um suco de manga na varanda e aproveitaria o suave sol da tarde.

– Quer mais alguma coisa, dona Bel? – perguntou Loen, colocando o copo e o jarro na mesa ao lado dela.

Bel estava tentada a lhe contar seu terrível dilema. Porém, sabia que, apesar de Loen ser sua melhor amiga, não devia dividir aquele fardo com a empregada.

– Não, obrigada, Loen. Você pode preparar meu banho em dez minutos? Daqui a pouco eu subo.

Bel a viu dar a volta na casa pelo jardim e entrar pela cozinha. Agora que sua mãe se fora, ela sabia que essa era uma decisão que teria de tomar sozinha. Deu um gole no suco de manga e tentou ponderar os fatos. Embora o comportamento de Gustavo nas últimas 24 horas tivesse melhorado muito comparado aos últimos meses, Bel supunha, tendo em vista seu histórico, que aquilo seria apenas temporário. Independentemente do que ele prometera, ela duvidava de que seu marido tivesse coragem de enfrentar Luiza.

E, mais importante, não sentia nada por ele, nem mesmo um pingo de culpa. Se ela o deixasse, pelo visto a mãe dele tinha até mesmo um plano. O casamento poderia ser anulado, e Gustavo estaria livre para encontrar uma esposa mais adequada do que ela. E Bel tinha certeza de que, desta vez, a mãe faria questão de escolher a noiva por ele.

Quanto ao pai dela, já era outra história. Ficava angustiada imaginando que sua mãe nunca a perdoaria por abandonar Antônio naquele momento de necessidade. Ela também se lembrou das palavras da mãe pouco antes de morrer... que seguir seu coração só poderia acabar em desastre.

E agora, é claro, havia uma nova presença em sua vida em quem ela precisava pensar. Precisava pensar no que seria melhor para o bebê que crescia dentro dela. Se permanecesse com Gustavo, poderia dar ao filho segurança e um sobrenome, que lhe garantiriam uma vida confortável. E, é claro, ela já podia imaginar a expressão no rosto do pai quando lhe contasse que estava esperando seu primeiro neto. Só isso com certeza bastaria para lhe dar uma razão para viver.

Mas ela queria que seu filho fosse educado sob o teto austero e frio da família Aires Cabral? A criança estaria presa a uma mãe que passaria o resto da vida lamentando a decisão de ter ficado, sonhando em segredo com um mundo do qual abrira mão. E a um pai que lhe dera apenas o sobrenome...

Bel suspirou, angustiada. Por mais que pensasse, não conseguia chegar a uma decisão.

– Olá, Izabela. – Gustavo apareceu na varanda, vindo de um dos lados da casa. – O que você está fazendo aqui fora?

– Aproveitando o frescor do anoitecer – respondeu ela abruptamente, corando por ser flagrada pensando naquelas coisas.

– Claro – disse ele, sentando-se. – No Senado, o clima também esquentou. Aparentemente, em Wall Street, estão chamando o dia de hoje de "terça-feira negra". O índice Dow Jones caiu mais trinta pontos desde ontem, e a família Rockefeller está comprando uma grande quantidade de ações para tentar segurar o mercado. Não acho que tenha funcionado, mas não saberemos até amanhã exatamente o tamanho do rombo. Enfim, pelo menos meu pai parece ter tomado algumas decisões sensatas ao longo dos últimos meses, ao contrário de outros. Como estava seu pai? – perguntou.

– Péssimo. Acho que ele é um desses que você acabou de mencionar que arriscaram e perderam.

– Bem, ele não deve se sentir envergonhado. Muitos estão no mesmo barco. Não tinham como saber. Nenhum de nós tinha.

Bel se virou para ele, percebendo curiosa a tranquilidade e o bom senso da análise de Gustavo.

– Talvez você pudesse ir conversar com meu pai. Dizer a ele o que acabou de me falar.

– É claro.

– São quase sete horas e meu banho deve estar esfriando – disse ela, levantando-se do banco. – Obrigada, Gustavo.

– Por quê?

– Por compreender.

Bel começou a dar a volta para entrar na casa.

– A propósito, como foi na costureira hoje? – perguntou ele, observando--a fazer uma pausa, ainda de costas para ele.

– Foi ótimo. Obrigada por perguntar.

Ela virou e sorriu para ele antes de desaparecer de vista.

43

Depois de mais uma noite agitada, em que só conseguiu pegar no sono já pela manhã, Bel acordou atordoada e exausta. O lugar de Gustavo na cama estava vazio. Enquanto caminhava até o banheiro, pensou em como aquilo era estranho. Gustavo normalmente não acordava antes dela. Talvez ele estivesse mesmo disposto a mudar. Quando desceu para o café, encontrou apenas Luiza à mesa.

– Meu marido e o seu estão no escritório lendo os jornais. Gustavo deve ter lhe falado ontem que Wall Street sofreu outra queda. Os dois voltarão daqui a pouco ao Senado para discutir o que pode ser feito para salvar a indústria do café após esse desastre. Você vai à Igreja da Glória hoje? – perguntou Luiza com a voz calma, como se nada tivesse mudado desde o dia anterior e metade do mundo não tivesse acordado falida naquela manhã.

– Não. Preciso ir ver meu pai. Como a senhora pode imaginar, ele anda… muito abatido – respondeu Bel num tom igualmente indiferente.

– Claro. Bem, todo mundo colhe o que planta, como eu disse antes. – Luiza se levantou. – Então, na sua ausência, devo cumprir nosso dever de família e substituí-la na igreja.

Bel observou a sogra sair da sala. Sempre se espantava com a insensibilidade de Luiza. Aquilo era ainda mais insuportável porque a estabilidade financeira de sua sogra – incluindo a reforma da casa – fora garantida por Antônio, graças ao seu trabalho duro.

Irritada, Bel pegou uma laranja do cesto e a atirou contra a parede, bem na hora em que Gustavo entrou na sala.

Ele ergueu as sobrancelhas, vendo a laranja rolar de volta para baixo da mesa até onde Bel estava.

– Bom dia, Izabela – disse ele, ajoelhando-se para pegar a fruta e colocá-la no cesto em cima da mesa. – Praticando tênis?

– Sinto muito, Gustavo. É que sua mãe fez um comentário particularmente insensível.

– Ah, sim. Provavelmente ela reagiu assim porque meu pai lhe disse antes do café da manhã que você vai assumir a administração da casa a partir de agora.

Izabela o encarou.

– Como pode imaginar, ela não aceitou isso muito bem. Receio que você terá simplesmente que ignorar os ataques causados por essa notícia.

– Farei o melhor possível – disse ela. – Sua mãe me falou que você vai ao Senado novamente hoje?

– Sim. As notícias estão chegando aos poucos de Nova York. Aparentemente, ontem foi um banho de sangue. – Gustavo deu um suspiro. – Houve gente se atirando das janelas por toda a Wall Street. Trinta bilhões de dólares sumiram com a quebra da bolsa. Em poucas horas, o preço do café despencou.

– Então meu pai tinha razão em pensar que estava tudo acabado para ele?

– Com certeza é um enorme desastre para todos os cafeicultores e, mais ainda, para a economia do Brasil como um todo – explicou Gustavo. – Posso sugerir que seu pai venha jantar conosco esta noite? Talvez eu possa encontrar um jeito de ajudá-lo. Pelo menos meu pai e eu podemos lhe contar o que o governo anda dizendo, se ele não quiser aparecer no Senado.

– Isso seria muito gentil, Gustavo. Eu irei visitá-lo mais tarde e vou sugerir que ele venha – respondeu Bel, agradecida.

– Que bom. E, permita-me dizer, você está linda hoje. – Gustavo beijou delicadamente a cabeça de Bel. – Vejo você no almoço.

Bel ligou para a casa do pai e, como Antônio decidira ir ao escritório naquela manhã, pediu a Gabriela que o avisasse do convite para jantar. Depois foi para o quarto e viu da janela quando Jorge voltou depois de levar Maurício e Gustavo até o prédio do Senado. Então, vinte minutos depois, o carro saiu novamente com Luiza.

Bel foi novamente para o andar de baixo e andou pelo corredor, feliz por estar sozinha em casa. Na bandeja de prata, viu uma carta endereçada a ela. Pegou o envelope, saiu pela porta da frente, deu a volta na casa até a varanda de trás e se sentou no banco para ler.

Avenue de Marigny, 48
Apartamento 4
Paris, França
5 de outubro de 1929

Minha querida Bel,

Mal posso acreditar que já faz mais de um ano que não a vejo, desde que você foi embora de Paris. Escrevo para lhe contar que estamos voltando para nossa casa no Rio, agora que papai terminou seus cálculos para o Cristo e quer supervisionar os estágios finais da construção. Quando estiver lendo isto, já estaremos em algum lugar do oceano Atlântico. Ficará feliz em saber que poderei conversar com você em francês, já que as aulas e meu trabalho no hospital me tornaram proficiente, se não fluente. Deixo Paris com uma mistura de emoções. Você vai se lembrar de que, quando cheguei aqui, quase tive medo; mas, agora, posso dizer sinceramente que sentirei saudades deste lugar – em toda a sua complexidade – e talvez, em comparação, ache o Rio claustrofóbico. Mas estou ansiosa para fazer muitas coisas, incluindo ver você, minha querida amiga.

Como está a saúde de sua mãe? Em sua última carta, você me contou que estava preocupada com ela, e espero que Carla já esteja recuperada. Por falar em saúde, escrevi para a Santa Casa de Misericórdia e vou entrar no curso de enfermagem deles quando voltar. Isso me manterá longe de problemas, tenho certeza. Infelizmente, não conheci meu conde francês enquanto estive aqui, e nenhum homem mostrou interesse por mim, então decidi que, por enquanto, me casarei apenas com a minha carreira.

Como está Gustavo? Em breve estaremos ouvindo o som de pezinhos pela casa? Você deve estar louca para ser mãe, e com certeza é a única parte do casamento pela qual também anseio.

Nosso navio chega em meados de novembro. Telefono para você quando estiver em casa, e então poderemos conversar melhor.

A propósito, Margarida manda lembranças. Ela ainda está em Paris investindo em sua carreira artística. Ela também disse que o professor Landowski perguntou por você. Fiquei sabendo que monsieur Brouilly está no Rio, trabalhando no projeto do Cristo. Você o viu?

Um grande beijo da sua amiga,
Maria Elisa

Bel foi tomada pela tristeza quando lembrou como sua vida parecia relativamente simples quando fora para Paris havia dezoito meses. Seus pais estavam bem, vivos e contentes, e seu futuro – apesar de não ser exatamente o que desejava – estava planejado.

Agora, enquanto estava ali sentada, pensando que era esposa de um homem, amante de outro, com a mãe morta, o pai falido e arrasado, e uma criança que devia proteger a todo custo crescendo em seu ventre, Bel sentia que a vida era uma gangorra de prazer e dor. Nada permanecia igual de um dia para o outro e nada era certo.

Ela pensou em quantos milhares de pessoas estavam financeiramente seguros e felizes havia poucos dias e descobriram naquela manhã que tinham perdido tudo.

E ali estava ela, sentada naquela bela casa, com um marido que podia não ser o belo príncipe com quem sonhara quando era mais jovem, mas que lhe dava tudo o que ela queria. Como tinha o direito de reclamar? E como podia *cogitar* deixar seu pobre pai, depois de ele ter trabalhado tanto para ela estar ali?

Quanto ao bebê em seu ventre, a ideia de fugir para Paris rumo a um futuro incerto, que poderia sujeitar seu filho à pobreza quando a criança poderia desfrutar de toda a segurança ali, a fez perceber como seu amor por Laurent a tornara egoísta.

Por mais desoladora que fosse a ideia, Bel se forçou a pensar em como seria permanecer no Rio de Janeiro, casada com Gustavo. Embora tivesse certeza de que o bebê não era do marido, ele tinha motivos suficientes para acreditar que era. Imaginou a cara dele quando ela lhe contasse que estava grávida. A promessa de um recomeço que o marido lhe fizera no dia anterior ganharia mais força com essa novidade, que também colocaria Luiza em seu devido lugar de uma vez por todas.

Bel olhou a distância. Naturalmente, isso significaria desistir da pessoa que mais amava na vida... e de qualquer chance de felicidade com que os dois sonharam tantas vezes. Mas o mais importante na vida era apenas a sua própria felicidade? E ela conseguiria ser feliz lembrando que abandonara o pai viúvo no momento em que ele mais precisava? Bel sabia que não conseguiria se perdoar por isso.

– Dona Bel? Quer que eu lhe traga algo para beber? O sol está muito quente – perguntou Loen, aparecendo na varanda.

– Obrigada, Loen. Eu queria um pouco d'água.

– É claro. A senhora está bem?

Bel fez uma pausa antes de responder.

– Vou ficar, Loen. Vou ficar.

❀ ❀ ❀

Naquela noite, Antônio apareceu para jantar. Gustavo o recebeu calorosamente e os três homens se trancaram no escritório de Maurício por uma hora. Antônio saiu de lá parecendo bem mais calmo, com Gustavo logo atrás dele.

– Seu marido gentilmente se ofereceu para me ajudar. Pelo menos ele tem algumas ideias. É um começo, Izabela, e sou muito grato por isso, senhor – acrescentou o pai dela, curvando-se para Gustavo.

– Não foi nada, Antônio. Afinal, o senhor faz parte da família.

Bel respirou fundo, sabendo que precisava falar naquele momento ou perderia a coragem e poderia mudar de ideia.

– Gustavo, posso conversar a sós com você antes do jantar?

– Claro que sim, minha querida.

Maurício e Antônio seguiram para a sala de jantar enquanto Bel levava Gustavo para a sala de visitas e fechava a porta.

– O que houve? – indagou Gustavo, a testa franzida de preocupação.

– Por favor, não há nada com que se preocupar – assegurou Bel. – Na verdade, espero que você considere uma boa notícia. Eu queria lhe contar agora, para talvez anunciarmos a novidade juntos durante o jantar. Gustavo, estou esperando um filho.

Bel viu a reação de seu marido passar imediatamente da preocupação para a alegria.

– Izabela, você está me dizendo que está grávida?

– Sim.

– Meu Deus! Não consigo acreditar! Minha garota esperta! – disse ele, indo abraçá-la. – Esta notícia vai calar minha mãe para sempre.

– E torço para que agrade ao filho dela – replicou Bel com um sorriso.

– Mas é claro, é claro, querida. – Gustavo agora ria de orelha a orelha. – Acho que nunca me senti tão feliz assim. E a notícia não poderia ter vindo em melhor hora para todos da família. E para você, Izabela, que sofreu uma perda tão recente. E, é claro, para seu pai, a quem meu pai e eu esperamos poder ajudar. Eu insisti nisso – acrescentou. – Não é mais do que justo, dada a generosidade dele no passado. Você tem certeza absoluta de que está grávida, Izabela?

– Sim. O médico confirmou. Fui vê-lo ontem e ele me telefonou hoje cedo.

– Isso explica tudo! – exclamou Gustavo, o alívio estampado em seu rosto. – Ontem à tarde fui buscá-la na costureira depois da reunião no Senado, mas madame Duchaine me disse que você não tinha nenhum horário marcado e que não havia passado no ateliê. Você estava no médico, não é mesmo?

– Sim – mentiu Bel, o coração tomado pelo medo.

– Por alguns minutos, fiquei parado em frente ao ateliê pensando por que você teria mentido para mim e até me perguntei se você tinha um amante – continuou Gustavo, rindo ao beijá-la na testa. – Eu não podia estar mais errado. Você sabe para quando é o bebê?

– Para daqui a aproximadamente seis meses.

– Então você já passou do período de risco, e sim, é claro, devemos dar a notícia a todos. – Gustavo quase pulava como uma criança animada enquanto a levava até a porta. – Ah, minha querida Izabela, você fez de mim o homem mais feliz do mundo. E juro a você que farei de tudo para ser o pai que nosso filho merece. Agora, vá para a sala de jantar enquanto vou à adega buscar uma garrafa de nosso melhor champanhe!

Gustavo lhe soprou um beijo ao sair, e Bel ficou parada por alguns segundos, sabendo que seu caminho fora traçado. E, independentemente do que acontecesse, teria que viver com o peso daquela mentira até o dia de sua morte.

❂ ❂ ❂

O jantar daquela noite se transformou em uma comemoração, e o olhar de alegria no rosto de Antônio quando Gustavo anunciou a novidade deu a Bel a certeza de que tomara a decisão certa. Além disso, a expressão fria no rosto de Luiza lhe proporcionara mais uma leve satisfação. Depois do jantar, Gustavo se virou para Bel:

– Já passa das dez, minha querida, e você deve estar exausta. Venha –

disse ele, puxando a cadeira para trás e ajudando-a a se levantar. – Eu a acompanho até lá em cima.

– Não precisa – murmurou Bel, envergonhada. – Estou me sentindo muito bem.

– Não importa. Você e o bebê passaram algumas semanas difíceis, e todos nós devemos cuidar de você agora – acrescentou ele, olhando diretamente para a mãe.

Bel se despediu de todos e então deu a volta na mesa para abraçar o pai com força, sem se importar com o protocolo.

– Boa noite, pai.

– Durma bem, Izabela, e eu juro que o avô do pequeno vai deixá-lo orgulhoso – sussurrou, apontando para a barriga dela. – Venha me visitar em breve.

– Eu vou, pai.

Gustavo foi com a mulher até o quarto, mas parou na entrada, indeciso.

– Izabela, agora que está... nesta condição, você deve me dizer se prefere dormir sozinha até a criança nascer. Acredito que é o que os casais fazem nessas circunstâncias.

– Se você acha que seria mais apropriado, então sim – concordou ela.

– E, de agora em diante, você deve repousar o máximo possível. Não pode se cansar.

– Gustavo, não estou doente, só grávida. E quero levar minha vida o mais normalmente possível. Amanhã à tarde, preciso mesmo ir à madame Duchaine lhe pedir que ajuste minhas roupas para a barriga que vai crescer. – Deu um sorriso tímido.

– Sim, claro. Bem, então, boa noite.

Ele andou até ela e lhe deu dois beijos no rosto.

– Boa noite, Gustavo.

Ele deu um sorriso e saiu do quarto. Bel afundou na beirada da cama, o coração batendo com uma mistura de emoções conflitantes. Seus pensamentos viajaram até Laurent, que a estaria esperando em seu apartamento na tarde seguinte. Bel se levantou, foi até a janela e olhou para as estrelas, que a faziam se lembrar de maneira tão dolorosa das noites estreladas no ateliê de Landowski, em Boulogne-Billancourt. Lembrou-se especialmente da noite em que encontrara o menino sob os arbustos do jardim, e como seu sofrimento servira como catalisador para o início do caso de amor com Laurent.

– Eu sempre vou amar você – sussurrou ela para as estrelas.

Bel se preparou para dormir, depois foi até a escrivaninha que ficava sob a janela. Como Gustavo a procurara no ateliê de madame Duchaine no dia anterior – embora puramente por amor, e não por desconfiança –, Bel sabia que não podia se arriscar indo ao apartamento de Laurent no dia seguinte. Em vez disso, iria mesmo à costureira e mandaria Loen como sua emissária, levando a carta que escreveria agora…

Então pegou uma folha de papel da gaveta e uma caneta, e se sentou, olhando a noite estrelada e pedindo aos céus que lhe ajudassem a escrever as últimas palavras que diria a Laurent na vida.

Duas horas depois, ela leu a carta uma última vez.

> *Mon chéri,*
>
> *O simples fato de você ter recebido este envelope de Loen já deve ter deixado claro que não posso ir com você para Paris. Mesmo que meu coração esteja partido ao escrever isto, sei quais são meus deveres. E não posso, mesmo pelo meu amor por você, fugir deles. Só espero e rezo para que você entenda que minha decisão foi tomada puramente com base nisso, e não quer dizer que meu amor e meu desejo por você tenham diminuído. Adoraria passar toda a eternidade ao seu lado. Fico aqui olhando para as estrelas e desejando de todo o coração que tivéssemos nos conhecido em uma época diferente, pois não tenho dúvidas de que, se fosse assim, estaríamos juntos agora.*
>
> *Mas esse não era o nosso destino. E espero que você, assim como eu, possa aceitar nossa sina. Tenha certeza de que acordarei pensando em você todos os dias da minha vida, rezando por você e amando-o com todo o meu coração.*
>
> *Meu maior medo é de que seu amor se transforme em ódio depois desta traição. Eu lhe imploro, Laurent, não me odeie. Leve o que vivemos no coração e siga em frente. Espero que o futuro lhe traga felicidade.*
>
> *Au revoir, mon amour.*
>
> *Bel*

Bel dobrou a carta e selou-a em um envelope, que deixou em branco por medo de ser descoberta. Depois abriu a gaveta e guardou-a no fundo, sob uma pilha de envelopes.

Ao fechar a gaveta, viu o triângulo de pedra-sabão, que usava para apoiar o tinteiro. Pegou-o e sentiu sua superfície suave. Então, num impulso, virou-o e mergulhou a caneta na tinta mais uma vez.

30 de outubro de 1929
Izabela Aires Cabral
Laurent Brouilly

Em seguida, sob seus nomes, escreveu cuidadosamente uma de suas citações favoritas, de uma parábola de Gilbert Parker.

Depois que a tinta secou, ela escondeu o ladrilho junto com a carta sob a pilha de envelopes. Quando Loen viesse vesti-la de manhã, ela lhe diria o que devia fazer com eles. Se o ladrilho não poderia ser colocado no Cristo, então pelo menos serviria para Laurent como uma lembrança perfeita do tempo que passaram juntos.

Bel levantou lentamente da escrivaninha e deitou na cama, enroscando-se como o feto que havia dentro dela, como se os braços envolvendo seu peito pudessem, de alguma forma, unir seu coração partido.

44

— Izabela não vai tomar café conosco? – perguntou Luiza ao filho.

– Não, pedi a Loen que levasse uma bandeja para ela lá cima – respondeu Gustavo, juntando-se à mãe à mesa do café.

– Ela está doente?

– Não, mãe, mas durante os dois últimos meses ela cuidou da pobre mãe dia e noite. E isso, como a senhora pode imaginar, teve seu preço. Portanto, acho melhor que ela fique repousando agora.

– Espero que ela não seja uma grávida muito cheia de não me toques – disse Luiza. – Eu certamente não fui.

– Sério? Eu estava conversando com papai na noite passada e ele falou como a senhora ficou enjoada enquanto estava grávida de mim e que raramente se levantava da cama – rebateu ele enquanto se servia de café. – De qualquer maneira, a senhora esperava por isso havia muito tempo, não é mesmo? Deve estar radiante.

– Estou, mas…

Gustavo notou Luiza fazer um sinal para a empregada sair.

– Feche a porta, por favor – acrescentou ela.

– O que foi, mãe? – perguntou Gustavo com um suspiro cansado.

– Esta manhã, rezei muito na capela, pedindo orientação para saber se deveria lhe contar o que sei ou não.

– Bem, já que pediu à empregada que nos deixasse a sós, presumo que tenha tomado sua decisão. E imagino que tenha a ver com algum tipo de comportamento inadequado da minha esposa que a senhora acredita ter notado. Estou certo?

O rosto de Luiza exibiu uma expressão exagerada de sofrimento.

– Infelizmente, sim.

– Bem, então, diga logo. Tenho um dia cheio pela frente.

– Tenho razões para acreditar que sua esposa não tem sido… fiel.

– O quê?! – exclamou Gustavo com raiva. – Mãe, acho que a senhora está realmente perdendo a razão! Por acaso tem alguma prova?

– Gustavo, entendo sua descrença e sua raiva, mas posso lhe garantir que não estou enganada. E sim, eu tenho provas.

– Sério? E que provas são essas?

– Jorge, nosso motorista, que, como você sabe, trabalha para mim há anos, viu Izabela entrar no prédio de um certo... – Luiza torceu o nariz – cavalheiro.

– Quer dizer que Jorge a levou a algum lugar para talvez visitar uma amiga e a senhora transformou isso em uma acusação ridícula? – disse Gustavo, levantando-se da mesa. – Não quero mais ouvir suas intrigas! O que espera conseguir com isso?

– Por favor, Gustavo, imploro que se sente e ouça – insistiu Luiza. – Sua esposa nunca pediu a Jorge que a levasse diretamente ao endereço deste jovem em particular. Na verdade, ele a deixava em frente ao ateliê de madame Duchaine. Então, uma tarde, quando ficou preso no trânsito, ele viu Izabela sair da costureira alguns minutos depois que chegou e andar apressada pelas ruas de Ipanema.

Gustavo sentou-se pesadamente.

– Então Jorge veio lhe contar isso por vontade própria?

– Não – admitiu Luiza. – Comecei a desconfiar quando fui, certa tarde de maio, à Igreja da Glória, para onde sua esposa havia me dito que estava indo quando saiu de casa uma hora antes. Mas, quando cheguei, ela não estava lá. Então, é claro, perguntei a Jorge, naquela noite, onde Izabela havia lhe pedido que a buscasse. Ele me contou que haviam marcado em frente ao ateliê de madame Duchaine e me confessou o que acabei de dizer. Eu pedi a ele que, na próxima vez que a levasse até lá e a visse sair depois de alguns minutos, seguisse sua mulher para descobrir aonde ela estava indo. E foi o que ele fez.

– Quer dizer que pediu a Jorge que a espionasse?

– Se você prefere colocar as coisas desse jeito, então sim. No entanto, eu só estava tentando proteger você, meu querido filho. Precisa entender que minhas intenções eram boas. Havia algo que me preocupava desde o início do seu casamento.

– E o que era?

– Eu... – Luiza teve a decência de corar. – Bem, Gustavo, eu sou sua mãe. Naturalmente, queria ter certeza de que tudo havia saído conforme o esperado em sua noite de núpcias. Então pedi à camareira do Copacabana Palace que me dissesse se de fato havia sido.

– A senhora fez *o quê*?

Gustavo se levantou e deu a volta furioso na mesa em direção à mãe.

– Por favor, Gustavo! – Luiza ergueu os braços para se proteger. – Sua esposa tinha acabado de passar meses em Paris. Achei que era meu dever me certificar de que ela ainda era... pura. A camareira me contou que não havia nenhum sinal de sangue nos lençóis ou na colcha.

– A senhora subornou uma empregada para obter informações sobre a virgindade da minha esposa?

Gustavo balançou a cabeça, tentando controlar a raiva que sentia da mãe, embora soubesse que ela falava a verdade sobre sua noite de núpcias.

– Bem – Luiza olhou para ele –, os lençóis estavam manchados?

– Como se atreve a me perguntar isso?! – bradou Gustavo. – É um assunto particular entre mim e minha esposa!

– Presumo que não estavam – disse Luiza, quase contente. – Então, Gustavo, quer que eu continue? Você está ficando agitado. Podemos deixar o assunto para lá, se você preferir.

– Não, mãe, a senhora foi longe demais para parar agora. E tenho certeza de que está ansiosa para me contar com quem Izabela tem se encontrado em segredo.

– Posso lhe assegurar que não fico nem um pouco feliz em lhe dizer isso – continuou Luiza, com uma expressão de triunfo nos olhos que dizia exatamente o oposto –, mas a... "pessoa" em questão é alguém que todos nós conhecemos.

Gustavo tentou de todo jeito pensar em um nome antes de sua mãe lhe dizer, mas não conseguiu.

– E quem é, afinal?

– Um jovem cavalheiro que desfrutou de nossa hospitalidade aqui em casa. Na verdade, um rapaz para quem você pagou uma grande soma em dinheiro, pois gostaria de dar a sua esposa um presente muito especial de casamento. O apartamento que Izabela tem visitado regularmente não é outro se não o do Sr. Laurent Brouilly, o escultor.

Gustavo abriu a boca para falar, mas as palavras não saíram.

– Compreendo que seja um choque terrível para você, Gustavo, mas, levando em conta que sua esposa está grávida, depois de meses sem conseguir conceber, achei que devia lhe contar.

– Basta! – gritou Gustavo. – Concordo que é possível que Izabela tenha visitado este homem durante o tempo em que ele esteve aqui no Brasil. Eles se tornaram amigos em Paris. E a senhora mesma mandou Alessandra Silveira até Brouilly para que ele a esculpisse. Mas a senhora, mãe, não teria como estar no quarto com eles. Insinuar que o filho que minha esposa espera é ilegítimo sinceramente é imoral!

– Posso entender sua reação – disse Luiza calmamente. – E, se eu estiver certa, é realmente imoral.

Gustavo andava de um lado para o outro, tentando se acalmar.

– Então me diga *por que* ajudou esse homem, que suspeita ser amante da minha esposa, a conseguir trabalho? Foi *a senhora* quem o apresentou à sociedade, quem o ajudou, com suas recomendações, a receber encomendas. E, se me lembro corretamente, até mesmo lhe deu um bloco de pedra-sabão da pedreira da nossa família para ele poder trabalhar! *A senhora* prolongou a estadia dele aqui no Rio. Por que diabos a senhora faria isso se estava desconfiada do relacionamento dele com Izabela?

Gustavo olhava furioso para ela.

– Porque, na verdade, mãe, queria difamar minha esposa. A senhora não gostava dela desde o começo. E passou todos os dias de nossa vida de casados tratando-a de forma arrogante, como se ela fosse simplesmente um transtorno a ser suportado. Não me surpreenderia se quisesse que nosso casamento fracassasse antes mesmo de começar! – Gustavo agora gritava por cima da mesa com Luiza. – Não quero ouvir mais nada. E posso lhe garantir que cuidarei para que Izabela assuma sua posição de direito nesta casa assim que possível. Se continuar interferindo em nosso casamento, vou colocá-la para fora daqui! Está entendendo?

– Estou – respondeu Luiza, sem demonstrar nenhuma emoção. – Além disso, você não precisa mais se preocupar com o Sr. Brouilly. Ele volta para Paris amanhã.

– A senhora continua a espioná-lo? – gritou Gustavo.

– Não. Deixei de ajudá-lo assim que Izabela foi para a fazenda com a mãe. Sem encomendas, e como sua esposa estava longe do Rio, sabia que não demoraria muito para ele decidir voltar para Paris. Ele me escreveu há dois dias me informando sobre sua partida e agradecendo pela ajuda. Pegue – disse Luiza, entregando-lhe um envelope. – Você pode ler, se quiser. E verá o endereço do apartamento dele em Ipanema na parte de cima.

Gustavo pegou o envelope e encarou a mãe com ódio. Suas mãos tremiam tanto que teve dificuldade em enfiar o envelope no bolso da calça.

– Apesar de a senhora dizer que fez isso por amor a mim, pode ter certeza de que não acredito nem um pouco. E não quero ouvir mais uma palavra sobre isso. Eu fui claro?

– Sim.

Com um discreto sorriso, Luiza viu o filho sair da sala.

❖ ❖ ❖

Apesar do que sentia, Gustavo conseguiu manter uma calma aparente quando Izabela saiu com a empregada para ir ao ateliê de madame Duchaine. Enquanto via o carro sair, ele pensou que uma maneira de descobrir imediatamente se havia algum fundamento na história que sua mãe lhe contara era perguntar ao motorista. Mas, tendo em vista que Jorge trabalhava para Luiza havia mais de trinta anos, Gustavo não podia confiar que ele fosse falar a verdade. Quando entrou na sala de estar, seu primeiro impulso foi pegar a garrafa de uísque, mas se conteve, sabendo que não pararia na primeira dose, e ele precisava manter a mente bem clara.

Enquanto andava de um lado para o outro na sala de estar, perguntava-se como a alegria que sentira ao acordar naquela manhã podia ter se transformado em raiva e dúvida apenas duas horas depois, e tentava ponderar tudo o que sua mãe dissera. Mesmo que houvesse algo de verdadeiro naquela história, acusar Izabela de estar grávida de outro homem só podia ser invenção de uma pessoa lunática. Afinal, muitas mulheres casadas tinham admiradores, e Gustavo não era burro de acreditar que sua bela esposa não tinha os seus. Talvez esse Brouilly tenha se interessado por Bel durante a temporada em Paris – e até lhe pedira para posar para ele novamente no Rio –, mas não conseguia acreditar que ela tivesse se entregado fisicamente a ele.

No entanto, algo que sua mãe falara ainda o incomodava: a ausência de sangue nos lençóis em sua noite de núpcias. Gustavo não era médico e talvez Izabela tivesse dito a verdade naquela noite, mas...

Gustavo desabou em uma cadeira, as mãos apoiadas na cabeça, tomado pelo desespero.

Se ela tivesse mentido, a enormidade da traição era simplesmente terrível demais para suportar. Ele havia encorajado Izabela a ir para Paris por razões puramente altruístas, porque realmente a amava e confiava nela.

Com certeza, o melhor a fazer era deixar para trás toda aquela história sórdida. A carta que Brouilly enviara para sua mãe de fato confirmava que ele voltaria à França de navio no dia seguinte. O que quer que tivesse se passado entre os dois, com certeza já havia terminado.

Sim, concluiu Gustavo, levantando e caminhando, determinado, até o escritório do pai para ler os jornais. Ele esqueceria todas aquelas bobagens de sua mãe, assegurou a si mesmo. Mas ali, sentado, tentando se concentrar na carnificina financeira que atingira tanto o Brasil quanto os Estados Unidos, percebeu que não conseguia. As palavras de sua mãe tinham plantado terríveis sementes de dúvida em sua cabeça, como ela sabia que aconteceria. E, até ter certeza, Gustavo não conseguiria descansar. Ao ver que Jorge voltara depois de deixar Izabela, ele pegou o chapéu e entrou no carro para segui-la.

❀ ❀ ❀

Bel se examinava no espelho enquanto madame Duchaine lhe dava os parabéns e lhe assegurava que seria simples adaptar as roupas que tinha feito para acomodar a barriga que cresceria nos próximos meses.

– Sempre achei que as formas de uma mulher grávida têm sua própria magia – comentou madame Duchaine enquanto Bel olhava para Loen e acenava com a cabeça para ela de maneira quase imperceptível.

Loen levantou da cadeira e caminhou até a patroa.

– Dona Izabela, preciso ir à farmácia buscar o tônico que seu médico sugeriu que a senhora tomasse. É neste mesmo quarteirão. Volto o mais depressa possível.

Bel reprimiu um sorriso triste quando sua empregada repetiu como um papagaio a frase que sugerira que ela dissesse.

– Tenho certeza de que ficarei bem nas mãos competentes de madame Duchaine – respondeu.

– É claro que vai. – Madame Duchaine deu um sorriso afável para Bel.

Enquanto Loen deixava o ateliê, Bel pôde notar que os olhos dela estavam arregalados de medo. Sabia que estava pedindo muito à sua empregada, mas que escolha tinha? "Boa sorte", pensou, então respirou fundo e virou de novo para o espelho.

❂ ❂ ❂

Gustavo havia pedido a Jorge que o levasse ao clube, que ficava a poucos minutos a pé do ateliê de madame Duchaine e do apartamento em que Brouilly aparentemente residia. Ele saiu do clube e caminhou a passos largos, concluindo que, como sua esposa saíra vinte minutos antes, o melhor seria ir direto ao apartamento de Brouilly. Achou um café do outro lado da rua e se escondeu em uma mesa de canto na calçada e, sentindo-se tolo, usou um jornal para se esconder. Por cima das folhas, seus olhos corriam nervosamente de um lado para o outro da rua movimentada. A garçonete veio anotar seu pedido e, sem desviar o olhar, ele pediu um café.

Vinte minutos depois, ainda não havia nenhum sinal de sua esposa correndo pela rua para se encontrar com seu suposto amante. Todos os seus instintos lhe diziam para ir embora e esquecer tudo aquilo. Mas, pensou ele, talvez Bel fosse à costureira primeiro, para ter um álibi. Então ele cerrou os dentes e se obrigou a continuar onde estava.

Não muito tempo depois, Gustavo avistou um rosto familiar andando rápido pela rua. Não era sua esposa, mas a empregada dela, Loen. Ele se levantou depressa, derrubando o copo ainda cheio, e atirou algumas moedas na mesa. Em seguida, correu em meio ao tráfego até o outro lado da rua. Passou do prédio de Laurent, mantendo-se afastado de Loen, que se aproximava hesitante, parando de vez em quando, como se não tivesse certeza de seu destino, e se escondeu na entrada do prédio ao lado do de Brouilly.

Que seja apenas uma coincidência, rezou ele, mas alguns segundos depois, quando Loen parou em frente à entrada do prédio, a apenas alguns metros de onde estava, Gustavo soube que não era. Gustavo apareceu na frente de Loen no momento em que ela ia entrar.

– Olá, Loen – disse ele no tom mais gentil que conseguiu. – Aonde você está indo?

Se Gustavo queria provas da culpa de sua esposa, bastava ver o pavor no rosto da empregada quando olhou para ele.

– Eu...

– Sim? – Gustavo cruzou os braços e esperou pela resposta.

– Eu...

Então ele notou que ela protegia o bolso do avental com uma das mãos. Pelo formato, parecia que ali dentro havia um envelope.

– Está indo entregar alguma coisa para sua patroa?

– Senhor, achei que esta fosse a entrada da farmácia. Eu... acho que errei o endereço. Me perdoe...

– É mesmo? Você vai buscar um remédio para minha esposa?

– Sim. – Ele percebeu a expressão súbita de alívio nos olhos dela quando lhe ofereceu uma explicação. – Deve ser mais para a frente na rua.

– Na verdade, eu sei exatamente onde é. Então por que você não me entrega a receita e eu mesmo vou até a farmácia?

– Senhor, a dona Bel me fez jurar que eu levaria esta... receita à farmácia pessoalmente.

– E, como sou o marido dela, tenho certeza de que ela acharia que a receita está segura em minhas mãos, não é mesmo?

– Sim. – A empregada baixou os olhos, resignada. – É claro.

Gustavo estendeu a mão e Loen tirou o envelope do bolso, os olhos angustiados e suplicantes quando ele o pegou.

– Obrigado – disse Gustavo, guardando-o no bolso de cima do paletó. – Prometo que a levarei em segurança ao destinatário correto. Agora, volte depressa para sua senhora, que com certeza está querendo saber por onde você anda.

– Senhor, por favor...

Gustavo ergueu a mão para deter qualquer protesto.

– Senhorita, a menos que queira ser atirada na rua sem nenhuma carta de recomendação assim que eu chegar em casa, sugiro que não fale sobre este encontro com minha esposa. Não importa quanto você seja fiel a ela, sou eu quem decide quem são os empregados de nossa família. Está me entendendo?

– Sim, senhor – respondeu a empregada, com a voz trêmula e os olhos cheios de lágrimas.

– Agora sugiro que volte depressa ao ateliê de madame Duchaine e busque o remédio na farmácia, que, se não me engano, fica a apenas alguns metros de lá, para manter seu álibi.

– Sim, senhor.

Loen saudou-o com uma reverência, nervosa, e voltou pelo caminho de onde viera.

Imediatamente, Gustavo chamou um táxi que passava. Precisaria de uma dose de um uísque forte para ler o que havia no envelope, então pediu ao motorista que o levasse ao clube.

Loen se escondeu logo depois da esquina, sabendo que suas pernas não a levariam a lugar nenhum do jeito que tremiam. Estava sentada na entrada de um prédio quando viu Gustavo passar em um táxi.

Enfiou a cabeça entre as pernas e respirou fundo, tentando clarear a mente depois do choque por causa do que acabara de acontecer. Embora não soubesse direito o que havia no envelope, podia muito bem imaginar. Não tinha ideia do que deveria fazer e só queria que Bruno estivesse com ela para aconselhá-la.

Loen tinha seus próprios problemas no momento, que não conseguira contar à sua patroa, já que Bel andava tão abalada pela morte da mãe e, depois, pela descoberta de que estava grávida.

A verdade é que Izabel não era a única mulher na Casa das Orquídeas passando por aquela situação. Loen descobrira que estava grávida havia três semanas. Contara a Bruno pouco antes de deixar a fazenda, e ele a fizera prometer que conversaria com Bel. Loen pretendia pedir à patroa que a deixasse trabalhar permanentemente na fazenda, para que os dois pudessem se casar e criar o filho lá.

Loen não sabia quem era o dono da fazenda, mas achava que o marido normalmente passava a ser o proprietário dos bens da mulher quando se casavam. Se fosse o caso, Gustavo teria o poder de impedir que ela ou Bruno trabalhassem para a família. O que significava que os planos que tinham para o futuro virariam pó. Eles seriam apenas outro casal negro e pobre atirado às ruas, sem dinheiro e com a mulher grávida, fadado a ocupar uma das favelas em expansão, onde morariam ao lado de outras pessoas famintas como eles.

Tudo isso aconteceria... *se* ela contasse à sua senhora o que houvera.

Sua respiração começou a desacelerar, então Loen passou a pensar mais claramente, e seus dedos tocaram o contorno da vida que crescia dentro dela. Assim como Bel, ela também tinha uma decisão a tomar. E rápido. O patrão lhe pedira que não falasse nada – em outras palavras, que traísse a confiança que Bel sempre depositara nela. Sob quaisquer outras circunstâncias, ela não se submeteria à vontade de Gustavo, não importando o que custasse. Ela teria corrido direto para o ateliê de madame Duchaine e chamado a dona Bel para dar uma volta, e então lhe contaria o que havia acontecido para que sua patroa pudesse se preparar para o que teria de enfrentar quando voltasse para casa.

Afinal, estava com a dona Bel desde criança. E, assim como sua mãe, devia tudo o que tinha à família Bonifácio.

Mas agora Loen sabia que devia pensar em si mesma. Seus dedos se moveram de sua barriga até o outro bolso do avental. E sentiram o ladrilho suave que estava lá dentro. Talvez fosse mais fácil mentir se tivesse concluído pelo menos metade de sua missão.

Tomou sua decisão e, como sabia que o Sr. Gustavo não voltaria de onde quer que tivesse ido nos próximos minutos, Loen se levantou e correu às cegas até o apartamento de Laurent Brouilly.

Poucos minutos depois, ela chegou ofegante à porta do apartamento dele e bateu com força.

A porta se abriu imediatamente, e ele estendeu os braços em sua direção.

– *Chérie*, eu estava começando a me preocupar, mas...

Quando Laurent Brouilly percebeu que não era sua amada, Loen viu a expressão alegre de seu rosto se contrair pela dor da compreensão.

– Ela mandou você? No lugar dela? – indagou ele, cambaleando um pouco e segurando a porta em busca de apoio.

– Sim.

– Então ela não vem?

– Não, senhor, eu sinto muito. Ela me pediu que lhe trouxesse algo.

Loen estendeu o ladrilho de pedra-sabão e ele o pegou.

– Acho que há uma mensagem atrás – sussurrou ela.

Laurent virou o ladrilho lentamente em suas mãos e leu a inscrição. Então ergueu o olhar e Loen notou lágrimas surgirem em seus olhos.

– *Merci*... Quer dizer, obrigado.

E, em seguida, bateu a porta.

Gustavo sentou-se em uma parte tranquila da biblioteca, grato por estar praticamente vazia, como costumava ficar desde que começara a crise de Wall Street. Pediu o uísque de que tanto precisava e estudou o envelope que estava na mesa ao seu lado. Tomou a bebida de um só gole e logo pediu outra. Quando a nova dose chegou, ele respirou fundo e abriu a carta.

Alguns minutos depois, pediu ao garçom uma terceira dose de uísque e ficou sentado, catatônico, olhando para o nada.

Mesmo que a carta não provasse exatamente o que sua mãe insinuara, mostrava sem sombra de dúvida que sua esposa estava apaixonada por outro homem. Tão perdidamente apaixonada que chegara a pensar em fugir com ele para Paris.

Só isso já era terrível, mas, lendo as entrelinhas, a carta dizia algo mais: se Izabela falava sério sobre suas intenções de ir embora com Brouilly, com certeza seu amante devia saber sobre seu atual estado. O que por sua vez provavelmente significava que o filho que a esposa esperava era do amante...

Gustavo releu a carta, agarrando-se à ideia de que ela pudesse também ser interpretada como uma forma de se livrar de Brouilly de uma vez por todas, evitando que ele fizesse um escândalo. Ciente de que Izabela o amaria para sempre, mas que o relacionamento dos dois era impossível, um admirador ardente e desesperado acabaria cedendo e indo embora ao se dar conta de que aquilo simplesmente não era para ser.

Gustavo suspirou e percebeu que se agarrava a migalhas. Lembrou-se de Brouilly, de seu belo porte e suas belas feições gaulesas. Sem dúvida, ele era um homem que qualquer mulher acharia atraente, e para algumas seu talento o tornaria ainda mais desejável. Bel ficara horas sentada em seu estúdio em Paris... Só Deus sabia o que tinha se passado entre eles enquanto ela estava lá.

E ele a deixara ir, como um boi para o abate, como sua mãe sempre suspeitara.

Durante a meia hora seguinte, enquanto bebia um uísque após o outro, Gustavo experimentou uma gama de sentimentos diferentes, passando da tristeza e do desespero para a raiva ao pensar em como sua esposa o traíra. Ele sabia que tinha todo o direito de voltar para casa, mostrar a carta a Izabela e atirá-la imediatamente na rua. Chegara até a oferecer ao pai dela uma quantia razoável para ajudá-lo a se reerguer, saldar algumas de suas dívidas e ter uma oportunidade de recomeçar. Com a carta como prova, ele poderia destruir a reputação da esposa e do sogro para sempre e se divorciar, acusando-a de adultério.

Sim, sim, ele poderia fazer todas essas coisas, pensou Gustavo, recompondo-se. Ele não era o garotinho manso e assustado que sua mãe supunha.

Mas então pensou no olhar arrogante de satisfação de Luiza se ele lhe contasse que ela estava certa sobre Izabela desde o início. Aquilo seria mais do que poderia suportar...

Também poderia confrontar Brouilly – afinal, agora sabia exatamente onde o outro morava. Poucos o condenariam se atirasse no homem. Ou poderia pelo menos pedir que ele falasse a verdade. E sabia que ele contaria, uma vez que Brouilly já não tinha mais nada a perder se confessasse. Porque Izabela ia ficar com seu marido.

Ela vai ficar comigo...

Esse pensamento acalmou Gustavo. Apesar de confessar seu enorme amor por Brouilly, Bel não se rendera a esse sentimento e não iria abandoná-lo e fugir para Paris. Talvez Brouilly *não* soubesse que Izabela estava grávida. Afinal, se ela realmente acreditasse que Brouilly era o pai de seu filho, com certeza *iria* embora com ele, sem se preocupar com o que aconteceria.

Quando saiu do clube uma hora depois, Gustavo havia se convencido de que, independentemente do que houvera entre sua esposa e o escultor, era *ele*, seu marido, que ela escolhera dentre os dois. Brouilly voltaria para Paris no dia seguinte e desapareceria de suas vidas para sempre.

Enquanto descia cambaleante os degraus do clube e caminhava pelas ruas em direção à praia, tentando ficar sóbrio, Gustavo sabia que tinha tomado uma decisão.

Seja lá o que sua mulher houvesse ou não feito, ele não teria nenhum benefício em afirmar que sabia e atirá-la para fora de casa. Ela obviamente correria atrás de Brouilly, em Paris, e aquele seria o fim de seu casamento.

Outras mulheres na sociedade tinham casos, ponderou ele. *E outros homens*, lembrando-se de uma amante de seu pai que uma vez encontrara em um baile de caridade. A mulher deixara bem claro que havia mais entre os dois do que simplesmente amizade.

Em última análise, ele ficaria mais satisfeito se voltasse para casa e dissesse à sua mãe que investigara a história e não encontrara nada que comprovasse suas suposições do que se confrontasse Izabela com a carta.

Gustavo olhou para as ondas que se chocavam implacáveis contra a frágil suavidade da areia e suspirou, resignado.

Apesar de tudo o que ela fizera, ele ainda a amava.

Tirou a carta do bolso, aproximou-se das ondas, rasgou a folha em pedacinhos e os atirou no ar, vendo-os voar como pipas em miniatura antes de caírem e desaparecerem na água.

45

Paris
dezembro de 1929

— Então, Brouilly, você voltou inteiro. – Landowski estudou com atenção Laurent, que acabara de entrar em seu ateliê. – Pensei que não voltaria mais, que tinha se juntado a alguma tribo amazônica e casado com a filha do cacique.

– Sim, estou de volta – afirmou Laurent. – Ainda tem lugar para mim aqui?

Landowski desviou o olhar da enorme cabeça de pedra de Sun Yat-sen e estudou o antigo assistente.

– Talvez – disse ele, virando-se para o menino, que tinha crescido e encorpado desde a última vez que Laurent o vira. – O que você acha? Temos trabalho para ele aqui?

Laurent sentiu os olhos do menino sobre ele. Em seguida, o garoto virou para Landowski e sorriu, assentindo.

– Bem, o menino diz que sim. E, pelo que eu vejo do que resta de você, agora é você quem precisa ser alimentado. Foi disenteria ou amor? – perguntou Landowski.

Laurent só conseguiu encolher os ombros, melancolicamente.

– Acho que seu avental ainda está no gancho onde você o deixou. Vá colocá-lo e venha me ajudar com aquele globo ocular em que você trabalhou tanto antes de nos deixar para ir à selva.

– Sim, professor.

Laurent começou a andar em direção aos ganchos perto da porta.

– Brouilly?

– Sim, professor?

– Tenho certeza de que você será capaz de colocar todas as experiências recentes, boas e más, em sua escultura. Você era tecnicamente competente antes de ir embora. Agora pode se tornar um mestre. É preciso sofrer para se alcançar a grandeza. Você me entende? – perguntou Landowski.

– Sim, professor – respondeu Laurent, sentindo a voz falhar. – Eu entendo.

❀ ❀ ❀

Mais tarde naquela noite, Laurent terminou o trabalho, suspirou e limpou as mãos no avental. Landowski tinha ido para casa ficar com sua família horas antes. Laurent caminhava à luz de velas até a cozinha para tirar a argila das mãos quando escutou algo. Vindo de algum lugar ali perto, ele podia ouvir o som fraco mas belo de um violino. O violinista tocava as primeiras notas tristes de "O cisne".

Suas mãos ficaram paralisadas sob a torneira, e Laurent sentiu as lágrimas que ainda não derramara arderem em seus olhos. E ali, na pequena cozinha, onde Izabela cuidara tão ternamente de um menino ferido e Laurent percebera que a amava, ele chorou. Por si mesmo, por ela, por tudo o que poderia ter sido, mas nunca mais seria.

Quando o movimento chegou ao seu final pungente, enxugou depressa os olhos em um pano e saiu da cozinha em busca do músico que lhe permitira romper a barragem que se formara dentro dele depois que Loen lhe entregara o ladrilho de pedra-sabão.

A música havia mudado, e ele agora podia ouvir a melodia inquietante de "Amanhecer", de Grieg, evocando nele, como sempre, a sensação de um novo dia e um novo começo. Sentindo-se um pouco consolado, seguiu o som e saiu no jardim, então ergueu a vela para iluminar o músico.

O menino estava sentado no banco em frente ao ateliê. Em suas mãos, o que havia era uma rabeca já bem velha, mas o som que vinha do instrumento não condizia com sua aparência. Era puro, doce e extraordinário.

– Onde você aprendeu a tocar assim? – perguntou espantado ao menino quando a música terminou.

Como de costume, só recebeu um olhar penetrante em resposta.

– Quem lhe deu a rabeca? Landowski?

O menino acenou a cabeça, confirmando.

Laurent se lembrou das palavras de Landowski e observou o menino atentamente.

– Vejo que, como todo artista, você fala por meio de sua arte – disse ele num tom de voz suave. – Você tem mesmo um dom. Valorize isso.

O garoto balançou a cabeça e abriu um sorriso de gratidão. Laurent colocou a mão em seu ombro e, despedindo-se com um aceno, saiu para refletir sobre sua infelicidade nos bares de Montparnasse.

Maia

Julho de 2007
Quarto minguante
16; 54; 44

46

Depois de um longo tempo, quando finalmente Yara ficou em silêncio, olhei-a nos olhos e então me virei para o retrato de Izabela pendurado na parede acima da lareira, pensando na terrível decisão que minha bisavó fora forçada a tomar. Eu não tinha ideia do que teria feito se enfrentasse aquelas circunstâncias. Mesmo vivendo em épocas e culturas diferentes, os dilemas básicos não haviam mudado, sobretudo para as mulheres...

– Gustavo alguma vez contou a Bel o que descobrira? – perguntei a Yara.

– Não, nunca. Mas, embora não tenha falado nada, minha mãe sempre dizia que podia ver a dor nos olhos dele. Principalmente quando olhava para a filha.

– Dona Beatriz Carvalho?

– Sim. Eu me lembro de que certa vez, quando nós duas tínhamos uns 10 ou 11 anos, o Sr. Gustavo entrou na sala de estar e olhou para a filha por um longo tempo, quase como se ela fosse uma estranha. Não entendi bem na época, mas hoje acho possível que ele estivesse pensando se ela teria seu sangue. A Sra. Beatriz tem olhos verdes, entende, e minha mãe dizia que pareciam os do Sr. Laurent.

– Então sua mãe desconfiava de que ele era o pai biológico de Beatriz?

– Quando me contou essa história antes de morrer, ela disse que nunca teve dúvidas – explicou Yara. – De acordo com ela, dona Beatriz era uma cópia do Sr. Brouilly e também tinha talentos artísticos. Ela era adolescente quando pintou aquele retrato de Izabela. – Yara apontou para a pintura. – Lembro-me de Beatriz dizendo que queria pintá-lo em memória de sua falecida mãe.

– Izabela morreu quando Beatriz ainda era criança?

– Sim – disse Yara, assentindo. – Nós duas tínhamos 1 ano e meio, na mesma época em que o Cristo foi abençoado e inaugurado no morro do

Corcovado, em 1931. Houve um surto de febre amarela no Rio, e dona Beatriz e eu ficamos confinadas em casa. Mas, é claro, dona Izabela insistiu em assistir à inauguração do Cristo. Levando em conta sua história, isso significava muito para ela. Três dias depois, ela pegou a febre e não se recuperou. Tinha só 21 anos.

Senti um aperto no coração ao pensar naquilo. Apesar de Floriano ter me mostrado documentos com as datas de nascimento e morte, eu não me dera conta na época.

– Depois de todo o sofrimento e a tragédia, morrer tão jovem – falei com voz trêmula.

– Sim. Mas... que o Senhor me perdoe por dizer isso – Yara fez o sinal da cruz – ... a única bênção foi que a febre também levou a dona Luiza alguns dias mais tarde. Elas foram enterradas juntas no mausoléu da família, no mesmo funeral.

– Meu Deus, pobre Bel, destinada a descansar ao lado daquela mulher por toda a eternidade – murmurei.

– E isso deixou sua filhinha sem mãe, vivendo em uma família só de homens – continuou Yara. – Pelo que eu lhe contei, você pode imaginar como o pai dela ficou perturbado após a morte de sua esposa. Ele ainda a amava, apesar de tudo. E, como pode imaginar, o Sr. Gustavo procurou consolo na bebida e se afastou cada vez mais de todos. O Sr. Maurício fez o melhor que pôde por sua neta. Ele sempre foi um homem gentil, principalmente depois da morte da esposa. E pelo menos arrumou um tutor para dar aulas a dona Beatriz, muito mais do que seu pai conseguiu fazer.

– A senhora morava aqui na Casa das Orquídeas na época? – perguntei.

– Sim. Quando minha mãe contou a dona Izabela que também estava grávida e pediu para trabalhar na fazenda para ficar com meu pai, Izabela não conseguiu deixá-la ir. Então, em vez disso, chamou Bruno, meu pai, para vir trabalhar como faz-tudo e motorista da família, já que Jorge estava perto de se aposentar. Este foi o lar da minha infância também – observou Yara. – E acho que tenho muito mais lembranças felizes aqui do que minha senhora.

– Estou surpresa por Gustavo ter concordado com o pedido de Izabela e deixado que Loen ficasse aqui. Afinal, ela era a única outra pessoa que sabia a verdade – comentei.

– Talvez ele tenha sentido que *precisava* concordar. – Havia uma expressão de sagacidade em seus olhos. – Por causa do segredo que compartilhavam, um tinha poder sobre o outro, mesmo sendo patrão e empregada.

– Então a senhora cresceu com Beatriz?

– Sim, ou talvez fosse mais correto dizer que ela cresceu conosco. Ela passava mais tempo na pequena casa que dona Izabela insistira que construíssem para mim e meus pais nos fundos do jardim do que em sua própria. E nós três nos tornamos o mais próximo que existia de uma família. Ela era uma menina tão doce, terna e amorosa. Mas tão solitária – acrescentou Yara com tristeza. – O pai estava sempre bêbado demais até para se dar conta da existência dela. Ou talvez a ignorasse porque ela era um lembrete constante das dúvidas que sempre tivera sobre a falecida esposa. Foi até uma bênção ele ter morrido quando dona Beatriz tinha 17 anos. Ela herdou a casa e as ações da família. Até então, o Sr. Gustavo se recusava a deixá-la investir em sua paixão pela arte, mas, quando ele faleceu, nada mais podia detê-la – explicou Yara.

– Posso entender por que Gustavo não apoiava as habilidades artísticas da filha. Devia ser como esfregar sal em uma ferida aberta. Na verdade, Yara, não posso deixar de sentir pena dele – admiti.

– Ele não era um homem mau, Srta. Maia, apenas fraco – concordou Yara. – Então, quando Beatriz completou 18 anos, ela disse ao avô que ia a Paris para estudar na École Nationale Supérieure des Beaux-Arts, assim como sabia que sua mãe fizera. Ela ficou em Paris por mais de cinco anos e só voltou ao Rio quando soube que Maurício, seu avô, tinha falecido. Acho que viveu muitas aventuras por lá – disse Yara, com um sorriso nostálgico. – E eu fiquei feliz por ela.

A imagem que Yara pintava da mulher que eu conhecera havia cinco dias ali no jardim era completamente diferente da que eu criara em minha mente. Percebi que eu a imaginara muito mais como Luiza. Talvez fosse simplesmente porque ela era velha e estava determinada demais a não me reconhecer.

– E o que aconteceu com Antônio? – perguntei.

– Ah, ele se recuperou, como minha mãe sempre acreditara – respondeu Yara com um sorriso. – Ele foi morar na Fazenda Santa Tereza e, com a pequena quantia que Gustavo lhe dera para recomeçar, comprou uma fazenda de tomate. Você deve se lembrar de que eu disse que a família chegou a ser um dos esteios financeiros de Paty do Alferes. Com a cabeça que tinha para os negócios, quando Antônio morreu já havia construído o que se poderia chamar de um império do tomate, e era dono da maior parte das terras em torno da fazenda. Lembro-me de que, como dona Izabela antes dela, dona Beatriz adorava visitar aquele lugar. O avô a amava e ensinou a neta a cavalgar e a nadar. Ele deixou as fazendas para ela, e é de lá que vem sua renda desde que o marido dela faleceu. Não é muito, mas é o que paga as contas por aqui.

– Quem era o marido de Beatriz, meu avô? – perguntei.

– Evandro Carvalho, um pianista muito talentoso. Ele era um homem bom, Srta. Maia, e foi um casamento por amor. Depois da infância difícil de dona Beatriz, nossa família ficou feliz em vê-la contente. E a Casa das Orquídeas finalmente ganhou vida de novo. Beatriz e Evandro organizavam saraus para os artistas aqui do Rio de Janeiro. Também criaram uma instituição de caridade para arrecadar dinheiro para as favelas cariocas. Posso lhe assegurar, Srta. Maia, que, apesar de a idade e a dor terem afetado sua avó agora que se aproxima do fim, ela era muito bonita quando jovem. Todos que a conheciam a amavam e respeitavam.

– Que pena que nunca irei conhecer esse lado dela – ponderei.

– É... – Yara suspirou profundamente. – Mas a morte chega para todos um dia.

– E... – Eu me preparei para fazer a pergunta que vinha me consumindo durante os últimos dez minutos. – Beatriz e Evandro tiveram filhos, não é mesmo?

Vi os olhos de Yara correrem inseguros pela sala.

– Sim.

– Apenas um?

– Houve um menino, mas ele morreu ainda pequeno. Então sim – concordou ela –, no final apenas um.

– Uma menina?

– Sim.

– E o nome dela era Cristina?

– Sim, Srta. Maia. Eu ajudei a criá-la.

Fiz uma pausa, sem saber como prosseguir. As palavras que fluíam dos lábios de Yara durante a última hora de repente também secaram. Olhei para ela cheia de expectativa, desejando que continuasse.

– Senhorita, creio não ter causado nenhum mal ao lhe falar sobre o passado, mas... – disse ela com um suspiro – ... acho que não devo contar mais nada. O resto da história não é minha.

– Então de quem é? – perguntei, aflita.

– É de dona Beatriz.

Por mais que eu quisesse pressioná-la a continuar, percebi que Yara começara a olhar ansiosa para o relógio na parede.

– Tenho algo para você – falou ela, enfiando a mão em um dos bolsos volumosos de sua roupa e me entregando quatro envelopes. Era quase uma oferta de paz por não poder me contar mais nada. – Essas são as cartas enviadas por Laurent Brouilly através de minha mãe para dona Izabela quando elas ficaram na fazenda nos últimos dias da dona Carla. Elas vão lhe mostrar melhor o sentimento que havia entre os dois.

– Obrigada – falei, vendo-a se levantar.

Contive um impulso de abraçá-la, grata por finalmente saber sobre minha origem e a história trágica que havia por trás dela.

– Preciso voltar para cuidar de dona Beatriz – disse ela.

– É claro – falei, levantando-me também, o corpo dolorido depois de ter passado uma hora sentada, tensa, tentando acompanhar cada palavra que Yara dizia.

– Vou levá-la até a porta, senhorita – disse ela.

– Nós podemos levá-la de volta ao convento – sugeri enquanto andávamos pelo corredor, passávamos pelo saguão de entrada e Yara abria a porta. – Tenho um carro à minha espera aqui fora.

– Obrigada, mas ainda tenho algumas coisas para fazer aqui. – Ela olhou para mim angustiada, enquanto eu hesitava ao seu lado.

– Obrigada por tudo o que me contou. Posso fazer uma última pergunta?

– Depende de qual – disse ela, e eu podia sentir pelo seu olhar que esperava que eu saísse logo e fosse embora.

– Minha mãe ainda está viva?

– Eu não sei, Srta. Maia – respondeu Yara, suspirando. – E é a mais pura verdade.

Percebi que o encontro tinha chegado ao fim e ela não me diria mais nada.

– Adeus, Yara – falei, enquanto descia relutante os degraus. – Por favor, diga a dona Beatriz que estimo suas melhoras.

Comecei a me afastar, e só quando eu passava pela velha fonte de pedra foi que falou novamente.

– Eu vou falar com ela, senhorita. Adeus.

Ouvi Yara fechar a porta e passar o trinco enquanto eu caminhava até a saída. Senti o ferro quente do portão de metal enferrujado e, enquanto o abria e depois fechava, antes de atravessar a rua, olhei para o céu carregado e percebi que uma tempestade se formava.

– Como foi? – Floriano tinha se sentado na grama à sombra. Notei uma pilha de guimbas de cigarro ao seu lado.

– Descobri muita coisa – respondi, enquanto ele se levantava e abria a porta do carro.

– Que bom – disse Floriano, então entramos e ele deu a partida.

Enquanto voltávamos para Ipanema, provavelmente sentindo que eu precisava de algum tempo para voltar do passado para o presente, Floriano não me fez perguntas. Fiquei em silêncio pelo resto da viagem, pensando na história que acabara de ouvir. Quando chegamos ao hotel, Floriano virou para mim.

– Tenho certeza de que está exausta e precisa de um tempo sozinha. Você sabe onde me encontrar se quiser comida e companhia mais tarde. E prometo que serei o cozinheiro esta noite, e não minha filha – assegurou-me, piscando.

– Obrigada – falei, saindo do carro. – Por tudo – acrescentei, enquanto ele acenava a cabeça e dava a ré.

Quando entrei no hotel, eu não entendia por que minhas pernas pareciam dois troncos de árvore profundamente enraizados que eu tinha de arrancar da terra toda vez que lhes pedia que dessem um passo adiante. Cruzei o saguão lentamente, peguei o elevador e andei como se estivesse embriagada até minha suíte. Consumindo o resto das minhas forças para abrir a porta, entrei no quarto, cambaleei até a cama e dormi na mesma hora.

❀ ❀ ❀

Acordei duas horas depois, como se estivesse com uma forte ressaca, e tomei um comprimido de ibuprofeno com um pouco de água para curar a dor de cabeça. Deitada, eu podia ouvir a tempestade que se aproximava rugindo ameaçadora no céu cinzento e ver as nuvens se agruparem. Exausta demais para me mover, dormi de novo por mais uma hora. Só acordei quando a chuva começou a cair com vontade. Raios cortavam o céu escuro

sobre as ondas, que agora quebravam com violência na praia, e trovões –
como eu nunca tinha ouvido antes – explodiam em meus ouvidos.

Quando as primeiras gotas começaram a bater no estreito peitoril da
janela, olhei para o relógio e vi que eram quase sete da noite. Puxei uma cadeira para perto da janela e fiquei observando, maravilhada, a tempestade.
A chuva caía inclinada, com tanta força que respingava de cada superfície
sólida em ângulos retos, e as ruas e calçadas transformavam-se em riachos
agitados. Abri a janela, coloquei a cabeça para fora e senti as gotas frias e
limpas encharcarem meu cabelo e meus ombros.

Ri alto de repente, quase eufórica com a exuberância daquela força da
natureza. Naquele momento, senti como se eu também fizesse parte daquele turbilhão, intrinsecamente ligado tanto ao céu quanto à terra, incapaz de compreender o milagre que o criara, apenas maravilhada por saber
que pertencia a ele.

Quando me dei conta de que era melhor sair da janela e fechá-la, corri
para o banheiro, molhando o tapete, e tomei um banho. Saí do chuveiro
livre da dor de cabeça e me sentindo tão renovada quanto o ar depois da
tempestade. Deitada na cama, olhei para as cartas que Yara tinha me dado
e tentei compreender tudo o que ela me contara mais cedo. Mas meus pensamentos não paravam de voltar para Floriano, para a maneira paciente
como tinha esperado por mim a tarde toda e a sensibilidade que demons-
trara depois. E percebi que, independentemente do que houvesse naqueles
envelopes, eu queria – *muito* mesmo – compartilhar com ele. Peguei meu
celular e procurei seu número.

– Olá, Floriano, aqui é a Maia – falei quando ele atendeu.

– Maia, como você está?

– Observando a tempestade. Nunca vi nada assim antes.

– É com certeza uma das coisas que nós, cariocas, sabemos fazer muito
bem – brincou ele. – Quer vir jantar conosco? É bem simples, mas você é
muito bem-vinda.

– Se a chuva parar, eu adoraria.

– Acho que não deve durar nem dez minutos, a julgar pelo céu. Então
vejo você daqui a uns vinte, está bem?

– Sim, obrigada, Floriano.

– Divirta-se com as poças – disse ele, e notei o sorriso pela sua voz. –
Tchau.

Exatamente nove minutos mais tarde, me arrisquei a sair, minhas Havaianas e meus tornozelos submersos no dilúvio que ainda corria pelas calçadas em direção aos bueiros inadequados. Havia um frescor maravilhoso no ar e, à medida que eu caminhava, via cada vez mais moradores voltando para as ruas.

– Sobe aí – disse Floriano quando toquei o interfone.

Ao chegar lá em cima, ele veio ao meu encontro com o dedo nos lábios.

– Acabei de colocar a Valentina na cama. Ela vai se levantar na mesma hora se perceber que você está aqui – sussurrou ele.

Concordei em silêncio e fui atrás dele até o terraço, que estava milagrosamente quente e seco sob a cobertura inclinada.

– Sirva-se de um pouco de vinho enquanto eu desço e preparo o jantar.

Enchi uma taça pequena de vinho tinto, sentindo-me culpada por ter aparecido sem levar nada e prometendo a mim mesma que convidaria Floriano para jantar na próxima vez, para agradecer a ele pela hospitalidade. Ele já havia acendido algumas velas sobre a mesa, pois agora a noite já havia surgido completamente, e eu podia ouvir o suave som de jazz saindo dos alto-falantes embutidos no forro. Era um ambiente tranquilo, algo surpreendente em uma cidade tão movimentada.

– Enchiladas com todos os acompanhamentos – anunciou, chegando com uma bandeja. – Estive no México há alguns anos e me apaixonei pela culinária deles.

Levantei e o ajudei com o prato fumegante de enchiladas e as tigelas de guacamole, creme azedo e salsa, perguntando-me se ele comia assim todas as noites.

– Por favor, sirva-se – disse ao se sentar.

Comi com vontade, impressionada pelo seu talento culinário. Eu duvidava de que fosse capaz de preparar até mesmo uma refeição simples como aquela com a mesma facilidade. Na verdade, pensei com tristeza, eu não dava um jantar desde que me mudara para o pavilhão em Genebra havia treze anos.

– Então – perguntou Floriano depois que acabamos de comer e ele acendeu um cigarro –, descobriu tudo o que queria hoje?

– Muitas coisas, mas, infelizmente, não aquilo que me fez vir ao Brasil para descobrir.

– Está falando de sua mãe, imagino.

– Sim. Yara disse que não podia contar porque a história não era dela.

– Não. Principalmente se sua mãe ainda estiver viva – concordou Floriano.

– Quando eu perguntei, Yara disse que não sabia. E eu acredito nela.

– Então... – Floriano me observava com atenção. – O que você vai fazer agora?

– Não tenho certeza. Lembro que você disse não ter encontrado nenhum registro da morte de Cristina.

– Não, não encontrei, mas ela pode ter deixado o Brasil e ido para o exterior. Maia, seria muito sacrifício para você me contar tudo o que Yara lhe disse hoje? – perguntou. – Confesso que, agora que chegamos até aqui, estou ansioso para saber.

– Contanto que você não faça o que ameaçou e coloque tudo em um de seus romances – falei, em parte brincando.

– Eu escrevo ficção, Maia. Isso é a realidade, e você tem a minha palavra.

Durante a meia hora seguinte, resumi para Floriano tudo o que conseguia me lembrar do que Yara me dissera. Então enfiei a mão na bolsa e peguei os quatro envelopes que ela me dera pouco antes de eu sair da Casa das Orquídeas.

– Não abri estas cartas ainda. Talvez eu esteja nervosa, como Gustavo quando abriu a carta que tomou de Loen – admiti enquanto as entregava a ele. – Yara disse que são as cartas que Laurent escreveu para Izabela durante o tempo em que ela ficou na fazenda cuidando da mãe. Quero que você leia uma primeiro.

– Eu adoraria – disse ele, os olhos brilhando como eu sabia que ficariam ao descobrir evidências sólidas de um pedaço do quebra-cabeça histórico.

Observei-o tirar a folha amarelada de dentro do primeiro envelope e começar a ler. Depois de um tempo, ele levantou os olhos, obviamente comovido pelo que lera.

– Bem, monsieur Laurent Brouilly deve ter sido um grande escultor, mas, a julgar por esta carta, levava jeito com as palavras também. – Floriano inclinou a cabeça para o lado. – Por que qualquer coisa escrita em francês parece mais poética? Tome – disse ele, entregando-me a primeira carta. – Leia essa enquanto tento entender a outra com meu francês básico de escola.

Após alguns minutos, Floriano voltou a falar, ecoando meus próprios pensamentos.

– Meu Deus, estas cartas fazem qualquer um chorar.

– Eu sei. Mesmo tendo ouvido Yara falar sobre o amor de Bel e Laurent, de alguma forma ler estas cartas torna tudo mais real – concordei. – De certa forma, ainda que a história dela tenha terminado em tragédia, sinto inveja de Bel – admiti, enchendo novamente minha taça de vinho.

– Você já se apaixonou? – perguntou Floriano com sua usual franqueza.

– Sim, uma vez. Acho que já falei isso – respondi apressadamente. – E lhe disse que não deu certo.

– Ah, sim, e aparentemente essa única experiência lhe deixou para sempre com medo de viver.

– Foi um pouco mais complicado do que isso – rebati na defensiva.

– Essas situações sempre são. Veja Bel e Laurent, por exemplo. Ao ler essas cartas, alguém pode achar que eram simplesmente um jovem casal apaixonado.

– Bem, foi assim que meu primeiro romance começou, mas não como terminou. – Dei de ombros, vendo-o pegar outro cigarro. – Você se importa se eu fumar um também?

– Claro que não, vá em frente – disse ele, estendendo-me o maço.

Acendi o cigarro, traguei e abri um sorriso.

– Não fumo desde a faculdade.

– Bem, eu gostaria de poder dizer o mesmo. Valentina está sempre tentando me convencer a largar o cigarro. E talvez um dia eu consiga – disse ele, dando uma tragada. – Então, esse amor que partiu seu coração... você quer me contar o que aconteceu?

Depois de catorze anos sem falar absolutamente nada sobre o assunto – na verdade, fazendo de tudo para evitar isso –, eu me perguntava por que diabos estava prestes a contar o que acontecera para um homem que mal conhecia, em um terraço no Rio de Janeiro.

– Bem, Maia, você não precisa falar se não quiser – disse Floriano, notando o medo em meus olhos.

Mas, no fundo, eu sabia que era para isso que eu fora até ali naquela noite. A história que eu vinha descobrindo nos últimos dias – aliada à morte de Pa Salt – despertara a dor e a culpa pelo que eu fizera um dia. Além disso havia Floriano, é claro, cuja vida era como um espelho que me fazia ver o reflexo nada bonito da minha própria existência triste e solitária.

– Vou contar – disparei, enquanto ainda tinha coragem. – Quando eu estava na faculdade, conheci alguém no final do meu segundo ano. Ele era alguns anos mais velho do que eu e estava prestes a se formar. Eu me apaixonei por ele e fui muito burra e descuidada. Quando viajei para casa no verão, descobri que estava grávida, mas já era tarde demais para fazer qualquer coisa a respeito. Então – continuei com um suspiro, sabendo que precisava contar a história de uma vez antes que desmoronasse –, Marina, a mulher de que lhe falei, que criou todas nós seis, me ajudou a sumir por um tempo para ter o bebê escondida. E aí – fiz uma pausa, reunindo toda a coragem que tinha para continuar –, quando ele nasceu, eu o dei imediatamente para adoção.

Tomei um grande gole de vinho e levei as mãos aos olhos para represar a torrente que ameaçava correr deles.

– Maia, está tudo bem, chore se você quiser. Eu entendo – disse ele com carinho.

– É só que... nunca contei isso a ninguém – admiti, sentindo meu coração palpitar. – E estou tão envergonhada... tão envergonhada...

As lágrimas começaram a rolar, apesar de todo o esforço para contê-las. Floriano veio se sentar ao meu lado no sofá e me abraçou. Ele acariciava meu cabelo enquanto eu continuava falando de maneira incoerente que deveria ter sido mais forte e ficado com meu filho, não importava o que custasse. E que não se passava um único dia, desde que levaram meu bebê de mim logo após o parto, sem que eu revivesse aquele momento terrível.

– Eles nem me deixaram ver seu rosto... – gemi. – Disseram que seria melhor assim.

Floriano não disse nenhuma palavra de conforto ou os lugares-comuns de sempre, apenas esperou o desespero me deixar, como o último sopro de ar que sai de um balão, até meu corpo desabar, exausto. Fiquei ali em silêncio, recostada em seu peito, perguntando-me o que tinha dado em mim para lhe contar meu terrível segredo.

Floriano permaneceu calado.

– Você está chocado? – perguntei, angustiada, depois de um tempo.

– Não, claro que não. Por que eu estaria?

– Por que *não* estaria?

– Porque – disse ele, suspirando com tristeza – você fez o que achava que era certo na época, diante das circunstâncias que enfrentava. E não há crime nisso.

– Talvez os assassinos também pensem que o que fizeram foi certo – rebati com tristeza.

– Maia, você era muito jovem e estava com medo, e imagino que o pai da criança não quisesse ficar com você. Ou nem mesmo apoiá-la.

– Deus, não – respondi, estremecendo ao me lembrar da última conversa com Zed no final do semestre. – Para ele, tudo não passava de uma aventura. Ele estava saindo da universidade e pronto para investir em seu futuro. Disse que relacionamentos de longa distância raramente funcionavam e que tinha sido divertido, mas que seria melhor terminar tudo... enquanto ainda éramos amigos – acrescentei com uma risada amarga.

– E você não chegou a contar para ele que estava grávida?

– Eu só tive certeza depois que cheguei em casa e Marina deu uma olhada em mim e me arrastou para o médico. Àquela altura da gravidez, a única coisa que eu podia fazer era ter o bebê. Eu era tão ingênua, tão idiota – me repreendi. – E estava tão apaixonada que faria qualquer coisa que ele quisesse.

– O que, imagino, significava não atrapalhar o prazer dele com métodos contraceptivos?

– Sim. – Escondi o rosto vermelho em sua camisa. – Mas eu devia, eu *podia* ter me protegido melhor. Afinal, não era mais criança, mas acho que não acreditava que aconteceria comigo.

– Muitas jovens inexperientes pensam assim, Maia. Principalmente quando se apaixonam pela primeira vez. Você chegou a conversar com seu pai sobre isso? – perguntou. – Parece que vocês dois eram muito próximos.

– Nós éramos, mas não *dessa* forma. É impossível explicar, mas eu era a sua garotinha, sua primeira filha. E ele tinha tantas expectativas a meu respeito. Eu estava indo muito bem na Sorbonne, e esperavam que eu me formasse com honras. Para ser sincera, eu preferia morrer a contar a ele como tinha sido burra.

– E quanto a Marina? Ela não tentou convencê-la a contar para o seu pai?

– Tentou, mas eu não podia. Tinha certeza de que isso partiria o coração dele.

– Então, em vez disso, você partiu o seu – rebateu Floriano.

– Era a melhor opção na época.

– Eu entendo.

Ficamos sentados no sofá em silêncio por algum tempo. Eu olhava para a vela que tremeluzia na escuridão, revivendo a dor da decisão que tomara.

– Deve ter lhe ocorrido em algum momento que seu pai tinha adotado seis meninas – arriscou Floriano de repente. – E que talvez ele, justamente por isso, compreendesse a situação em que você estava.

– Na época, não. – Meus ombros desabaram de renovado desespero. – Mas é claro que, desde que ele morreu, venho pensando nisso constantemente. Mesmo assim, não sei explicar quem ele era para mim. Eu o idolatrava e queria sua aprovação.

– Mais do que sua ajuda – observou Floriano.

– Não era culpa *dele*, e sim minha – falei, sendo totalmente sincera. – Eu não confiei nele, não confiei em seu amor por mim. E agora tenho certeza de que, se eu *tivesse* contado, ele teria me apoiado, ele teria... – Minha voz diminuiu para um sussurro e novas lágrimas brotaram dos meus olhos. – E então vejo você e Valentina em circunstâncias semelhantes e penso como minha vida poderia ser agora se eu tivesse sido mais forte, e penso também em toda a confusão que aprontei até agora.

– Todos nós fazemos coisas de que nos arrependemos, Maia – disse Floriano com tristeza. – Eu lamento todos os dias por não ter sido mais firme com os médicos que disseram que minha esposa já podia ir para casa, quando eu sabia instintivamente que ela estava muito doente. Talvez, se eu tivesse batido o pé, minha filha ainda tivesse uma mãe, e eu, uma esposa. Mas aonde isso pode nos levar? – indagou ele com um suspiro. – A lugar nenhum.

– Mas abrir mão do meu filho, principalmente por razões puramente egoístas, não movida pela pobreza ou pela guerra, deve ser o pior crime de todos – falei.

– Cada um de nós pensa que nossos erros são os piores, porque *nós* os cometemos. Todos nos sentimos culpados por nossas ações, Maia. Principalmente quando mantemos tudo isso guardado dentro de nós por tanto tempo quanto você. Apenas fico triste por você, não reprovo o que fez. E acho que qualquer outra pessoa que ouvisse sua história sentiria o mesmo. É só você que se culpa. Não consegue ver isso?

– Acho que sim, mas o que posso fazer?

– Perdoe a si mesma. É simples assim. Até isso acontecer, você não será capaz de seguir em frente. Eu sei. Já passei por isso.

– Todos os dias penso onde meu filho pode estar, se ele está feliz e se seus pais adotivos o tratam com amor. Às vezes, eu o ouço chorando e chamando por mim em meus sonhos, mas nunca consigo encontrá-lo...

– Eu entendo, mas lembre que você também é adotada, querida. Você acha que sofreu por causa disso? – perguntou Floriano.

– Não, porque não conheci outra vida.

– Exatamente – disse ele. – Você acabou de responder a sua própria pergunta. Lembro que você me disse uma vez que não importa quem cria uma criança, desde que ela seja amada. O mesmo vale para o seu filho, onde quer que ele esteja. Aposto que a única pessoa que sofre por causa dessa história é você. Bem, eu tomaria um conhaque agora.

Ele desfez o abraço e foi até uma prateleira estreita para pegar uma garrafa.

– Quer um pouco? – ofereceu, servindo-se de uma pequena dose.

– Não, obrigada.

Ele atravessou o terraço para acender um cigarro e ficou lá, olhando para a escuridão. Depois de um tempo, sentindo-me vulnerável e insegura, me juntei a ele.

– Você percebe que toda essa revelação sobre sua origem a fez pensar ainda mais sobre seu filho?

– Sim – concordei. – Afinal de contas, Pa Salt deixou que todas as suas filhas descobrissem suas origens, se assim desejassem. Com certeza meu filho tem o direito de descobrir sua origem também, não é mesmo?

– Ou, pelo menos, o direito de *decidir* se quer descobrir – me corrigiu Floriano. – Você mesma disse que estava reticente em buscar seu passado. Além disso, vocês sabiam desde o início que tinham sido adotadas. Talvez não tenham revelado isso ao seu filho. É perfeitamente possível que ele não saiba que é adotado.

– Só queria poder vê-lo uma vez, saber que ele está seguro... feliz.

– Claro que sim. Mas talvez você deva pensar no que é melhor para ele, e talvez não seja isso – falou ele com delicadeza. – Agora, já passa de uma da manhã e tenho que estar de pé e cheio de energia logo cedo para a senhorita lá embaixo.

– Claro – falei, e imediatamente me virei e atravessei o terraço para buscar minha bolsa debaixo da mesa. – Eu já vou.

– Na verdade, Maia, eu ia sugerir que você ficasse aqui. Acho que você não deveria ficar sozinha esta noite.

– Vou ficar bem – respondi, em pânico com sua sugestão e andando em direção à porta.

– Espere. – Floriano riu quando me alcançou. – Eu não quis dizer que você deveria ficar *comigo*. Você pode dormir no quarto da Petra. Ela foi passar uma semana com a família em Salvador. Sério, por favor, fique aqui. Vou ficar preocupado se você for embora.

– Está bem – concordei, exausta demais para discutir. – Obrigada.

Floriano apagou as velas e desligou o computador, então nós dois descemos e ele me mostrou onde ficava o quarto de Petra.

– Troquei os lençóis e aspirei o quarto depois que ela viajou, então o lugar está bem apresentável. O banheiro é seguindo o corredor, à direita. Damas primeiro. Boa noite, Maia – disse ele, vindo em minha direção e me dando um beijo na testa. – Durma bem.

Então ele acenou e subiu de novo, e eu fui até o banheiro. Minutos depois, entrei no quarto de Petra e vi os livros de biologia empilhados em prateleiras rústicas acima de uma escrivaninha, o amontoado de cosméticos espalhados sobre a penteadeira e uma calça jeans jogada em cima da cadeira. Enquanto eu tirava a roupa, ficando só de camisa, e deitava na cama estreita, me lembrei de que eu também fora uma estudante despreocupada um dia, com toda a minha vida pela frente – uma tela em branco à espera de que eu, a artista, a pintasse do meu jeito –, até descobrir que estava grávida.

E, pensando nisso, adormeci.

47

ui despertada pelo som de uma porta se abrindo e pela sensação de que não estava sozinha no quarto. Abri os olhos e vi Valentina ao pé da cama, olhando para mim.

– Já são dez horas. Papai e eu fizemos bolo de libra para o café da manhã. Você vai levantar agora para nos ajudar a comer?

– Sim – respondi, ainda despertando de um sono profundo.

Valentina assentiu satisfeita, depois saiu do quarto e eu rolei para fora da cama e me vesti rapidamente. Enquanto caminhava pelo corredor estreito, um cheiro delicioso invadiu meu nariz, lembrando-me da cozinha de Claudia em Atlantis. Segui o som da voz de Valentina até o terraço e encontrei pai e filha já sentados, saboreando o bolo redondo que estava no centro da mesa.

– Bom dia, Maia. Como você dormiu? – perguntou Floriano, limpando as migalhas de sua boca enquanto puxava para mim a instável cadeira de madeira.

– Muito bem. – Sorri para ele, que cortava uma fatia de bolo para mim e depois passava manteiga.

– Café? – perguntou.

– Sim, por favor – respondi, provando o bolo ainda quente. – O café da manhã de vocês é sempre assim, Valentina? É muito melhor que o cereal e as torradas sem graça que eu como em casa.

– Não – disse ela, suspirando. – É só hoje. Acho que o papai está querendo se exibir para você. – Ela encolheu os ombros.

Floriano ergueu as sobrancelhas, impotente diante das palavras da filha, embora eu tivesse notado seu rosto ficar ligeiramente vermelho.

– Valentina e eu estávamos falando que você precisa se divertir um pouco.

– É, Maia – interrompeu Valentina. – Se o meu papai tivesse ido para o céu, eu estaria muito triste e precisaria me animar.

– Então nós pensamos em uma programação – disse Floriano.

– Não, papai, *você* pensou. – Valentina franziu a testa e olhou para mim. – Eu sugeri que você fosse ao parque de diversões e depois visse um filme da Disney, mas papai disse que não, então em vez disso você vai fazer um monte de coisas chatas. – Ela levantou as pequenas mãos e suspirou novamente. – Não me culpe.

– Bem, talvez possamos fazer um pouco das duas coisas – disse, para agradar aos dois. – Também adoro os filmes da Disney.

– Bem, eu nem vou com vocês, porque papai vai viajar para Paris amanhã por causa do livro e precisa trabalhar um pouco antes disso. Então vou ficar com o vovô e a vovó.

– Você vai para Paris? – perguntei surpresa a Floriano, sentindo uma súbita e irracional pontada de medo.

– Sim. Você se lembra do e-mail que lhe mandei umas semanas atrás? Você também está convidada, não se esqueça – disse ele, sorrindo para mim.

– Ah, sim, é claro – falei, lembrando-me da mensagem.

– Eu não estou – disse Valentina, fechando a cara. – Papai acha que vou atrapalhar.

– Não, querida, acho que você vai ficar entediada. Lembra que detesta ir às minhas palestras e sessões de autógrafos aqui? Assim que a gente chega, você começa a me puxar pelo braço, perguntando quando podemos ir para casa.

– Mas isso quando são *aqui*, não em Paris. Eu adoraria ir a Paris – disse Valentina, sonhadora.

– Um dia – respondeu Floriano, inclinando-se para beijar o cabelo escuro e sedoso da filha –, prometo que vou levá-la. Certo, seus avós vão chegar a qualquer minuto. Você já fez sua mala?

– Já, papai – disse ela, obediente.

– Maia, enquanto tiro a mesa do café, você se importaria de ir com Valentina dar uma olhada se ela tem roupa suficiente para as próximas duas semanas e uma escova de dentes? – pediu Floriano. – Ela às vezes é um pouco... caótica na hora de fazer as malas.

– Claro – respondi, e desci atrás de Valentina até seu pequeno quarto.

Tudo ali era cor-de-rosa – paredes, edredom, e até mesmo alguns dos ursos de pelúcia sentados em fileira na beirada da cama. Enquanto Valentina fazia um gesto para eu me sentar e colocava a mala sobre a cama para eu dar uma olhada, ri do clichê, achando-o ao mesmo tempo reconfortante. Parecia uma questão genética: em certo momento, toda menina ficava louca por aquela cor. Eu também já tinha sido.

– Aqui tem tudo de que eu preciso, juro – disse Valentina, cruzando os bracinhos na defensiva enquanto eu abria a mala.

Lá dentro encontrei bonecas Barbie, DVDs, livros de colorir e um monte de canetinhas soltas. E também uma camisa, uma calça jeans e um tênis.

– Você não acha que é melhor levar umas calcinhas? – arrisquei.

– Ah, sim – disse Valentina, indo até uma gaveta. – Tinha esquecido.

– E talvez esse pijama? – sugeri, pegando um que Valentina obviamente jogara no chão quando se arrumara naquela manhã. – E quem sabe mais algumas roupas?

Dez minutos depois, ouvi o barulho do interfone e os passos de Floriano descendo as escadas.

– Eles chegaram. Você está pronta, Valentina? – perguntou ele do corredor.

– Eu não quero ir – disse ela, levantando os olhos das figuras que tinha colorido e que estava me mostrando.

Instintivamente, passei o braço em volta de seus pequenos ombros.

– Tenho certeza de que vai ser muito divertido. Aposto que seus avós fazem todas as suas vontades.

– Eles fazem, mas vou sentir falta do papai.

– Claro que vai. Eu detestava quando meu pai viajava. E ele fazia isso toda hora.

– Mas você tinha muitas irmãs para lhe fazer companhia. E eu não tenho ninguém.

Com um suspiro resignado, Valentina se levantou, e eu fechei sua mala.

Ela ficou me olhando pegar a mala da cama, puxar a alça e carregá-la até a porta.

– Acho que você está pronta para ir – falei.

– Vou ver você quando voltar para casa, Maia? – perguntou ela com uma voz chorosa. – Você é muito mais legal que a Petra. Ela fica o tempo todo no telefone com o namorado.

– Espero que sim, querida, de verdade. Agora – disse enquanto a beijava – vá e aproveite bastante.

– Vou tentar. – Valentina pegou a alça da mala e foi abrir a porta. – Papai gosta muito de você, sabia?

– Gosta? – Eu sorri para ela.

– Sim, ele mesmo me disse isso. Tchauzinho, Maia.

Eu a vi sair do quarto e pensei em como seu comportamento parecia o de um refugiado contemporâneo. Sem querer me intrometer na despedida de pai e filha ou constranger Floriano na frente dos pais de sua falecida esposa, fiquei sentada na cama, com as mãos no colo. Pensei mais uma vez em como tudo era difícil para os dois e quanto eu admirava Floriano pelo malabarismo que tinha que fazer para dar conta da filha e do trabalho. E em como me sentira mais do que envaidecida quando Valentina contou que seu pai gostava de mim. Tive que admitir para mim mesma que gostava dele também.

Poucos minutos depois, Floriano bateu na porta e colocou a cabeça para dentro do quarto.

– Está tudo bem, você pode sair agora. Achei que fosse acompanhar Valentina para conhecer Giovane e Lívia, mas você não apareceu. Enfim – continuou ele, pegando a minha mão e me levantando da cama –, como eu disse no café da manhã, acho que está na hora de você se divertir um pouco. Você se lembra de como é isso?

– Claro que lembro! – respondi na defensiva.

– Que bom. Então, no caminho, você pode me dizer a última coisa divertida que fez.

– Floriano, não me trate como criança! – falei, irritada, enquanto saía atrás dele do quarto.

Ele parou de repente no corredor e se virou, fazendo com que eu quase trombasse com ele.

– Maia, por favor, relaxe, estou brincando com você. Mesmo eu, que tenho uma tendência à introspecção, sei que não devo me levar muito a sério. Você tem passado muito tempo sozinha, é só isso. Pelo menos eu tenho a minha filha para me acordar e me fazer olhar para fora – explicou ele. – E, só por hoje, quero que você esqueça seus problemas e *viva*. Tudo bem?

Baixei a cabeça, me sentindo estranha e desconfortável. Percebi que já fazia muito tempo que eu não deixava outro ser humano se aproximar o suficiente para apontar minhas falhas.

– Só quero lhe mostrar o *meu* Rio. Posso garantir que preciso me distrair tanto quanto você – acrescentou Floriano, abrindo a porta e me puxando.

– Está bem – concordei.

– Ótimo – disse ele enquanto descíamos as escadas até a portaria. Então me ofereceu o braço. – Vamos?

– Vamos.

Floriano me levou pelas ruas de Ipanema até um bar que já estava cheio de clientes tomando cerveja.

Ele cumprimentou o barman, que claramente o conhecia, então pediu caipirinhas para nós dois. Olhei para Floriano, chocada.

– São só onze e meia da manhã! – falei enquanto ele me entregava o copo.

– Eu sei. Estamos sendo imprudentes e imorais. – Ele balançou a cabeça, brincando. – Agora – continuou, batendo seu copo no meu –, beba tudo de uma vez.

Viramos os copos e, quando o álcool forte, ainda que enjoativamente doce, deslizou pela minha garganta e chegou ao meu estômago, agradeci a Deus que o bolo estivesse lá para protegê-lo. Depois Floriano pagou a conta e me puxou do banquinho do bar.

– Certo, vamos embora. – Então chamou um táxi e nós entramos.

– Aonde estamos indo?

– Vou levá-la para conhecer um amigo meu – disse ele misteriosamente. – Você precisa ver uma coisa antes de ir embora do Rio.

Vinte minutos depois, descemos do táxi onde percebi ser a entrada de uma favela.

– Não se preocupe – ele me tranquilizou enquanto pagava a corrida –, você não vai levar um tiro, nem vai vir um traficante lhe oferecer cocaína. – Ele passou um braço em volta do meu ombro e começamos a subir a longa escada até a comunidade. – Juro que Ramon, meu amigo, é tão civilizado quanto nós.

Eu já podia ouvir o som dos surdos quando chegamos ao topo e entramos na favela. As vielas eram tão estreitas que eu poderia estender os braços e tocar as paredes de tijolos sem emboço dos dois lados. Ali na calçada era bem escuro e, ao olhar para cima, vi uma estranha mistura de construções sobre as casas no nível da rua.

Floriano seguiu meu olhar e balançou a cabeça.

– Os moradores do andar de baixo vendem a laje para outras famílias, que constroem suas casas em cima – explicou enquanto subíamos cada vez mais pelas ruas sinuosas.

Até mesmo eu, que me orgulhava da minha capacidade de suportar o calor, me vi suando profusamente e meio zonza em meio àquele ambiente claustrofóbico e abafado. Floriano notou e, no alto de uma das vielas, parou e entrou numa área mais escura, que eu percebi ser uma espécie de loja, ainda que fosse somente um espaço de concreto com algumas prateleiras com enlatados e uma geladeira no canto. Depois de comprar uma garrafa d'água, que bebi avidamente, continuamos a subir, até finalmente chegarmos em frente a uma porta pintada de um tom vivo de azul. Floriano bateu, e logo um homem negro veio abrir. Observei os dois se cumprimentarem com tapinhas nas costas e socos de brincadeira no braço, então entramos na casa. Fiquei surpresa ao ver um computador ligado em um canto da sala estreita e também uma grande televisão. A sala tinha poucos móveis, mas estava impecavelmente limpa.

– Maia, este aqui é o Ramon. Ele mora na favela desde que nasceu, mas agora trabalha para o governo como... – Floriano olhou para o amigo em busca de inspiração – ... pacificador.

Os dentes brancos do homem brilharam quando seus lábios se abriram e ele jogou a cabeça para trás, dando uma risada.

– Meu amigo – disse ele com uma voz bonita e grave –, você definitivamente é um escritor. Senhorita – continuou, estendendo a mão para mim –, é um prazer conhecê-la.

Durante as duas horas seguintes, enquanto caminhávamos pelas vielas, parando para comer alguma coisa e tomar cerveja em algum barzinho caindo aos pedaços que algum morador com espírito empreendedor abrira no pequeno espaço que possuía, aprendi muito sobre a vida na favela.

– É claro que ainda há crime e pobreza nas ruas de cada favela no Rio – explicou Ramon. – E há alguns lugares em que nem mesmo eu me arriscaria a ir, principalmente à noite. Mas tenho que acreditar que as coisas estão melhorando, com certeza muito mais lentamente do que deveriam. E como a maior parte agora tem oportunidade de estudar, e com isso a chance de melhorar sua autoestima, espero que meus netos tenham uma infância melhor que a minha.

– Como vocês se conheceram? – perguntei, sofrendo com aquele calor sufocante.

– Ramon ganhou uma bolsa de estudos na minha universidade – explicou Floriano. – Ele estava cursando ciências sociais, mas se interessava por história também. Ele é muito mais inteligente do que eu. Vivo dizendo que ele deveria escrever um livro sobre sua vida.

– Você sabe tão bem quanto eu que ninguém publicaria um livro meu aqui no Brasil – disse Ramon, subitamente sério. – Mas talvez um dia, quando eu estiver mais velho e a situação política for diferente, eu consiga. Agora vou levá-la para ver meu projeto favorito.

Enquanto seguíamos Ramon pelo labirinto de becos, Floriano me explicou baixinho que a mãe de Ramon tinha sido forçada a se prostituir pelo pai dele, que era um conhecido traficante e agora estava preso por duplo homicídio.

– Ramon teve que criar seis irmãos menores sozinho depois que sua mãe morreu por overdose de heroína. Ele é um sujeito incrível. Do tipo que faz você ter esperança no ser humano – ponderou. – Ele trabalha sem descanso para conseguir serviços básicos de saúde para os moradores e melhores instalações para as crianças daqui. Dedicou sua vida às favelas – acrescentou Floriano, segurando meu braço para me ajudar a descer os degraus irregulares de pedra.

À medida que descíamos, o som dos tambores que vinha lá de baixo ficava mais alto, pulsando pelo meu corpo. Observei que Ramon era cumprimentado com respeito e carinho pelos moradores que encontrávamos em cada porta estreita e, quando chegamos lá embaixo e passamos por uma porta de madeira cercada por muros altos, o respeito que eu sentia por ele também se multiplicara. Pensei em como ele dera a volta por cima, usando os terríveis acontecimentos de sua vida para melhorar a dos outros, e me senti pequena diante de sua dedicação e da força de seu caráter.

Entramos em um pátio, onde estavam mais ou menos vinte crianças – algumas ainda mais novas do que Valentina – dançando ao forte ritmo dos tambores. Ramon nos conduziu discretamente, colados à parede, até a sombra fornecida por uma construção que se erguia acima. E apontou para as crianças.

– Eles estão se preparando para o Carnaval. Você sabia que foi nas favelas que tudo começou? – sussurrou ele, me oferecendo uma cadeira de plástico empenada para eu me sentar.

Os pequenos corpos pareciam pulsar instintivamente com a batida dos tambores. Observei seus rostos extasiados, muitos deles com os olhos fechados, como se simplesmente se movessem com a música.

– Eles estão aprendendo algo que chamamos de samba no pé. Foi o que me salvou quando eu era criança – sussurrou Ramon em meu ouvido. – Eles estão dançando por suas vidas.

Mais tarde fiquei pensando que devia ter tirado fotos, mas talvez fosse impossível capturar o êxtase que vi nos rostos das crianças. Eu sabia que o que estava testemunhando ficaria gravado para sempre na minha memória.

Depois de um tempo, Ramon disse que tínhamos de ir embora, e me levantei relutante. Acenamos para as crianças e saímos pela porta de madeira.

– Você está bem? – perguntou Floriano, novamente colocando o braço de maneira protetora em volta do meu ombro.

– Sim – consegui dizer, a voz falhando de emoção. – É a coisa mais linda que eu já vi.

❁ ❁ ❁

Saímos da favela e pegamos um táxi, meu coração e meus sentidos ainda maravilhados pela pureza e pela alegria daquelas crianças dançando.

– Você tem certeza de que está tudo bem, Maia? – perguntou Floriano, pegando minha mão.

– Sim – respondi. – Estou bem. Mesmo.

– Você gostou do samba?

– Adorei.

– Que bom, porque é exatamente o que *nós* vamos fazer esta noite.

Olhei para ele assustada.

– Floriano, eu não sei dançar!

– Claro que sabe, Maia. Todo mundo sabe, principalmente os cariocas. Está no seu sangue. Agora – disse ele, pedindo ao taxista para parar numa praça em Ipanema cheia de barraquinhas – precisamos encontrar algo adequado para você vestir. Ah, e calçados também.

Segui-o como um cachorrinho pelas barracas, enquanto ele examinava os vestidos e selecionava alguns para eu escolher.

– Acho que o pêssego vai combinar melhor com sua pele – sugeriu ele, estendendo para mim um vestido justo, feito de um tecido sedoso.

Fiz uma careta. Era exatamente o tipo de roupa que eu nunca escolheria por achar muito reveladora.

– Vamos, Maia, você me prometeu que viveria um pouco hoje! Você se veste como a minha mãe! – disse ele, me provocando.

– Obrigada – respondi quando ele insistiu em pagar pelo vestido barato.

– Certo, agora os sapatos – anunciou, pegando minha mão mais uma vez e me levando pelas ruas de Ipanema até uma pequena loja de sapatos artesanais.

Dez minutos depois, saí com um par de sapatos de couro de salto alto, com uma tira que cruzava o peito do pé e era presa por um botão.

– Marina é que ia gostar desses sapatos – falei, forçando-o a aceitar meu dinheiro pelos sapatos, que eu sabia que tinham sido caros.

Ele se recusou a aceitar, e parou em frente a uma barraquinha de sorvete, com uma oferta infindável de sabores.

– O que você quer? – perguntou. – Este lugar vende os melhores sorvetes do Rio, eu garanto.

– O mesmo que você – respondi.

Depois que nos deram as casquinhas, atravessamos a avenida à beira-mar e nos sentamos em um banco de frente para a praia, saboreando os deliciosos sorvetes antes que derretessem.

– Certo – disse ele, enquanto limpávamos as bocas meladas –, já passa das seis horas, então por que não você vai até o hotel se arrumar para sua estreia no samba? Preciso passar em casa para escrever alguns e-mails e fazer as malas para viajar amanhã. Busco você no saguão às oito e meia.

– Está bem, e obrigada pelo dia maravilhoso – gritei enquanto ele se afastava e eu atravessava a rua em direção ao hotel.

– Não acabou ainda, Maia – gritou ele em resposta, com um sorriso.

Quando pedi a chave do quarto na recepção, fui recebida por um rosto preocupado.

– Srta. D'Aplièse, estávamos preocupados. Você não voltou para o hotel ontem à noite.

– Não, passei a noite na casa de um amigo.

– Que bom. Ligaram para você mais cedo. Como não conseguimos localizá-la, a pessoa deixou uma mensagem. Ela disse que era urgente. – A recepcionista me entregou um envelope.

– Obrigada – agradeci, pegando o envelope.

– E, se possível, da próxima vez que for passar a noite fora, você poderia nos avisar? Você sabe que Rio pode ser uma cidade perigosa para quem vem de fora. Se a senhorita tivesse demorado mais um pouco, teríamos chamado a polícia.

– Claro – falei, ligeiramente envergonhada enquanto andava até o elevador, pensando que o Rio podia mesmo ser uma cidade perigosa para estrangeiros. Mas, para uma carioca como eu, parecia perfeitamente segura.

No meu quarto, abri o envelope, tentando imaginar quem poderia ter me deixado uma mensagem urgente. Então li as palavras digitadas.

Cara Srta. Maia,
Dona Beatriz gostaria de vê-la. Ela está cada dia mais fraca e é importante que venha o mais rápido possível. Amanhã às dez seria ótimo.
Yara Canterino

Após passar um dia inteiro fora, deixando completamente de lado, por algumas preciosas horas, meu passado desconhecido e o futuro incerto, meu cérebro levou um tempo para registrar o que aquela carta significava. Quando abri o chuveiro e entrei embaixo da água morna, deixando-a cair sobre meu corpo, decidi que só me preocuparia com o que o futuro traria no dia seguinte, não naquela noite.

Coloquei o vestido que Floriano comprara para mim, certa de que ficaria horrível, mas, quando calcei os sapatos e fui para a frente do espelho, fiquei surpresa com o resultado. O decote em V acentuava meus seios fartos e minha cintura fina, e a saia envelope descia em camadas suaves, revelando um pouco das minhas pernas, cujo comprimento era acentuado pelos meus novos saltos.

O tempo que eu passara no Rio dera um pouco de cor à minha pele. Sequei meu cabelo e o prendi no alto da cabeça, depois passei delineador, rímel e um batom vermelho que comprara uma vez por impulso e nunca usara. Ri ao imaginar que minhas irmãs nem me reconheceriam. A provocação de Floriano sobre as roupas que vestia tinha me magoado um pouco, mas ele não estava errado. Tudo o que eu usava era sóbrio, escolhido a dedo para me ajudar a sumir na multidão. Ali no Rio eu sabia que as mulheres valorizavam a sensualidade de seus corpos e sua sexualidade, enquanto eu passara anos tentando esconder isso.

Na meia hora que eu tinha antes de meu encontro com Floriano, escrevi vários e-mails para minhas irmãs, contando como estava me divertindo e que me sentia melhor. Enquanto bebia uma taça de vinho da garrafa que pegara no frigobar, percebi fascinada que cada palavra que eu escrevera era verdade. Era como se um peso enorme tivesse sido tirado dos meus ombros e naquela noite eu me sentisse leve como o ar. Talvez fosse só o fato de eu ter me confessado com Floriano, mas uma voz dentro de mim me dizia que era mais do que isso.

Era ele também.

Sua energia, seu otimismo e bom senso, isso sem falar na forma como ele lidava com a filha e com as coisas de casa com tanta destreza, tudo isso era uma lição de vida que eu precisava aprender. Ele se tornara pelo menos um modelo que eu desejava desesperadamente seguir. Ao seu lado, eu via como a minha vida parecia sem graça, e eu sabia que Floriano – mesmo com seus comentários às vezes duros – me fizera perceber que eu estava simplesmente *sobrevivendo*, e não vivendo.

De alguma forma, aquela cidade e aquele homem, juntos, romperam a proteção invisível dentro da qual eu me escondera. Ri com a analogia, pensando que, de fato, eu me sentia como um pintinho recém-nascido.

E sim, eu admitia que *talvez* estivesse um pouco apaixonada por ele. Quando olhei para o relógio e vi que estava na hora de descer, concluí que, mesmo que eu nunca mais visse o Floriano, ele havia me devolvido a vida. E naquela noite eu comemoraria meu renascimento sem temer o amanhã.

❁ ❁ ❁

– Uau! – Floriano me encarou extasiado quando cheguei ao saguão. – É uma fênix ressurgindo das cinzas.

Em vez de corar e rebater o elogio, sorri calorosamente para ele.

– Obrigada pelo vestido. Você estava certo, fica bem em mim.

– Maia, você está absolutamente deslumbrante. E, acredite em mim – disse ele, segurando meu braço enquanto saíamos –, tudo o que fiz foi ressaltar o que você parece tão determinada a esconder. – Quando chegamos à escada que dava na rua, ele olhou para mim. – Vamos?

– Sim.

Chamamos um táxi e Floriano pediu que nos levasse ao bairro da Lapa, que ele me disse ser uma das regiões mais antigas da cidade frequentadas pelos boêmios.

– As mulheres não costumam vir aqui sozinhas – contou quando chegamos a uma rua de paralelepípedos, cheia de antigos sobrados. – Então hoje estou aqui para ser seu guarda-costas – disse Floriano, enquanto eu me segurava nele procurando me equilibrar nos saltos a que não estava familiarizada, caminhando com cuidado pela superfície irregular.

Os bares nas calçadas estavam lotados, mas saímos da rua principal e depois de um tempo descemos uma escada até um porão.

– Este é o clube de samba mais antigo do Rio. Não é frequentado por turistas. Só os verdadeiros cariocas vêm aqui para dançar ao som do melhor samba da cidade.

Uma garçonete sorriu para ele, deu-lhe dois beijos no rosto, depois nos levou até uma mesa no canto com bancos velhos de couro. Ele pediu duas cervejas, explicando que o vinho ali era intragável enquanto a garçonete nos entregava os cardápios.

– Por favor, Floriano, hoje é por minha conta – falei, enquanto, na pista de dança, os músicos já estavam reunidos, afinando seus instrumentos.

– Obrigado. – Ele balançou a cabeça, concordando. – E, a propósito, qualquer coisa que você queira dizer, diga na próxima hora. Depois disso, não vamos conseguir ouvir mais nada.

Pedimos a especialidade da casa, que Floriano recomendara, e brindamos quando nossas cervejas chegaram.

– Maia, tem sido um prazer passar esse tempo com você. E só lamento ter que viajar assim de repente para Paris amanhã.

– E eu quero lhe agradecer. Você tem sido maravilhoso comigo, Floriano, mesmo.

– Então, você aceita traduzir meu próximo livro? – brincou ele.

– Eu ficaria ofendida se você não me pedisse. Aliás – eu disse quando um tipo de caldo de feijão foi colocado à nossa frente –, Yara tinha deixado uma mensagem para mim quando cheguei ao hotel. Parece que dona Beatriz quer me ver amanhã de manhã – falei o mais casualmente possível.

– Sério? – disse Floriano entre uma colherada e outra. – E como você se sente?

– Você disse que hoje eu devia só me divertir – lembrei a ele, brincando. – Então, não pensei em como me sinto.

– Que bom. Mas não consigo deixar de pensar que queria estar lá com você. Ou pelo menos servir de motorista. Temos vivido uma aventura e tanto nesses últimos dias. E adorei ser seu companheiro. Promete que vai me contar o que ela lhe disser?

– É claro, mando um e-mail para você.

De repente, senti um clima tenso entre nós, que preenchemos terminando o delicioso caldo à nossa frente. Floriano pediu outra cerveja à atenciosa garçonete, mas eu recusei, preferindo uma taça do vinho "intragável". Ao fundo, a banda começou a tocar a música sensual dos morros e dois casais se levantaram. Eu me concentrei neles quando começaram a dançar, seus movimentos cuidadosos refletindo a tensão que pairava no ar entre mim e Floriano.

– Então – falei, vendo outros casais irem para a pista de dança –, você vai me ensinar a sambar? – Estendi minha mão sobre a mesa, e ele assentiu.

Sem falar mais nada, nós nos levantamos e nos juntamos à multidão. Floriano passou um braço em volta da minha cintura e entrelaçou os dedos da outra mão aos meus, e então sussurrou em meu ouvido.

– Sinta o ritmo correr pelo seu corpo, Maia, é só isso.

Fiz o que ele sugeriu, e a batida começou a fluir por mim. Meus quadris começaram a se balançar em harmonia com os dele, e nossos pés se moviam, os meus desajeitadamente a princípio, enquanto eu observava os dele e os dos outros dançarinos à minha volta. Mas, em pouco tempo, algo instintivo assumiu o controle, eu relaxei e deixei meu corpo se mover acompanhando o de Floriano.

Não sei bem por quanto tempo nós dançamos naquela noite. Quando o salão ficou mais cheio, parecia que éramos uma única massa homogênea, um grupo de pessoas movendo-se como uma só, simplesmente celebrando a alegria de viver. Tenho certeza de que, aos olhos de qualquer profissional, meu samba era amador e imperfeito, mas, pela primeira vez na vida, eu não me importava com o que ninguém pensava. Floriano me conduzia, me girava e me segurava junto ao seu corpo até que comecei a rir alto pela simples euforia do momento.

Depois de um tempo, nós dois suávamos profusamente, então deixamos a pista de dança, Floriano pegou a água em nossa mesa e subimos até a rua para respirar um pouco de ar fresco, que foi imediatamente poluído pelo cigarro dele.

– Meu Deus, Maia! Para uma iniciante, isso foi incrível! Você é uma verdadeira carioca.

– Esta noite estou me sentindo assim, graças a você. – Peguei seu cigarro para dar uma tragada, os olhos dele cravados em mim.

– Você sabe como está bonita? – murmurou ele. – Muito mais do que sua bisavó. Esta noite, parece que tem uma luz irradiando de dentro de você.

– Sim – eu disse –, e isso graças a você, Floriano.

– Maia, eu não fiz nada. Foi você quem decidiu voltar a viver.

De repente, ele me puxou para os seus braços e, antes que eu pudesse perceber, me beijou. E eu correspondi com igual fervor.

– Por favor – sussurrou ele enquanto nos afastávamos para tomar fôlego –, fique comigo esta noite.

❂ ❂ ❂

Deixamos o clube e mal havíamos subido as escadas até seu apartamento quando ele puxou o vestido dos meus ombros e fizemos amor ali mesmo, no corredor estreito, a música dos morros ainda ecoando em meus ouvidos. Depois fomos para a cama dele e nos amamos de novo, desta vez mais lentamente, mas com igual paixão.

Mais tarde, ele se apoiou no cotovelo e olhou para mim com aquele seu olhar intenso a que eu me acostumara.

– Como você mudou – disse ele. – Quando eu a conheci, notei logo que era bonita, como qualquer homem faria, mas você era tão fechada, tão tensa. E olha só você agora – e beijou meu pescoço e acariciou meus seios. – Você é... incrível. E, após meses desejando que chegasse logo o dia de ir para Paris, esta noite, a apenas algumas horas da viagem, tudo o que eu quero é ficar aqui com você. Maia, eu te adoro. – Ele de repente se deitou em cima de mim, sua nudez contra a minha, enquanto me olhava fixamente. – Venha comigo para Paris – pediu.

– Floriano, esta é a nossa noite – sussurrei. – Foi você que me ensinou a viver um momento de cada vez. Além disso, você sabe que eu não posso.

– Não, não amanhã, mas por favor, depois que falar com sua avó, pegue um avião e vá se encontrar comigo. Podemos passar alguns dias maravilhosos juntos. Um momento único – tentou me convencer.

Eu não respondi. Não queria ter que pensar no amanhã naquele momento. Ele acabou adormecendo ao meu lado e eu fiquei ali, admirando-o, banhado pelo luar que brilhava através da janela. Então estendi a mão para tocar delicadamente seu rosto.

– Obrigada – sussurrei. – Obrigada.

48

*P*ara minha surpresa, já que eu não dormia na mesma cama que outra pessoa havia mais de catorze anos, dormi profundamente até sentir um leve toque em meu ombro. Então abri os olhos e vi Floriano olhando para mim, já vestido.

– Trouxe café – disse ele, indicando a caneca na mesinha de cabeceira ao meu lado.

– Obrigada – respondi, sonolenta. – Que horas são?

– Oito e meia. Maia, preciso ir para o aeroporto agora. Meu voo parte em três horas.

– E eu tenho que voltar depressa para o hotel e me trocar – falei, me preparando para sair da cama. – Preciso estar no convento às dez.

Floriano colocou a mão em meu braço para me deter por um momento.

– Escute, não sei quais são seus planos depois que conversar com Beatriz, mas queria reforçar o que eu disse ontem à noite. Venha para Paris. Eu adoraria ficar com você. Promete que vai pensar a respeito?

– Claro. Prometo que sim.

– Está bem. – Floriano coçou o nariz e um sorriso irônico se abriu em seus lábios. – Odeio dizer isso, mas não posso evitar ver algo da história de Bel e Laurent nesta conversa. Quero pensar que podemos encontrar um final mais feliz do que o deles. – Ele estendeu a mão e tirou uma mecha de cabelo da minha testa, depois se curvou e beijou-a suavemente. – *À bientôt*, e boa sorte hoje. Agora, tenho mesmo que ir.

– Boa viagem – falei, vendo-o andar até a porta.

– Obrigado. É só bater a porta quando sair. Petra volta daqui a alguns dias. Tchau, Maia.

Ouvi a porta bater alguns segundos depois e pulei da cama para me vestir. Saí do apartamento e caminhei rápido pelas ruas de Ipanema até meu hotel. Atravessei o saguão de cabeça erguida e pedi minha chave no balcão, ignorando o olhar da recepcionista, que me examinava de cima a baixo ao me ver despenteada e desarrumada, e perguntei se Pietro poderia me levar ao convento dali a vinte minutos.

Tomei um banho rápido, relutando em tirar o cheiro de Floriano do meu corpo, vesti depressa algo mais apropriado e estava de volta ao saguão quinze minutos depois. Encontrei Pietro esperando por mim do lado de fora, e ele sorriu quando entrei no carro.

– Srta. D'Aplièse, como está? Não a vejo faz alguns dias. Nós vamos ao convento que tem a casa de repouso, não é?

– Sim – respondi, e, enquanto saíamos, comecei a preparar meu cérebro confuso para o encontro iminente.

Quando chegamos, Yara já esperava por mim nervosa do lado de fora.

– Olá, Srta. Maia. Obrigada por ter vindo.

– Obrigada por conseguir esse encontro.

– Para falar a verdade, não teve nada a ver comigo. Foi dona Beatriz que me perguntou, do nada, se eu poderia entrar em contato com a senhorita. Ela sabe que só lhe resta pouco tempo. Está pronta? – Pude ver a solidariedade nos olhos de Yara.

Disse que sim, e ela me levou por corredores amplos e escuros em direção à ala da casa de repouso. Quando passamos pelas portas duplas, senti o cheiro de desinfetante misturado a outro aroma indefinível que parecia permear todos os hospitais que eu já visitara. Na última vez que eu estivera em um, dera à luz meu filho.

– Dona Beatriz está ali. – Yara indicou uma porta no fim do corredor. – Vou apenas ver se ela está preparada.

Sentei-me no banco do lado de fora, pensando que não me deixaria abater por nada do que Beatriz viesse a me contar. O passado era o passado, e ontem eu finalmente começara a ter um futuro.

A porta do quarto de Beatriz se abriu e Yara me chamou.

– Ela está muito lúcida esta manhã. Pediu à enfermeira que não lhe desse nenhum remédio até falar com você, para que estivesse com a mente bem clara. Você terá cerca de uma hora até a dor ficar forte demais para ela.

Yara então me conduziu até o quarto iluminado e arejado, com uma bela vista das montanhas e do mar. Embora houvesse uma cama hospitalar, todo o resto se assemelhava a um quarto comum.

– Bom dia, Maia.

Sentada em uma cadeira perto da janela, Beatriz me cumprimentou de maneira surpreendentemente calorosa.

– Obrigada por ter vindo me ver. Por favor, sente-se. – Ela indicou uma cadeira de madeira à sua frente. – Yara, você pode nos deixar agora.

– Sim, senhora. Aperte a campainha se precisar de alguma coisa – disse Yara e saiu do quarto.

Enquanto patroa e empregada conversavam, aproveitei para observar Beatriz. Depois do que Yara me contara sobre ela, tentei vê-la sob uma nova luz. Com certeza ela não lembrava Izabela, sua mãe, e sem dúvida se assemelhava mais às feições europeias e à pele clara do pai. Notei também, pela primeira vez, seus grandes olhos verdes bem alertas no rosto emaciado.

– Para começar, Maia, quero lhe pedir desculpas. Vê-la entrar no meu jardim, um retrato vivo da minha mãe, foi um choque. E, é claro, o colar que você está usando... Eu, assim como Yara, o reconheci imediatamente. Foi deixado para mim por minha mãe, Izabela, e é o mesmo que dei para minha própria filha quando fez 18 anos.

Os olhos de Beatriz de repente se enevoaram, não consegui saber se de dor ou emoção.

– Perdoe-me, Maia, mas eu precisava de tempo para pensar o que fazer a respeito de sua súbita chegada, assim tão perto da minha... partida.

– Dona Beatriz, como eu disse antes, não estou aqui atrás de dinheiro, herança ou...

Beatriz levantou a mão trêmula para me silenciar.

– Em primeiro lugar, por favor me chame só de Beatriz. Acho que, infelizmente, é um pouco tarde para "vó", não é? E, em segundo lugar, embora eu tenha pensado que o momento da sua visita era conveniente demais para ser uma coincidência, isso não me preocupou muito. Hoje em dia existem testes para provar uma ligação genética quando necessário. Além disso, sua origem está bem clara em seu rosto. Não – disse ela com um suspiro –, foi outra coisa que me fez hesitar.

– O quê?

– Maia, toda criança que é adotada ou perde o pai ou a mãe ainda jovem pode acabar colocando seus pais biológicos em um pedestal. Sei que eu fiz isso com a minha mãe. Na minha imaginação, Izabela se tornou uma santa, uma mulher perfeita. Embora eu saiba que, na verdade, ela tinha muitos defeitos, assim como todos nós – admitiu Beatriz.

– Sim, acho que a senhora está certa – concordei.

Ela parou por um instante, observando meu rosto, pensativa.

– Então, quando vi seu compreensível desespero em saber sobre sua mãe e as razões para ela tê-la entregado para adoção, eu sabia que não seria capaz de mentir se concordasse em responder a suas perguntas. E que, se eu lhe contasse a verdade, então infelizmente destruiria qualquer imagem que você construíra em sua mente.

– Estou começando a entender seu dilema – falei, tentando tranquilizá-la. – Mas devo lhe dizer que, até meu pai adotivo morrer, eu raramente pensava sobre quem seria minha mãe biológica. Ou meu pai, aliás. Tive uma criação muito feliz. Eu adorava meu pai, e Marina, a mulher que cuidou de mim e de minhas irmãs, não poderia ter sido mais carinhosa. E ainda é – acrescentei.

– Bem, creio que isso ajuda um pouco – concordou Beatriz. – Porque receio dizer que a história que levou a sua adoção não é bonita. É terrível para uma mãe admitir que tinha dificuldade em gostar da própria filha, mas lamento lhe dizer que foi assim que passei a me sentir com relação a Cristina, sua mãe. Perdoe-me, Maia, a última coisa que quero é lhe causar mais sofrimento. Mas você obviamente é uma mulher inteligente e seria um erro lhe contar banalidades e mentiras. Tenho certeza de que perceberia. Mas precisa lembrar que, assim como os pais não escolhem seus filhos, os filhos também não podem escolher os pais.

Diante do que Beatriz tentava me dizer, hesitei por alguns instantes, perguntando-me se seria melhor, depois de tudo, não saber a verdade. Mas eu havia chegado até ali e, talvez pelo próprio bem de Beatriz, ela devesse poder explicar. Respirei fundo.

– Por que não me fala sobre Cristina? – pedi em voz baixa.

Beatriz viu que eu tinha tomado minha decisão.

– Muito bem. Yara me disse que já lhe contou sobre minha vida, então você sabe que meu marido, seu avô, e eu vivíamos um casamento muito feliz. E descobrir que estava grávida foi a coroação dessa alegria. Nosso primeiro filho morreu algumas semanas depois de nascer, então, quando finalmente dei à luz Cristina anos mais tarde, ela foi ainda mais preciosa para nós.

Respirei fundo, por um momento pensando em meu próprio filho.

– Depois das experiências da minha infância – continuou Beatriz –, eu estava determinada a criar meu bebê com todo o amor que eu e o pai poderíamos dar a ela. Mas, para ser sincera, Maia, Cristina foi difícil desde o dia em que nasceu. Ela raramente dormia durante a noite e, quando começou a andar, costumava fazer enormes birras que às vezes duravam horas. Quando foi para a escola, ela sempre se metia em problemas, e seus professores viviam mandando bilhetes para casa dizendo que ela maltratara esta ou aquela menina, fazendo-as chorar. É uma coisa terrível de admitir – a voz de Beatriz falhava ao contar essas lembranças obviamente dolorosas –, mas Cristina parecia não ter pudores em magoar as pessoas e não sentia nenhum remorso depois. – Ela ergueu angustiada os olhos em minha direção. – Maia, minha querida, por favor me diga se quiser que eu pare.

– Não, continue – incentivei, entorpecida.

– E, é claro, tudo piorou na adolescência. O pai dela e eu nos desesperávamos com sua total falta de respeito pela autoridade, fosse a nossa ou de qualquer outra pessoa que lidava com ela. A tragédia disso tudo é que sua mãe era extremamente inteligente, como os professores dela não cansavam de nos dizer. Tinha um QI muito acima da média; comprovamos por testes quando ela era mais jovem. Nos últimos anos, com o avanço nos estudos de saúde mental, li artigos sobre a síndrome de Asperger. Você já ouviu falar? – perguntou ela.

– Sim, já.

– Bem, aparentemente, o portador dessa síndrome quase sempre tem um alto nível de inteligência e também parece demonstrar pouca ou nenhuma empatia pelos outros. E essa é a melhor descrição que consigo pensar de sua mãe, embora Loen, a mãe de Yara, sempre me dissesse que Cristina a fazia lembrar minha avó, Luiza, da qual tenho poucas recordações. Ela morreu quando eu tinha 2 anos, na mesma época em que minha mãe.

– Sim, Yara me contou.

– Então, fosse algo genético, ou algo que nos dias de hoje seria considerado uma síndrome, ou talvez uma mistura dos dois, a personalidade de Cristina tornava quase impossível lidar com ela. E nenhum dos muitos especialistas que consultamos encontrou uma solução. – Beatriz balançou a cabeça tristemente. – Quando ela estava com 16 anos, começou a sair muito, frequentando alguns dos bares de pior reputação da cidade e se envolvendo com más companhias. Você pode imaginar como isso podia ser extremamente perigoso no Rio há 35 anos. Em mais de uma ocasião, ela foi trazida para casa pela polícia, bêbada e desarrumada. Eles ameaçaram entregá-la ao Juizado de Menores e isso a acalmou por um tempo. Mas depois descobrimos que ela não estava frequentando a escola e que em vez disso saía com os amigos, muitos dos quais moravam nas favelas.

Beatriz parou e olhou as montanhas distantes pela janela antes de virar de novo para mim.

– Depois de um tempo, a escola não teve escolha a não ser expulsá-la. Ela foi pega com uma garrafa de rum na mochila, incentivando as outras meninas a beber. Todas elas chegaram bêbadas para as aulas da tarde. O pai e eu contratamos um professor particular para que ela pudesse pelo menos terminar suas provas e também para ficarmos de olho nela. Chegamos até a trancá-la no quarto quando ela insistia em sair à noite, e então os ataques de raiva eram devastadores. Além disso, ela sempre encontrava uma maneira de escapar. Cristina estava completamente fora de controle. Minha querida, você poderia me passar a água que está na mesinha de cabeceira? Toda essa conversa está me deixando com a boca seca.

– É claro – falei, indo buscar o copo com canudo na mesa e entregando-o a ela.

Quando Beatriz tentou pegá-lo, percebi que suas mãos tremiam demais, então levei eu mesma o canudo aos seus lábios e segurei o copo enquanto ela bebia.

– Obrigada – disse ela, e eu pude notar a aflição em seus olhos verdes. – Você tem certeza de que aguenta ouvir mais, Maia?

– Sim – respondi, colocando o copo no lugar e voltando para minha cadeira.

– Bem, um dia eu descobri que as esmeraldas da minha mãe, o colar e os brincos que ela ganhara de seus pais quando fez 18 anos e que valiam uma fortuna, tinham desaparecido da minha caixa de joias. Nada mais tinha sido levado, então era improvável que a casa tivesse sido assaltada. Nessa época, Cristina passava a maior parte do tempo na favela. O pai dela e eu deduzimos que havia algum homem envolvido, e eu comecei a notar que seus olhos pareciam permanentemente vidrados, com as pupilas dilatadas. Consultei um médico amigo meu e ele me disse que era provável que Cristina estivesse usando algum tipo de droga. – Beatriz estremeceu ao se lembrar disso. – E, claro, quando ele me explicou como essas substâncias eram caras, percebi que isso explicava o desaparecimento das esmeraldas.

Achamos que ela tinha roubado as joias e depois vendido para sustentar o vício. Àquela altura, o pai dela e eu estávamos à beira do divórcio. Evandro não aguentava mais, e algo precisava mudar. Cristina tinha feito 18 anos alguns meses antes. Lembro-me como se fosse hoje de que lhe dei a pedra da lua da minha mãe de presente de aniversário e do desapontamento em seu rosto quando notou que a pedra não era de grande valor. Isso – continuou Beatriz, enquanto as lágrimas enchiam seus olhos pela primeira vez – foi talvez a coisa mais terrível de todas que ela fez. O colar era meu bem mais precioso. Meu pai o dera para minha mãe e mais tarde, depois que ela faleceu, ele o passou para mim. E eu o dei a minha filha, que só pensava em quantos cruzeiros poderia conseguir por ele para financiar seu vício. Desculpe-me, Maia querida – disse, procurando um lenço no bolso do roupão.

– Por favor, não se desculpe. Entendo como deve ser perturbador me contar isso. Mas tente se lembrar de que está descrevendo uma estranha para mim, para o bem ou para o mal. Eu não a amo, porque nunca a conheci – confortei-a.

– Bem, meu marido e eu decidimos confrontar Cristina e alertá-la que, a menos que parasse de se drogar e roubar de nós, não teríamos escolha a não ser lhe pedir para deixar nossa casa. Ao mesmo tempo, oferecemos toda a ajuda e o apoio de que ela precisasse, desde que também tentasse ajudar a si mesma. Mas àquela altura ela já estava viciada e, além disso, sua vida era em outro lugar, com seus amigos da favela. Então, depois de algum tempo, fizemos sua mala e pedimos a Cristina que saísse de casa.

– Beatriz, eu sinto muito. Isso deve ter sido absurdamente difícil – falei, apertando gentilmente sua mão em solidariedade.

– Foi mesmo – concordou, com um suspiro profundo. – Deixamos claro que, se um dia ela quisesse voltar para casa e tentar largar o vício, nós a receberíamos de braços abertos. Lembro-me de vê-la descendo as escadas com sua mala, enquanto eu permanecia junto à porta da frente. Ela passou direto por mim, em seguida virou apenas por um segundo. O ódio em seus olhos naquele momento me assombra até hoje. – Beatriz chorava agora. – E lamento dizer que essa foi a última vez que vi minha filha.

Nós duas ficamos em silêncio por um tempo, perdidas em nossos pensamentos. Por mais decidida que estivesse a não deixar nada do que Beatriz dizia me perturbar, depois da história que acabara de ouvir, isso era uma tarefa impossível. Porque em algum lugar das minhas veias corria o sangue de Cristina. Será que eu era assim tão cheia de defeitos quanto ela?

– Maia, sei o que você está pensando – disse Beatriz de repente, secando os olhos e me examinando com atenção. – E posso assegurá-la, pelo que vi e pelo que Yara me disse, de que você não se parece em nada com a sua mãe. Dizem que os genes pulam gerações, e você com certeza é o retrato vivo da minha mãe, Izabela. E, pelo que todos me contaram, sua personalidade também lembra muito a dela.

Eu sabia que Beatriz estava tentando ser gentil. Era verdade: desde o início, assim que fiquei sabendo sobre a minha bisavó e vi como éramos fisicamente parecidas, *senti* uma empatia natural por ela. Mas isso não mudava nada a respeito de quem tinha sido minha mãe biológica.

– Então, se a senhora nunca mais viu Cristina, como sabe que ela me teve? – perguntei, agarrando-me a migalhas na esperança de que houvesse algum engano. E de que eu não pertencesse, no final das contas, àquela família. E não fosse filha de Cristina.

– Eu não saberia, querida, se não fosse por uma amiga minha que trabalhava como voluntária em um dos muitos orfanatos do Rio na época. A maioria dos bebês vinha das favelas e minha amiga por acaso estava lá quando Cristina levou você. Ela não disse quem era, só deixou a bebê e foi embora, como muitas mães faziam. Minha amiga levou alguns dias para se lembrar de onde conhecia Cristina… Pelo que me contou, ela estava extremamente magra e tinha perdido alguns dentes. – A voz de Beatriz falhava de emoção. – Mas ela acabou lembrando e veio me procurar para dizer que você tinha sido deixada com um colar de pedra da lua. Quando ela o descreveu, percebi que era o que eu tinha dado a minha filha. Imediatamente fui ao orfanato com Evandro explicar que era sua avó para trazê-la para casa, de modo que nós dois pudéssemos cuidar de você como se fosse nossa. Mas, apesar de fazer menos de uma semana que fora levada para lá, você já não estava mais. Minha amiga ficara muito surpresa porque, como ela dissera, havia uma quantidade enorme de recém-nascidos no orfanato na época. Muitas vezes levava várias semanas para um bebê ser adotado… isso quando era. Talvez fosse porque você era um bebê muito bonito, minha querida – disse Beatriz, sorrindo.

– Então – falei, trêmula, sabendo que tinha de fazer a pergunta que estava na ponta da língua –, isso significa que sua amiga viu meu pai adotivo?

– Sim – confirmou Beatriz –, e também a mulher que veio com ele para buscá-la. Minha amiga me assegurou que os dois pareciam muito gentis. É claro, Evandro e eu imploramos que nos dissesse para onde você tinha sido levada, mas ela era apenas uma voluntária e não tinha acesso a essas informações.

– Entendo.

– No entanto, ela conseguiu uma coisa, Maia. Naquela gaveta – disse Beatriz, apontando –, você vai encontrar um envelope. O orfanato fotografava cada bebê que chegava para seus arquivos. Como você já tinha sido adotada e seu processo, encerrado, minha amiga perguntou à diretora do orfanato se ela poderia trazer a foto para mim como lembrança. Está ali, dê uma olhada.

Fui até a gaveta e peguei o envelope. Ao retirar a fotografia, vi uma imagem em preto e branco meio desfocada de um bebê com cabelos escuros e enormes olhos assustados. Eu já vira várias fotos de quando era pequena, deitada tranquilamente nos braços de Marina ou sendo embalada por Pa Salt. E sabia, sem sombra de dúvida, que era eu naquela foto.

– Então a senhora nunca descobriu quem me adotou? – perguntei a Beatriz.

– Não. Mas acredite que nós tentamos de todas as maneiras. Explicamos à diretora que éramos seus avós e que pretendíamos adotá-la e criá-la como nossa filha. Ela perguntou que prova tínhamos de que você era nossa neta. Infelizmente, não tínhamos nenhuma – disse Beatriz, suspirando profundamente –, porque não havia o nome da mãe biológica em seu arquivo. Quando eu mostrei a ela uma foto minha usando o colar de pedra da lua, ela respondeu que aquilo não contava como prova aos olhos da lei. Então pedi a ela... não, na verdade implorei que me deixasse pelo menos fazer contato com a família adotiva por intermédio dela. Mas ela recusou, dizendo que já se provara no passado que não era bom colocar a antiga família em contato com a nova. E que a política deles era firme e inalterável. Minha querida – continuou ela –, apesar de todos os nossos esforços, chegamos a um beco sem saída.

– Obrigada por tentar – sussurrei.

– Maia, você precisa acreditar em mim quando digo que, se seu pai adotivo não tivesse aparecido tão rapidamente, a minha vida e a sua teriam sido bem diferentes.

Guardei a fotografia no envelope, buscando algo em que me concentrar. Então me levantei e fui colocá-lo de volta na gaveta.

– Não, minha querida, você pode ficar com ela. Não preciso mais da foto agora. Tenho minha neta de verdade, em carne e osso, bem diante de mim.

Vi Beatriz se encolher de dor e sabia que meu tempo estava acabando.

– Então a senhora nunca descobriu quem era meu verdadeiro pai? – perguntei.

– Não.

– E Cristina? Sabe o que aconteceu com ela?

– Infelizmente, como eu disse, nunca mais tive notícias dela, então não posso nem mesmo lhe dizer se está viva ou morta. Depois que deixou você no orfanato, ela simplesmente desapareceu. Como aconteceu a muitos outros no Rio naqueles tempos – disse Beatriz, com um suspiro. – Talvez, se investigar, você possa ter mais sorte. Hoje em dia sei que as autoridades costumam colaborar mais com as pessoas que procuram familiares há muito desaparecidos. Meu instinto me diz, se é que uma mãe realmente tem dessas coisas, que Cristina está morta. Aqueles que buscam se autodestruir normalmente são bem-sucedidos. Ainda assim, sinto meu coração doer toda vez que penso nela.

– Posso imaginar – repliquei baixinho, sabendo bem como era se sentir assim. – Mas a senhora pode ao menos se consolar com o fato de ela ter levado o colar de pedra da lua quando deixou sua casa e, depois, tê-lo deixado comigo. O colar devia representar uma ligação com a família e devia ser importante para ela, apesar de tudo o que aconteceu. Talvez, mais do que qualquer outra coisa, isso mostre que, no fundo, ela a amava.

– Talvez. – Beatriz concordou, balançando lentamente a cabeça, o fantasma de um sorriso iluminando seus lábios ressecados. – E agora, minha querida, posso lhe pedir que toque a campainha para chamar a enfermeira? Receio que deva me render e tomar um daqueles comprimidos horríveis que me apagam, mas pelo menos me permitem suportar a dor.

– Claro. – Apertei a campainha e Beatriz estendeu a mão quase sem forças em direção a mim.

– Maia, por favor, me diga que não vai deixar a história que lhe contei interferir em seu futuro. Sua mãe e seu pai podem tê-la desapontado, mas você precisa saber que seu avô e eu nunca deixamos de pensar em você e de amá-la. E a sua volta significa que finalmente posso ter paz.

Eu me aproximei e passei os braços em torno dela, abraçando pela primeira vez um parente de sangue, desejando que pudéssemos ter mais tempo juntas.

– Obrigada por me receber. Apesar de eu não ter encontrado minha mãe, conheci a senhora. E isso basta.

A enfermeira entrou no quarto.

– Maia, você estará aqui no Rio amanhã? – perguntou Beatriz de repente.

– Posso estar, sim.

– Então venha me visitar novamente. Eu lhe contei a parte ruim, mas, se você puder, vamos aproveitar o tempo que nos resta para nos conhecermos melhor. Você não pode imaginar quanto ansiei por vê-la.

Beatriz abriu a boca obediente para tomar os comprimidos que a enfermeira lhe oferecia.

– Vejo a senhora amanhã no mesmo horário – falei.

Sua mão deu um fraco aceno de despedida e eu saí do quarto.

49

De volta ao hotel, deitei toda encolhida na cama e adormeci. Quando acordei, fiquei pensando em Beatriz e no que ela me dissera, sondando o que sentia após aquelas descobertas. Surpreendentemente, não estava sofrendo muito, embora a história que minha avó tinha me contado fosse terrível.

Comecei a pensar nas crianças que vira na favela no dia anterior, dançando alegremente. Talvez minha forte reação tivesse vindo de uma ligação entre mim e elas que eu não compreendera na hora. Agora, eu tinha quase certeza de que também tinha nascido em uma favela. A decisão de minha mãe – quaisquer que fossem suas motivações na época – sem dúvida havia me salvado de um futuro incerto. Além disso, independentemente de quem tenham sido minha mãe e meu pai, eu havia encontrado uma avó de sangue que parecia genuinamente se preocupar comigo.

Perguntei-me se iria tentar procurar minha mãe. E concluí que era melhor não. Pelo que Beatriz contara, era óbvio que eu tinha sido apenas um subproduto biológico de sua vida e, como tal, indesejada. No entanto, essa linha de raciocínio me levou inevitavelmente a pensar que *eu* tinha feito o mesmo com *meu* filho. Então, como poderia julgar minha mãe severamente ou acreditar que ela nunca me amara sem saber todas as circunstâncias que contribuíram para sua decisão?

No entanto, os acontecimentos daquele dia pelo menos me fizeram perceber que eu tinha que deixar ao meu filho algo que explicasse o motivo de eu ter feito aquilo. Ele não tinha nenhum colar de pedra da lua ou avós desesperados para adotá-lo. Nenhuma pista sobre sua origem. Como Floriano ressaltara, talvez seus pais adotivos nem tivessem lhe contado a verdadeira história de seu nascimento. Mas, caso tenham contado, ou resolvam fazer isso no futuro e um dia ele decida me procurar, eu queria garantir que ele tivesse uma trilha a seguir.

Assim como Pa Salt deixara para suas seis filhas.

Eu entendia agora por que as coordenadas de Pa Salt me levaram à Casa das Orquídeas, e não a um orfanato. Embora eu não tivesse nascido lá, talvez ele soubesse que eu encontraria Beatriz, a única parente que se importara em me procurar.

Também pensei novamente na razão para Pa Salt estar no Rio na época do meu nascimento e *por que*, dentre todos os bebês disponíveis para adoção, ele me escolhera. Beatriz não falara nada sobre um ladrilho de pedra-sabão ter sido deixado comigo quando minha mãe me abandonara no orfanato. Então como Pa Salt o conseguira?

Era outro enigma para o qual eu sabia que nunca encontraria resposta. E concluí que devia deixar de perguntar "por que" e simplesmente aceitar que eu fora abençoada por tê-lo como um conselheiro incrível e um pai amoroso, que sempre estivera ao meu lado quando eu precisara dele. E que eu devia aprender a confiar na bondade dos outros. O que, naturalmente, me levava de volta a Floriano.

Instintivamente, olhei para o céu através da janela. Àquela altura, ele devia estar sobrevoando o oceano Atlântico. Pensei como era estranho, após passar catorze anos vivendo em um vazio, sem nada ocupando meus pensamentos, ou pronta para apagar qualquer coisa que surgisse, que agora, de repente, tivesse que lidar com tantas emoções. Os sentimentos que eu tinha por Floriano haviam surgido de repente – como o botão de rosa que desabrocha magicamente da noite para o dia – e eram avassaladores, mas, ao mesmo tempo, completamente naturais.

Eu sentia falta dele, admiti, não como uma paixão passageira, mas como algo que agora fazia parte de mim. E, de alguma forma, eu sabia que fazia parte dele também. Em vez de sentir o desespero de uma paixão louca, aceitava tranquilamente que havia nascido algo entre nós que precisava ser cuidado para não murchar e morrer.

Abri meu laptop e, como havia prometido, escrevi um e-mail para Floriano. Expliquei-lhe, da forma mais sucinta possível, o que Beatriz me contara naquela manhã e que eu voltaria ao convento para visitá-la no dia seguinte.

Em vez de hesitar, como normalmente fazia ao escrever a última frase, segui meus instintos e apertei "Enviar", sem mudar uma palavra. Então deixei o hotel e atravessei a rua para dar um mergulho nas ondas revigorantes que quebravam na praia de Ipanema.

❀ ❀ ❀

Na manhã seguinte, Yara estava esperando por mim no saguão do convento, assim como no dia anterior. Desta vez, porém, me cumprimentou com um sorriso radiante e esticou com timidez a mão para apertar a minha.

– Obrigada, senhorita.

– Pelo quê? – perguntei.

– Por trazer a luz de volta aos olhos de dona Beatriz. Ainda que por um curto período. E a senhorita, está bem depois do que ela lhe contou?

– Para ser sincera, Yara, não era o que eu esperava, mas estou bem, sim.

– Ela não merecia aquela criança como filha, nem a senhorita a merece como mãe –murmurou Yara, incomodada.

– Acho que muitas vezes não merecemos o que temos. Mas de repente, no futuro, recebemos o que merecemos – falei, quase para mim mesma, enquanto a seguia pelo corredor.

– Dona Beatriz está deitada, mas insistiu em vê-la. Vamos entrar?

– Sim.

E naquele dia, pela primeira vez, entramos juntas, sem que Yara precisasse verificar primeiro se sua patroa estava preparada para me receber. Beatriz estava na cama, parecendo muito frágil, mas abriu um sorriso ao me ver.

– Maia. – Ela acenou para que Yara puxasse uma cadeira para mim junto à cama. – Venha, sente-se aqui. Como está hoje, minha querida? Fiquei preocupada com você à noite. O que eu lhe disse deve ter sido um choque.

– Eu estou bem, Beatriz, mesmo – respondi, sentando-me perto dela e estendendo, hesitante, a mão para acariciar a dela.

– Então fico feliz. Você é uma pessoa forte, e eu a admiro por isso. Agora, chega de falar do passado. Eu gostaria de saber sobre sua vida. Maia, onde você mora? Você é casada? Já tem filhos? Trabalha?

Durante a meia hora seguinte, contei à minha avó tudo que me ocorreu sobre minha vida. Falei sobre Pa Salt, minhas irmãs e nossa bela casa às margens do lago Léman. Contei sobre minha carreira de tradutora e até fiquei tentada a lhe falar sobre Zed, minha gravidez e a adoção do meu bebê. No entanto, percebi logo que tudo o que ela queria era ouvir que eu tinha sido feliz, então não entrei em detalhes.

– E quanto ao futuro? Me fale sobre aquele belo rapaz que foi com você até a Casa das Orquídeas. Ele é bem famoso aqui no Rio. É só um amigo? – Ela me observava com astúcia. – Algo me diz que ele é mais do que isso.

– Sim, eu gosto dele – confessei.

– Então, o que você vai fazer agora? Vai voltar para Genebra ou ficar no Rio com ele?

– Na verdade, ele viajou para Paris ontem de manhã – expliquei.

– Ah, Paris! – Beatriz juntou as mãos. – Uma das épocas mais felizes da minha vida. E, como você já sabe, sua bisavó esteve lá quando jovem. Acredito que você tenha visto no jardim lá de casa a escultura dela que meu pai mandou buscar em Paris como presente de casamento.

– Sim, eu vi – confirmei, perguntando-me aonde aquela conversa nos levaria.

– Quando eu estava em Paris, estudando na École des Beaux-Arts, o escultor que fez essa obra foi um dos meus professores. Então me apresentei a ele um dia depois da aula e lhe contei que era filha de Izabela. Para minha surpresa, o professor Brouilly disse que se lembrava dela perfeitamente. E, quando lhe falei que ela havia morrido, ele pareceu realmente sentido. Depois disso, ele de certa forma me tomou sob sua proteção, ou pelo menos desenvolveu um interesse especial por mim. Ele me convidou para visitar sua bela casa em Montparnasse e me levou para almoçar no La Closerie des Lilas. E disse que tivera um almoço esplêndido com minha mãe naquele café. Ele até me levou ao ateliê do professor Paul Landowski e me apresentou ao grande escultor. Nessa época, é claro, Landowski já estava velho e raramente esculpia, mas ele me mostrou fotografias da época em que os moldes do Cristo foram preparados em seu ateliê. Ele contou que minha mãe tinha estado lá na época em que Landowski e o professor Brouilly trabalharam nisso. Ele também encontrou um molde no armário de seu depósito que disse ter tirado das mãos da minha mãe como um possível protótipo para as mãos do Cristo.

Beatriz sorriu, lembrando-se desses momentos felizes.

– O professor Brouilly foi muito generoso comigo, me dando tanto seu tempo quanto seu carinho. E nos correspondemos durante anos depois disso, até sua morte, em 1965. A bondade dos estranhos... – ponderou Beatriz. – Então, Maia, minha querida, você vai seguir os passos de sua bisavó e de sua avó e viajar do Rio de Janeiro para Paris? Hoje em dia com certeza é mais fácil chegar lá. Eu e minha mãe levamos quase seis semanas. E a esta hora, amanhã, você pode já estar sentada no La Closerie des Lilas tomando absinto! Maia, querida? Você está me ouvindo?

Depois do que Beatriz acabara de me contar, eu estava chocada demais para falar. Não era de admirar que Yara tivesse hesitado tanto em me contar a história da minha família. Estava claro que aquela mulher não sabia nada sobre seu pai biológico.

– Sim. Talvez eu vá para Paris – concordei, tentando recobrar o equilíbrio.

– Bom. – Beatriz parecia satisfeita com a minha resposta. – E agora, Maia, receio que precisemos passar para assuntos mais sérios. Esta tarde, um tabelião virá me ver. Pretendo mudar meu testamento e deixar a maior parte dos meus bens para você, minha neta. Não é muito, infelizmente, apenas uma casa caindo aos pedaços, que precisa de uma reforma de centenas de milhares de reais. Dinheiro que você não tem, estou certa disso. É provável que você queira vendê-la, e gostaria que soubesse que não me importo nem um pouco se decidir fazer isso. Mas tenho uma condição: de que você deixe Yara morar lá até sua morte. Sei como ela está preocupada com o futuro e quero garantir que estará em segurança. E a Casa das Orquídeas é tanto o lar dela como foi o meu. Ela receberá uma herança, uma quantia em dinheiro que deve ser suficiente para o resto de sua vida. Mas, se não bastar e ela viver por mais tempo, confio em você para cuidar dela. Yara é minha melhor amiga, entende? Nós crescemos como irmãs.

– Claro que vou cuidar dela – falei, tentando conter as lágrimas.

– Tenho também algumas joias que pertenceram a mim e a sua bisavó. E a Fazenda Santa Tereza, a casa de infância da minha mãe. Dirijo uma pequena instituição de caridade que ajuda as mulheres das favelas. A instituição usa a fazenda como um lugar de refúgio para elas. Se você puder mantê-la em funcionamento, eu ficaria muito feliz.

– Claro que sim – murmurei, sentindo um nó na garganta. – Mas sinto que não mereço isso. Com certeza a senhora tem amigos, família...

– Maia! Como você pode dizer que não merece isso? – Beatriz não continha mais a emoção. – Sua mãe a abandonou quando você nasceu, negou-lhe o direito à sua família, que, devo acrescentar, um dia já foi muito importante aqui no Rio. Você é uma continuação da linhagem Aires Cabral e, embora o dinheiro não compense as perdas que sofreu, é o mínimo que posso fazer. E devo fazer – ressaltou.

– Obrigada.

Eu podia ver que ela estava ficando agitada e não queria perturbá-la ainda mais.

– Confio que você usará sua herança sabiamente – disse ela, e notei a mesma expressão de sofrimento do dia anterior.

– Devo chamar a enfermeira?

– Daqui a pouco. Mas, primeiro, Maia, antes que você se sinta tentada a se oferecer a ficar ao meu lado até o fim, vou lhe dizer com bastante firmeza que, depois de hoje, não gostaria que você viesse me visitar de novo. Sei o que me aguarda e não quero que veja meus últimos momentos, principalmente porque ainda está de luto pelo seu pai. Yara estará comigo, e preciso apenas dela.

– Mas, Beatriz...

– Sem mas, Maia. Sinto tanta dor que, mesmo tendo resistido até agora, esta tarde pedirei à enfermeira que me dê um pouco de morfina. E depois disso o fim virá rapidamente. Assim... – Beatriz forçou um sorriso –, fico apenas feliz por ter tido a sorte de compartilhar meus últimos momentos de lucidez com minha linda neta. E você *é* linda, minha querida Maia. Desejo tantas coisas boas para você no futuro. Mas, acima de tudo, desejo que você encontre o amor. É a única coisa que torna suportável a dor de estar viva. Por favor, lembre-se disso. Agora, por favor, chame a enfermeira.

Alguns minutos depois, abracei Beatriz e trocamos nossa última despedida. Quando saí do quarto, vi que suas pálpebras já se fechavam, e ela conseguiu acenar quase sem forças enquanto eu fechava a porta. Desabando no banco, coloquei a cabeça entre as mãos e chorei baixinho. Senti um braço em volta do meu ombro e vi que Yara tinha se sentado ao meu lado.

– Ela não sabe que é filha de Laurent Brouilly, não é?

– Não, Srta. Maia.

Yara pegou minha mão e ficamos ali juntas, lamentando a tragédia da situação.

Depois de anotar meu endereço, número de telefone e e-mail em um papel que Yara me deu, ela me levou até o carro que estava à minha espera.

– Adeus, senhorita. Fico feliz que tudo tenha se resolvido entre você e dona Beatriz antes que fosse tarde demais.

– Tudo graças a você, Yara. Beatriz tem muita sorte de tê-la como amiga.

– E eu de tê-la – disse Yara enquanto eu entrava no carro.

– Por favor, prometa que irá me avisar quando... – Não consegui completar.

– Claro. Agora, vá viver sua vida, senhorita. Como talvez tenha aprendido com a história da sua família, cada momento é precioso.

❀ ❀ ❀

Seguindo o conselho de Yara, de volta ao hotel verifiquei meus e-mails com muito mais ansiedade do que o normal. E abri um sorriso quando vi que Floriano tinha respondido. Paris era maravilhosa, dizia, mas ele precisava de uma intérprete para ajudá-lo com seu francês ruim.

Também descobri algo que você deveria ver, Maia.
Por favor, me diga quando vai chegar.

Ri sozinha ao ler isso, pois ele não me perguntava *se* eu iria, mas quando. Liguei para a recepção e perguntei se podiam verificar se havia lugar em algum voo do Rio para Paris. Retornaram dez minutos depois para me dizer que só havia um último lugar na primeira classe. Engoli em seco ao ouvir o preço da passagem, mas acabei pedindo que reservassem. E senti Pa Salt, Beatriz e Bel me encorajando.

Saí do hotel e voltei às barraquinhas na praça, onde comprei vários vestidos "inapropriados", que deixariam a antiga Maia horrorizada. Mas agora eu era uma nova Maia, que achava que, talvez, um homem a amava e queria agradá-lo e se sentir bonita.

Chega de me esconder, disse a mim mesma com firmeza. Comprei dois pares de sapatos de salto e fui até uma loja experimentar alguns perfumes, algo que não fazia havia anos. Depois comprei um novo batom vermelho.

Naquela noite, subi até o terraço do hotel para ver o Cristo ao pôr do sol uma última vez. Tomei uma taça de vinho branco gelado e agradeci a Ele e aos céus por me redescobrir.

E quando saí de carro na manhã seguinte com Pietro, olhei de novo para Ele, lá no alto do Corcovado, com a estranha certeza de que estaria de volta aos Seus braços muito em breve.

50

— *A*lô? – disse uma voz conhecida do outro lado da linha.

– Ma, sou eu, Maia.

– Maia! Como está, *chérie*? Parece que faz uma eternidade que não tenho notícias suas – acrescentou Marina, com um tom de reprovação na voz.

– Sim, sinto muito por não ter entrado em contato antes, Ma. Eu andei... ocupada – falei, tentando não rir quando a mão de Floriano subiu pela minha barriga nua. – Só queria lhe dizer que estarei em casa amanhã por volta da hora do chá. E que – engoli em seco antes de continuar – vou levar alguém comigo.

– Devo arrumar um dos quartos da casa, ou essa pessoa vai ficar com você no pavilhão?

– Ficará comigo no pavilhão. – Virei para Floriano e sorri.

– Ótimo – respondeu Marina, agora alegre. – Vocês vão jantar conosco?

– Não, por favor, não se preocupe. Eu ligo amanhã para dizer exatamente a hora em que Christian deve nos buscar.

– Espero seu telefonema. Até mais, *chérie*.

– Até mais.

Coloquei o telefone no gancho na mesa de cabeceira e me atirei de volta aos braços de Floriano, imaginando o que ele acharia da casa da minha infância.

– Você não deve ficar impressionado, nem achar que sou importante demais, nem nada assim. É só como minha vida sempre foi – expliquei.

– Querida – disse ele, dando um abraço apertado –, estou louco para ver como você vive agora, mas se lembre de que sei de onde você vem. Agora, no nosso último dia aqui em Paris, quero lhe mostrar algo muito especial.

– Nós temos mesmo que ir? – perguntei, encostando meu corpo no dele.

– Acho que sim... Em algum momento...

❋ ❋ ❋

Duas horas depois, nos vestimos, saímos do hotel e Floriano chamou um táxi. Com algum esforço, conseguiu informar ao motorista um endereço coerente em francês.

– Vamos a algum lugar perto da Champs-Élysées? – confirmei, tanto pelo motorista quanto por mim.

– Sim. Você duvida de mim e de minha destreza com meu novo idioma preferido? – perguntou ele, sorrindo.

– Não, claro que não – respondi. – Mas você tem certeza de que quis dizer um parque?

– Silêncio, Maia – disse ele, levando o dedo aos meus lábios –, e confie em mim.

E, de fato, descemos junto às grades de ferro de uma pequena área verde, perto da Avenue de Marigny. Floriano pagou ao motorista, pegou minha mão e entramos pelo portão, seguindo um caminho que nos levava ao centro do parque. Ali no meio havia uma linda fonte, e Floriano apontou para a estátua de bronze de uma mulher nua, reclinada, que ficava sobre ela. Acostumada às muitas imagens eróticas que havia por toda a cidade, virei para Floriano, sem entender.

– Olhe para ela, Maia, e me diga quem é.

Fiz como ele sugeriu e de repente eu a vi. Izabela, minha bisavó, nua e sensual, a cabeça jogada para trás de prazer, as mãos esticadas com as palmas viradas para o céu.

– Está vendo?

– Sim, estou – sussurrei.

– Então não será nenhuma surpresa para você eu ter descoberto que esta escultura é de ninguém menos que o professor Laurent Brouilly, seu bisavô. Com certeza, foi seu tributo silencioso ao amor por sua bisavó. E agora, Maia, olhe para as mãos dela.

Olhei, e notei as palmas das mãos e as pontas delicadas dos dedos. E sim, eu percebia.

– São muito menores, é claro, afinal, olhe o tamanho desta escultura, mas eu as comparei com as mãos do Cristo e estou convencido de que são idênticas. Vou lhe mostrar a evidência fotográfica mais tarde, mas, para mim, não há dúvida. Principalmente porque, segundo Izabela disse a Loen, foi neste parque o último encontro dela com Laurent aqui em Paris.

Olhei para Izabela e me perguntei como ela se sentiria se pudesse ver como tinha sido imortalizada mais uma vez: não mais a donzela inocente da primeira escultura, mas uma mulher esculpida de forma delicada e sensual por um homem que realmente a amava – e que, pelas mãos do destino, pudera conhecer e amar a filha que tinham concebido juntos.

Floriano passou um braço pelo meu ombro e por fim fomos embora.

– Maia, não estamos dizendo adeus aqui, como Bel e Laurent um dia fizeram. E você nunca deve achar que isso vai acontecer. Entende?

– Sim.

– Que bom, então podemos deixar Paris. E um dia – sussurrou ele em meu ouvido – escreverei um lindo livro em homenagem a *você*.

❁ ❁ ❁

Observei o rosto de Floriano enquanto atravessávamos o lago Léman em direção à minha casa. Embora eu tivesse a impressão de ter ficado fora por muitos meses, na verdade tinham se passado apenas três semanas. O lago estava cheio de pequenas embarcações, suas velas tremulando com a brisa como asas de anjos. O dia ainda estava bastante quente, apesar de já passar das seis da tarde, e o sol brilhava dourado em um céu azul sem nuvens. Quando vi as familiares árvores a distância, senti como se tivesse vivido outra vida inteira desde que saíra de Atlantis.

Christian levou o barco até o cais, atracou-o e nos ajudou a descer. Floriano tentou pegar nossa bagagem, mas Christian o impediu.

– Não, monsieur. Pode deixar que levo as malas para casa mais tarde.

– Meu Deus! – comentou ele enquanto cruzávamos os gramados. – Você é mesmo uma princesa voltando para seu castelo – provocou.

Na casa principal, apresentei Floriano para Marina, que fez o máximo para esconder sua surpresa com o fato de meu hóspede ser um homem, e não uma mulher. Então o levei para conhecer a casa e o jardim e, através de seus olhos, pude ver de novo a beleza do meu lar.

Quando o sol começou a se pôr atrás das montanhas do outro lado do lago, pegamos uma taça de vinho branco para mim e uma cerveja para Floriano, então o levei ao jardim secreto de Pa Salt, à beira d'água. Estávamos em julho e havia uma profusão de cores, cada planta e flor no auge de sua beleza. E isso me fez lembrar de um famoso jardim que eu visitara em algum lugar no sul da Inglaterra com Jenny e seus pais, tudo perfeito, os canteiros intricados ladeados por cerca vivas impecavelmente aparadas.

Então nos sentamos no banco de frente para o lago, sob a pérgula coberta de rosas lindas e perfumadas – o lugar onde tantas vezes eu havia encontrado meu pai perdido em pensamentos –, e brindamos.

– À sua última noite na Europa – falei, com um tremor na voz. – E ao sucesso do seu livro. Como já está em sexto na lista dos mais vendidos em sua primeira semana na França, é bem capaz de chegar ao primeiro lugar.

– Nunca se sabe. – Floriano deu de ombros, embora eu soubesse que estava maravilhado pela boa recepção da mídia e das livrarias francesas. – E, é claro, tudo devido a sua incrível tradução. O que é isso? – perguntou, apontando para o centro do terraço.

– É uma esfera armilar. Acho que lhe contei que apareceu no jardim logo depois que Pa Salt morreu. Tem os nomes de todas nós gravados nos aros e um conjunto de coordenadas para cada irmã. E uma inscrição em grego – expliquei.

Floriano levantou e se aproximou para observá-la melhor.

– Aqui está você. – Ele indicou um dos aros. – E o que diz sua inscrição?

– *Nunca deixe o medo decidir seu destino.* – Abri um sorriso irônico.

– Acho que seu pai a conhecia bem – disse ele, voltando sua atenção para a esfera armilar. – E este aro? Não há nada nele.

– Não. Pa nos deu os nomes das Sete Irmãs, mas, embora todas nós esperássemos a chegada de mais uma, isso nunca aconteceu. Então somos apenas seis. E agora – ponderei com tristeza –, infelizmente nunca haverá uma sétima.

– É um lindo presente de despedida que ele deixou às filhas. Seu pai deve ter sido um homem muito interessante – falou Floriano, sentando-se novamente ao meu lado.

– Ele era, mas, desde sua morte, percebi que eu e minhas irmãs sabíamos muito pouco sobre ele. Ele era um enigma – falei, dando de ombros. – E confesso que me pergunto o que ele estava fazendo no Brasil quando eu nasci. E por que *me* escolheu.

– Isso é um pouco como perguntar por que uma alma escolhe quem serão seus pais neste mundo, ou por que você foi escolhida para traduzir meu livro, que foi quando tudo começou para nós. A vida é aleatória, Maia, uma loteria.

– Talvez, mas você acredita em destino? – perguntei.

– Há um mês, eu quase certamente teria dito que não. Mas vou lhe contar um pequeno segredo – disse ele, pegando minha mão. – Pouco antes de conhecer você, era o aniversário de morte da minha esposa, e eu estava muito para baixo. Você sabe que, assim como você, eu estava sozinho havia muito tempo. Lembro-me de estar na beira do meu terraço, olhando para o Cristo e as estrelas no alto. Conversei com Andrea e pedi que ela me mandasse alguém que me desse uma razão para seguir adiante. No dia seguinte, meu editor me enviou seu e-mail, pedindo que cuidasse de você enquanto estivesse no Rio. Então, sim, Maia, acredito que você *foi* enviada para mim. E eu para você. – Ele apertou minha mão e em seguida, como sempre fazia quando as coisas pareciam sérias demais, procurou tornar o clima mais leve. – Mas, depois de ter visto como você vive, duvido que volte ao meu minúsculo apartamento tão cedo.

Quando voltamos para casa, Marina, apesar de eu ter dito para não se preocupar com o jantar, nos interceptou a caminho do pavilhão.

– Claudia fez *bouillabaisse* e deixou no forno na cozinha, caso vocês estejam com fome.

– Eu estou – disse Floriano, faminto. – Obrigado, Marina. Você vai se juntar a nós? – perguntou em um francês afetado.

– Não, obrigada, Floriano, eu já comi.

Então nos sentamos na cozinha, comendo a deliciosa *bouillabaisse*, de repente cientes de que aquele era nosso último jantar juntos. Como ele já prolongara sua estadia na Europa, após os avós de Valentina terem gentilmente concordado em ficar com ela por mais tempo, eu sabia que ele precisava voltar para sua filha. E eu... bem, eu não sabia bem o que ia fazer.

Depois do jantar, levei-o ao escritório de Pa para lhe mostrar a fotografia de meu pai com nós seis que eu mais gostava. E expliquei quem era cada uma das minhas irmãs.

– Vocês são todas tão diferentes – comentou. – E seu pai também era um homem muito bonito, não era? – acrescentou Floriano, devolvendo a foto à prateleira. Então algo chamou sua atenção. Ele ficou parado por alguns segundos observando fixamente. – Maia, você viu isso?

Ele me chamou e apontou para a estatueta na prateleira entre os tesouros pessoais de Pa Salt. Olhei para o objeto, percebendo por que havia chamado a atenção dele.

– Sim, muitas vezes, mas é só uma réplica do Cristo.

– Eu não teria tanta certeza... Posso pegá-la?

– Claro – respondi, me perguntando por que ele estava tão interessado em uma estatueta que era vendida aos milhares, por alguns reais, em qualquer loja de souvenir do Rio.

– Veja como foi primorosamente esculpida – disse ele, os dedos tocando os entalhes da túnica do Cristo. – E olhe aqui. – Ele apontou para a base, onde havia uma inscrição.

Landowski

– Maia – continuou, com os olhos repletos de genuína admiração. – Isto aqui não é uma réplica produzida em massa. Foi assinada pelo próprio escultor! Você não se lembra das cartas de Bel para Loen em que Heitor da Silva Costa pediu que Landowski fizesse várias versões em miniatura antes de chegarem ao projeto final? Dê uma olhada – disse ele, passando-me a estatueta, que peguei com todo o cuidado, surpresa com seu peso. Meus dedos traçaram a delicadeza dos contornos do rosto e das mãos do Cristo, e eu soube que Floriano estava certo, aquele era o trabalho de um mestre.

– Mas como Pa conseguiu isso? Talvez tenha comprado em um leilão... ou talvez tenha sido presente de um amigo... ou... eu realmente não sei – falei, sem conseguir pensar em nada, frustrada.

– Tudo isso é possível. Mas, além daquelas que estão com a família Landowski, as únicas duas outras estatuetas de que se tem notícia pertencem aos parentes de Heitor da Silva Costa. Teria que ser autenticada, é claro, mas que achado!

Notei nos olhos de Floriano um brilho de empolgação. Compreendi que ele via aquela descoberta pelos olhos de um historiador, enquanto eu apenas tentava entender como aquilo fora parar com meu pai.

– Sinto muito, Maia, eu me deixei levar – desculpou-se Floriano –, e tenho certeza de que você vai querer guardá-la, de qualquer maneira. Será que alguém se importaria se levássemos a estatueta conosco para o pavilhão só por esta noite? Gostaria de ter o privilégio de admirá-la um pouco mais.

– Claro que podemos levar. Tudo nesta casa pertence a nós seis agora, e duvido que as outras se importariam.

– Então vamos para a cama – sussurrou, estendendo a mão para acariciar meu rosto delicadamente.

❀ ❀ ❀

Dormi mal naquela noite, triste ao pensar que Floriano iria embora no dia seguinte. Havia jurado para mim mesma que daria um passo de cada vez em nosso relacionamento, mas, à medida que as horas passavam em direção ao amanhecer, percebi que isso não era possível. Virei para o lado e vi Floriano dormindo tranquilamente. E então pensei que, quando ele fosse embora de Atlantis, minha vida ali voltaria a ser exatamente como era antes de eu ir para o Rio.

Floriano e eu mal tínhamos falado sobre o futuro, e com certeza não discutimos planos concretos. Mesmo eu sabendo que ele *realmente* sentia algo por mim, como me dizia tantas vezes quando fazíamos amor, ainda estávamos muito no começo do relacionamento. E, considerando que morávamos em continentes distantes, eu tinha de aceitar que provavelmente aquilo tudo acabaria esfriando e não passaria de uma linda lembrança.

Agradeci a Deus quando o alarme tocou e a longa noite finalmente chegou ao fim. Pulei da cama imediatamente e fui tomar banho enquanto Floriano cochilava, temendo escutar as palavras reconfortantes e vazias que ele diria em nossa despedida iminente. Eu me vesti rapidamente e avisei que estava indo para a cozinha preparar o café da manhã, já que Christian estaria à espera dele na lancha em vinte minutos. Quando ele apareceu na cozinha alguns minutos depois, saí depressa, dizendo que tinha de ir à casa principal e que o veria no cais em dez minutos.

– Maia, por favor... – ouvi Floriano chamar, mas eu já havia saído e caminhava rápido em direção à casa.

Incapaz de enfrentar Marina ou Claudia, me tranquei no lavabo do andar de baixo, desejando que os minutos passassem depressa para que o momento da sua partida acabasse logo. Faltando apenas alguns segundos para a lancha zarpar, saí do lavabo, abri a porta da frente e atravessei o gramado, vendo Floriano no cais conversando com Marina.

– Onde você estava, *chérie*? Seu amigo tem que embarcar imediatamente para não perder o voo. – Marina me lançou um olhar curioso antes de voltar sua atenção para Floriano. – Foi um prazer conhecê-lo e espero vê-lo de novo em Atlantis em breve. Agora vou deixar vocês dois a sós para se despedirem.

– Maia – disse Floriano quando Marina nos deixou. – O que houve? Qual é o problema?

– Nada, nada… Christian está à sua espera. É melhor você ir.

Ele abriu a boca para falar algo, mas, sem dar tempo para ele, comecei a andar à sua frente ao longo do cais em direção à lancha, e Floriano não teve opção a não ser me seguir. Christian o ajudou a subir e ligou o motor.

– Adeus, Maia – disse Floriano, com os olhos cheios de tristeza.

A lancha começou a se afastar do cais e o ruído dos motores ficou mais alto.

– Vou escrever para você! – gritou para se fazer ouvir em meio ao barulho.

Então ele disse alguma outra coisa que não entendi enquanto a lancha acelerava para longe de Atlantis. E de mim.

Caminhei arrasada de volta para casa, repreendendo-me pelo comportamento infantil. Eu era uma mulher adulta, pelo amor de Deus, e devia ser capaz de lidar com uma separação que eu sabia desde o início que seria inevitável. Racionalmente, eu tinha consciência de que era uma reação previsível, considerando o meu passado e a dor da separação de Zed que ainda queimava como brasa em meu inconsciente, mesmo após todos aqueles anos.

Marina esperava por mim em frente ao pavilhão, com os braços cruzados e a testa franzida.

– O que foi aquilo, Maia? Vocês dois brigaram? Floriano parecia um rapaz tão bom. Você nem se despediu direito. Nenhum de nós sabia onde você estava.

– Eu tinha… algo a fazer. Me desculpe. – Então encolhi os ombros, me sentindo como uma adolescente petulante sendo repreendida por seu mau comportamento. – A propósito, vou a Genebra conversar com Georg Hoffman. Você precisa de algo? – perguntei, mudando de assunto.

Marina olhou para mim, e notei algo que parecia desespero em seus olhos.

– Não, obrigada, querida. Não preciso de nada.

Ela se afastou, e me senti tão ridícula quanto sabia que meu comportamento tinha sido.

❀ ❀ ❀

O escritório de Georg Hoffman ficava no distrito comercial de Genebra, perto da Rue Jean-Petitot. Sua sala era elegante e moderna, com enormes janelas que proporcionavam uma vista aérea do porto a distância.

– Maia – disse ele, levantando de sua mesa para me cumprimentar. – Que surpresa agradável. – Ele sorriu e me levou até um sofá de couro preto, em que nos sentamos. – Soube que você viajou.

– Sim. Quem lhe contou?

– Marina, é claro. Agora, o que posso fazer por você? – perguntou.

– Bem... – Pigarreei. – São duas coisas, na verdade.

– Certo. – Georg juntou as mãos. – Pode falar.

– Você tem alguma ideia de como Pa Salt me escolheu como primeira filha adotiva?

– Minha nossa, Maia. – Notei que ele ficou surpreso. – Sinto muito, mas eu era só o advogado do seu pai, não seu confidente.

– Mas pensei que vocês dois fossem amigos...

– Sim, nós éramos, eu acho, pelo menos do meu ponto de vista. Mas, como você sabe, seu pai era muito reservado. E, por mais que eu goste de pensar que ele me considerava uma pessoa de confiança, no fim das contas eu era antes de tudo seu funcionário, e não cabia a mim questioná-lo. A primeira vez que soube de você foi quando ele me pediu que registrasse sua adoção junto às autoridades suíças e preenchesse os formulários necessários para seu primeiro passaporte.

– Então você não tem ideia de qual era a ligação que ele tinha com o Brasil? – insisti.

– Em um nível pessoal, não. Embora ele tivesse alguns interesses empresariais lá, é claro. Mas tinha interesses semelhantes em muitos outros lugares do mundo – esclareceu Georg. – Receio que não possa ajudá-la com isso.

Desapontada, mas não completamente surpresa com sua resposta, segui com as perguntas.

– Quando estive no Brasil, graças às pistas que Pa me deixou, conheci minha avó, que infelizmente faleceu há alguns dias. Ela me disse que, quando meu pai apareceu para me adotar, estava acompanhado de uma mulher. No orfanato imaginaram que a mulher fosse esposa dele. Ele era casado?

– Não, pelo menos até onde eu sei.

– Então essa mulher podia ser uma namorada que ele tinha na época?

– Maia, me perdoe, mas realmente não sei nada sobre a vida particular de seu pai. Lamento não poder ajudá-la mais. Agora, qual era o outro assunto que você queria conversar comigo?

Como estava claro que eu não conseguiria chegar a lugar nenhum, me rendi à conclusão inevitável de que nunca saberia todos os detalhes da minha adoção. Então respirei fundo antes de explicar o que mais precisava.

– Falei agora há pouco que minha avó materna morreu recentemente. Ela me deixou duas propriedades no Brasil e uma pequena quantia em dinheiro em seu testamento.

– Entendo. E gostaria que eu cuidasse de tudo para você durante o processo de inventário?

– Sim, mas, na verdade, o mais importante é que também quero fazer um testamento. E deixar as propriedades para um... parente.

– Sei. Bem, isso não é um problema. E é algo que recomendo a todos os meus clientes, não importa a idade. Se escrever uma lista dizendo a quem exatamente gostaria de deixar seus bens, incluindo qualquer coisa que queira dar a amigos, ou quem quer que seja, posso passar tudo para a linguagem jurídica.

– Obrigada. – Hesitei por um instante, tentando pensar como poderia explicar melhor o que eu pretendia dizer. – Eu também queria lhe perguntar se é muito difícil para pais que tenham entregado seus bebês para adoção encontrarem seus filhos.

Georg me observou, pensativo, mas não parecia nem um pouco surpreso com a pergunta.

– Extremamente difícil. Para o pai, quer dizer – esclareceu. – Como você pode imaginar, uma criança que é adotada, principalmente quando muito nova, precisa se sentir segura e adaptada. As autoridades que trabalham com adoção não podem correr o risco de os pais biológicos se arrependerem da decisão e se apresentarem à criança. Você pode imaginar como isso seria ruim. E evidentemente, para os pais adotivos, que passaram a amar a criança como se fosse sua, o reaparecimento da mãe ou do pai biológico seria angustiante, a menos que eles tenham concordado com isso antes. No entanto, se a criança adotada, como você, quiser procurar os pais biológicos quando já tiver idade legal para isso, então a história é diferente.

Ouvi atentamente o que Georg me dizia.

– Então, se uma criança adotada quiser procurar sua mãe ou seu pai biológico, aonde ela deveria ir?

– Ela deve procurar as autoridades de adoção. Atualmente, pelo menos aqui na Suíça, tudo relacionado a isso fica muito bem registrado. Era lá que ele iria. Quer dizer – corrigiu-se Georg imediatamente –, é por lá que qualquer criança adotada deveria começar.

Vi um leve rubor em seu rosto pálido. E, naquele momento, percebi que ele sabia.

– Então, se um pai biológico quisesse, por exemplo, fazer um testamento e deixar algo para a criança que colocou para adoção, o que deveria fazer?

Georg ficou em silêncio, pensativo, como se procurasse com cuidado as palavras.

– Um advogado seguiria o mesmo caminho de qualquer criança adotada. Ele iria às autoridades de adoção e explicaria a situação. Então, se esse filho já tivesse mais de 16 anos, eles entrariam em contato com a criança, ou, devo dizer, com o jovem em questão.

– E se a criança não tiver mais de 16 anos?

– Então as autoridades entrariam em contato com os pais adotivos, que têm o direito de decidir se seria bom para seu filho tomar conhecimento da herança naquele momento.

– Entendo. – Assenti, sentindo-me estranhamente no controle. – E, se as autoridades de adoção não conseguissem localizar a criança e um advogado tivesse de usar meios menos… *convencionais* para encontrá-la, isso seria fácil?

Georg olhou para mim. E, naquele momento, seus olhos me disseram tudo o que suas palavras não podiam expressar.

– Para um advogado competente, Maia, isso seria fácil, muito fácil mesmo.

❁ ❁ ❁

Eu disse a Georg que faria o que ele sugeriu e escreveria um testamento. Também falei que lhe mandaria uma carta, que ele deveria guardar e entregar a uma agência de adoção, ou a algum rapaz com a data de nascimento que eu lhe informaria caso ele entrasse em contato. Depois deixei seu escritório.

Do lado de fora, sem querer ir para casa antes de digerir o que eu acabara de descobrir, sentei à mesa de um café com vista para o lago e pedi uma cerveja. Eu não gostava muito de cerveja, mas, de alguma forma, quando levei a garrafa à boca, recusando o copo que a garçonete trouxera, o gosto me fez lembrar do Rio e isso me reconfortou.

Se Georg sabia sobre meu filho, então Pa Salt com certeza também sabia. Lembrei-me das palavras que tinham me perturbado e me desestabilizado tanto na carta de despedida que deixara para mim.

Por favor, acredite em mim quando digo que a família é tudo. E que o amor de um pai ou uma mãe por um filho é a força mais poderosa na Terra.

Enquanto tomava minha cerveja ao sol, pensei que poderia voltar ao escritório de Georg e confrontá-lo. Pedir a ele que me dissesse exatamente quem havia adotado meu filho e onde ele estava. Mas eu também sabia que o que Floriano me dissera fazia sentido. Por mais que eu quisesse dizer ao meu amado filho por que o dera para adoção, e com isso alcançar alguma forma de redenção, aquela era uma necessidade puramente egoísta.

Uma súbita explosão de raiva tomou conta de mim quando pensei na mão invisível e todo-poderosa de Pa Salt, que ainda parecia controlar minha vida, mesmo depois de morto. E talvez, percebi, a do meu filho também.

Que direito ele tinha de saber coisas sobre mim que nem mesmo *eu* sabia?

No entanto, assim como aqueles que vão orar diante da imagem de um poder invisível em que confiam implicitamente – puramente por instinto e sem evidências para provar nada –, também me sentia reconfortada pela onipotência de Pa Salt. Se meu pai sabia – e a culpa nos olhos de Georg após seu deslize me confirmava isso –, então eu tinha certeza de que meu filho estava bem, onde quer que estivesse.

Em nosso relacionamento, a falta de confiança não partira de meu pai. Partira de mim. Eu podia ver claramente agora que ele também compreendera por que eu decidira não confiar nele e ele havia aceitado. Pa me permitira fazer minha escolha, que – devo admitir – não fora motivada apenas pelo medo de sua reação. Mas por minha causa também. Aos 19 anos, experimentando a liberdade pela primeira vez, com um futuro brilhante à minha frente, como eu tinha certeza na época, a última coisa que eu queria era a responsabilidade de criar uma criança sozinha. E talvez, pensei, se eu tivesse procurado Pa, contado tudo e conversado com ele sobre as opções, eu tivesse chegado à mesma conclusão.

Pensei, então, em minha mãe. Quase a mesma idade, em um dilema parecido, ainda que em uma época diferente.

– Eu perdoo você – falei de repente. – Obrigada – acrescentei, sabendo que, independentemente de suas motivações, sua decisão tinha sido a melhor *para mim*, sua filha.

Meus pensamentos voltaram mais uma vez para Pa Salt. Dei uma risada imaginando que ele mesmo teria entrevistado os futuros pais adotivos, algo que não era impossível vindo dele.

Talvez ele tivesse feito isso, talvez não, mas naquele momento, enquanto tomava minha cerveja, me senti em paz pela primeira vez desde que meu bebê nascera, havia 13 anos.

E então percebi que, ao entregar meu passado a mim, Pa Salt provavelmente me oferecera também meu futuro. Estremeci ao me lembrar de meu comportamento com Floriano naquela manhã.

Maia, o que você fez?

Liguei para Christian do celular e pedi que ele me encontrasse no porto em quinze minutos. Enquanto caminhava pelas ruas agitadas de Genebra, ansiava pelo ambiente descontraído do Rio. As pessoas trabalhavam, se divertiam e também respeitavam o que não podiam mudar ou compreender. E, se eu tivesse prejudicado meu futuro, deixando que os velhos medos me dominassem, deveria aceitar a responsabilidade por isso.

Pois, ao embarcar na lancha, eu sabia que, embora a minha vida tivesse sido moldada por acontecimentos além do meu controle, tinha sido *eu* quem havia escolhido a maneira de reagir a eles.

Uma figura muito familiar, mas ao mesmo tempo inesperada, me cumprimentou no cais quando Christian chegou com a lancha em Atlantis.

– Surpresa! – disse ela, abrindo os braços para me receber enquanto eu descia do barco.

– Ally! O que você está fazendo aqui?

– Por mais estranho que pareça, esta também é a minha casa – disse ela, sorrindo, e caminhamos de braços dados até a construção principal.

– Eu sei, mas não estava esperando você aparecer.

– Eu tinha alguns dias de folga, então pensei em vir ver como estava Ma enquanto você viajava. Imagino que esteja sendo difícil para ela, também, desde que Pa morreu.

Imediatamente, me senti culpada pelo meu egoísmo. Eu não ligara para Ma uma vez sequer enquanto estava no Rio. E não falara muito mais do que um "olá" desde que eu tinha chegado no dia anterior.

– Você está maravilhosa, Maia! Ouvi dizer que andou ocupada. – Ally me cutucou carinhosamente. – Ma me contou que você trouxe um convidado ontem à noite. Quem é ele?

– Só alguém que eu conheci no Rio.

– Bem, vamos pegar algo gelado para beber e então você me conta tudo.

Sentamos à mesa da varanda, aproveitando o sol. Depois de alguns minutos em sua companhia tranquila, minhas costumeiras reservas com relação a minha irmã "perfeita" diminuíram, e comecei a relaxar e contar o que havia acontecido no Brasil.

– Uau! – exclamou ela quando parei para respirar um pouco e tomar um gole da limonada que Claudia sabia que adorávamos. – Que aventura você viveu! E você foi tão corajosa de ir até lá descobrir sobre seu passado. Para começar, não sei bem como reagiria ao descobrir por que fui colocada para adoção, mesmo com a sorte de ter Pa Salt e todas vocês na minha vida depois. Você sofreu quando sua avó lhe contou sobre sua mãe? – perguntou ela.

– Sim, claro, mas eu entendi. E, Ally, tem mais uma coisa que eu queria contar a você. Que talvez devesse ter contado há muito tempo...

Então falei sobre a gravidez e como foi difícil decidir entregar meu filho para adoção. Ally parecia sinceramente espantada e vi lágrimas surgirem em seus olhos.

– Maia, que terrível você ter tido que passar por isso tudo sozinha. Por que não me contou, caramba? Eu sou sua irmã! Sempre achei que fôssemos próximas. Eu teria dado força a você, teria mesmo.

– Eu sei, Ally, mas você tinha só 16 anos na época. Além do mais, eu estava envergonhada.

– Que peso você teve que carregar! – disse ela, com um suspiro. – A propósito, se você não se importa que eu pergunte, quem era o pai?

– Ah, ninguém que você conheça. Um cara que conheci na universidade chamado Zed.

– Zed Eszu?

– Isso. Você talvez tenha visto o nome dele no jornal. O pai dele era o magnata que se suicidou.

– E cujo iate eu vi perto do de Pa naquele dia horrível em que soube da morte dele, se você bem se lembra. – Ally estremeceu.

– Claro – respondi, tendo esquecido completamente desse detalhe no turbilhão das últimas três semanas. – Por ironia, foi Zed que, sem perceber, me forçou a embarcar no avião para o Rio de Janeiro quando eu ainda estava decidindo se ia ou não. Depois de catorze anos de silêncio, ele me deixou uma mensagem de voz do nada, dizendo que viria à Suíça e perguntando se a gente poderia se encontrar.

Ally olhou para mim de forma estranha.

– Ele queria encontrar *você*?

– Sim. Disse que tinha ficado sabendo da morte de Pa e sugeriu que talvez a gente pudesse consolar um ao outro. Se havia algo que me faria sair correndo da Suíça, era isso.

– Zed sabia que era o pai do seu filho?

– Não. E, se soubesse, duvido que tivesse se importado.

– Eu acho que definitivamente foi melhor para você se livrar dele – disse Ally, sombria.

– Então você o conhece?

– Não pessoalmente. Mas eu tenho um… amigo que conhece. Enfim – disse ela, tentando se recuperar –, pelo visto embarcar nesse avião foi a melhor coisa que você já fez. Mas você ainda não me contou sobre esse brasileiro lindo que trouxe para cá. Acho que Ma ficou caidinha por ele. Quando cheguei, ela não conseguia falar em outra coisa. Ele é escritor?

– Sim. Eu traduzi o primeiro romance dele. O livro foi lançado em Paris na semana passada e recebeu ótimas críticas.

– Você estava lá com ele?

– Sim.

– E?

– Eu… gosto muito dele.

– Marina disse que ele gosta de você também. Muito – enfatizou Ally. – Então, o que vocês vão fazer agora?

– Eu não sei. Não fizemos nenhum plano para o futuro. Ele tem uma filha de 6 anos e mora no Rio, e eu estou aqui... Enfim, e como você está, Ally? – perguntei, sem querer falar mais sobre Floriano.

– Velejar está indo bem, e me chamaram para participar da Regata Fastnet no mês que vem. Além disso, o treinador da equipe suíça quer me testar. Se eu passar, isso significaria que vou treinar a partir do outono com o restante da equipe para as Olimpíadas do ano que vem, em Pequim.

– Ally! Que maravilha! Me avise sobre o resultado, está bem?

– Claro.

Ia fazer outras perguntas, mas Marina apareceu na varanda:

– Maia, *chérie*, eu só soube que você estava em casa quando encontrei Claudia agora há pouco. Christian deixou isto mais cedo para você e infelizmente esqueci de lhe entregar.

Marina me passou um envelope e logo reconheci a caligrafia de Floriano.

– Obrigada, Ma.

– Vocês vão querer jantar? – perguntou.

– Se tiver comida, claro. Maia? – Ally olhou para mim. – Você me faz companhia? É tão raro termos uma chance de pôr a conversa em dia.

– Faço, claro – respondi, me levantando. – Mas, se você não se importar, vou dar um pulinho no pavilhão antes.

As duas olharam para mim e para a carta, entendendo minha intenção.

– Nos vemos mais tarde então, *chérie* – disse Marina.

Já no pavilhão, abri o envelope com mãos trêmulas. Dentro havia uma folha de papel que parecia ter sido arrancada de um bloco às pressas.

No barco
Lago Léman
13 de julho de 2007

Mon amour Maia,

Escrevo para você em meu francês ruim, e, embora eu não consiga ser poético nesta língua como Laurent Brouilly foi com Izabela, o sentimento por trás das palavras é o mesmo. (E perdoe-me pela letra, a lancha balança muito na água.) Chérie, compreendi sua aflição esta manhã e queria confortá-la, mas talvez você ainda não consiga confiar em mim o bastante. Então vou lhe dizer por escrito que a amo. E, mesmo tendo passado tão pouco tempo ao seu lado, acredito que nossa história esteja apenas começando. Se você tivesse ficado comigo por mais tempo esta manhã antes da minha partida, eu teria lhe dito que desejo mais do que tudo que você venha ficar no Rio comigo. Para que a gente possa comer caldo de feijão queimado, tomar vinhos intragáveis e sambar juntos todas as noites de nossas vidas. Sei que é pedir muito quando falo para você deixar sua vida em Genebra e vir morar comigo. Mas, assim como Izabela, eu também tenho uma filha em quem pensar. E Valentina precisa de sua família por perto. Pelo menos por enquanto.

Vou deixar você pensar, pois sei que é uma grande decisão. Mas agradeceria se pudesse acabar logo com esse meu sofrimento. Esta noite é tempo demais para esperar, mas, dadas as circunstâncias, é um prazo aceitável.

Além disso, envio aqui o ladrilho de pedra-sabão. Meu amigo do museu finalmente conseguiu decifrar a citação que Izabela escreveu para Laurent.

O amor não conhece a distância;
Não tem continente;
Seus olhos são para as estrelas.

Adeus, por enquanto. Espero notícias suas.
Beijos,
Floriano

Ally

Julho de 2007
Lua nova
12; 04; 53

51

arina e eu nos despedimos de Maia com acenos e beijos quando ela foi embora de Atlantis. Ela levava duas malas abarrotadas de seus bens mais preciosos. E *trezentos* saquinhos de chá preto inglês Twinings, que ela dizia serem impossíveis de se encontrar no Rio. Mesmo nos garantindo que voltaria em breve, de alguma forma sabíamos que isso não aconteceria. E ficamos emocionadas ao ver minha irmã mais velha sumir de vista para começar sua nova vida.

– Estou tão feliz por ela – disse Marina, enxugando discretamente os olhos quando nos viramos para voltar para a casa. – Floriano é um homem maravilhoso, e Maia me disse que a filha dele também é um amor.

– Parece que ela já encontrou uma família prontinha – comentei. – Talvez isso compense um pouco o que ela perdeu.

Marina me lançou um olhar quando entramos em casa.

– Maia lhe contou?

– Sim, ontem. E admito que fiquei chocada. Não tanto pelo que aconteceu, mas por ela ter mantido segredo durante todos esses anos. Para falar a verdade, de uma maneira meio egoísta, fiquei até um pouco magoada por ela não ter confiado em mim para contar seu segredo. Então você sabia, não? – perguntei a Ma enquanto a seguia até a cozinha.

– Sim, *chérie*, fui eu que a ajudei. De qualquer forma, o que está feito está feito. E Maia finalmente encontrou sua própria vida. Para ser sincera – admitiu Marina, colocando a água para ferver –, às vezes eu temia que isso nunca fosse acontecer.

– Acho que todas nós. Lembro que ela era tão alegre e animada quando mais jovem, mas de repente pareceu mudar da noite para o dia. Fui visitá-la uma vez, quando ela voltou para seu terceiro ano na Sorbonne. Ela parecia tão quieta… e fechada – falei, suspirando. – Foi um fim de semana muito chato, porque Maia não queria ir a lugar nenhum, e eu tinha 16 anos e estava em Paris pela primeira vez. Agora entendo por quê. Você sabe como eu a idolatrava quando era mais nova. Fiquei mesmo chateada em ver que ela se afastava.

– Acho que ela se afastou de todas nós – disse Marina, me reconfortando. – Mas, se alguém pode trazê-la de volta, além de ensiná-la a confiar mais nas pessoas, é aquele rapaz que ela encontrou. Chá? Ou alguma coisa gelada?

– Pode ser uma água, obrigada. Sinceramente, Ma, acho que você tem uma queda pelo Floriano! – falei de brincadeira quando ela me deu um copo d'água.

– Bem, ele com certeza é muito atraente – concordou Marina sem malícia.

– Mal posso esperar para conhecê-lo. Mas, agora que Maia foi embora, o que você vai fazer aqui?

– Ah, não se preocupe, eu tenho várias coisas para me manter ocupada. É incrível como vocês voltam várias vezes para o ninho. Normalmente, sem avisar. – Ela sorriu para mim. – Estrela esteve aqui semana passada, aliás.

– Sério? Sem Ceci?

– Sim. – Marina diplomaticamente evitou falar mais a respeito. – Mas sabe que é um prazer ter qualquer uma de vocês aqui em casa comigo.

– Isso aqui fica tão diferente sem o Pa – falei de repente.

– Sim, claro. Mas pode imaginar como ele ficaria orgulhoso em ver o que você vai fazer amanhã? Sabe quanto ele adorava velejar.

– Sim – concordei, sorrindo tristemente. – Mudando de assunto, você obviamente sabe que o pai do filho de Maia é Zed, o filho de Kreeg Eszu?

– Sim, eu sei. Bem, vou pedir a Claudia que sirva o jantar às sete – disse Marina, evitando o assunto. – Sei que você precisa acordar cedo amanhã.

– Sim, preciso dar uma olhada nos meus e-mails. Tem problema se eu usar o escritório de Pa?

– Claro que não. Lembre-se: esta casa agora é sua e das suas irmãs – disse Marina com um sorriso.

Fui buscar meu laptop no quarto, desci as escadas, abri a porta do escritório do meu pai e, pela primeira vez na minha vida, sentei, hesitante, na cadeira de Pa Salt. Meu olhar vagou pelo escritório enquanto meu laptop ligava, absorvendo a profusão de objetos que Pa tinha nas estantes.

O laptop então decidiu avisar que precisava ser reiniciado, de modo que, enquanto aguardava, levantei e fui até o aparelho de CD de Pa. Todo mundo tinha tentado fazê-lo evoluir para um iPod, mas, embora ele tivesse um monte de computadores e equipamentos eletrônicos sofisticados no escritório, dizia que era velho demais para mudar e preferia "ver de forma concreta" a música que desejava pôr para tocar. Quando liguei o aparelho, fascinada ao pensar que ia descobrir a última música que Pa Salt tinha escutado, o recinto de repente foi tomado pelos lindos compassos iniciais do "Amanhecer", da suíte *Peer Gynt*, de Grieg.

Fiquei paralisada onde estava, e uma onda de lembranças me inundou. Aquela era a obra para orquestra preferida de Pa, e ele muitas vezes havia me pedido que tocasse os compassos de abertura para ele na flauta. Aquela se tornara a música-tema da minha infância, e escutá-la me fez pensar em todos os gloriosos poentes que havíamos admirado juntos quando ele me levava até o lago para me ensinar pacientemente a velejar.

Quanta saudade...

E não era só dele que eu estava com saudade. Por instinto, enquanto a música saía dos alto-falantes embutidos e preenchia o recinto com sua gloriosa sonoridade, peguei o telefone na escrivaninha para fazer uma ligação.

Quando levei o fone ao ouvido, prestes a digitar o número, percebi que havia alguém na linha.

O choque de ouvir o timbre conhecido da voz que havia me reconfortado desde a infância me forçou a interromper a conversa.

– Alô?! – falei, e estendi a mão às pressas para desligar o aparelho de CD, para ter certeza absoluta de que era ele.

Mas a voz do outro lado havia se transformado em um bipe monótono, então percebi que ele havia desligado.

Agradecimentos

Em primeiro lugar, gostaria de agradecer a Milla e Fernando Baracchini e a seu filho, Gui, porque foi à mesa de jantar da família, em Ribeirão Preto, que tive a ideia de escrever uma história ambientada no Brasil. E à incrível Maria Izabel Seabra de Noronha, bisneta de Heitor da Silva Costa, arquiteto e engenheiro do Cristo Redentor, por tão generosamente compartilhar seu tempo e seu conhecimento, bem como seu documentário *De braços abertos*. E depois por dispor de seu tempo para ler o manuscrito e verificar se todos os detalhes estavam corretos. No entanto, esta é uma obra de ficção, construída em torno de figuras históricas reais. E minha representação tanto de Paul Landowski quanto da família Da Silva Costa e de seus funcionários foi feita com base em minha imaginação, e não na realidade. A Valeria e Luiz Augusto Ribeiro, por me oferecerem sua fazenda no alto das montanhas no estado do Rio para eu escrever – eu não queria ir embora nunca –, e especialmente a Vania e Ivonne Silva, pelo bolo de libra e muito mais. A Suzanna Perl, a guia paciente que me mostrou o Rio e sua história, a Pietro e Eduardo, nossos adoráveis motoristas, a Carla Ortelli, por sua magnífica organização – nada nunca era um trabalho –, e a Andrea Ferreira, por estar do outro da linha sempre que eu precisava que traduzisse algo para mim.

Também gostaria de agradecer a todos os meus editores pelo apoio e pelo encorajamento quando disse que escreveria uma série de sete livros baseados nas Sete Irmãs das Plêiades. Em especial a Jez Trevathan e Catherine Richards, Georg Reuchlein e Claudia Negele, Peter Borland e Judith Curr, Knut Gørvell, Jorid Mathiassen e Pip Hallén.

A Valérie Brochand, minha vizinha no Sul da França, que tão gentilmente foi ao museu Landowski para mim em Boulogne-Billancourt e tirou centenas de fotos, e a Adriana Hunter, que traduziu a enorme biografia de Landowski e destacou os fatos mais importantes. A David Harber e sua equipe, que me ajudaram a entender o funcionamento da esfera armilar.

A minha mãe, Janet, sempre solidária, a minha irmã, Georgia, e seu filho Rafe, que, aos 9 anos, escolheu *A rosa da meia-noite* como seu livro de leitura na escola! A Rita Kalagate, por me dizer que eu *iria* ao Brasil uma noite antes de eu ser convidada pela minha editora, e a Izabel Latter, por me ajudar em Norfolk e me ouvir resmungar enquanto delicadamente cuidava de um corpo dolorido que voou milhares de quilômetros ao redor do mundo ou ficou debruçado sobre um manuscrito dias e noites.

A Susan Moss, minha melhor amiga da vida inteira e agora parceira no crime por me ajudar com o manuscrito, a Jacquelyn Heslop, minha "irmã" em outra vida, e a minha assistente, Olivia Riley, que milagrosamente consegue decifrar minhas anotações e me apresentou ao conceito da esfera armilar.

Era uma noite estrelada no início de janeiro de 2013 quando tive a ideia de escrever uma alegoria sobre essas sete irmãs míticas. Reuni a família e nos sentamos junto à lareira, enquanto, transbordando de emoção, eu tentava explicar o que pretendia fazer. Para minha alegria e minha surpresa, nenhum deles disse que eu estava louca – embora eu deva ter parecido na época, quando as ideias começaram a surgir. Por isso, é a eles que devo o maior agradecimento pelo que aconteceu desde então. Meu querido marido e agente, Stephen – este último ano foi uma emocionante jornada, e nós dois aprendemos muito. E meus filhos fantásticos: Harry, que faz todos os meus maravilhosos filmes; Leonora, que teve a ideia do primeiro anagrama – "Pa Salt"; Kit, meu filho mais novo, que sempre me faz rir; e, claro, Isabella Rose, minha incrível e "eletrizante bebê" de 18 anos, a quem este livro foi apropriadamente dedicado.

Bibliografia

As Sete Irmãs é uma obra de ficção com fundo histórico e mitológico. As fontes usadas para pesquisar a época e os detalhes das vidas dos personagens estão listadas abaixo.

ANDREWS, Munya. *The Seven Sisters of the Pleiades*. Melbourne: Spinifex Press, 2004.

FRANCK, Dan. *Bohemian Paris*. Nova York: Grove Press, 2001.

GRAVES, Robert. *O grande livro dos mitos gregos*. Rio de Janeiro: Ediouro, 2008.

_____. *A deusa branca*. Rio de Janeiro: Bertrand Brasil, 2003.

LEFRANÇOIS, Michèle. *Paul Landowski: L'Oeuvre sculpté*. Paris: Crèaphis Éditions, 2009.

NEEDELL, Jeffrey D. *Belle Époque tropical*. São Paulo: Cia. das Letras, 1993.

NORONHA, Maria Izabel. *De braços abertos* (documentário), 2008.

_____. *Redentor: De braços abertos*. Rio de Janeiro: Réptil Editora, 2011.

ROBB, Peter. *A Death in Brazil*. Londres: Bloomsbury, 2005.

SPIVEY, Nigel. *Songs of Bronze*. Londres: Faber and Faber, 2005.

CONHEÇA OS LIVROS DE LUCINDA RILEY

A garota italiana
A árvore dos anjos
O segredo de Helena
A casa das orquídeas
A carta secreta
A garota do penhasco
A sala das borboletas
A rosa da meia-noite
Morte no internato
A luz através da janela
Beleza oculta

Série As Sete Irmãs
As Sete Irmãs
A irmã da tempestade
A irmã da sombra
A irmã da pérola
A irmã da lua
A irmã do sol
A irmã desaparecida
Atlas

Para descobrir mais sobre as inspirações da série, incluindo mitologia grega, a constelação das Plêiades e esferas armilares, confira o site de Lucinda em português:

http://br.lucindariley.co.uk/

Na página você também encontrará informações sobre fatos históricos e pessoas reais que aparecem neste livro, como a construção do Cristo Redentor e o escultor Paul Landowski.

editoraarqueiro.com.br